HILF DIR SELBST

DR. MED. ULF BÖHMIG

NATUR-HEIL-PRAXIS

GESUND OHNE MEDIKAMENTE

FÜR ZU HAUSE

Orac

Zeichnungen: Gerti Gnan

ISBN: 3-7015-0135-1
Copyright © 1988 by Verlag Orac GesmbH und Co KG, Wien
Alle Rechte vorbehalten
Lektorat: Leo Mazakarini
Schutzumschlag und grafische Gestaltung: Fritz Gnan
Satz: Druckerei Robitschek & Co., Wien
Druck und Bindearbeiten: Ebner Ulm

INHALTSVERZEICHNIS

II. BEHANDELN

III. DIE NATÜRLICHE HAUSAPOTHEKE

IV. WICHTIGE HINWEISE FÜR DEN MÜNDIGEN PATIENTEN

So wird einem dieses Buch wirklich nützlich

Dieses Buch gliedert sich in drei große Blöcke, die sich mit der Erhaltung der Gesundheit und mit den naturnahen Anwendungen zur alleinigen oder unterstützenden Behandlung verschiedener Erkrankungen beschäftigen. In einem Anhang wird die Bedeutung häufig vorkommender Symptome und wichtiger Laborbefunde besprochen.

Der **erste Block** ist dem VORBEUGEN, dem Aufbau der Widerstandskraft, dem Entgiften und dem zwanglosen Einordnen in vorgegebene biologische Rhythmen gewidmet. Hier wird über die Grundlagen einer vernünftigen, Kraft und Gesundheit bringenden Ernährung berichtet, über die Bedeutung der einzelnen Nahrungsmittelgruppen für unser Wohlbefinden, und wie man mit Hilfe einer ausgewogenen Mischkost auf einfache Weise das Beste für sich und seine Familie bereitet. Auf die Tatsache, daß Mädchen und Frauen im Reifealter an bestimmten Nährstoffen einen Mehrbedarf haben als ihre Männer und Kinder, wird dabei besonders ausführlich eingegangen (im Kapitel über das Eisen), denn hier hat sich das notwendige Wissen noch viel zu wenig ausgebreitet.

Ein wichtiger Teil dieses ersten Blockes beschäftigt sich mit Heilstoffen in Nahrungsmitteln und mit den heilsamen Wirkungen, die diese Nahrungsmittel entfalten können. Vor allem in den Gemüsepflanzen, in Obst- und Beerensorten sind echte Heilstoffe gefunden und in einer Reihe von Fällen auch exakt bestimmt worden. Diesen Wissenszuwachs verdanken wir der in den letzten Jahrzehnten möglich gewordenen verfeinerten Wirkstoffanalyse. Der vor mehr als zweitausend Jahren vom Römer Marcus Portius Cato niedergeschriebene Satz, die einfachen Gemüse und Früchte seien die eigentlichen „Hüter der Gesundheit", scheint sich jedenfalls zu bestätigen. Die neu gefundenen Heilstoffe machen viele pflanzliche Nahrungsmittel zu einem verwertbaren Heilmittel, zumindest in unterstützender Hinsicht. Darüber berichtet eine Kapitelfolge, in der über 60 Sorten und ihre vorsorglichen oder auch therapeutischen Anwendungsgebiete besprochen sind.

Diätformen mit bewährter entgiftender und entschlackender Wirkung sind in einem eigenen Kapitel im Rahmen dieses ersten Blockes zusammengefaßt und praxisnahe beschrieben: Ring-Basenkur, Milch-Semmel-Diät, Molkekur und verschiedene Einform-Kurzzeitdiäten. Dabei ist der Therapieplan in einem Kurhaus den abgewandelten Möglichkeiten der häuslichen Praxis gegenübergestellt.

Ein wirklich sehr interessantes Kapitel ist den Ergebnissen einer jungen Wissenschaft, der chronobiologischen Ordnungslehre, gewidmet. Hier werden körpereigene Rhythmen, wie der Tagesrhythmus, die 7-Tage-Periodik, der Monats- und der Jahresrhythmus besprochen, was man davon weiß und welche Schlüsse man daraus für ein biologisch richtiges Verhalten ziehen kann. Dabei zeigt sich, daß manche über viele Jahrhunderte geübte Abstinenz- und Fastengebote der Kirchen einen zusätzlichen ernährungsphysiologischen Stellenwert bekommen, wie das „1×-in-der-Woche Teilfasten", das Osterfasten im ausklingenden Winter und das Marienfasten im August.

Der **zweite große Block** dieses Buches geht auf naturnahe BEHANDLUNGSMÖGLICHKEITEN ein, wobei auch hier ein Teil der Vorsorge gewidmet ist, der größere Teil aber der Linderung bereits bestehender Beschwerden. Die einzelnen Kapitel folgen einander so übersichtlich wie nur möglich:

Zunächst werden die Techniken der verschiedenen, in der häuslichen Praxis am ehesten nutzbaren Massagemethoden erklärt – Fußreflexzonen-, Rückenreflexzonen- und Akupunktmassage. Das erworbene Wissen wird nun in den folgenden Kapiteln umgesetzt:

● Rheuma
● Rückenschmerzen
● Verdauungskrankheiten
● Kopfschmerz und Migräne
● Schlafstörungen, Streß und Nervosität
● Wetterfühligkeit
● Erkältungskrankheiten und Grippe
● Pollenallergie

Eine wichtige Rolle spielen hier auch die Wasseranwendungen nach Sebastian Kneipp – besonders in den Kapiteln über Rheuma, Kopfschmerzen und Migräne, Wetterfühligkeit und Erkältungskrankheiten; wobei hier ein allgemeines Aufbauprogramm zur Steigerung der Widerstandskraft skizziert ist.

Über allgemeine und spezielle Bewegungstherapie ist im Kapitel über Rückenschmerzen ausführlich berichtet; über aufbauende Bewegungsübungen im Kapitel über Erkältungskrankheiten. Hier ist auch ein großer Abschnitt dem richtigen Gebrauch einer Sauna zugeeignet.

Über verschiedene Formen des mentalen Trainings – Autosuggestion, autogenes Training und Yoga – kann man im Kapitel über Schlafstörungen, Streß und Nervosität nachlesen. Und im Kapitel über Verdauungskrankheiten, Gicht und Fettstoffwechselstörungen hat natürlich die spezielle Diätik breiten Raum. So ist in diesem zweiten Block jede der speziellen therapeutisch wirksamen Methoden dort beschrieben, wo sie vor allem hingehören.

Sehr ausführlich und trotzdem kompakt ist der **dritte Block** angelegt. Auch er zeigt therapeutische Möglichkeiten auf. Aber nun konkret mit Hilfe innerlich und äußerlich anzuwendender Mittel. Das ist am Beispiel einer möglichst umfassenden „natürlichen Hausapotheke" beschrieben. Nach Bemerkungen über notwendiges Verbandmaterial, Desinfektionsmittel, Instrumente usw. wird systematisch auf Heilmittelgruppen eingegangen, wobei die Einteilung so gewählt ist, daß jeweils ein Beschwerdekomplex bzw. die entsprechende Heilmittelgruppe einem Fach der Hausapotheke entspricht. Die Kapitel:

● Mittel gegen Schlafstörungen, Streß und Nervosität
● Mittel für den Magen
● Mittel für Blähungen
● Mittel gegen Durchfallserkrankungen
● Mittel gegen Verstopfung
● Mittel für die Leber, die Gallenwege und die Bauchspeicheldrüse
● Mittel gegen Schmerzen
● Mittel für die Harnwege und die Vorsteherdrüse
● Mittel gegen Erkältungskrankheiten und Grippe
● Mittel für Herz und Kreislauf

Die Mittel selbst entstammen zum größten Teil, aber nicht ausschließlich, dem Pflanzenreich. Es wurden nur milde Mittel ausgewählt, solche mit möglichst großer therapeutischer Breite (= der Abstand von der gerade schon wirksamen Dosis bis zur bereits giftigen). Die Gefahr einer Schädigung ist dadurch äußerst gering. Trotzdem sind mögliche Probleme der Handhabung oder der Dosierung stets gesondert behandelt. Im Text wird aber auch auf alles rundherum Wissenswerte eingegangen: wieso es zu den verschiedenen Störungen kommt, welchen Stellenwert sie haben, welche sonstigen Maßnahmen und Gedankengänge wichtig sind; daß manchmal auch Heilpflanzen nur eine Therapie zweiter Ordnung darstellen, während die Therapie erster Ordnung in einer Änderung von Lebensgewohnheiten besteht.

Im **Anhang** kann man sich über häufig vorkommende Symptome orientieren sowie über die Bedeutung wichtiger Laborbefunde, ihre Normwerte und ihren Aussagewert.

Zunächst wird an Hand der Symptome akut auftretender Bauchbeschwerden gezeigt, wie diffizil die Erstellung einer präzisen diagnostischen Aussage sein kann. Es folgen die Regeln, an die man sich halten kann, wenn es um die Entscheidung geht, den Arzt aufzusuchen oder beizuziehen.
Sodann werden die häufigen Symptome Appetitmangel, Heißhunger und Eßsucht, vermehrter Durst, verminderter Durst, Gewichtsverlust, Gewichtszunahme, Müdigkeit und Schlaflosigkeit besprochen.
Als Abschluß werden die am häufigsten erstellten Laborbefunde aufgezählt: Blutbild, blutchemische, blutserologische Befunde sowie chemische und mikroskopische Harnbefunde. Hier sind die Normwerte festgehalten, und was Erhöhung oder Erniedrigung eines Wertes grundsätzlich bedeuten können; auch gängige Abkürzungen und die verschiedenen Maßeinheiten sind erläutert.

An sich ist jedes Kapitel eine in sich geschlossene Einheit, so daß man dort zu lesen beginnen kann, wofür man sich am meisten interessiert. Man kann aber auch von vorne nach hinten lesen, was sicher mehr an Gesamtsicht bringt. Oder man betrachtet zunächst einmal alle Tabellen und Abbildungen des Buches; irgendeine Stelle wird dann das besondere Interesse erwecken, und dort fängt man an. Für Antworten auf spezielle Fragen im Rahmen des Buches benutzt man am besten das Sachregister.

Dieses Buch besteht zum Teil aus neugeschriebenen Kapiteln, zum Teil aus einer Auslese von Kapiteln der elf bisher vom Autor verfaßten Bücher der Reihe „Hilf Dir selbst". So darf man hoffen, daß hier ein kompaktes, gut lesbares, breit informierendes Buch mit vielen praxisnahen Anleitungen und Tips entstanden ist.

I. Vorbeugen

Heilmittel Ernährung

Die Grundprinzipien einer vernünftigen Ernährung

Für eine sinnvolle tägliche Ernährung gelten folgende Grundsätze:

1. Die Ernährung soll alle notwendigen energieliefernden sowie nicht energieliefernden Nährstoffe enthalten.

a) Energieliefernde Nährstoffe:
- die Kohlenhydrate
- die Fette
- die Eiweißkörper

Ihr **Energiewert** wird in Kalorien oder in Joules gemessen.

b) Nicht energieliefernde Nährstoffe:
- die Mineralstoffe
- die Spurenelemente
- die Vitamine
- die Faserstoffe
- das Wasser

Der **Bedarf** wird in Gewichtseinheiten gemessen und reicht von zwei Litern (Kilogramm) bei Wasser bis zu Hunderttausendstel-Gramm-Mengen bei den Spurenelementen Chrom, Molybdän und Jod.

Sind alle Nährstoffe dem jeweiligen Bedarf entsprechend vorhanden, so ermöglichen sie dem Organismus das Aufrechterhalten von Leistung und Widerstandskraft auf höchstem Niveau.

Ein Zuwenig ebenso wie ein Zuviel eines oder mehrerer Nährstoffe bereitet dem Organismus Probleme von mehr oder weniger dringlicher Art. Er kann sich jedoch anpassen und im Bedarfsfall Sparmaßnahmen setzen, die Wiederverwertung bestimmter Materialien steigern, die Ausnutzbarkeit der Nahrung erhöhen und die Ausscheidung von Nutzstoffen drosseln.

Er kann aber auch, im gegensätzlichen Fall, Depots anlegen, um auf diese Weise den Überfluß für's erste zu neutralisieren. Auch kann der Organismus in Mangelzeiten seinen Gesamtverschleiß verringern und mit weniger auskommen. Deshalb nimmt auch der Übergewichtige ab der zweiten und dritten Woche einer Fasten- oder Hungerperiode nicht mehr soviel ab wie in der ersten.

Bei Mangel an bestimmten Stoffen kann der Organismus auch den speziellen Verschleiß auf jene Mengen herabsetzen, die gerade noch den Ausbruch einer Mangelkrankheit verhindern. Fehlt zum Beispiel das Vitamin C in der Nahrung, so greift der Körper seine Speicher an, reduziert aber zugleich den Verbrauch bis auf ein Fünftel des sonst Üblichen. Das ist jene Menge (10 mg Vitamin C im Tag), welche die Vitamin-C-Mangelkrankheit Skorbut gerade noch bannt. Für allfällige andere Belastungen aber, um Infektionserreger abwehren zu helfen oder um besondere

Zu diesem Thema hat Dr. Ulf Böhmig unter dem Titel HEILMITTEL ERNÄHRUNG einen praktikablen Ratgeber verfaßt, der dem Leser präzise mitteilt, was er zum Essen essen soll, um gesund zu bleiben (erschienen im Verlag Orac).

Leistungen zu ermöglichen, ist diese Vitamin-C-Menge zuwenig.

Der Organismus verfügt also über eine ganze Reihe von bewundernswerten Schaltungen, um auch länger dauernde Fehl- oder Mangelernährung verschiedenster Art auszugleichen. Ab einem gewissen Punkt jedoch erfolgt der Zusammenbruch, oder aber, es sind Schäden gesetzt, die man nur mehr schwer bereinigen kann.

2. Eine sinnvolle tägliche Ernährung soll uns mit jenen Stoffen versorgen, die eine Schutz- oder Heilwirkung enthalten und das Auftreten (bzw. Ausbreiten) von bestimmten häufigen Erkrankungen verhindern.

Sie greifen *fördernd* in die körpereigenen Regulationsmechanismen ein, wie der Anti-Ulkus-Faktor der Kohlsorten (er schützt vor Geschwürleiden) oder das Cynarin der Artischocke, das vor Leberschäden und vor überhöhten Blutfetten bewahrt. Oder sie wirken *antibakteriell,* wie die Farbstoffe mancher pflanzlicher Nahrungsmittel.

3. Wesentlich ist auch die Frage nach der Schadstoffbelastung.

Schadstofffreiheit ist heute ein wichtiger Umstand bei der Beurteilung der ernährungsphysiologischen Qualität eines Nahrungsmittels geworden.

In erster Linie sind hier die *sechs „toxischen Elemente"* Antimon, Arsen, Blei, Cadmium, Quecksilber und Thallium zu werten. Aber auch andere Stoffe, wie Hormone oder Antibiotika, sorgen immer wieder für Schlagzeilen. Zum Glück hat sich unser aller Umweltbewußtsein deutlich entwickelt. Auch der Gesetzgeber nimmt seine Arbeit ernst: Verstöße gegen die Lebensmittelgesetze werden zuneh-

mend härter angeprangert. Noch hat uns der Schaden nicht wirklich überrollt – der Umdenkprozeß hat gerade noch rechtzeitig eingesetzt. Vorsichtiger Optimismus ist durchaus am Platz.

Es gibt *Zusatzstoffe, die Nahrungsmitteln beigefügt werden dürfen,* weil sie zumindest bis zu einem jeweils bestimmten Grenzwert als unbedenklich angesehen werden: *Verschönernde Farbstoffe, Stabilisierungsmittel* wie Konservierungsstoffe, Antioxidantien oder *Geliermittel* sowie *Aromastoffe* sind die wichtigsten. Auch Salz und Zucker sowie Kulturen von Mikroorganismen (zum Beispiel für die Herstellung von Yoghurt) gehören zu den Zusatzstoffen.

Die meisten Zusatzstoffe müssen auf der Lebensmittelpackung vermerkt sein: entweder mit ihrer genauen Substanzbezeichnung oder in Form ihrer „E-Nummer". Das ist die Code-Zahl, auf die man sich innerhalb der Europäischen Gemeinschaft geeinigt hat. Eine gewisse Übersicht gibt die „Hunderter-Zahl":

E 100 – E 199: Farbstoffe

E 200 – E 299: Konservierungsstoffe

E 300 – E 399: Antioxidantien

E 400 – E 499: Verdickungs- und Geliermittel, Stabilisatoren

Wenn die hundert Zahlen aufgebraucht sind, geht es mit einer vorgesetzten 1 weiter: So hat Stärke als Verdickungszusatz die Nummer E 1404. Sehr viele der Zusatzstoffe sind für praktisch jedermann harmlos, etwa die Farbstoffe E 101 = Vitamin B_2 oder E 162 = Betanin, der Farbstoff der roten Bete, den wir sogar als Heilstoff kennen.

Von anderen aber sind, wenn auch nur vereinzelt, Wirkungen im Sinne von Überempfindlichkeiten oder allergischen Reaktionen bekanntgeworden. Beispiele dafür sind E 102 = Tartrazin oder E 127 = Erythrosin. Man darf erwarten, daß die zuständige Behörde einen Zusatzstoff, von dem gehäuft Nachteiliges gemeldet wird, aus der Liste nimmt. Deshalb sollte man auch Unverträglichkeiten, die möglicherweise auf erlaubte Zusatzstoffe zurückzuführen sind, der Behörde melden: ohne Hysterie und ohne die Angst, von vorneweg als hysterisch abgestempelt zu werden.

4. Der ernährungsphysiologische Wert von Nahrungsmitteln hängt auch ab:
- **vom Grad der Naturbelassenheit,**
- **von industriellen Zerteilungsverfahren** (Vollmehl – Weißmehl, Zuckerrübe – Zucker),
- **von der Verschiedenheit der Hitzeverfahren bei der Haltbarmachung,**
- **von Kühl- und Tiefkühlverfahren,**
- **von der richtigen Lagerung**
- **und schließlich von den Zubereitungsmethoden wie Backen, Braten, Dünsten, Kochen oder Schmoren.**

Daß die schonendste Zubereitung am ehesten werterhaltend ist, gilt als selbstverständliche Faustregel.

Tiefkühlverfahren zur Haltbarkeitsmachung fordern nur geringe Verluste (allenfalls beim Vitamin E und bei der Pantothensäure Vitamin B_5). Ansonsten scheint Tiefkühlen neben der **Milchsäurevergärung** die schonendste Konservierung zu sein (Gemüse, Obst, Beeren, Fleisch und Fisch).

Sehr schonend sind auch die **Pasteurisierung** und die **Ultrahocherhitzung** (UHT) bei Milch. Lediglich 10 – 25% des Vitamin C sowie 10% der Vitamine E, B_1, Pantothensäure und Folsäure gehen dabei verlustig.

Bei der **Sterilisation** der Milch in Flaschen treten viel höhere Verluste auf.

Groß sind auch die Verluste bei der **Bestrahlung** von Nahrungsmitteln mit Ionen, ebenso bei der Herstellung von **Dosenware.**

Deshalb sind in der folgenden Aufstellung die Tiefkühlware, die pasteurisierte und die ultrahocherhitzte Milch in die Güteklasse I gereiht, die mit Ionen bestrahlten Nahrungsmittel, Dosenware und sterilisierte Milch aber in die Güteklasse II. Hier haben die Verluste an bestimmten, den ernährungsphysiologischen Wert eines Nahrungsmittels ausmachenden Stoffe doch schon ein Ausmaß angenommen, daß man von einem deutlich geminderten Gehalt sprechen muß. Allzu gering schätzen darf man die in der Güteklasse II genannten Nahrungsmittel aber auch nicht. In Mangel- oder Hungerzeiten kennt man ihren Wert sehr wohl. Überflußzeiten wieder sind gerade dadurch ausgezeichnet, daß man wählen kann. Man wird sich, wenn die Wahl schon gegeben ist, für das ernährungsphysiologisch Wertvollere entscheiden.

Die Güteklassen der Nahrungsmittel

Güteklasse I

Jeweils unter a): Nahrungsmittel, welche die bevorzugte Basis der täglichen Ernährung bilden sollten.

Jeweils unter b): Nahrungsmittel, die man im erweiternden oder ergänzenden Sinn gebrauchen kann.

1. Als Fettlieferanten

a) Kerne, Keime, Samen und Nüsse bzw. die daraus schonend gewonnenen Öle mit hohem Polyensäuregehalt (= mehrfach ungesättigte Fettsäuren, „Linolsäure"). Hochwertige Fruchtöle wie Olivenöl extra vergine.

b) Butter, rohes Schweineschmalz und Gänsefett in begrenzter Menge. Hochwertige Margarinesorten mit mindestens 50% Anteil an naturbelassenen Kern-, Keim-, Samenölen.

2. Als Kohlenhydratlieferanten

a) Getreidekörner, Vollmehle (Weizen Typ 1700, Roggen Typ 1800), Vollkornbrote und -gebäck.
Frischgemüse, Frischobst, Beeren, Pilze, Gärgemüse, reine Säfte von Gemüse, Obst und Beeren.
Melasse, unerhitzter fermenthaltiger Bienenhonig in begrenzter Menge.

b) Halbmehle (Weizen Typ 812, Roggen Typ 1150), Weizen und Roggenmischbrote, halbpolierter Reis, Tiefkühlgemüse, Tiefkühlobst, Tiefkühlbeeren.

3. Als Eiweißlieferanten

a) Frischmilch und Frischmilchprodukte (Vorzugsmilch, pasteurisierte Milch, UHT-Milch, Sauermilch, Quark, Käse)
Frischfleisch, Frischfisch, Frischeier, frische Tierleber.

b) Tiefkühlfleisch, -geflügel, -fisch, -leber.

Güteklasse II

Nahrungsmittel, welche eingeschränkt oder gänzlich gemieden werden sollten.

1. Als Fettlieferanten

Backfette, Tafelmargarine, stärker raffinierte und vollraffinierte Öle und Fette.

2. Als Kohlenhydratlieferanten

Fein- und Feinstmehle (Weizen Typ 405, Roggen Typ 815). Stärkemehl (Kartoffel, Mais), vollpolierter Reis. Raffinierter Zucker (weißer Zukker, Traubenzucker, Fruchtzucker), Kunsthonig.
Gemüse- und Obstkonserven, ionenbestrahltes Gemüse und Obst.

3. Als Eiweißlieferanten

Sterilisierte Milch, ionenbestrahlte Milch, Kondensmilch, Trockenmilch, Fleisch- und Fischkonserven.

Der Stellenwert der Nahrungsmittelgruppen

Betrachtet man die Stärken und Schwächen der einzelnen großen Nahrungsmittelgruppen voneinander getrennt, so erkennt man am besten die gegenseitigen Ergänzungswerte.
Die energieliefernden Nährstoffe bilden in einer täglichen Ernährung am günstigsten folgendes Verhältnis:

Kohlenhydrate	50 – 55%
Fette	30 – 35%
Eiweiß	10 – 15%

Gemeint sind damit „Energieprozente", berechnet auf der Basis der täglichen Gesamtkalorien. Dabei spielt eine Rolle, daß die Fette mit 9,3 Kalorien pro Gramm mehr als doppelt soviel Energie pro Gewichtseinheit besitzen als die Kohlenhydrate und das Eiweiß, welche beide ca. 4,1 Kalorien Brennwert pro Gramm aufweisen.

Das Verhältnis läßt sich aus mehreren Kombinationen von Nahrungsmittelgruppen erzielen; am besten aber aus einer gemischten Kost, bei der pflanzliche Produkte (als einzige Kohlenhydratlieferanten) das Hauptkontingent darstellen.

Aus praktischen Gründen unterscheiden wir am besten folgende Nahrungsmittelgruppen:

1. Die wasserreichen pflanzlichen Produkte
Gemüse, Obst, Beeren, Pilze, Südfrüchte

2. Die Getreide, Kerne, Samen und Nüsse

3. Die Milch

4. Die direkt tierischen Produkte
Eier, Fleisch, Fisch, Weichtiere, Krustentiere usw.

1. – 4. stellen, in der Reihenfolge des empfehlenswerten mengenmäßigen Verbrauches, die eigentliche Ernährung dar und versorgen mit allen energieliefernden sowie den meisten nicht energieliefernden Stoffen.

Als 5. und 6. Gruppe sind die Meeresprodukte und die Gewürze zu nennen:

5. Die Gewürze

6. Die Meeresprodukte
(tierisch oder pflanzlich)

Die Meeresprodukte versorgen mit nicht energieliefernden Nährstoffen wie Fluor, Jod oder auch Kupfer, an denen es in Binnenländernahrungsmitteln manchmal mangelt. Die Gewürze sind bedeutende Spurenelementträger und haben außerdem zumindest verdauungsfördernde, oft auch heilsame Wirkungen.

Die Nahrungsmittelgruppen im einzelnen

1. Die wasserreichen pflanzlichen Produkte:

Dazu zählen sämtliche **Gemüsesorten:** die Wurzeln und Knollengemüse, die Rüben, Rettiche, Zwiebel, Sprossengemüse, Kohlsorten, Gemüsefrüchte, Blattgemüse und Salate. Weiters die **Hülsenfrüchte,** welche alle im frischen Zustand mindestens 75% Wasser enthalten, die Bohnen und die Linsen. Sämtliche **Obstsorten** – Kernobst, Steinobst – sowie alle Südfrüchte und tropischen Früchte, sämtliche Beeren und sonstige Obstsorten (Hagebutten, Mispeln usw.); sämtliche **Pilze** und **Schwämme.**
Die wasserhältigen pflanzlichen Produkte sind relativ energiearm, sehr reich aber an nicht energieliefernden Nährstoffen. Als einzige Nahrungsmittelgruppe sind sie deutlich basenüberschüssig.
Diese wasserhältigen pflanzlichen Produkte sollten das mengenmäßige Gros unserer täglichen Ernährung darstellen. Nur dann ist ein ausreichender Basenüberschuß gewährleistet. Außerdem bringen sie die meisten Heilstoffe mit. Mindestens ein Drittel davon sollte als Rohkost verzehrt werden.

2. Die Getreide:

Dazu zählen die **Körner:** Weizen, Roggen, Gerste, Hirse, Hafer, Reis und Mais sowie der Buchweizen. Weiters die **Mehle,** Grieße, Paniermehl (Brösel), Brote, Gebäcke und Teigwaren.

Sie sind konzentriert an energieliefernden Nährstoffen. Die Dichte an nicht energieliefernden Nährstoffen ist geringer als bei den wasserreichen pflanzlichen Produkten.

Gegen den Verlust ihres Vollwertes sind die Getreide sehr empfindlich. Das zerteilte Korn, das Weißmehl oder der polierte Reis haben gute Teile ihres Wertes verloren. Zu den hochkonzentrierten Energieträgern zählen weiters die **Kerne,** die **Samen** und die **Nüsse.** Sie sind alleinige Träger der lebensnotwendigen mehrfach ungesättigten Fettsäuren (Polyensäuren).

In der großen Mehrheit sind sie, von einigen wenigen Nüssen abgesehen, säureüberschüssig. **Ihr gemeinsamer Anteil an der täglichen Ernährung ist mengenmäßig als bedeutend geringer zu veranschlagen als jener der wasserhältigen pflanzlichen Produkte.** Der Energiewert aber ist eher höher, wie folgender Vergleich zeigt:

1000 g wasserreiche Pflanzen = ca. 450 kal.
250 g Körner, Kerne, Nüsse = ca. 900 kal.

Es stellt sich oft die Frage, ob man auf die Dauer mit diesen beiden ersten Nahrungsmittelgruppen leben kann, also ausschließlich mit Pflanzennahrung: Um es vorwegzunehmen: nur sehr schwer. Einige lebensnotwendige Stoffe, wie Eisen und Zink, lassen sich aus Pflanzen nicht so gut herauslösen wie aus tierischen Produkten. Andere wieder, wie das Kobalt bzw. das Vitamin B12, sind in Pflanzen kaum vorhanden. Das Auftreten von einseitigen Mängeln ist bei einer rein pflanzlichen Kost praktisch nicht zu vermeiden.

Deshalb ist auch die regelmäßige Verwendung der übrigen Nahrungsmittelgruppen angezeigt.

3. Die Milchprodukte:

Hier sind alle Milchsorten und Molkereierzeugnisse zusammengefaßt. Sie bilden die ideale Ergänzung zu den Getreiden, weil sie deren natürliche Schwächen abgleichen. Kuh-, Ziegen-, Schaf-, Esel-, Stuten-, Rentier-, Büffelmilch und ihre Produkte sind in den meisten Gegenden der Welt Hauptnahrungsmittel. Zu den wichtigsten Erweiterungen zählen die verschiedenen **Sauermilcharten,** das sind mit Keimen vergorene und damit haltbar gemachte Formen mit besonders guter Verträglichkeit: edelsaure Vollmilch, Yoghurt, Sanoghurt, Kefir, Kumys sind Beispiele. Weiters **Käse** in wenigstens acht Fettstufen:

Acht Fettstufen der Käse
Magerstufe unter 10% Fettgehalt in der Trockenmasse
Viertelstufe mindestens 10%
Halbfettstufe mindestens 20%
Dreiviertelstufe mindestens 30%
Fettstufe mindestens 40%
Vollfettstufe mindestens 45%
Rahmstufe mindestens 50%
Doppelrahmstufe mindestens 60 bis 85%

Zu den **hochwertigen Milchprodukten** zählen schließlich die **Molke** als kalorienärmstes Erzeugnis, das aber reich an nicht energieliefernden Nährstoffen ist, sowie die **Sahnen** und die **Butter** als kalorienreichste Erzeugnisse.

Die Milchprodukte sollten in unserer Ernährung eine bedeutsame Rolle spielen, denn sie bringen viele der Vorteile der tierischen Produkte, so das überlegene Eiweißmuster, das Zink und das Vitamin B12.

Als wichtigste Calciumlieferanten sind die Milchprodukte sogar konkurrenzlos: zum Teil wegen ihres Calciumgehalts, zum Teil, weil Milchcalcium von unserem Körper ideal verwertet werden kann. Auch andere Stoffe — wie die Orotsäure mit ihrem aufbauenden Effekt — kommen in der Milch konzentriert vor.

Es stellt sich abermals die Frage, ob eine Ernährung mit allen Pflanzen- und Milchprodukten — auf lactovegetabiler Basis also — vollkommen und auf die Dauer ausreicht. Die Antwort ist ein bedingtes Ja. Ernährungsphysiologische Vorteile hat die Beschränkung auf Pflanzen und Milch als *alleinige* Nahrungsträger noch nicht. Wer sich allerdings in Ernährungsfragen sehr gut auskennt und über flankierende Maßnahmen, wie Aufwertung durch milchsauer vergorenes Material, Bescheid weiß, kann auch auf die Dauer so leben. Es sind meist weltanschauliche Gründe, die zu dieser Selbstbeschränkung bei der Nahrungsauswahl veranlassen. Die Weltgesundheitsorganisation allerdings ist der Meinung, daß eine wirklich problemlose Ernährung erst dann gewährleistet ist, wenn man zumindest auch die Eier, als direkt tierische Produkte, in die Planung miteinbezieht. Das entspricht der ovolactovegetabilen Kost.

4. Die direkt tierischen Produkte:

Hierher zählt alles, was lebendig ist oder sein kann: Eier, Fleisch, Fisch, Wild, Geflügel, Krustentiere, Weichtiere usw. Sie haben einen hervorragenden Ergänzungswert für unsere tägliche Ernährung. Das liegt in erster Linie an ihrem Reichtum an bestimmten, nicht energieliefernden Nährstoffen, die in pflanzlichen Nahrungsmitteln und teilweise auch in der Milch nur mangelhaft vertreten sind oder sich von dort nur schwer herauslösen lassen: Eisen, Kupfer, Zink, Vitamin B_{12} sind die wichtigsten Bei-

spiele. Weiters haben die direkt tierischen Produkte ein für unsere Ernährung besonders günstiges Eiweißmuster. Man spricht von einer hohen biologischen Wertigkeit des tierischen Eiweißes.

Bei einer rein vegetarischen Ernährungsform ergänzen sich die verschiedenen pflanzlichen Eiweißträger nur ungenügend. Das liegt zum Teil daran, daß alle Pflanzen bei denselben Eiweißbausteinen schwach sind, z. B. bei der Aminosäure Methionin. Nur durch vielfältige Kombination von Blattgemüsen mit Hülsenfrüchten, Getreidekörnern und -keimen erhält man einigermaßen brauchbare Resultate. Erschwerend ist, daß alle diese Pflanzen zugleich bei ein und derselben Mahlzeit angeboten werden müssen. Bei getrennter Verabreichung funktioniert der Ergänzungsmechanismus nicht so gut.

Ganz anders, wenn man relativ geringe Mengen tierischer Produkte mit Pflanzen mischt. Da können sehr hohe Gesamtwertigkeiten durch gegenseitige Ergänzung vorkommen. Die höchste bekannte Wertigkeit ergibt das Gemisch von Ei und Kartoffeln im Verhältnis 36% Eiereiweiß zu 64% Kartoffeleiweiß. Das entspricht 1 Ei auf 500 g Kartoffeln (ein Hühnerei hat 7 g Eiweiß, 500 g Kartoffel haben 12 g Eiweiß, was obigem Verhältnis entspricht). Das Spiegelei mit Spinat und Röstkartoffeln ist also, vom Eiweiß her gesehen, wertvoller als so manches komplizierte Fleischgericht.

Nicht nur mit der Kartoffel, auch mit Reis, Weizen, Mais, Soja und Bohnen kann man das Ei ergänzen.

Fleisch ergänzt gut alle Getreidesorten, ebenso Fisch (letzterer insbesondere mit Weizen). Die Innereien (Leber, Niere, Milz, Lunge, Hirn) passen mit ihrem Eiweißmuster sehr gut zu Hülsenfrüchten.

Die Milch und ihre Produkte bilden zusammen mit dem Weizen einen biologischen Wert, der über dem des Volleies liegt. Das Verhältnis muß dabei 75% Milcheiweiß zu 25% Weizeneiweiß sein. Das sind in der Praxis:

$^1/_2$ Liter Milch + 80 g Weizenvollkornbrot

100 g Speisequark (10%) + 80 g Weizenvollkornbrot

60 g Edamer Käse (30%) + 80 g Weizenvollkornbrot

55 g Emmentaler Käse (45%) + 80 g Weizenvollkornbrot

Wer sich problemlos ernähren will, sollte auf direkt tierische Produkte nicht verzichten. Es sind im täglichen Durchschnitt nur geringe Mengen von praktischem Wert: In 100 g Fleisch (oder Fisch oder sonstigem vergleichbaren direkt tierischem Material) sind jene Nährstoffe enthalten, die den Einsatz direkt tierischer Produkte ratsam erscheinen lassen. Mehr ist Luxus – außer im Rahmen von besonderen Diäten oder beim Schwerstarbeiter. Letzterer baut Überschüsse an tierischen Produkten wieder ab. Der körperlich weniger Aktive aber sollte sich bei den direkt tierischen Produkten eher auf unter 200 g im Tagesdurchschnitt beschränken. Auch gibt es keinen Grund, jeden Tag Fleisch, Fisch, Eier usw. zu essen. In der Pyramide der eigentlichen Nahrungsmittel sind die direkt tierischen Produkte deshalb an letzter Stelle mit dem mengenmäßig kleinstnotwendigen Verbrauch eingeordnet.

Die Gewürze:

Neben ihrem Geschmackswert und der spezifisch anregenden Wirkung auf die Verdauung sind viele Gewürze ausgesprochen reich an Spurenelementen:

Mangan: Nelken, Zimt, schwarzer Pfeffer, Ingwer, Lorbeerblätter, Paprika und Thymian.

Eisen: Thymian, Majoran, Basilikum, Kümmel und Lorbeerblätter.

Auch **Zink** ist in für Pflanzen außergewöhnlichen Mengen in Gewürzen enthalten, ebenso die Mineralstoffe **Calcium** und **Magnesium.** Eine reichliche Verwendung von Gewürzen wertet jede Kost auch ernährungsphysiologisch auf.

Umgekehrt ist es beim **Salz:** Hier wird bei den meisten europäischen Kostformen die doppelte Menge und mehr zugegeben, als gesundheitlich vertretbar wäre (unter Normalbedingungen genügen 3 g im Tag). Man sollte sich also mehr pflanzlichen Gewürzen zuwenden und dafür beim Salzen sparen.

Die meeresnahen Produkte:

Wir müssen damit rechnen, daß in heimischen Nahrungsmitteln bodenabhängige Mängel auftreten. Das ist in Binnenländern nicht selten der Fall. **Jod** und **Fluor** sind die bekanntesten Spurenelemente, an denen es gebietsweise im Grundwasser mangeln kann, und in der Folge auch in den dort wachsenden Pflanzen und in Tieren, die sich von diesen Pflanzen ernähren. Im weiteren Sinn gilt das auch für Kupfer, Mangan und Selen.

Diese möglichen Mängel lassen sich heute leicht ausgleichen. Man nimmt regelmäßig kleinere (gelegentlich größere) Mengen von Produkten aus Meeresgebieten zu sich: Meeresalgen, in Meerwasser vergorene Getreide bzw. Soja (wie das japanische Miso, aus dem man wohlschmeckende Suppen herstellen kann), Sojasauce (Tamari, Shoyu), ein Nebenprodukt der Misoherstellung, oder auch gelegentlich Meeresfisch.

Mit diesen meeresnahen Produkten als letzte Abrundung haben wir unsere Ernährungspyramide fertig. Die verschiedenen Nahrungsmittelgruppen nehmen verschieden große Areale ein, wobei die Flächengrößen in etwa den richtigen Gewichtsverhältnissen entsprechen.

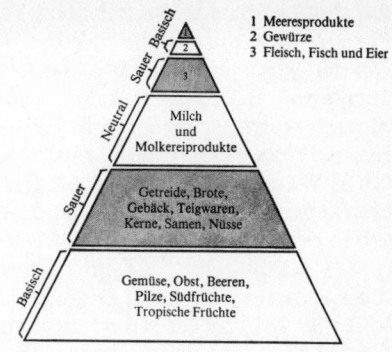

Heilsame Wirkstoffe in Gemüsen

Der „Anti-Ulkus-Faktor" der Kohlsorten

Im Jahre 1950 entdeckte der amerikanische Forscher G. Cheney einen in größeren Mengen nur in Kohlsorten vorkommenden Stoff, den er, wegen seiner heilsamen Wirkung auf Magen- und Darmgeschwüre, Anti-Ulkus-Faktor nannte. Ursprünglich glaubte man, ein neues Vitamin gefunden zu haben und hatte auch schon den Namen Vitamin U bereitgestellt (U für Ulkus = Geschwür). Es stellte sich jedoch bald heraus, daß es sich um einen speziellen Eiweißkörper handelte (um Methyl-Methioninsulfoniumbromid).

Die Volksmedizin kennt die Wirkungen der Kohlblätter und des Kohlsaftes schon seit langem. Die akademische Medizin beschäftigte sich damit erst nach der Entdeckung des Anti-Ulkus-Faktors durch Dr. Cheney. An der Medizinischen Universitätsklinik in Bern erprobten die beiden Ärzte E. Strehler und K. Hinziker den Kohlsaft im Reihenversuch an Patienten mit Zwölffingerdarmgeschwüren. In durchschnittlich drei Wochen, manchmal schon früher, waren die Geschwüre röntgenologisch nicht mehr sichtbar. Die durch das Geschwürleiden verursachten Schmerzen und das saure Aufstoßen verschwanden bereits nach wenigen Tagen.

Heute ist der Kohlsaft längst in das offizielle Heilpflanzenverzeichnis aufgenommen. Er hat dafür auch einen lateinischen Namen bekommen. *Succus Brassicae oleraceae,* das heißt „Gemüsekohlsaft".

21

An sich besitzen alle Kohlsorten (und nur sie) den Anti-Ulkus-Faktor. Verwendet wird in der Praxis meist der *Weißkohl*. Bei den klinischen Erprobungen wurde er im Turmix-Apparat fein zerkleinert und unter Zusatz von etwas Wasser aufgeschwemmt. Der so erhaltene Saft wurde vor und zwischen den Mahlzeiten in kleinen Portionen verabreicht. Sehr gut schmeckt diese Zubereitung nicht. Deshalb, und weil die Selbstzubereitung eines standardisierten (das heißt gleichmäßigen) Gehalt aufweisenden Saftes schwierig ist, wird auch im Heilpflanzen-Lexikon für Ärzte und Apotheker (H. Braun) die *Verwendung von Reformhaussäften empfohlen.* Alle schonend stabilisierten Produkte sind wirksam.

Auch Sauerkrautsaft und Sauerkraut = milchsauer vergorener roher Weißkohl.

> Zur **Vorbeugung,** um eine Schutzwirkung bei Veranlagung zu **Magen- und Darmgeschwüren** zu erzielen, genügt ein viertel Liter Kohlsaft täglich, auf vier Portionen verteilt und zwischen den Mahlzeiten eingenommen. Zur *Therapie* bei bestehenden Geschwüren sind größere Mengen nötig. Das aber sollte man mit seinem Arzt absprechen, der auch die Diät-Ratschläge erteilt und allfällige weitere Verordnungen vornimmt.

Muß der Kohl (oder der Kohlsaft) länger erhitzt werden, etwa beim Dünsten, dann geht der Anti-Ulkus-Faktor großteils verloren. Zwar sind gut zubereitete Kohlgerichte schon wegen der vielen anderen nicht hitzeempfindlichen Substanzen nach wie vor ausgesprochen hochwertig, eine spezielle Ulkus-bekämpfende Wirkung aber ist nicht mehr vorhanden.

Der Leberschutzstoff Betain in der Runkelrübe

Die Runkelrüben − Futterrübe, Zuckerrübe, Mangold und rote Bete − bezeichnet man als „Beta-Rüben", da sie alle von der mittelmeernahen *Beta vulgaris,* der wilden Bete, abstammen. In ihnen hat man ebenfalls einen speziellen Eiweißbaustein mit heilsamer Wirkung entdeckt. Es ist das Betain, wie man den Stoff in Anlehnung an seinen Fundort nannte. Aus der Zuckerrübe wird dieses Betain in aufwendiger Technik herausgelöst, zusammen mit dem Zuckeraustauschstoff Sorbit in kleine Beutel verpackt und als Leberschutzmittel verordnet. Natürlich findet man es auch im Naturprodukt selbst, etwa in Beta-Rüben und in deren Säften.

Vorsorglicher Leberschutz ist sehr zeitgemäß. Die chronische Schadstoffbelastung hat nun einmal immens zugenommen, verglichen mit der Situation von vor hundert Jahren. Fraglos wird auch mehr Alkohol getrunken und üppiger gegessen als seinerzeit. Fetteinlagerung und bindegewebige Veränderung der Lebersubstanz können die Folge sein. Daß es nicht sehr bald zu Komplikationen kommt, ist dem Umstand zu danken, daß die Leber ein außergewöhnliches Selbstheilvermögen besitzt. Ganz in Form jedoch befindet man sich nicht während der vielen kleinen Belastungen der Leber, und das Selbstheilvermögen sollte man auch tunlichst unterstützen − durch vernünftige Lebensweise, im besonderen durch Nutzung erholsamer Zeiten (was gerade die Leber sehr schätzt). Manchen Belastungen aber, wie den Einatmungs-schadstoffen, wird man nicht aus dem Weg gehen können. Auch an manche Medikamente muß man denken, die zwar leberbelastend sind, die man aber trotzdem braucht. Hier zeigt sich – nach dem Forscher V. Fintelmann – ein ebenso wichtiges wie lohnendes Anwendungsgebiet für einen Stoff wie Betain.

Der etwas komplizierte Wirkmechanismus läßt sich vereinfacht so beschreiben:

1. Das **Betain** sorgt für den ständigen Wiederaufbau eines anderen Stoffes, des Methionins, und dieses leitet die laufende Entgiftung der Leber ein.

2. Einem weiteren Stoff, dem **Cholin**, hilft das Betain bei dessen wichtiger Arbeit: beim Abbau von störendem Fett in der Leber. Dieses hat jeder Übergewichtige, also zieht auch er daraus seinen Nutzen.

Die natürliche Therapie:

Im Hausgebrauch wird man meist zur roten Bete bzw. ihrem Saft greifen. Auch die Zuckerrübe oder der Zuckerrübensaft, der ebenso wie der Kohlsaft in das Heilpflanzenregister aufgenommen wurde – als *Succus Betae* –, ist hier eine Möglichkeit.

Zur Lebervorsorge genügt ein großes Glas Saft täglich, am besten zum Frühstück.

Zusätzlich sollte man allgemein gesund leben und das Schicksal nicht herausfordern, das ist klar. Wenn höhere Dosen Betain notwendig sein sollten, wird der Arzt das erwähnte Konzentrat in Beutelchen (Flacar) empfehlen. Aber auch dann ist es zweckmäßiger, den Inhalt der Beutelchen in Rote-Bete-Saft (Roté-Rüben-Saft) als in Wasser aufzulösen. Will

man zusätzlich den zweiten großen Stoff der roten Bete besonders nutzen, dann nimmt man ein zweites Glas am Abend, vor dem Schlafengehen. Dieser zweite Stoff ist:

Das antibakterielle Betanin der roten Bete

Das Betanin ist der Farbstoff der roten Bete (Rübe). Er ist eng verwandt mit den Farbstoffen von Blutwurz, Heidelbeere, schwarzer Johannisbeere und Holunderbeere. Sie alle gehören zur Gruppe der Anthocyane und haben die Eigenschaft, in Bakterienleiber eindringen zu können – ähnlich wie die Anilinfarbstoffe, die man zum Färben von Bakterien für mikroskopische Untersuchungen verwendet. Wenn das Betanin der roten Bete (Rübe) (oder das Tormentillrot der Blutwurz usw.) einmal in das Bakterium eingedrungen ist, dann wird dessen Entwicklung und Vermehrung gehemmt. Krankmachende Tätigkeit und Ausbreitung des Bakteriums sind behindert. Es ist nicht tot, aber es kommt zum Wachstumsstillstand, zur „Stase". Deshalb nennt man die Wirkung des Betanins der roten Bete (Rübe) eine bakteriostatische. Durch die Schwächung der unliebsamen Bakterien wird das Kampfgleichgewicht zugunsten des Körpers verlagert. Ganz wird ihm die Arbeit zwar nicht abgenommen, und das ist gut so: der Körper muß seine Eigenkräfte zusätzlich einsetzen und übt sie damit.

Beim Rote-Bete-(Rüben-)Saft genügt zum **vorsorglichen Darm-**

schutz ein achtel Liter jeweils am Abend (ein Glas für das Betain und eines für das Betanin, könnte man sagen). Mischt man dem Rote-Bete-(Rüben-)Saft geschabten Apfel zu, dann wird die Wirkung erweitert: die Pektine des Apfels saugen tagsüber erworbene Giftstoffe im Darm, welcher Art immer, an sich. Rote-Bete-(Rüben-)Saft und geschabter Apfel – als Abendtrunk eine ideale Ergänzung. Speziell der roten Bete (Rübe) wird ein allgemein anregender, widerstandskrafthebender Effekt zugeschrieben. Auch dafür macht man das Betanin verantwortlich. Möglicherweise spielt hier noch der auffallende Gehalt an seltenen Spurenelementen wie Lithium, Strontium und Rubidium eine Rolle.

Durch den ungarischen Forscher A. Ferenczy wurde die rote Bete (Rübe) als Mittel gegen bösartige Tumore in das Gespräch gebracht. Man muß solche Vorstellungen mit Vorsicht annehmen. Natürlich kann man bei diesen Erkrankungen auch Rote-Bete-Saft trinken, doch darf man darüber nicht die anderen diagnostischen und therapeutischen Möglichkeiten der Medizin vernachlässigen.

Die vier Stärken der Artischocke

Die Artischocke ist in mancher Hinsicht eine eigentümliche Pflanze. Sie wurde schon im alten Ägypten in mehreren Sorten gezüchtet und war als Feingemüse äußerst beliebt. Erst im 15. Jahrhundert gelangte sie mit den Arabern nach Spanien und von dort in das übrige Europa. Ihr Anbau blieb im großen auf die Mittelmeerländer beschränkt. Nur im wärmeren Deutschland und an der Atlantikküste gibt es vereinzelte Kulturen.

Kaum war sie in Europa aufgetaucht, entdeckte man ihre heilwirksamen Eigenschaften. Im 16. Jahrhundert galt sie als **Potenzmittel** Nummer 1. Das ist gar nicht so abwegig, wie wir sehen werden. Im 18. Jahrhundert erkannte man ihre besondere Wirkung bei **Gelbsucht** und im 19. bei **Gallenleiden.** In Frankreich wird die Pflanze so hoch gewertet, daß eine eigene Artischocken-Heilkunde entstanden ist. Als Hauptanwendungsgebiete werden dort angeführt (in alphabetischer Reihenfolge): Arterienverkalkung, Cellulitis, Cholesterin, Diabetes, Durchfall, Fettleibigkeit, Gallenblase, Gicht, Harnstoff, Leber, Schwäche, Stauungen. Das ist ein beachtliches Spektrum. Daher zahlt es sich aus, die Artischocke einmal unter dem Blickwinkel moderner Forschungsergebnisse zu betrachten:

a) Kraftspendend – das Cynaropikrin der Artischocke

Der Gattungsname der Artischocke ist *Cynara,* und das Griechische *pikros* heißt auf deutsch „bitter". So ist der Name Cynaropikrin entstanden – Bitterstoff der Artischocke. Das Cynaropikrin macht sie zu einem *Amarum tonicum;* so nennt man in der Pflanzenheilkunde die **„kräftigenden Bittermittel".** Der Bitterwert ist beachtlich, für ein Gemüse sogar außergewöhnlich hoch. Die Artischocke besteht hier durchaus den Vergleich mit den spezifischen Heilpflanzen. Das zeigt auch folgende Aufstellung von Bitterwerten:

Enzianwurzel   1:20.000

Artischockenblätter	1:11.500
Teufelskrallenwurzel	1: 7.000
Tausendguldenkrautblätter	1: 3.500
Bitterkleeblätter	1: 1.500

Die Zahlen sagen darüber aus, in welcher Verdünnung der bittere Geschmack (für den Menschen) noch bemerkbar ist. Die Blätter der Artischocke befinden sich hier an der absoluten Spitze.

Man unterscheidet bei Bitterstoffen
- eine lokale Wirkung und
- eine allgemein kräftigende Wirkung.

Lokal:
— Anregung der Magensaftbildung und der Beweglichkeit des Magens.
— Die Verdauung von schwerverträglichen Speisen wird erleichtert.

Deshalb ist der „Cynar", ein Artischockenschnaps, im südlichen Europa als Aperitif so beliebt. Natürlich geht es auch ohne Alkohol: 2 Eßlöffel guten Artischockensaftes haben dieselbe Wirkung.

Allgemein:
— Der ganze Organismus wird erfaßt:
— Die Bildung von Blutkörperchen wird angeregt,
— der Nervus Sympathikus wird sanft gereizt,
— die Blutzirkulation wird gefördert,
— die Blutgefäße selbst werden gekräftigt.

Das alles ist gut untersucht. Auch, daß die lokale Wirkung der Bitterstoffe bei jeder Einzelgabe auftritt, während die allgemeinen Wirkungen besonders bei der kurmäßigen Anwendung mehr und mehr zur Geltung kommen.

6-Wochen-Kuren und längere gelten hier als zielvoll.

Mit der Artischocke kann man solche auch unbedenklich durchführen. Natürlich steigert all das auch die Man-

neskraft. Speziell bei der Artischocke kommt dabei zusätzlich deren Leberschutzwirkung zum Tragen. Leberschäden gehören ja zu den großen Mitverursachern der Potenzschwäche. Die Wirkung auf die Leber aber entfaltet nicht der Bitterstoff Cynaropikrin, sondern ein zweiter, besonderer Stoff der Artischocke, das Cynarin.

b) Leberschutz, gallefördernd, Blutfette senkend – das Cynarin der Artischocke

Das Cynarin als Hauptwirkstoff der Artischocke hat man erst in jüngerer Zeit entdeckt. Im Jahre 1968 zeigte der Wissenschafter T. Maros als erster, daß ein *wässriger Auszug aus Blättern und/oder Wurzeln den Wiederaufbau der Leber fördert.* Es wird eine meßbare Mehrdurchblutung in der Leber ausgelöst, und die „antitoxischen Leberfunktionen" – das Entgiftungsvermögen der Leber – werden beachtlich angeregt. Das ist etwas sehr Wertvolles. Hier ergänzt das Cynarin der Artischocke das Betain der roten Bete. Man könnte (grob angenähert) sagen: Das Betain löst minderwertige Substanz aus der Leber, und das Cynarin hilft, hochwertiges Material einzubauen.

Zu dieser Leberwirkung des Cynarin der Artischocke kommt sein positiver Effekt bei **Gallestauungen.** Das hat im Jahre 1972 der Wissenschafter H. Dierel beschrieben.

> Nach Verabreichung von Artischockenextrakt kommt es rasch zur Beseitigung der Beschwerden. Die Schmerzen bessern sich, Übelkeit, Brechreiz, Blähungen und Völlegefühl lassen nach.

Im Heilpflanzenregister wird das

Cynarin der Artischocke deshalb auch als

a) Choleretikum = ein die Gallebildung in der Leber förderndes Mittel, und als

b) Cholekinetikum = ein die Gallenblasenentleerung förderndes Mittel bezeichnet.

Dazu kommt noch die erwähnte Leberschutz- und Leberaufbauwirkung. Durch die Tatsache, daß die Artischocke eine Leber- mit einer Gallenwirkung vereinigt, gewinnt sie — wie der Internist R. F. Weiss sich in seinem „Lehrbuch der Phytotherapie" ausdrückt — „eine Sonderstellung" unter den Heilpflanzen.

Schließlich konnte man noch eine dritte wertvolle Eigenschaft des Cynarin nachweisen: **es bewirkt ein Absinken erhöhter Blutfette**. In unserer Zeit, in der Fettstoffwechselstörungen weit verbreitet sind, ist das von besonderer Bedeutung. Eine Reihe von Forschungsarbeiten der letzten Jahre bestätigte den günstigen Einfluß der Artischocke speziell auf das erhöhte **Cholesterin**. Das macht sie zu einem wichtigen Vorbeugungsmittel gegen die Arteriosklerose beziehungsweise gegen die Folgen der Verkalkung an Herz, Blutgefäßen und Hirn. Und, da 80% aller Gallensteine das Cholesterin als Baubestandteil haben, ist auch hier die günstige Beeinflussung gegeben. Nach R. F. Weiss „dürfte in Zukunft das Gallensteinleiden eine bevorzugte Indikation für die Artischocke sein".

> Die **Anwendung** ist einfach: Man wird gewöhnlich zu den handelsüblichen Säften greifen, die aus den wirkstoffreichen Blättern gewonnen werden.
> Die **Dosierung** richtet sich nach dem Produkt:
> Bei unverdünnten reinen Arti-

schockensäften sind als Einzeldosis meist vier Teelöffel oder ein Eßlöffel angegeben, verdünnt in Wasser, Tee, Molke oder in einem anderen Gemüsesaft. Man wird sich daran halten, schon aus wirtschaftlichen Gründen. Sorgen wegen größerer Dosen aber braucht man sich nicht zu machen, denn die Artischockensäfte sind sowohl gut verträglich als auch ungiftig (beim Artischockengemüse muß man mehr aufpassen: wenn es nach dem Kochen zu lange aufbewahrt oder wieder aufgewärmt wird, können unverträgliche Stoffe entstehen).

Eine Darm-Galle-Leber-Kur: mit Rettich

„Es gibt im süddeutschen Raum, wo sehr viel mehr Rettich gegessen wird als im Norden, weit weniger Gallenblasenentzündungen, und man glaubt, dies dem Rettich zuschreiben zu können", schreibt Apotheker Manfried Pahlow in seinem „Großen Buch der Heilpflanzen". Tatsächlich haben schon die ägyptischen Pyramidensklaven von ihren Aufsehern bestimmte Tagesrationen an Rettich, Knoblauch und Zwiebeln erhalten. Da der Kalorienwert dieser drei Produkte gering ist, wird es der Gesundheitswert gewesen sein, den man anstrebte. Man wollte mit dem Bau fertig werden und die Sklaven nicht vorzeitig durch Darm-, Gallen- und Leberleiden verlieren. Eine *vorbeugende* Maßnahme also.

In der europäischen Volksmedizin wurde der Rettich dann kurmäßig eingesetzt – besonders bei **Darm- und Gallenleiden,** wenn diese mit Verstopfung vergesellschaftet waren. Das war eine *therapeutische* Maßnahme.

Heute weiß man über den Wirkmechanismus von Rettich und Rettichsaft ausreichend Bescheid, und man hat den therapeutischen Wert auch klinisch erprobt und bestätigt, im Hufeland-Krankenhaus in Berlin zum Beispiel.

Wirksam sind alle Rettich-Arten, die von *Raphanus sativus* abstammen. Das sind der schwarze und der violette Rettich (Sommer-, Herbst- und Winterrettich), der weiße Rettich (Treib- und Frühsommerrettich), das Radieschen (Radiole, Mai-Rettich, Monatsrettich) und einige ausländische Sorten, wie der chinesische Ölrettich.

Am gehaltvollsten sind die schwarzen Rettichsorten, wie „langer schwarzer Winter" und „runder schwarzer Winter". Daraus werden auch die besten handelsüblichen Säfte gepreßt.

Das wirksame Prinzip der Raphanus-Arten ist ihr schwefelhaltiges ätherisches Öl mit den Inhaltsstoffen Raphanol und Glucoraphanin. Nicht dazu gehört der Meerrettich! Dieser ist keine Raphanus-, sondern eine Amoracia-Art und hat seine Stärken anderswo (Harnwege, grippale Infekte).

Die günstige Wirkung von Rettich und Rettichsaft auf Galle und Leber ist – im Unterschied zur Artischocke – eine indirekte: sie kommt durch Beeinflussung des Darmes zustande. Die Dünndarmmuskulatur wird angeregt, der Verdauungsablauf dadurch beschleunigt. Deshalb kann es bei zu großen Dosen auch zu Durchfällen kommen. Zusätzlich werden körperfreundliche Bakterien im Dünndarm gefördert, körperfeindliche gehemmt. Durch all das entsteht eine Sogwirkung auf die Gallengänge, die somit

passiv gereinigt werden. In der Folge kommt es zu einer Entlastung der bei chronischen Gallenweggeschehen stets gestauten Leber.

Die kurmäßige Anwendung von Rettichsaft

Hauptanwendungsgebiet: Die chronische Gallenwegstörung mit Verlangsamung der Verdauung und Funktionsschwäche der Verdauungsdrüsen.

Man wählt zwischen zwei Vorgangsweisen:

a) Die Intervallkur, wenn Magen und Darm empfindlich sind.

$^1/_8$ Liter Rettich-Frischpflanzenpreßsaft wird auf 3 – 5 Einzeldosen zu je 1 – 2 Eßlöffel verteilt. Nach 5 Tagen wird eine Pause von 2 – 3 Tagen eingeschoben. In dieser Zeit hält die Sogwirkung auf die Gallengänge an und die Darmflora bleibt erhalten. Anschließend wieder 5 Tage Kur, dann 2 – 3 Tage Pause usw. Gesamtdauer einer Kur: 6 – 8 Wochen.

b) Die an- und absteigende Kur, wenn Magen und Darm weniger empfindlich sind.

Man beginnt wie oben angegeben bei $^1/_8$ Liter und steigert im Verlauf von 2 Wochen auf $^3/_8$ Liter täglich, jeweils verteilt auf 3 – 5 Dosen. Anschließend geht man, allmählich absteigend, wieder auf die Ausgangssituation von $^1/_8$ Liter zurück. Gesamtdauer der Kur ebenfalls 6 – 8 Wochen.

Der Rettichsaft wird stets auf nüchternen Magen, also zwischen den Mahlzeiten, genommen. So kommt der notwendige Kontakt mit der Darmschleimhaut und den Bakterien am besten zustande.

Frischer Rettich oder frisch gemachter Rettichsaft sind auf nüchternem Magen oft zu aggressiv. Manchmal hilft, wenn man sie vorher einige Stunden in den Kühlschrank stellt.

Will man Rettichsaft zu therapeutischen Zwecken nutzen, muß man die angegebenen Kur-Dauern einhalten und sollte die Dosen nicht überziehen. Wenn man als einigermaßen Gesunder den Rettich vorbeugend gebraucht, gelten diese Beschränkungen nicht, und man kommt auch mit geringeren Dosen täglich aus: 1 – 2 Eßlöffel Frischpflanzenpreßsaft oder ein Glas des weniger konzentrierten Rettich-Gemüse-Saftes gewähren auf ihrem Gebiet vollen Schutz.

Gegen Maden- und Spulwürmer: die Möhre (Karotte)

Möhre und Möhrensaft sind ein vielfältig angewandtes altes Heilmittel und nicht nur „lieblich zu essen", wie Matthiolus 1563 in „die würckung von mören" schreibt. Sie sind auch gut gegen „grimmen im leib, bringen lust zur speiss und zu den ehlichen wercken und treiben den harn und den stein". Weiters gepriesen wurde die Möhre als allgemein kraftspendendes Mittel. Auch die wurmtreibende Wirkung war den Alten gut bekannt. Durch die moderne Forschung wurde sie bestätigt: das ätherische (flüchtige) Öl der Möhre wirkt auf die Muskulatur der häufigsten **Eingeweidewürmer** vor allem der Kinder, aber auch vieler Erwachsener: der Maden- und der Spulwürmer. Bei den Würmern kommt es dadurch zunächst zu regelrechten Erregungszuständen, ihre Beweglichkeit nimmt zu, und sie beginnen, in Richtung Ausgang zu fliehen. Deshalb nennt man diese Wirkung eine „vermifuge" = eine wurmfluchterzeugende. Wenn nun durch Weitertrinken von Möhrensaft die Konzentration des ätherischen Öles im Darm größer wird, schlägt die Wirkung um, und die Würmer werden gelähmt. Nun können sie leicht ausgeschleust werden, da sie keinen Widerstand mehr leisten. Besonders die Entfernung von Madenwürmern, die sich ja meist im unteren Dickdarm aufhalten, gelingt mit Hilfe ausreichender Dosen geschabter frischer Möhren oder Möhrensaft fast immer zufriedenstellend. Es ist dies fraglos das harmloseste aller Wurmmittel.

Natürlich muß man während einer Wurmkur auch mit Möhrensaft auf peinlichste Sauberkeit achten: Die Eier der Madenwürmer haften der Umgebung des Afters an. Wenn nun die Kinder sich dort mit den Fingern kratzen, um den meist vorhandenen Juckreiz zu beseitigen, gelangen die Eier unter die Fingernägel, durch Fingerlutschen in den Mund und schließlich wieder in den Darm. Oder auch mit der Nahrung, die man mit den Fingern berührt.

Es kann natürlich auch die Möhre selbst sein, welche man als Heilmittel einsetzen will. Dabei spielt eine Rolle, daß auch die anderen im selben Haushalt lebenden Familienmitglieder mit dem Wurmerkrankten mitbehaftet sein können. Wenn man also den Möhrensaft selbst herstellt, dann muß man die Möhre vor der Saftgewinnung blanchieren: in einem Eintauchsieb taucht man sie ca. zehn Sekunden in siedendes Salzwasser. Anhaftende

Wurmeier werden so vernichtet, und innen bleibt die Möhre roh genug. Sicherer sind hochwertige Handelssäfte, die durch Kurzzeiterhitzung stabilisiert wurden. Sie sind keimfrei, und zugleich sind die wichtigen ätherischen Öle erhalten geblieben.

> Bei einer gezielten Wurmkur gibt man zwei Tage lang soviel geschabte Möhren und Möhrensaft wie das Kind essen und trinken mag — anschließend 1/4 Liter Saft zum Frühstück, über mehrere Wochen.

Auch vorbeugend, während Reisen in südliche Länder zum Beispiel, sind Möhren und Möhrensaft wertvoll. Man schützt sich vor so manchem Parasiten.

Krampflösend und schleimhautschützend: Kartoffel und Tomate

Sowohl die Kartoffel als auch die Tomate kennt man bei uns erst seit der Entdeckung Amerikas. Anfang des 16. Jahrhunderts wurden sie mit den Soldaten Pizarros aus der Gegend des heutigen Peru nach Europa gebracht. Man bestaunte die neuen Früchte, verwendete sie als Tierfutter, aber kaum ein Mensch getraute sich, herzhaft in sie hineinzubeißen. Man hatte von den Indianern in Erfahrung gebracht, daß beide Früchte giftig seien, wenn man zuviel davon ißt. Daran ist tatsächlich etwas Wahres: größere Mengen roher, unreifer Tomaten sind giftig — reife aber nicht, auch nicht, wenn sie roh sind. Und größere Mengen reifer, aber roher Kartoffeln sind giftig — gekochte oder gebratene nicht. Die **Vergiftungszeichen:** Erweiterung der Pupillen, dadurch Lesebeschwerden. Gerötete, „blühende" Gesichtsfarbe, Trockenheit in Mund und Hals, Heiserkeit. Das Gift ist bei beiden, den rohen, unreifen Tomaten und den reifen, aber rohen Kartoffeln, das gleiche, nämlich das *Solanin,* ein dem Atropin der Tollkirsche und dem Hyoscyamin des Bilsenkrautes verwandter Stoff. Wie diese gehört das Solanin zu den Forte-Phytotherapeutika. So bezeichnet man jene pflanzlichen Heilmittel, welche „stark" wirken, meist prompt nach einmaliger Gabe, die zugleich aber eine nur geringe therapeutische Breite besitzen. Darunter versteht man den Abstand von der eben wirksamen bis zur giftigen Dosis.

Nimmt man von rohen Kartoffeln oder rohen, unreifen Tomaten zuviel, dann können die erwähnten Vergiftungssymptome rasch auftreten. In richtiger Dosierung aber ist auch das Solanin eine durchaus hilfreiche Substanz. Im Vordergrund steht der krampflösende Effekt, der bei **Schleimhautentzündungen von Magen und Darm** und bei **Neigung zu Geschwüren** Erleichterung bringt, aber auch bei jenen Formen von **Verstopfung,** welche auf verkrampfte Darmschlingen zurückzuführen sind. Hier unterscheiden sich auch die Anwendbarkeiten des Kartoffel- und des Tomatensaftes ein wenig:

a) Kartoffelsaft: Bevorzugte Anwendung bei Gastritis mit Neigung zu Geschwüren. Hier kommen zusätzlich die in der Kartoffel vorhandenen Schleimstoffe zur Geltung. Diese legen sich wie ein Schutzfilm über die erkrankten Abschnitte der Magen- und Darmschleimhäute. Unter diesem

Schutz können Ausheilprozesse leichter ablaufen.

> Als obere verträgliche Dosis wird der Saft einer mittelgroßen rohen Kartoffel angegeben – wohlverteilt über den Tag zu gebrauchen.

b) Tomatensaft: Bevorzugte Anwendung bei der durch verkrampfte Darmschlingen hervorgerufenen Verstopfung. Hier kommen zusätzlich die in der Tomate enthaltenen Fruchtsäuren zur Geltung. Sie wirken durch Ansaugen von Flüssigkeit und vermehren dadurch die Stuhlmenge. Beim Saft aus reifen Tomaten braucht man sich wegen einer Überdosierung von Solanin keine Sorgen zu machen. Auch der oft zitierte Oxalsäuregehalt der Tomaten ist nichts als Legende: Spinat hat ca. 150mal soviel (570 mg in 100 g), sogar Weißbrot (6,9 mg) hat fast doppelt soviel wie die Tomate: 3,9 mg in 100 g eßbarer Substanz.

Er regt die Bauchspeicheldrüse an: der Spinat

Früher wurde vor allem sein Eisengehalt hervorgehoben. Dieser ist mit 3 mg in 100 g beachtlich. Die Ausbeute aber – das, was unser Körper aus dem Spinat letztlich ziehen kann – ist gering: durchschnittlich nur 1,3%; das ist deutlich weniger als bei anderen Blattgemüsen oder gar bei Fleisch. Das haben die Forschungen von Layrisse, Martinez-Torres und Heinrich ergeben (1971 und 1977). Der außergewöhnliche Gehalt des Spinates an Oxal- und auch an Phosphorsalzen dürfte dafür hauptverantwortlich

sein. Wegen seines Eisens also braucht man ihn nicht zu empfehlen. Dafür aber hat er seine anderen großen Stärken:

● Spinat hat einen Spitzengehalt an freier Folsäure. Das ist das Vitamin B_c. Auf 100 Kcal Spinat kommt davon fast ein Milligramm, vergleichsweise eine Riesenmenge also. Der Körper benötigt die Folsäure für die bessere Ausnutzung der Eiweißstoffe aus der Nahrung, für die Bildung von besonders komplizierten Molekülen und für den Aufbau der roten Blutkörperchen. Außerdem ist sie für die einwandfreie Funktion unseres Verdauungsapparates wichtig. Zungenbrennen und Neigung zu Durchfällen ist auch eines der ersten Zeichen des Folsäure-Mangels.

● Der Gehalt an Spinat-Sekretin. Er ist der Hauptgrund dafür, daß man den Spinat in das Heilpflanzenregister aufgenommen hat. Das Sekretin ist eines der sogenannten „gastro-intestinalen Hormone". Das sind von den Magen- oder den Darmzellen gebildete Stoffe, welche die Verdauung steuern. Es regt speziell die Bildung des alkalischen Bauchspeicheldrüsensaftes an; außerdem steigert es die Wirksamkeit eines anderen gastro-intestinalen Hormones, des „Pankreocymins", das die Bildung der Verdauungsfermente in der Bauchspeicheldrüse fördert.

Der alkalische Bauchspeicheldrüsensaft – die normale Tagesmenge beträgt nicht weniger als 2 Liter – neutralisiert die Säure aus dem Magen. Wenn das vollzogen ist, ist zugleich ein zeitlicher Abschnitt der Gesamtverdauung beendet und ein neuer, ebenso wichtiger wird eingeleitet. Auch für diese exakte zeitliche Folge, die im Sinne einer einwandfreien Verarbeitung der Nahrungsmittel von Bedeutung ist, zeichnet das Sekretin zum guten Teil verantwortlich. Im Gefolge von chronischen Bauchspeicheldrüsenerkrankungen, wie sie heute alles andere als selten sind, kommt es zu Störungen des Systems. Es tritt die bauchspeicheldrüsenbedingte **Verdauungsschwäche** auf. Neben einer (meist kohlenhydratreichen) Diät und der Zufuhr von Verdauungsfermenten sind dann Spinat oder Spinatsaft von besonderem Wert. Durch das pflanzliche Sekretin regen sie die abgeschwächte Saftleistung der Bauchspeicheldrüse an.

Man nimmt 1 – 2 Eßlöffel des Saftes vor oder zu den größeren Mahlzeiten und verwendet den Spinat auch als Gemüse.

Bei dieser Dosierung kommt eine nachteilige Wirkung der Oxalsäure des Spinates kaum zur Geltung. Nur wer zu Oxalat-Nierensteinen neigt, könnte sicherheitshalber auf den Brennesselfrischpflanzenpreßsaft, welcher viel weniger Oxalsäure (aber auch weniger Sekretin) enthält, ausweichen.

Cholesterin- und blutfettsenkend: der Knoblauch

Der Knoblauch zählt zu den ältesten Heilpflanzen und Gewürzen überhaupt. Im alten China, wo seine Urheimat liegt, soll er schon in der Zeit vor der schriftlichen Überlieferung, der Zeit der „sagenhaften Kaiser", außergewöhnlich geschätzt gewesen sein. Die chinesischen Kaiser waren ja unentwegt auf der Suche nach einem Wundermittel, das überlanges Leben vermitteln sollte. Da werden sie am Knoblauch nicht vorbeigegangen sein. Die akademische Medizin verhielt sich gegenüber der Behauptung aus dem Volke, daß der Knoblauch der Arterienverkalkung vorbeuge und somit lebensverlängernd wirke, lange Zeit sehr reserviert. Bis im Jahre 1975 die Wissenschafter Jain und Konar an mit Knoblauch gefütterten Kaninchen eindeutige Erfolge nachwiesen: der Grad an Arterienverkalkung war bei ihnen um bis zu 50% geringer als bei anderen Kaninchen, welche keinen Knoblauch, sonst aber dasselbe, die Arterienverkalkung fördernde Futter erhielten.

Kurz darauf stellten Kerekes und Faszt fest, daß durch Knoblauch auch beim Menschen Blutfette und Cholesterin gesenkt werden. Als verantwortlichen Wirkstoff dafür entdeckte man das Allicin. Die Bezeichnung leitet sich von Allium, dem botanischen Gattungsnamen für die Lauchgewächse, ab. Das Allicin gibt es auch in allen von ihnen, im Knoblauch aber ist am meisten davon − gefolgt vom Bärlauch − enthalten.

Knoblauchextrakte senken speziell jene Art von Blutfetten, welche zur Arterienverkalkung führen. Das sind die mit niedriger Dichte (LDL − Low Density Lipoproteine). Sie vermehren aber zugleich jene andere Art von Blutfetten, welche der Arterienverkalkung entgegenwirken. Das sind die mit hoher Dichte (HDL − High Density Lipoproteine). Solcherart greift der Knoblauch in die feinen Mengenverhältnisse unseres Körpers ein und verschiebt das Gleichgewicht zugunsten der Gesundheit und des längeren Lebens.

Die Cholesterin-Senkung durch das Allicin des Knoblauchs (Bärlauches und anderer Pflanzen) dürfte auch darauf beruhen, daß das im Blutplasma frei vorhandene Cholesterin verkuppelt wird und auf diese Weise abtransportiert und entfernt werden kann.

Sehr eindrucksvoll ist hier die jahrtausendealte Erfahrung von Menschen durch die moderne Wissenschaft erklärt, erläutert und bestätigt.

Weitere Wirkungen des Knoblauchs

1. Die Erweiterung von Blutgefäßen

Vor allem gilt das für die Beingefäße, für die Blutgefäße in den Augen und für die Darmwurzelgefäße. Deshalb ist der vermehrte Einsatz von Knoblauch besonders angebracht:

● Bei der sogenannten Schaufensterkrankheit (die daran Leidenden bleiben häufig vor Schaufenstern stehen, um dort unauffällig das Nachlassen des Mangeldurchblutungsschmerzes in den Beinen abzuwarten),

● bei der gefäßbedingten Sehschwäche und

● bei der Verkalkung der Darmwurzelgefäße (häufige Ursache für Blähungen) erfolgversprechend.

Alle diese Störungen treten bevorzugt bei älteren Menschen auf. So erklärt sich die Beliebtheit des Knoblauchs besonders bei den älteren Semestern.

2. Die Wirkung auf den Darm

Sie ist unabhängig von der günstigen Beeinflussung der Darmwurzelgefäße, addiert sich zu dieser im Endeffekt jedoch. Der Knoblauch beseitigt Gärungsprozesse im Darm, Blähungen und Verdauungsschwäche. Hier spielt auch ein antibiotischer Wirkstoff des Knoblauchs eine Rolle: Durch ihn werden unliebsame Darmbakterien bekämpft. Besonders wirkt deshalb der Knoblauch bei den Folgezuständen nach der Ruhr, auch der Amöbenruhr. Diese ist in den Mittelmeerländern sehr verbreitet. Nicht zuletzt deshalb ist der Knoblauch dort so beliebt.

Eine besondere Wirkstoffgruppe im Knoblauch sind seine Lauchöle mit ihrer *Wirkung gegen Blähungen* und ihrem *Galle- und Verdauungsdrüsensekret fördernden Effekt*.

3. Die Wirkung gegen Eingeweidewürmer

Auch sie ist ein Grund, wieso der Knoblauch vor allem in den südeuropäischen Ländern mit ihren größeren Ansteckungsmöglichkeiten für Würmer sosehr beliebt ist. Die Wirkung erstreckt sich vor allem auf die bei Kindern häufiger vorkommenden *Madenwürmer* (Oxyuren), aber auch auf *Spul-* und sogar *Bandwürmer*. Ähnlich wie durch das Duftöl der Möhre werden auch durch die Wirkstoffe des Knoblauchs die Würmer erregt und zur Flucht in die unteren Darmabschnitte veranlaßt; dann durch höhere Knoblauchdosen gelähmt, so daß sie widerstandslos ausgeschleust werden können. Besonders sinnvoll bei Wurmbefall: die kombinierte Anwendung von Knoblauch und Möhren als Speise und, ein bis zwei Tage später, der Knoblauch-Einlauf.

Eine Knoblauchzehe wird zerkleinert, mit einem viertel Liter Wasser oder Milch 10 Minuten lang gekocht und nach dem Abkühlen als Klysma in den Mastdarm eingespritzt. Ein solches Klysma wird (besonders bei Madenwürmern) im wöchentlichen Abstand wiederholt. Um die Würmer zugleich aus den oberen in die unteren Darmabschnitte zu drängen, werden in der ganzen Zeit Knoblauch und Möhren bzw. Möhrensaft weiter verabreicht.

4. Der allgemein kräftigende Effekt

Dieser tritt durch Anregung einer ganzen Reihe von körpereigenen Regulationen auf, besonders auch der Hormondrüsen. Darauf beruht die immer wieder beschriebene **potenzsteigernde Wirkung** des Knoblauchs und der günstige Einfluß auf **Wallungen im Wechsel.** Man kennt die Wirkmechanismen im Detail noch nicht. Möglicherweise spielen hier besondere organische Schwefelverbindungen (Rhodanide), die man im Knoblauch vermehrt gefunden hat, eine Rolle.

5. Die Wirkung bei der chronischen Bleivergiftung

Sie wurde in jüngerer Zeit durch den Wissenschafter Petkov nachgewiesen. Die Zeichen der Bleivergiftung schwanden unter Knoblauch-Zufuhr viel schneller als gewöhnlich, und bei Arbeitern in Bleibetrieben traten sie gar nicht erst auf, wenn Koblauch regelmäßig vorbeugend genommen wurde. Man konnte das in Blut und Harn exakt nachweisen.
Diese eine Schwermetallvergiftung verhindernde Eigenschaft des Knoblauchs spielt gerade in Zeiten gesteigerter Umweltbelastung eine wichtige Rolle.

Anwendung des Knoblauchs

Ihr ist – durch den intensiven Geruch – häufig eine Grenze gesetzt. Unmittelbar nach Einnahme riecht es aus Mund und Magen. Der eigentliche Knoblauchgeruch aber tritt erst später auf – durch die Ausdünstung der schwefelhaltigen Bestandteile des Knoblauchs über Haut und Lunge. Diese Tatsache zeigt aber auch, daß die Wirkstoffe des Knoblauchs den ganzen Körper durchdringen; nach R. F. Weiss ist die Ausdünstung eine Voraussetzung für die Wirkung. An der Wurzel also darf man sie nicht behindern – etwa durch gleichzeitige Einnahme von Tierkohle, um die Stoffe schon im Darm zu binden. Wohl aber kann man dem Geruch die Spitze nehmen: durch vermehrte Körperpflege, durch verschiedene Überdeckungsmaßnahmen, wie Kauen von Kerbel, von Petersilie, von Kaffeebohnen. Auch Thymian und Pfefferminze eignen sich.

Üblicherweise zieht man eine **Knoblauchkur** über Wochen durch. 2 – 3 Knoblauchzehen über den Tag verteilt mit etwas Milch oder fein zerhackt auf Brot.
Es gibt auch einen **Frischpflanzenpreßsaft** und verschiedene Spezialzubereitungen, wie Knoblauchwein oder Knoblauchlikör.
Knoblauchkapseln empfehlen sich dann, wenn man den frischen Knoblauch vom Magen her nicht verträgt.

Zur Vorbeugung wird auch eine **Wochenendkur** empfohlen: ausreichende Knoblauchmengen von Samstag bis Sonntagabend.
In den meisten Fällen ist frischer Knoblauch wirksam. Nur wenn es sich um die blähungswidrigen Lauchöle handelt, dann ist abgelagerter Knoblauch besser geeignet.

Die Laucharten und ihre Öle

Der Knoblauch und weitere Laucharten, wie die Küchenzwiebel, die Schalotte, der Bärlauch, der Schnittlauch und der Porree, enthalten auch bestimmte Schwefelverbindungen, die zusammen die sogenannten Lauchöle bilden. In der lebenden Pflanze kommen diese geruchsintensiven Stoffe nicht vor. Sie bilden sich durch Zersetzung erst nach der Ernte beim allmählichen Aufweichen der Pflanzenzellen während der Lagerung. Deshalb ist in diesem Fall älteres und abgelagertes Gut gehaltvoller. Das ist besonders beim Knoblauch, bei der Zwiebel und bei der Schalotte von Bedeutung: Sie werden nach der Ernte gerne mit Bast zu dekorativen Zöpfen geflochten bzw. in einen Strumpf ge-

ARTEN UND SORTEN	WIRKSAME SUBSTANZEN	HAUPTANWENDUNGSBEREICH
Kohl- und Krautsorten (Brassica - Arten)	Anti-Ulkus-Faktor (Methyl-Methioninsulfoniumbromid)	Magen- und Darmgeschwüre, Gastritis
Rote Bete/Rübe, Zuckerrübe (Beta - Arten)	1. Betain 2. Betanin	1. Leberschutz, Fettleber 2. Unliebsame Darmbakterien bekämpfend
Artischocke (Cynara - Arten)	1. Cynaropikrin 2. Cynarin	1. Allgemeine Kräftigung 2. Leberschutz, Leberaufbau, Gallefördernd, Gallensteine verhindernd, erhöhte Blutfette senkend
Rettiche (Raphanus - Arten)	Raphanol, Glucoraphanin	Chronische Gallenerkrankungen, Störung der Darmflora
Möhre (Karotte) (Daucus - Arten)	Ätherisches Öl	Maden- und Spulwürmer
Kartoffel (Solanum tuberosum- -Sorten)	1. Solanin 2. Schleimstoffe	Gastritis, Magen - und Darmkoliken
Tomate (Solanum lycopersicum- -Sorten)	1. Solanin 2. Fruchtsäuren	Verstopfung durch verkrampften Dickdarm
Spinat (Spinacia oleracea- -Sorten)	1. Freie Folsäure 2. Spinat-Sekretin	1. Aufbau besonderer Moleküle 2. Bauchspeicheldrüsenbedingte Verdauungsschwäche
Knoblauch (Allium sativum)	Allicin, Rhodanide	1. Cholesterin und Blutfette senkend 2. Blutgefäßerweiternd 3. Gärungsprozesse und Eingeweidewürmer bekämpfend 4. Allgemein kräftigend 5. Gegen chronische Bleivergiftung
Knoblauch, Zwiebel und andere Lauchsorten (Allium - Arten)	Schwefelhältige Lauchöle	Blähungswidrig, Gallefußanregend, Schadbakterien im Darm bekämpfend

geben. Reif zur Lagerung sind diese drei Laucharten dann, wenn sich ihre Schalen pergamentartig anfühlen und ihr Laub verwelkt ist. Dann aber haben sich, durch Sauerstoffabgabe, die ersten Lauchöle gebildet. Ihre Hauptwirkung ist blähungswidrig; außerdem fördern sie die Bildung der Galle, regen die Tätigkeit der Verdauungsdrüsen an und bekämpfen unliebsame Bakterien in den Gedärmen. In dieser Hinsicht sind die Wirkungen von Knoblauch, Zwiebel und Schalotte vergleichbar. Hinsichtlich der übrigen zuvor erwähnten Wirkungen steht der Knoblauch (allenfalls gefolgt vom Bärlauch) souverän an erster Stelle.

Gemüse-, Obst- und Beerensorten mit heilsamer Wirkung – Ein kleines Lexikon

Es gibt eine Reihe von Sorten, die ebenfalls nicht nur eine sättigende, sondern auch eine heilsame Wirkung entfalten. Bei manchen sind die Zusammenhänge durch die moderne wissenschaftliche Forschung geklärt, bei anderen basiert die Heilanzeige mehr auf dem Erfahrungsgut der Volksmedizin. Die wichtigsten von ihnen sind hier beschrieben:

A. Gemüsesorten

Einteilung in alphabetischer Reihenfolge. Die in den vorigen Kapiteln bereits ausführlich beschriebenen Sorten sind mitangeführt, es wird auf die jeweilige Seite rückverwiesen.

Aubergine (Eierfrucht)
Südeuropäische Frucht. Als Nachtschattengewächs mit größerem Solanin-Gehalt nicht für den Rohverzehr geeignet. Wie bei ihren Verwandten Kartoffel und Tomate sind ihre grünen Teile giftig. Der fleischige Teil der Frucht enthält Wirkstoffe mit cholesterinsenkendem Effekt. Die dunkelviolette, glänzende Haut ist reich an organischen Säuren, daher stuhlfördernde Wirkung. Wenn man die Auberginen ohne Fett dünstet (mit der Haut), wirken sie anregend auf Leber und Galle.

Artischocke s. S. 24

Bärlauch s. S. 34

Bohne, weiße, Saubohne, Puffbohne
Botanisch keine Hülsenfrucht, sondern eine Wickenart. Im Rohzustand leicht giftig. Entgiftung durch Kochen. Die Volksmedizin schreibt den weißen Bohnen eine beruhigende Wirkung zu. Besonders der Absud wirkt deutlich entwässernd.

Brennessel
Eine der meistgebrauchten Heilpflanzen. Die frischen, jungen Blätter und die Triebe werden auch in der Küche verwendet: als Gemüse, als Salat, zur Saftgewinnung.
Die wichtigsten der vielen Eigenschaften der Brennessel:
● Reinigung von Blut und Körpersäften,
● Entwässerung,
● allgemein anregend auf die Zellarbeit. Sie enthält, ähnlich den Bohnenhülsen, ein Glukokinin. Spezielle Anwendungen in der Volksmedizin: Rheuma, Gicht, Haut- und Haarerkrankungen. Hemmt die Milchsekretion, daher nicht für stillende Frauen geeignet.

Buschbohne, Stangenbohne, grüne Bohne

Die grünen oder gelben Hülsen der Buschbohne enthalten eine Substanz mit sanft entwässernder und säftereinigender Wirkung. Außerdem hat sie die Eigenschaft eines Glukokinins: Sie unterstützt die Wirkung des Zuckerhormons Insulin. Damit Glukokinine angreifen können, muß Insulin im Körper vorhanden sein – körpereigenes, von den Inselzellen des Körpers gebildetes, oder von außen durch Spritzen zugeführtes. Fehlendes Insulin, wie bei der Zuckerkrankheit, können Glukokinine **nicht** ersetzen.

Chicorée, Zichorie, Wegwarte

Mehrere Formen sind gebräuchlich:
a) der Salatchicorée: verwendet werden die Blätter
b) der Bleichchicorée: verwendet werden die weißgelben Wurzeln als Wurzelgemüse. Es handelt sich um eine veredelte Zuchtform aus
c) der Wurzelchicorée: wird als Kaffee-Ersatz verwendet (Zichorienkaffee).
Die Wurzeln ebenso wie die Blätter enthalten den Bitterstoff Intybin, der eine milde Anregung des Galleflusses bewirkt. Außerdem Anregung von Saftbildung und Beweglichkeit des Magens sowie der Bauchspeicheldrüsentätigkeit. Die Volksmedizin empfiehlt Chicorée auch als Mittel gegen unreine Haut.

Erbse

Diese beliebte Hülsenfrucht enthält ein pflanzliches Kontrazeptivum, einen Stoff, der wie eine „Pille" wirkt. In Tibet und in manchen Gegenden Indiens soll die Bevölkerungszahl nur deshalb seit 200 Jahren konstant geblieben sein, weil die Frauen dort außergewöhnlich viel Erbsen essen und daher nicht so fruchtbar sind als anderswo. Die Volksmedizin empfiehlt die Erbse, ähnlich wie den Hafer, als besonderes Kräftigungsmittel nach schweren Krankheiten.

Feldsalat, Ackersalat, Rapunzel

Ein Baldriangewächs, welches mit dem echten Baldrian auch entfernt verwandt ist. Die Volksmedizin verwendet den Feldsalat zur Blutreinigung, bei Verstopfung und zur Hebung der Widerstandskraft bei Infekten.

Fenchel

Man verwendet von kulturmäßig angebauten Fenchelsorten die Blattansätze als Gemüse. Die Wirkung ist ähnlich jener der als Gewürz und Heilmittel verwendeten Früchte des Fenchels: krampflösend, gegen Blähungen und gegen Husten sowie Anregung der Verdauungsdrüsen. Die Volksmedizin verwendet Fenchel auch gegen durch schlechte Durchblutung ausgelöste Kopfschmerzen.

Gurke

Der Saft von Salat- und Schälgurken ist ein bewährtes Diätmittel gegen Rheuma und Gicht. Anregung der Nierentätigkeit und Ausschwemmung von Giftstoffen. In der Kosmetik verwendet man Gurkenscheiben zum Erfrischen und Straffen von müder Haut.
Bei den verschiedenen Hautflechten verwendet die Volksmedizin die Gurke innerlich und äußerlich zugleich.

Karotte/Möhre s. S. 28

Kartoffel s. S. 29

Knoblauch s. S. 31

Kohl, Kraut, Kohlrübe s. S. 21

Kopfsalat, Gartenlattich

Enthält wie alle Latticharten den Wirkstoff Lactucarium. Dessen Wirkung ist beruhigend, schlaffördernd und schmerzlindernd.

Die Volksmedizin verwendet den Kopfsalat-Absud als Wasch- und Reinigungsmittel bei Akne.

Kürbis

Das Kürbisgemüse wirkt mild abführend, wird aber als Darmgifte ansaugendes Mittel auch bei Durchfällen gegeben. Man verordnet dann analog zum „Apfeltag" oder „Möhren/Karotten-Tag" einen „Kürbistag". Das Kürbisfleisch wird dafür gedünstet.

Die Volksmedizin verwendet das Kürbisfleisch auch als bevorzugtes Gemüse bei rheumatischen Erkrankungen.

Eine besondere Wirkung haben die **Kürbiskerne**

a) *als Mittel gegen Bandwürmer*. Die Kerne des sogenannten Markt- und des Mantelkürbisses sollen am wirksamsten sein. Für eine Bandwurmkur braucht man größere Mengen ungeschälter Kerne — mindestens 200 g —, die zerstampft oder mit der Kaffeemühle gemahlen werden. Daraus wird mit Milch und Honig ein Brei geformt, der morgens nüchtern in zwei Portionen gegessen wird. Der Bandwurm wird dadurch gelähmt, aber nicht getötet. Deshalb muß man nach 2 Stunden Rizinusöl nehmen, um ihn auszuschleusen, bevor die Lähmung nachläßt. Es gibt in Frankreich ein besonders konzentriertes Kürbiskernöl, das als Bandwurmmittel Verwendung findet.

b) *als Mittel gegen die beginnende Vergrößerung der Prostata (Vorsteherdrüse)*. Auch hier sind es Kerne aus einer Spezialzucht eines Kürbisses, des sogenannten „steirischen", die am besten wirken. Männer aus den Balkanländern, welche die Kerne regelmäßig kauen, erleiden jedenfalls auffallend selten eine Vergrößerung ihrer Prostata.

Lauch s. S. 34

Melone

Man unterscheidet meist zwischen der Zucker- und der Wassermelone. Auch die Papayafrucht als „Baummelone" zählt man in die weitere Verwandtschaft (s. dort).

a) Die Zuckermelone gibt es in drei Unterarten:

● als glatte Form = Ananasmelone,

● als Netzmelone mit genetzter Schale und

● als Cantalupe, einer Unterart mit gerippter Schale. Sie ist nach der bei Rom gelegenen Ortschaft Cantalupa benannt.

Die Volksmedizin verwendet alle drei Unterarten zum selben Zweck: als Entwässerungsmittel, gegen Verstopfung, insbesondere bei Bestehen von Hämorrhoiden, und bei rheumatischen Erkrankungen. Auch eine fiebersenkende Wirkung wird der Zuckermelone nachgesagt.

b) Die Wassermelone hat einen geringeren Zuckergehalt als die Zuckermelone (4 g Zucker : 8 g Zucker in 100 g) und ist daher für Diabetiker günstiger. Die Anwendungsgebiete der Volksmedizin sind dieselben wie bei der Zuckermelone.

In den USA wird Wassermelonensaft bei bestimmten Nierenleiden eingesetzt.

In der Kosmetik wird die Wassermelone ähnlich wie die Gurke verwendet.

Manche Menschen vertragen Wassermelonen nicht. Sie sind überempfindlich gegen Cucurbitacine, Stoffe, die auch im Kürbis vorkommen. In letzteren aber werden diese durch Erhitzen entgiftet, deshalb sind Erkrankungen seltener. In Südamerika, wo aus Durst oft größere Mengen Wassermelonen auf einmal verzehrt werden, gibt es nicht selten schwere Magen-Darm-Beschwerden mit bedrohlichen Durchfällen durch sie.

Möhre/Karotte s. S. 28

Papaya, Baummelone

Die kürbisartige Frucht des Melonenbaumes. Das Fruchtfleisch enthält das Ferment Papain. Es erleichtert die Eiweißverdauung. Man kann also zu fleisch- oder fischreichen Mahlzeiten eine Papaya auslöffeln – oder eine frische Ananas essen, was ähnlich wirkt (Seite 39). Für medizinische Zwecke (Verdauungsstörungen, Wundbehandlungen) wird das Papain aus dem Milchsaft der unreifen Früchte gewonnen. In ihrer tropischen Heimat (Indien, Brasilien) wird die Papaya gegen Verstopfung täglich zum Frühstück gegessen.

Pastinak

Diese gelblichweiße Pfahlwurzel war im Altertum hochgeschätzt und zählte zu den am weitesten verbreiteten Gemüsesorten. Ab dem 11. Jahrhundert wurde sie durch die Möhre verdrängt. Die Volksmedizin verwendet Pastinak heute noch gerne wegen seiner beruhigenden Wirkung. Außerdem wirkt er blutreinigend und entwässernd.

Paprikaschote

Der Gemüsepaprika ist (ebenso wie der Gewürzpaprika) ein Nachtschattengewächs und mit Aubergine und Tomate verwandt. Grüne Paprikaschoten sind vorzeitig geerntete Früchte. Läßt man sie ausreifen, werden sie rot (wie die Sorten „Bell Boy" oder „Szegediner") oder gelb (wie die Sorte „Early Calwonder").
Die Volksmedizin schätzt alle als Verjüngungsmittel und setzt sie gegen alle Formen von Altersleiden ein. Vermehrter Gebrauch von Paprikagemüse soll auch die Verkalkung bremsen. Der charakteristische scharfe Geschmack des Paprikas kommt von dem Stoff Capsicain. Er regt die Verdauungsdrüsen an und kräftigt

– über Anregung der Nebennierenrinde – ganz allgemein.

Porree s. S. 34

Portulak, Bürzelkraut, Bürzelkohl

Fleischiges Blattgemüse mit erfrischendem salzigem Geschmack. Die Blattknospen werden als Kapernersatz verwendet. In der Volksmedizin wird Portulak (wie Spinat zubereitet oder Salaten zugemischt) bei Verstopfung gegeben.

Rettich, Radieschen s. S. 26

Rote Bete/Rübe s. S. 23

Schalotte s. S. 31

Sellerie

Verwendet werden der Bleich- oder Stielsellerie, von dem die Blattstiele gegessen werden, und der Knollen- oder Wurzelsellerie, von dem man die Knolle ißt. Der Bleichsellerie ist bei der Ernte grün. Früher hielt man ihn im Dunkeln, woraufhin er ausbleichte; daher der Name. Heute läßt man die Stiele grün, da sie so ihre Vitamine behalten; den alten Namen aber hat man belassen.
Es gibt auch Stielsellerie mit roten und mit gelben Stielen.
Alle Sellerie-Sorten werden von der Volksmedizin gerne und häufig verwendet. Die Hauptanwendungsgebiete: zur allgemeinen Kräftigung, gegen rheumatische Erkrankungen, gegen Gicht. Die Ausheilung von Schleimhaut-Erkrankungen, Bronchitis, Blasenentzündungen, Darmentzündungen wird gefördert. Auch als Potenzmittel ist Sellerie seit altersher im Gespräch.

Sojabohne

Sie ist eines der konzentriertesten Nahrungsmittel überhaupt. Darüber hinaus sind auch medizinische Einsatzgebiete bekannt: durch eine cholesterinsenkende Wirkung Vorbeugung der Arterienverkalkung. Allgemein kräftigend, Beschleunigung der Rekonvaleszenz nach Erkrankungen.

Spinat s. S. 30
Tomate s. S. 29
Zwiebel s. S. 34

B: Obst- und Beerensorten

Ananas
Enthält das Ferment Bromelin, das die Eiweißverdauung fördert. Bei Mangel an Magensäure ist das sehr hilfreich. Allerdings hat nur das rohe Fruchtfleisch diese Wirkung, erhitzte Ananas oder Ananas aus Dosen nicht, da das Ferment durch Pasteurisieren unwirksam gemacht wird.

Apfel
Enthält Pektine; das sind Stoffe, die, ähnlich der Tierkohle, imstande sind, im Darm Giftstoffe zu binden. Die Pektine sind am besten wirksam, wenn man den Apfel mit einer Glasreibe ganz fein reibt.

Bei Durchfallerkrankungen wird die Apfeldiät nach Moro durchgeführt: 1.000 bis 1.500 Gramm feinst geriebene Äpfel über den Tag verteilt essen. In diesem Fall werden die Schale und das Gehäuse entfernt.

Ein am Abend gegessener, mit der Schale feingeriebener Apfel bindet allfällige Giftstoffe im Darm, die man sich im Verlauf des Tages zugezogen hat. Durch Dr. D. C. Jarvis ist ein **Apfelessigtrank** für den täglichen Gebrauch bekannt geworden:

2 Teelöffel Apfelessig mit 2 Teelöffel Honig vermischen, mit Wasser auf 1/8 Liter auffüllen: zwischen und während den Mahlzei-

ten. Bei Morgenmüdigkeit, Schwindel und Übelkeit am Morgen werden größere Mengen – bis zu einem Liter – empfohlen. Gleich nach dem Aufstehen nüchtern trinken.

Aus den getrockneten Apfelschalen wird ein **Tee** mit mild stuhlregulierender Wirkung hergestellt.
Die Volksmedizin empfiehlt den vermehrten Gebrauch von Äpfeln auch bei Blutarmut, bei Rheumatismus, bei Steinerkrankungen und als fiebersenkendes Mittel.

Aprikosen/Marillen
Die Chinesen kannten die Aprikosen schon vor 5.000 Jahren und aßen sie regelmäßig – als eines ihrer lebensverlängernden Mittel. Die französische Volksmedizin empfiehlt Aprikosen heute noch als Mittel gegen das Altern.
Weitere Wirkungen: verdauungsregulierend, gegen allgemeine Schwäche, Hautunreinheiten. Auch als Mittel gegen Heiserkeit und Stimmverlust werden die Aprikosen empfohlen.

Avocados/Alligatorbirne
Durch den außergewöhnlich hohen Gehalt an Pantothensäure gegen Hautkrankheiten und Haarausfall. Gilt als Aphrodisiakum = ein die Liebeslust anregendes Mittel.
In neuerer Zeit wurden in der Avocado pflanzliche Antibiotika (Substanzen mit bakterientötender Wirkung) gefunden. Daher zur Vorbeugung von Darminfektionen geeignet.

Banane
Diätmittel bei Magen- und Nierenerkrankungen. Kurmittel bei erhöhter Harnsäure (Gicht). Aufbaukost für unterernährte Kinder.
Will man die Banane für diese Zwecke

richtig nutzen, muß man ihre Reifezeichen kennen:
- gelb mit grünen Spitzen,
- gleichmäßig goldgelb,
- goldgelb mit hellbraunen Tupfen (Sommersprossen, Tigerflecken).

Erst bei diesem letzten Reifegrad ist die Umwandlung der Stärke in Rohr-, Frucht- und Traubenzucker erfolgt. Dieser Reifegrad bringt auch die besten Erfolge.

Birne

Es gibt eine **Birnendiät** nach Dr. Leonhard Schlegel; sie wird beim Bluthochdruck älterer Menschen empfohlen, vor allem bei der wechselbedingten Form.

> An zwei Tagen der Woche werden 1.500 – 2.000 Gramm frische, reife Birnen als einzige Nahrung gegessen. Am besten eignen sich weiche Butterbirnen.

Manche Sorten haben sogenannte Steinzellen, das sind sandkorngroße härtere Teile im Fruchtfleisch. Diese Steinzellen gehören zum Reifungsvorgang, sind aber auch in reifen Früchten anzutreffen. Menschen mit empfindlichem Darm und mit Gallenwegleiden vertragen solche Birnen nicht roh (wohl aber gekocht). Solche Birnen eignen sich für Kurzwecke nicht. Die Volksmedizin schätzt die Birne außerdem als Mittel zur Beschleunigung der Wundheilung und wegen ihrer fieberdämpfenden Eigenschaft.

Brombeere

Es gibt schwarze und violette Formen. Der Farbstoff ist ein Anthocyan, eine Substanz, die das Wachstum von Bakterien behindert. Bei Durchfallerkrankungen ist Brombeersaft deshalb hilfreich. Größere Mengen frischer Brombeeren allerdings wirken durchfallverursachend. Aus den Brombeerblättern wird ein beliebter Haus- und Familientee bereitet.

Erdbeere

Die Volksmedizin schreibt ihr eine breite Wirkung zu: gegen Gicht, rheumatische Beschwerden, Nierensteine, Blasenleiden, Lebererkrankungen, Blutarmut und fieberhafte Zustände. In ihr konnte ein pflanzliches Antibiotikum nachgewiesen werden. Dieses schützt die keimanfällige Erdbeere selbst, tötet aber auch Typhuserreger in noch 19facher Verdünnung. Dieses Antibiotikum hält sich allerdings nur in ganz frischen Erdbeeren. Weiters enthält die Erdbeere eine dem Aspirin verwandte Substanz: Methylsalicylsäure. Das erklärt die Wirkung gegen Rheuma und fieberhafte Zustände. Als Kurmittel wurde die Erdbeere von den Ärzten von Noorden und Heupke gegen die Sprue eingesetzt. Das ist eine in den Tropen vorkommende Verdauungserkrankung.

Feige

Sie ist eines der besten natürlichen Abführmittel und wirkt durch den hohen Gehalt an Fruchtsäuren, die im Darm Wasser anziehen und dadurch die Stuhlmenge vermehren. Man nimmt morgens eingeweichte Feigen oder benutzt handelsüblichen Feigensaft. Auch die sogenannten Fruchtwürfel sind auf Basis von Feigen hergestellt. Allerdings haben sie meist einen Zusatz von Senna, weshalb sie nicht bedenkenlos eingesetzt werden dürfen. Feigen werden außer bei Verstopfung und bei Hämorrhoiden auch bei Erkrankungen von Leber und Galle verwendet. Schon die altägyptische Medizin benutzte eine Milch-Feigensaft-Mischung als Standardrezept gegen eine Reihe von Erkrankungen.

Grapefruit

Das Fruchtfleisch, ebenso wie der Saft, reguliert die Verdauung und wirkt antidyskratisch: Stoffwechselschlacken werden entfernt. Als Diätnahrung besonders in den USA sehr beliebt.

Heidelbeere, Schwarz-, Blaubeere

Sie enthalten 7% Gerbstoff und außerdem einen blauen Farbstoff, ein antibakteriell wirkendes Anthocyan. Durch die Kombination von beiden − Gerbstoff und Farbstoff − ist die Heidelbeere eines der besten natürlichen Mittel gegen den Durchfall. Der Farbstoff dringt in die Bakterienleiber ein und hemmt deren Entwicklung. Die Gerbstoffe füllen die entzündeten oberflächlichen Schichten der Darmschleimhaut aus, so daß eine dünne Membran entsteht, in der die geschädigten Bakterien eingeschlossen werden. Wenn die Membran, wie ein Wundhäutchen, abgestoßen wird, kann sie mitsamt den Bakterien ausgeschieden werden: Ein sehr sinnvolles Zusammenspiel zweier Wirkstoffe in einer Pflanze.

Man verwendet bei Durchfall die getrockneten Heidelbeeren: 50−100 g gründlich kauen und schlucken. Oder in Wasser aufquellen lassen und trinken. An Stelle von Wasser ist auch ein herber, gerbstoffhältiger Rotwein beliebt.

Getrocknete Heidelbeeren sind in Apotheken erhältlich und gelten „offiziell" als Heilmittel. Auch als *Gurgelmittel* werden sie gerne verwendet. Für diesen Zweck werden sie so lange gekocht, bis der Absud ganz dunkel ist − ein Zeichen, daß der antibakterielle Farbstoff gelöst ist.
Es gibt auch eine „Heidelbeervollfrucht": das ist die gesamte Frucht, mit Haut und Kernen eingedickt und mit etwas Fruchtzucker versetzt. Man benutzt sie für den Wiederaufbau der geschädigten Darmschleimhaut nach Durchfällen und nach Abführmittelmißbrauch. Die Volksmedizin verwendet die Heidelbeere auch gegen rheumatische Erkrankungen.

Himbeere

Sie kommt als Waldhimbeere wild und als Gartenhimbeere gezüchtet vor. Der Gesamtzuckergehalt ist bei beiden gleich, doch haben die Waldhimbeeren einen größeren Fruchtzuckeranteil. Auch Aromastoffe mit heilsamer Wirkung sind in den Waldhimbeeren konzentrierter. Es gibt gelbe Himbeeren, die durch Zufallskreuzung und (häufiger) durch Züchten aus den roten entstanden sind. Und schließlich gibt es früh- oder spätreife Himbeeren, wobei die spätreifen − September, Oktober − gehaltvoller sind. Die Heilempfehlungen sind für alle Sorten die gleichen: Der Saft ist ein beliebtes und wirksames Fiebergetränk, die Beeren wirken krampflösend bei Gallenleiden und sind ausgesprochen gut magenverträglich. Außerdem fördern sie die Verdauung.

Holunderbeere

Sie zählt zu den registrierten Heilmitteln. Die reifen Früchte sind ein mildes Abführmittel; allerdings darf man nur sehr wenig davon essen, denn in größeren Mengen erzeugen sie Übelkeit und Erbrechen. Das bewirkt der Stoff Sambunigrin, der besonders in den unreifen Beeren stark vertreten ist. Diese sind daher regelrecht giftig. Auch beim Einkochen muß man darauf achten, daß keine grünen, un- und halbreifen Beeren, die oft neben den reifen an den Dolden sind, mitverwendet werden. Die erfahrenen Bauern kochen deshalb den geernteten Holunder nicht sofort nach der Ernte ein, sondern lassen ihn 2 – 3 Tage in der Sonne nachreifen. Das baut den Giftstoff ab. Die getrockneten Beeren wirken umgekehrt gegen Durchfall, ähnlich wie die Heidelbeeren. Pfarrer Kneipp setzte sie zu diesem Zweck bevorzugt ein.

Das *Holunder-Mus* wird kernfrei hergestellt. Dazu müssen die zum Kochen erhitzten Beeren durch ein feines Sieb gepreßt werden.

Auch ein *Holundersaft,* den man ebenfalls nur abgekocht genießen soll, da er roh schwer verträglich ist, ist sehr beliebt. Man verwendet Mus oder Saft in therapeutischen Dosen: 1 – 2 Eßlöffel zu den Mahlzeiten.

Die Anwendungsgebiete: mangelnde Widerstandskraft, Rheuma, Gicht, Bronchitis und grippale Infekte. Auch bei depressiven Verstimmungszuständen sollen gute Erfolge verzeichnet werden. Darüber hinaus gelten die Holunderbeeren als sehr verläßliche Rekonvaleszenzmittel nach Krankheit und Erschöpfung.

Die *Holunderblüten* zählen zu den wildwachsenden Nahrungsmitteln. Ihr besonderer Heilwert: schweißtreibend, fiebersenkend, antirheumatisch; durch den Gehalt an Flavonoiden antiallergisch und widerstandskraftaufbereitend. Der Holundertee zählt zu den wirksamsten Grippe-Tees.

Johannisbeere

Die roten und die weißen Johannisbeeren haben von allen Beeren den höchsten Gehalt an Fruchtsäuren. Aus diesem Grund wirken sie verdauungsfördernd. Zugleich besitzen sie Pektine, welche Giftstoffe im Darm binden und auf diese Weise unschädlich machen. Der Pektingehalt ist sogar so hoch, daß man bei der Marmeladezubereitung auf Pektinzusätze als Geliermittel verzichten kann. Kernreiche rote oder weiße Johannisbeermarmelade ist ein gutes und unbedenkliches Mittel gegen Verstopfung. Die kleinen Kerne wirken dabei als Quellmittel, ähnlich wie Leinsamen.

Die schwarze Johannisbeere enthält Gerbsäure, die den etwas herben Geschmack bewirkt, und einen schwarzen Farbstoff, dem ähnliche Wirkungen zukommen wie den Farbstoffen von Heidelbeere und rote Bete: Er wirkt antibakteriell. Deshalb ist das Trinken von schwarzem Johannisbeersaft – im Wechsel mit Rotem-Bete- und Himbeersaft – jedem zu empfehlen, der zu Durchfällen neigt. Weitere Heilanzeigen für die schwarze Johannisbeere sind rheumatische Erkrankungen und die Gicht. Im Volksmund spricht man auch von Gichtbeeren.

Kirsche

Es gibt eine Kirschenkur nach Karl von Noorden: 1.000 g Kirschen, verteilt über den Tag. Nach einiger Zeit lösen sich auch hartnäckige Verstopfungen. Die Früchte müssen allerdings gut gewaschen sein, um anhaftende Hefebazillen zu entfernen, denn sonst kommt es leicht zu unangenehmen Blähungen. Auch gegen Gicht und zur allgemeinen Kräftigung kann man die Kirschen einsetzen. Das gilt für alle Sorten von süßen und sauren Kirschen (Weichsel).

Kaki

Diese „Frucht" (Kaki bedeutet Frucht) ist bei einem Zuckergehalt von bis 20% verhältnismäßig nahrhaft. In Asien wird sie bei Leber- und Nierenleiden verordnet.

Kiwi

Es gibt die kleinfrüchtige Sorte, auch chinesische Stachelbeere genannt, und die großfrüchtige, welche hauptsächlich aus Neuseeland eingeführt wird. Durch ihre Fruchtsäuren und durch das Quellvermögen ihrer eßbaren Kerne wirken beide Sorten mild verdauungsfördernd.

Mandarine

Enthält viel Fruchtsäuren und Faserstoffe, daher verdauungsfördernd.

Maulbeere

Enthält Fruchtsäuren, Gerbstoffe, Pektine und einen antibakteriell wirkenden Farbstoff. Maulbeeren sind verdauungsfördernd und wirken gegen Darminfektionen.

Olive

Sie war für die Römer eine Frucht, deren regelmäßiger Verzehr langes Leben und Rüstigkeit verlieh. Unreif geerntete Früchte sind grün, reif geerntete schwarz. Letztere sind bei weitem gehaltvoller. Die Olive unterstützt die Leber bei ihrer Entgiftungsarbeit. In südlichen Ländern ist sie eines der meistgebrauchten Mittel gegen die Verstopfung. Auch eine Wirksamkeit gegen die Gicht und gegen die Zuckerkrankheit wird ihr nachgesagt. Zur Vorbeugung gegen diese Erkrankungen wird im Süden Brot mit vielen Oliven und Zwiebeln gegessen.

Orange

Hoher Gehalt an Fruchtsäuren, Pektinen und Rohfasern, daher wirksam bei Verstopfung. Durch Flavonoide Aufbereitung der körperlichen Widerstandskraft und leicht fiebersenkende Wirkung.

Pfirsich

Zählte im alten China zu den lebensverlängernden Früchten. Durch Fruchtsäuren und Rohfaser verdauungsfördernd. Die Kerne sind blausäurehältig und daher giftig.

Pflaume

Fruchtsäuren, Pektine und Rohfaser wirken verdauungsfördernd. Rohen Früchten haften Hefebazillen an. Diese lassen sich auch durch Waschen schwer entfernen. Sie können bei empfindlichen Menschen starke Blähungen verursachen.
Die Volksmedizin empfiehlt Pflaumen bei Nieren- und Leberleiden, bei Arterienverkalkung, Gicht und Rheuma. In Armangnac oder Obstsaft eingelegte Pflaumen wirken wie ein mildes Abführmittel. Dieselben Anzeigen gelten für Reineclauden und Mirabellen.

Preiselbeere

Ihr Fruchtsäuregehalt ist so hoch, daß man sie roh kaum genießen kann, denn sie schmeckt säuerlich, durch Gerbstoffe zusätzlich auch herb. Um so mehr wirkt sie allgemein darmregulierend und getrocknet auch bei starken Durchfällen, ähnlich wie die mit ihr eng verwandte Heidelbeere. Man kaut getrocknete Preiselbeeren oder schwemmt sie in Wasser bzw. Rotwein auf. Die Volksmedizin empfiehlt die Preiselbeere als besonderes Mittel bei Rheuma und Gicht.

Quitte

Nach der Form des Fruchtfleisches unterscheidet man Apfel- und Birnenquitten. Letztere besitzen wie die Birnen sogenannte Steinzellen, sind aber aromatischer. Bei Mundgeruch ist das Kauen von getrockneten Birnenquitten das beste Mittel — viel unaufdringlicher als etwa Pfefferminze. Der Atem wird durch die Quitte „lieblich", sagt schon der alte Grieche Plutarch.

Rohe Quitten werden üblicherweise nicht gegessen; sie sind zu herb und hart. Man verwendet das Gelee, welches aus dem Saft gewonnen wird, und das aus dem restlichen Fruchtfleisch zubereitete Quittenbrot (= käse). Der außergewöhnlich hohe Pektingehalt in Verbindung mit Fruchtsäuren und Gerbstoffen macht diese Zubereitungen zu einem hervorragenden Durchfallmittel.

Rosinen

Diese sind getrocknete Weintrauben. Sie sind als kleinbeerige Korinthen, die keine Kerne enthalten, als großbeerige Sultaninen ohne Kerne und als großbeerige Traubenrosinen mit Kernen im Handel. Ihre Heilanzeigen sind die Verstopfung. Man achte darauf, daß man nur schwach geschwefeltes Material (unter 1 g schwefelige Säure pro 1.000 g Rosinen) oder völlig ungeschwefeltes erhält.

Stachelbeere

Hoher Pektingehalt, Fruchtsäuren und die an Rohfaser reiche Schale machen die Stachelbeere zu einem hervorragenden Mittel gegen die Verstopfung. Die Kerne wirken zusätzlich durch ihr Quellvermögen.

Weintraube, Weinrebe

Die roten beziehungsweise blauen Weintrauben enthalten den antibakteriellen Farbstoff Oenin, ein Anthocyan wie in roter Bete, Heidelbeere und schwarzer Johannisbeere. Dieser Farbstoff beugt Darminfektionen vor. Der hohe Gehalt an Fruchtsäuren, Pektinen und Rohfaser macht die Weintrauben zu einem guten Mittel gegen die Verstopfung. Traubensaftkuren zur Behandlung von Übergewicht, Bluthochdruck, Kreislaufschwäche, Hauterkrankungen und Gicht sind seit langem sehr beliebt. Besonders bekannt wurden die Meraner Traubenkuren (in Meran, Südtirol).

Bei Durchfällen hilft der Traubensaft, nicht nur wegen der Anthocyane gefärbter Trauben, sondern auch wegen seines Mineralienmusters: Verlorengegangenes wird schneller nachgeführt — und die Zuckerstoffe helfen die Mineralien unvermittelt in das Blut einzuschleusen.

Zitrone

Besonders hoher Gehalt an Fruchtsäuren — allein die Zitronensäure macht 7% der gesamten Zitrone aus —; deshalb auch der saure Geschmack. Hoher Gehalt an Pektinen. Die Volksmedizin verwendet die Zitrone bzw. ihren Saft gegen Rheuma und Gicht sowie gegen alle Formen von Venenleiden (Hämorrhoiden, Krampfadern, Venenentzündungen).

Zwetschke

Sie ist mit der Pflaume verwandt, hat aber das härtere Fruchtfleisch. Sie dürfte eine Kreuzung aus dem Schwarzdorn und der Kirschpflaume sein; seit mindestens 3.000 Jahren jedenfalls ist sie bekannt. Ihre Wirkungen entsprechen denen der Pflaume (verdauungsfördernd, nach der Volksmedizin auch bei Nierenleiden, Leberleiden, Arterienverkalkung, Gicht und Rheuma). Darüber hinaus gilt sie als allgemeines Kräftigungsmittel.

Der Aufbau von Abwehrkräften

Bausteine unserer Gesundheit: Ballaststoffe

Ballaststoffe sind die weitgehend unverdaulichen Bestandteile unserer täglichen Ernährung: also Material, das aus dem Darm nicht in das Blut aufgenommen werden kann und deshalb

lichen 20% mit der Kleie wurden entfernt. Es entstand ein ballaststoffarmes Weißbrot. Der Gedankengang Parmentiers liegt auf der Hand: Geringeres Gewicht im Gepäck, mehr Energie pro Bissen. (Daß Weißbrot nicht so schnell verdirbt wie Vollkornbrot, wird für ihn ebenfalls eine Rolle gespielt haben.)
Tatsächlich hat Weißbrot bei weniger Ballaststoffen mehr Kalorien:

100 g Roggen/Weizenvollkornbrot	7 g Ballaststoffe	213 Kcal
100 g Roggen/Weizenweißbrot	1 g Ballaststoffe	265 Kcal

mit dem Stuhl ausgeschieden wird. Nur ein geringer Teil der Ballaststoffe kann von unseren Darmbakterien zu Fettsäuren abgebaut werden, die dann dem Körper etwas Energie bringen. Der überwiegende Rest bringt weder Kalorien noch Aufbaustoffe. Deshalb hat man das Material lange Zeit für minderwertig gehalten und abwertend als „nutzlosen Ballast" bezeichnet. Man versuchte sogar, diesen „Ballast" bewußt zu beseitigen, um dadurch die Nahrungsmittel „aufzuwerten". So ließ ein für die Verpflegung der napoleonischen Armee verantwortlicher Ernährungsfachmann, der französische Forscher Antoine Augustin Parmentier, das Korn für das Soldatenbrot (2 Teile Roggen und 1 Teil Weizen) nur zu 80% ausmahlen. Die rest-

Weißbrotkalorien gelangen also schneller vom Darm in das Blut, da ihre Aufnahme durch gleichzeitig vorhandene Ballaststoffe nicht gebremst (richtiger: geregelt) wird. Das alles mag in Schlachten eine Rolle gespielt und die überlegene Kampfkraft der französischen Armee lange Zeit ermöglicht haben. Das Hauptnahrungsmittel Brot allerdings hatte man damit jedoch eines sehr wichtigen Bestandteiles beraubt, was — setzt man keine flankierenden Maßnahmen — auf die Dauer zu gesundheitlichen Schäden und zur Minderung der Widerstandskraft führen kann.
Man muß den im vorigen Jahrhundert begonnenen, durch verfeinerte technische Methoden perfektionierten und in den Industrieländern heute weitver-

Mit „natürlichen Wegen zu körperlichem und seelischem Gleichgewicht" beschäftigt sich Dr. med. Ulf Böhmigs Buch „Aufbau von Abwehrkräften" (Orac-Verlag).

breiteten Verzicht auf die Ballaststoffe als groben Irrweg bezeichnen. Zwar hat sich nun endlich ein Umdenken eingestellt, aber noch nicht durchgesetzt.

Ballaststoffmangel und Krankheit

> Die wünschenswerte Ballaststoffzufuhr liegt bei 40 — 50 Gramm pro Tag

Diese auf jüngsten Berechnungen basierende Forderung der maßgebenden Gesundheitsorganisationen wird in den Industrieländern – bezogen auf die im jeweiligen Landesdurchschnitt üblichen Ernährungsgewohnheiten – praktisch nirgendwo erreicht, nicht einmal von einer sich zum Teil selbst versorgenden Landbevölkerung.

Nun bringt man dieses Defizit mit dem vermehrten Auftreten einer ganzen Reihe von Zivilisationserkrankungen in Verbindung:

durch bestimmte Lebensumstände ihr Entstehen eine gewisse Wahrscheinlichkeit erreicht hat.

So kommt man beispielsweise mit einer mehr oder weniger ausgeprägten Anlage zur Arterienverkalkung auf die Welt. Anlage allein aber ist noch kein unabwendbares Schicksal. Fördert man diese Anlage nicht durch Ernährungs- bzw. Verhaltensfehler (Ballaststoffmangel, fettreiche Überernährung, Nikotin, Alkohol, Streß und Bewegungsmangel), dann kommt sie nicht so ohne weiteres zum Tragen – zumindest nicht schon in den mittleren Jahren.

Man kann vorsorgen: Weiß man etwa, daß in der eigenen Familie Verkalkungsleiden gehäuft auftreten, so ist eine gesteigerte Anlage also auch im persönlichen Fall zu erwarten. Vernünftigerweise wird man dann allen zusätzlichen, das Entstehen von Verkalkung fördernden Umständen aus dem Weg gehen und sich unter anderem auch um eine ausreichend mit Ballaststoffen versehene Nahrung bemühen.

Durch Ballaststoffmangel begünstigte Zivilisationskrankheiten	
Allgemein	Örtlich
Übergewicht	Verstopfung
Arterienverkalkung	Hämorrhoiden
Bluthochdruck	Krampfadern
Gallensteine	Blinddarmentzündung
Allgemeine Krebsneigung	Divertikel des Darmes
Entgiftungsschwäche	Darmkrebs

Auch das Entstehen der Zuckerkrankheit wird mit Ballaststoffmangel in Verbindung gebracht. Dabei ist wichtig zu wissen: Der Ballaststoffmangel *macht* diese Krankheiten nicht. Aber er *fördert* sie, wenn aus Anlage oder

Deutlicher wird das Bild, wenn man prüft, wie häufig Zivilisationskrankheiten, die mit dem Ballaststoffmangel in Verbindung gebracht werden, bei vergleichbaren Volksgruppen auftreten.

46

Häufigkeit der durch Ballaststoff-mangel begünstigten Zivilisationser-krankungen:

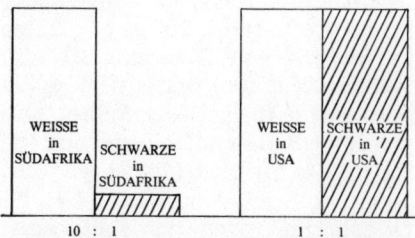

Diese Krankheiten kommen bei weißen Amerikanern, schwarzen Amerikanern und weißen Südafrikanern gleich häufig vor. Bei schwarzen Südafrikanern aber vergleichsweise nur zu einem Zehntel. Es besteht kein Zweifel, daß dafür die Lebensgewohnheiten verantwortlich sind, etwa die richtig dosierte Ballaststoffzufuhr, die man bei den südafrikanischen Bantu als ideal bezeichnen kann.

Das Verhältnis 1:10 gilt für den ganzen Block der Zivilisationskrankheiten. Herzkranzgefäßverkalkung und Gallensteine gibt es bei den südafrikanischen Schwarzen sogar nur 1:100 im Verhältnis zu den anderen Volksgruppen.
Bis etwa 1945 waren auch die amerikanischen Schwarzen noch gesünder als die Weißen. Man schloß daraus auf bessere Erbanlagen. Mit der Annäherung des Lebensstandards haben sich die Unterschiede ausgeglichen. Heute weiß man, daß Schwarze genauso anfällig sind wie Weiße. Das gleiche gilt auch für Asiaten in Amerika: Sobald sie sich an die US-Zivilisationsgewohnheiten angepaßt haben, leiden sie an den gleichen Krankheiten wie die angestammte Bevölkerung.
Dabei hat der besondere Ballaststoffmangel in der täglichen, sonst eher überreichlichen Ernährung der Durchschnittsamerikaner sicher eine schwerwiegende Bedeutung.

Die Ballaststoffarten

Die Ballaststoffe kommen, soweit sie für unsere Ernährung eine Rolle spielen, nur in Pflanzen vor. In den Pflanzen selbst erfüllen sie die wichtige Funktion der Bildung von Zellgrenzen, Stützgerüst und Schale.
Dabei gibt es mehrere Gruppen:

● **Cellulosen** und **Hemicellulosen** (Halb-Cellulosen) kommen besonders in jenen Pflanzen vor, die lange Verstrebungen in ihrem Gerüst brauchen. Dazu gehören etwa *Kohlgemüse, Wurzeln, Rüben, Spargel, Bohnenschalen* sowie die *Frucht-* und *Samenschalen der Getreide.* Auch Bäume bestehen zu 50 Prozent aus Cellulosen.

● Die **Pektine,** die in den Pflanzen Teile der Zellwände bilden. Besonders reichlich gibt es sie in fleischigen Früchten *(Äpfeln, Birnen, Pfirsichen, Aprikosen);* weiters in *Zitrusfrüchten* und, besonders gehäuft, in manchen *Beeren:* Die weiße und die rote Johannisbeere sind so reich daran, daß man bei der Marmeladeherstellung kein zusätzliches Geliermittel braucht. Auch in Blättern, Stengeln, Wurzeln und Rüben sind die Pektine gut vertreten. Ihre besondere Stärke ist ihr Bindungsvermögen: Sie können Schadstoffe und sogar Bakterien im Darm ansaugen, einschließen und mit dem Stuhl zur Ausscheidung bringen.

● **Lignine** sind die Stützbaustoffe der verholzten Pflanzenteile. Man findet sie besonders in „holzigen" Nahrungsmitteln, wie in der *Ananas,* in *Rüben* und in vielen *Blattgemüsen;* aber auch im *Vollkorn,* wo sie die äußeren, verholzten, „lignifizierten" Schichten bilden. Besondere Ballaststoffarten gibt es in *Hülsenfrüchten,* wie das *Guar,* und in *Meeresalgen,* wie das *Agar.*

Füll- und Quellstoffe, Rohfasern und unverdauliche Nahrungsbestandteile

Die Cellulosen und die Lignine sind nicht quellfähig. Deshalb bezeichnet man sie auch als *Füllstoffe*.
Die Hemicellulosen und die Pektine sowie das Guar und das Agar sind quellfähig. Daher bezeichnet man sie als *Quellstoffe*.
Besonders die Quellstoffe benötigen, um wirksam zu werden, genügend Flüssigkeit. Viele Pflanzen mit gutem Quellstoffgehalt sind zwar ohnedies wasserreich (Obst, Beeren und Gemüsefrüchte). Aber auch die aus den Randschichten der Körner gewonnene Kleie enthält reichlich Quellstoffe, ist selbst jedoch wasserarm: 100 g Kleie binden 500 g Wasser. Dieses muß man natürlich hinzutrinken.
In modernen Nahrungsmitteltabellen findet man häufig eine andere Einteilung der Ballaststoffe: in die *unverdaulichen Nahrungsbestandteile* (hier abgekürzt als UN) und in *Rohfaser* (hier abgekürzt: RF). Der Unterschied liegt im chemischen Verhalten gegenüber Säuren und Laugen. Die Trennung ist zum Teil historisch bedingt, denn früher hat man Rohfaser und Ballaststoffe gleichgesetzt, wie man es von Tierfutterberechnungen gewohnt war. Heute zählt man die übrigen „unverdaulichen" Nahrungsbestandteile dazu, die sogar den größeren Teil der Gesamtballaststoffe ausmachen. Zu ihnen gehört die Mehrzahl der Hemicellulosen und der Pektine, aber nur wenige Cellulosen und Lignine. Deshalb findet man hier die meisten Quellstoffe, während die Rohfaser eher zu den Füllstoffen gehört.
Wichtig ist auch die *Ballaststoffdichte*. Sie sagt aus, wieviel Ballaststoffe in 100 Kalorien eines Nahrungsmittels vorhanden sind. So sind die UN/RF- (= unverdauliche Nahrungsmittel : Rohfaser) -Werte von Knäckebrot, berechnet auf 100 g, mit 9:2 höher als die von Kohl mit 3:1. Auf 100 Kalorien umgesetzt sieht es anders aus: 100 Kcal Knäckebrot bringen 3,1 g Ballaststoffe insgesamt (das 9:2-Verhältnis bleibt dabei gewahrt), 100 Kcal Kohl dagegen 13,4 g. Die Orientierung nach der Ballaststoffdichte ist besonders dann von großem Wert, wenn man kalorienarm essen will. Durch richtige Nahrungsmittelauswahl erhält man die erwünschten 40 – 50 g täglicher Ballaststoffe trotzdem in den Körper.

Zu den folgenden Tabellen

Vollgetreide, Vollkornbrote und Vollmehle besitzen hochwertige Ballaststoffe in guter Menge und in einem guten Verhältnis zwischen unverdaulichen Nahrungsbestandteilen und Rohfaser.
Was die Ballaststoffe anbetrifft, so gibt es keinen wesentlichen Unterschied zwischen einem Korn, seinem Vollmehl und seinem Vollkornbrot. Weder der Mahl- noch der Backvorgang führen zu Verlusten. Allfällige Unterschiede in der Tabelle ergeben sich aus dem verschiedenen Wassergehalt der Produkte – Vollkornbrote enthalten 40% Wasser, Mehle nur 15% und Spezialbrote wie Knäckebrot gar nur 6%. Wenn man diesen Umstand und die damit verbundenen Kalorien-Unterschiede einrechnet, dann gleichen sich die Ergebnisse innerhalb einer Getreidesorte an.
Roggen ist generell etwas stärker als Weizen; der Unterschied ist, solange man beim Vollprodukt bleibt, nicht

beträchlich. Wohl aber, wenn man den Ausmahlgrad ändert und Feinmehlprodukte herstellt. Hier leidet der Weizen deutlich mehr als der Roggen. Wollte man 40 g Ballaststoffe täglich aus Vollkornbrot beziehen, dann müßte man davon 600 – 700 g essen. Allerdings würde das 1.300 – 1.500 Kalorien entsprechen – zuviel für einen Büroarbeiter, der insgesamt nicht mehr als 2.500 Kalorien zu sich nehmen darf, weil er sonst dick wird. Man wird daher nur einen Teil der wünschenswerten Ballaststoffmenge aus Getreiden und ihren Produkten zuführen, etwa 30 – 50 %, und den Rest aus Gemüse-, Obst-, Beeren- und Pilzsorten beziehen.

A. Getreide und Getreideprodukte
(siehe Tabelle auf Seite 50)

Weißbrot und Weißmehlprodukte sind keine brauchbaren Ballaststofflieferanten. Wer sie bevorzugt, müßte ausgiebigen Gebrauch von anderen pflanzlichen Nahrungsmitteln machen, will er die Schutzfunktionen der Ballaststoffe voll nutzen.
In der vorhergehenden Tabelle fehlen die Getreide Hafer, Reis, Buchweizen und Mais. Bei Hafer, Reis und Buchweizen fehlen bisher die recht komplizierten, auf enzymatischem Weg bestimmten Erhebungen der unverdaulichen Nahrungsbestandteile. Man kann aber, Vollkorn vorausgesetzt, für alle drei Körner mit dem Getreidedurchschnittswert von 8/3 und der Ballaststoffdichte von 3,2 rechnen. Mais ist unter Zuckermais (bei den Gemüsen) angeführt.

B. Gemüse, Obst, Beeren, Pilze
(Siehe Tabelle auf Seite 51)

▉ Gemüse, Obst, Beeren und Pilze

▉ sind als Ballaststofflieferanten den Getreiden zumindest ebenbürtig, hinsichtlich der Ballaststoffdichte sind sie diesen sogar überlegen.
An der Spitze liegen die Beeren, gefolgt von Blättern, Gemüsefrüchten und Rüben. Den Abschluß bilden einige Obstsorten. Man darf aber nicht übersehen, daß diese wieder reich an besonders *wertvollen* Ballaststoffen sein können, wie etwa der Apfel mit seinen Pektinen.
Die schon bei den Getreiden und ihren Produkten beobachtete Regel, daß die unverdaulichen Substanzen den größeren Anteil am Gesamtballaststoffgehalt ausmachen und die Rohfaser den kleineren, setzt sich auch bei Gemüsen, Obst, Beeren und Pilzen fort. Eine Ausnahme ist die Paprikafrucht. Bei ihr überwiegen die Faserstoffe. Das merkt man auch beim Hineinbeißen; sie ist holzig, knackig, hart. Was den Widerstand beim Beißen anbetrifft, sind die weichen Pflaumen das Gegenteil der Paprikafrucht. Das spiegelt sich im Verhältnis „unverdauliche Nahrungsbestandteile": „Rohfaser" deutlich wider.
(siehe Tabelle auf Seite 52)
Bei roh genossenen Früchten kann man also schon beim Kauen beurteilen, wie die Ballaststoffe unterteilt sind.

Verändert sich der Ballaststoffgehalt durch Verarbeitung?

Wesentliche Veränderungen oder Verluste treten nicht auf. Es gehört ja zu den Eigenheiten der Ballaststoffe, daß sie sich durch Hitze, Kälte oder Methoden der Konservierung nicht oder nur geringfügig beeinflussen lassen. Die folgende Tabelle zeigt das an Hand repräsentativer Beispiele.
(siehe Tabelle auf Seite 53)

A. Getreide und Getreideprodukte

Nahrungsmittel	g UN/RF*) je 100 g Produkt	Ballaststoff- dichte g je 100 Kcal
Vollgetreide ⌀	8/2	3,2
Gerste	7/2	2,7
Hirse	7/2	2,5
Roggen	11/2	4,2
Weizen	9/2	3,5
Knäckebrot	9/2	3,1
Simonsbrot	6/1	3,3
Roggenvollkornbrot	6/1	3,3
Weizenvollkornbrot	5/1	2,9
Pumpernickel	6/2	3,9
Roggenmischbrot	3/1	1,7
Weizenmischbrot	3/1	1,7
Weizenweißbrot	1/+	0,4
Brötchen/Semmeln	1/+	0,4
Weizentoastbrot	1/+	0,4
Roggenvollmehl Type 1800	10/2	3,9
Roggenmehl Type 1150	4/2	1,8
Roggenmehl Type 997	2/+	0,6
Roggenfeinmehl Type 815	1/+	0,3
Weizenvollmehl Type 1700	9/2	3,4
Weizenmehl Type 1050	2/+	0,6
Weizenmehl Type 550	+/+	0,1
Weizenfeinstmehl Type 405	+/+	0,1
Roggenspeisekleie	42/8	19,9
Weizenspeisekleie	40/9	18,5

*) UN = unverdauliche Nahrungsmittel,
   RF = Rohfaser

B. Gemüse, Obst, Beeren, Pilze

Nahrungsmittel	g UN/RF je 100 g Produkt	Ballaststoffdichte g je 100 Kcal
Artischocke	3/2	8,5
Aubergine	3/1	7,1
Blumenkohl	2/1	11,1
Bohnen	3/1	11,5
Broccoli	4/2	18,0
Endivien	2/1	15,8
Erbsen	5/2	8,8
Kartoffel	2/1	4,2
Knollensellerie	2/1	7,5
Kopfsalat	2/1	17,6
Möhren	3/1	9,8
Paprikafrucht	1/2	12,5
Pastinak	4/2	8,8
Portulak	1/1	8,7
Radieschen	1/1	10,0
Rettich	1/1	10,0
Rhabarber	3/1	22,2
Rosenkohl	4/2	11,5
Rotkohl	3/1	13,3
Rote Bete	3/1	9,0
Spargel	2/1	15,0
Süßkartoffel	3/1	3,4
Tomaten	2/1	14,3
Weiße Rübe	3/1	20,0
Weißkohl	3/1	16,0
Zuckermais	4/1	4,9

Nahrungsmittel	g UN/RF*) je 100 g Produkt	Ballaststoffdichte g je 100 Kcal
Apfel	2/1	5,3
Aprikose	2/1	5,5
Avocado	2/2	1,8
Banane	3/1	4,2
Birne	2/2	6,7
Brombeeren	7/4	22,5
Erdbeeren	2/1	8,1
Himbeeren	7/4	24,0
Johannisbeeren, rot	8/4	26,7
Johannisbeeren, schwarz	9/3	22,6
Johannisbeeren, weiß	7/6	34,2
Kirschen	2/+	3,0
Mandarinen	2/1	6,7
Oliven, grün	4/1	3,8
Pflaumen	7/1	12.0
Stachelbeeren	3/2	13,2
Weintrauben	1/1	2,7
Pilze im ⌀	2/1 — 3/2	12 — 20

*) UN = unverdauliche Nahrungsmittel
  RF = Rohfaser

Frucht	Unverdauliche Nahrungsmittel : Rohfaser
Paprikafrucht	1 : 2
Pflaume	7 : 1

B. Gemüse, Obst, Beeren, Pilze

100 g Nahrungsmittel	UN/RF*)	Ursache der Veränderung
Vollkorn	11/2	
Vollkornmehl 98%	10/2	2% Randschichten entfernt
Vollkornbrot	6/1	höherer Wassergehalt
Blumenkohl, roh	2/1	
Blumenkohl, gekocht	2/1	
Bohnen, grün, roh	3/1	
Bohnen, grün, gekocht	3/1	
Bohnen, grün, getrocknet	12/4	Wasserentzug
Erbsen, grün, roh	5/2	
Erbsen, grün, gekocht	5/2	
Erbsen in Dosen	6/1	Konservierungsmittel
Kartoffel, roh	2/1	
Kartoffel, gekocht	1/1	Wasserzufuhr
Kartoffel, geröstet	3/1	Wasserentzug
Möhren, roh	3/1	
Möhren, gekocht	3/1	
Möhren in Dosen	4/1	Konservierungsmittel
Weißkohl, roh	3/1	
Weißkohl, gekocht	3/1	
Sauerkraut, roh	2/1	teilweiser Aufschluß durch Milch-
Sauerkraut, gekocht	2/1	säurebakterien

*) UN = Unverdauliche Nahrungsmittel, RF = Rohfaser

So wirken Ballaststoffe

Während die Ballaststoffe unseren Verdauungstrakt scheinbar unbehelligt durchwandern, erledigen sie eine ganze Reihe von wichtigen Arbeiten, die mit dem Entstehen oder Nichtentstehen von Krankheiten zu tun haben.

Ballaststoffe und Herz-, Gefäßleiden, Gallensteine, allgemeine Krebsneigung, Entgiftungsschwäche, Übergewicht:

Ballaststoffe beeinflussen diese Leiden vorwiegend im oberen Darmabschnitt. Gutes Kauen ballaststoffreicher Nahrung ist dabei von großer Bedeutung, denn dadurch trennt man den unverdaulichen Ballaststoff vom verdaulichen Nährstoff: Rein mechanisch durch den Kauakt, aber auch durch das Speichelferment Ptyalin, das die pflanzlichen Kohlenhydrate vorverdaut und damit deutlicher von den Ballaststoffmolekülen trennt. So gelangen freie und daher aktiv wirksame Ballaststoffteilchen schon mit dem ersten Schluck Nahrung in den Magen.

Es ist klar, daß man Rohkost besonders gut kauen soll. Aber auch bei gekochter oder gedünsteter Nahrung darf man darauf nicht vergessen. Zwar gelingt die mechanische Trennung von unverdaulichem Ballaststoff und verdaulichem Nährstoff leichter, wenn die pflanzlichen Zellgrenzen durch Erhitzen weicher gemacht werden. Das Ferment Ptyalin aber muß man bei erhitzter Nahrung genauso in den Nahrungsbrei bringen wie bei Rohkost. Und das ist nun einmal nur durch sorgfältiges Kauen und dem damit verbundenen Einspeicheln

möglich. Nur dann kommt alles richtig vorzerteilt im Magen an.

> Gründliches Kauen und Einspeicheln trennt bereits in der Mundhöhle Ballaststoff von Nährstoff. Die Schutzwirkung der Ballaststoffe wird dadurch gefördert.

Im Magen und im Dünndarm werden alle verdauungsfähigen Nährstoffe (Kohlenhydrate, Fette, Eiweiß) aufgeschlossen und schließlich durch die Darmwand aufgenommen. Die Ballaststoffe bleiben unbeeinflußt. Eine ihrer wichtigen Funktionen für unsere Gesundheit beginnt im Dünndarm selbst.

Ballaststoffe, Cholesterin und Gallensalze

Die Ballaststoffe bremsen die Aufnahme von Cholesterin aus gleichzeitig gegessenen tierischen Nahrungsmitteln. Sie fangen das Cholesterinmolekül ab, binden es an sich und führen es mit dem Stuhl zur Ausscheidung. Ein solches Cholesterinmolekül kann nicht mehr in das Blut aufgenommen werden, was unter Umständen weitreichende positive Folgen für Lebensqualität und Lebenserwartung bedeuten kann.

Da Cholesterin nur in tierischen Nahrungsmitteln vorkommt und Ballaststoffe nur in pflanzlichen, ergibt sich ein für die Küchenpraxis recht einfaches Gesetz:

> Je höher bei einer Mahlzeit die Cholesterinzufuhr aus tierischen Nahrungsmitteln, um so mehr ballaststoffreiche pflanzliche Nahrungsmittel sollte man dazu essen.

Hier ist wichtig zu wissen, welche tierischen Nahrungsmittel reich an Cholesterin sind:

Innereien, insbesondere Hirn, Eier, Muscheln, Austern, Kaviar, Tintenfisch, Butter und fette Käsesorten. Das sind hochwertige Nahrungsmittel, von denen man mit Maß sehr wohl Gebrauch machen sollte. Aber man deckt mit gleichzeitig gegessenen ballaststoffreichen pflanzlichen Nahrungsmitteln ab. Eine Grundregel, die bereits viel bringt, wäre also: Kaviar, Butter oder fette Käsesorten nicht zusammen mit dem ballaststoffarmen Weißbrot, sondern mit Vollkornbrot, Steinmetzbrot, Knäckebrot verzehren. Dann hat man den Ausputzer mit im Körper.

Die meisten Fleisch-, Geflügel-, Wild- und Fischsorten haben keine extrem hohen Cholesterinwerte. Trotzdem sollte man es sich zur Gewohnheit machen, jedes tierische Gericht mit ausreichender pflanzlicher Beilage zu erweitern. Das gesunde Gewichtsverhältnis von 1:3 − 5 (tierisch zu pflanzlich bei derselben Mahlzeit) bewährt sich auch hier.

Der genaue Cholesteringehalt verschiedener tierischer Nahrungsmittel ist in den Tabellen Seite 174 angegeben (Kapitel „Ernährung bei Fettstoffwechselstörungen").

Neben der direkten Bindung von − aus der Nahrung zugeführtem − Cholesterin beschleunigen die Ballaststoffe auch indirekt den Abbau von Cholesterin im Körper. In den Leberzellen nämlich wird das Cholesterin zu Gallensäuren umgebaut, was seinen eigenen Bestand vermindert. Über den Gallengang gelangen diese Gallensäuren in den Darm. Dort werden sie weiter transportiert, umgewandelt und zum Teil ausgeschieden, zum Teil aber wieder in das Blut aufgenommen und in die Leber gebracht.

Normalerweise sollten gleich viel Gallensäuren ausgeschieden werden wie aus dem Cholesterin gebildet wurden − im Tag sind es ca. 0,6 Gramm (600 mg). Dann ist die Bilanz in Ordnung. Wenn zuwenig ausgeschieden und zuviel in Blut und Leber zurücktransportiert wird, dann kommt es zum Stau: Es sind zu viele Gallensäuren in der Leber vorhanden, und das bremst den weiteren Abbau von Cholesterin. Wenn nun genügend Ballaststoffe im Darm sind, dann ist zumindest fürs erste für die Erhaltung des richtigen Gleichgewichts gesorgt − die Ballaststoffe binden die Gallensäuren und führen sie vermehrt zur Ausscheidung. Auf diese Weise kann der Abbau von Cholesterin in der Leber ungebremst vor sich gehen.

> Weniger Cholesterin im Blut bedeutet geringeres Herzinfarkt-Risiko und geringere Neigung zu Gefäßverkalkung.

Die US-Framingham-Studie hat das schon vor längerer Zeit behauptet. Diese Studie war eine Langzeituntersuchung über die Herzinfarktanfälligkeit der im Alter zwischen 20 und 49 Jahren stehenden Männer der amerikanischen Kleinstadt Framingham. Danach erleiden Männer mit ständig mehr als 260 mg% Cholesterin siebenmal häufiger Herzinfarkte als Männer, die ständig weniger als 220 mg% Cholesterin im Serum haben.

Diese Framingham-Studie wurde zwar nicht allgemein anerkannt. Aber gerade in letzter Zeit häufen sich Untersuchungsergebnisse, die den Zusammenhang zwischen erhöhtem Cholesterin und Herzinfarkt zu bestätigen scheinen. Wenn es auch Männer gibt, die − obwohl ihr Cholesterinspiegel niedrigst − einen Herzinfarkt erleiden, und andere, die trotz hohen Cholesterinwerts niemals daran erkranken –, hat man doch festgestellt, daß dort, wo viel an Ballaststoffen gegessen wird, wie in den ländlichen Gebieten von Indien, Asien, Afrika, Süd- und Osteuropa, der Cholesterinwert niedrig ist und zugleich wenig Herzinfarkte und Arterienverkalkungen vorkommen. Wo dagegen wenig Ballaststoffe gegessen werden (und zugleich mehr tierische Fette), ist der Cholesterinwert bei der Bevölkerung höher, und Herzinfarkte kommen häufiger vor. Unabhängig von Hautfarbe und Rasse.

Tatsächlich wird in den Stadt- und Industriegebieten oft nur ein Drittel und weniger an Ballaststoffen gegessen wie auf dem industriefernen Land. Wenn auch das mit tierischen Nahrungsmitteln zugeführte Cholesterin nicht alleinverantwortlich für das Entstehen von Herz- und Gefäßleiden dieser Art ist, so scheint doch sicher zu sein, daß die Ballaststoffe – indem sie zugeführtes Cholesterin teilweise bereits im Darm abfangen und zugleich die körpereigene Umwandlung von Cholesterin in Gallensäuren fördern – eine wertvolle krankheitsvorbeugende Rolle spielen.

Wie Gallensteine entstehen

Auch die Bildung von Gallensteinen wird durch gestörte Cholesterinverhältnisse gefördert. Ausreichende Ballaststoffzufuhr übt also auch hier eine Schutzfunktion aus.

Weniger Cholesterin in den Gallengängen und in der Gallenblase bedeutet: geringere Neigung zu Gallensteinen. Das gilt besonders für Menschen in den industrialisierten Ländern Europas und Nordamerikas. Hier nämlich haben 80% aller Gallensteine das Cholesterin als wesentliches Baumaterial*).

Gallensteine sind bei uns sehr häufig. In Mitteleuropa rechnet man mit 12% „Steinträgern", wobei bis zu fünfmal so viele Frauen erkranken als Männer. Obwohl es Gallensteine auch bei Jugendlichen gibt, kommen sie am häufigsten doch bei Frauen zwischen dem 50. und dem 60. Lebensjahr, bei Männern zwischen dem 65. und dem 70. Lebensjahr vor.

In diesen Altersgruppen gibt es:
● in der Bundesrepublik Deutschland 5 Millionen Gallensteinträger (davon 3,5 Millionen Frauen),
● in Österreich 600.000 (400.000 Frauen),
● in der Schweiz 500.000 (350.000 Frauen).

Mit gutem Gewissen kann man also sagen: Hätten alle diese Gallensteinanwärter 15 Jahre vor Beginn des Häufigkeitsgipfels auf eine bewußte Antigallenstein-Ernährung umgestellt, dann wären die Gallensteine bei den meisten ausgeblieben.

Gefährdete Frauen sollten also ab einem Alter von etwa 30 – 35 Jahren umdenken, gefährdete Männer ab 45 – 50.

Ob man zu Gallensteinen neigt oder nicht, weiß man (in etwa) auf Grund der Häufigkeit der Erkrankung bei jenen direkten Verwandten, die das entsprechende Alter bereits erreicht haben. Wenn es in der Familie tatsächlich gehäuft Gallensteine geben sollte, dann sorgt man eben vor.

---

*) Die viel weniger häufigen Gallensteine bei Asiaten sind vorwiegend Pigmentsteine, wobei der Gallenfarbstoff Bilirubin das Pigment bildet.

Ein Punkt ist: ballaststoffreiche Ernährung bei gleichzeitiger Einschränkung cholesterinhältiger Nahrungsmittel.

Natürlich gibt es noch eine Reihe weiterer Gründe, die zum gehäuften Auftreten von Gallensteinen führen können. Einige Beispiele:

● **Bei bestehenden Leberschäden ist die Wahrscheinlichkeit, daß ein Gallenstein entsteht, doppelt bis dreimal so groß, je nach Art des Schadens.**
Man muß also auch die Leber vorbeugend entlasten. Bestehende Schäden ausheilen lassen und mit Lebergiften (besonders Alkohol) vorsichtig umgehen.

● **Auch die (Alters-)Zuckerkrankheit, ob schon bestehend oder noch in der Anlage, erhöht die Wahrscheinlichkeit des Auftretens von Gallensteinen.** Deshalb sollte man sich auch hier vorsorglich einstellen − zur rechten Zeit damit begonnen, genügt gewöhnlich die Diät. Den Anhaltspunkt gibt die Häufigkeit der Erkrankung in der Familie − die Anlage untersucht der Arzt, der die drohende Gefahr bereits im Vorstadium feststellen kann.

● **Schließlich spielen Übergewicht, die Hautfarbe (hell, blond) und, bei Frauen, die Anzahl der Geburten eine Rolle.**
Bei Frauen mit häufigen Entbindungen beginnt der Häufigkeitsgipfel für das Vorliegen von Gallensteinen bereits bei 40.
Im Englischen gibt es − als Gedächtnisstütze − für den Wahrscheinlichkeitsverdacht auf Gallensteine die sogenannten 5 F (siehe unten):

Neben den Anlagen und den fördernden Umständen kennt man auch den eigentlichen Vorgang beim Werden eines Steines zum Teil recht gut:
Die Galle in der Gallenblase ist eine eingedickte Flüssigkeit, bei der es unter bestimmten Bedingungen zur Übersättigung mit Cholesterin kommt. Normalerweise liegt das Cholesterin (auf Grund der besonderen Mengenverhältnisse zwischen den Gallensalzen, dem Lezithin und dem Cholesterin selbst) in Lösung gehalten. Wenn es aber ansteigt und zugleich die Gallensalze und das Lezithin sich verringern, dann funktioniert der Lösungsmechanismus nicht mehr, und das Cholesterin fällt als Kristall aus. Daraus entstehen die Steine. Man kann nun, durch regelmäßige Einnahme des Salzes einer Gallensäure (der Chenodesoxycholsäure), die Steine wieder auflösen bzw. deren Neubildungen verhindern. Das wurde und wird auch praktiziert. Wenn man jedoch ausreichende Mengen an Ballaststoffen ißt, dann erhält man das richtige Gleichgewicht der beteiligten Substanzen auf natürliche Weise, was zumindest vorbeugend von großem Wert ist: Die Gallensalze werden, wenn sie in den Darm abgegeben wurden, zum Teil wieder in das Blut aufgenommen und der Leber neuerlich zugeführt. Wenn nun die gerade richtige Menge an Gallensalzen mit der Galle in den Darm gelangt und zugleich eine ausreichende Menge von Ballaststoffen mit der Nahrung vorhanden ist, dann wird auch der richtige Prozentsatz der Gallensalze von

Female	Fat	Fair	Forty	Fecund
weiblich	übergewichtig	hellhäutig, blond	40-jährig	kinderreich

den Ballaststoffen gebunden und mit dem Stuhl ausgeschieden. Der Rest, in der Menge nun ebenfalls richtig, wird zurückgesaugt und sorgt dafür, daß das ganze System rund um Cholesterin, Gallensalze und Lezithin klaglos funktioniert, die Galle zartflüssig bleibt und keinen „Bodensatz" bildet, aus dem Steine wachsen können.

Ballaststoffe und Entgiftung

Das diskutiert die Grundlagenforschung der Medizin noch: Mangel an Ballaststoffen und gleichzeitig Verzehr großer Mengen an Fetten erhöhen die Konzentration der Gallensalze im Darm. Diese reagieren mit den in der Zusammensetzung ebenfalls veränderten Darmbakterien, und es entstehen krebserregende Stoffe — durch die chemischen Auseinandersetzungen im Darm selbst, weil die richtigen Verhältnisse gestört und damit die richtigen Umsetzungen verschoben sind. Bei einer auf gesunder Ernährung beruhenden regelmäßigen Verdauung werden diese „cancerogenen Metaboliten" — krebsauslösende Stoffwechselprodukte — schnell genug ausgeschieden, daher nicht in das Blut aufgenommen und auch nicht mit der Darmschleimhaut in längeren Kontakt gebracht.

Darüber hinaus aber haben die Ballaststoffe noch eine direkte krebsvermindernde Wirkung:
a) durch ihr *Bindungsvermögen*. Sie koppeln jene krebsauslösenden Stoffwechselprodukte an sich und entschärfen sie dadurch.
b) durch ihre *Beeinflussung der Darmbakterien*. Sie verschieben das Gleichgewicht zugunsten solcher Bakterien, die nur in Gegenwart von Sauerstoff wachsen — sogenannte Aerobier. Speziell diese aber bilden keine krebsauslösenden Stoffe.

Daß Übermengen von Fetten (bei gleichzeitigem Mangel an Ballaststoffen) die Krebsgefahr erhöhen, liegt an ihrer gallensäurelockenden Wirkung. Das bezieht sich auf die *langkettigen* üblichen Speisefette tierischer und pflanzlicher Herkunft. Um in die Darmzellen zu gelangen, müssen sie erst an Gallensäuren gebunden sein. Die Gallensäuren selbst werden, sobald sie ihre Transporthilfe beendet haben, als Gallensalze in das Darminnere zurückgeliefert. Dort können sie — unter widrigen Umständen — krebsauslösende Stoffe bilden.

Kurz- und *mittelkettige* Fette, wie sie zum Teil in Milchfett (Butter) sowie in speziellen Margarinen und Ölen vorkommen, brauchen keine Gallensäuren zum Transport, denn sie gelangen direkt in die Darmzelle und von dort, mit Hilfe eines Eiweißkörpers, in das Blut. Solche kurz- und mittelkettigen Fette sind also am beschriebenen Mechanismus der Entstehung krebsauslösender Stoffe nicht beteiligt.

Es wurde auch untersucht, welche Organe durch zu fettreiche und zugleich ballaststoffarme Dauerernährung am ehesten an Krebs erkranken. Es sind dies:

● der Dickdarm selbst, der an erster Stelle steht,
● die Bauchspeicheldrüse,
● die weibliche Brust,
● die Vorsteherdrüse (Prostata).

Nun gibt es weitere krebsauslösende Substanzen, die mit der gegessenen Nahrung in den Darm gelangen können. Aber auch hier üben die Ballaststoffe ihre Schutzfunktionen aus, indem sie diese Substanzen binden und ihren Übertritt in das Blut behindern. Außerdem wird durch reichliche Ballaststoffe auch die Dichte der krebsauslösenden Substanzen im Darm geringer. Die Gefahr der Krebsauslösung durch den direkten Kontakt der gefährlichen Stoffe mit der Schleimhaut des Magens oder des Dickdarms wird solcherart gemindert.

Ballaststoffe verhindern Übergewicht

Eine ausreichende Ballaststoffzufuhr schützt auch vor Übergewicht. Durch ihr Wasserbindungsvermögen quellen die Ballaststoffe bereits im Magen auf, was zu einer verzögerten Entleerung und dadurch zu größerem Sättigungsgefühl führt. Da sie selbst dem Körper keine Energie zuführen, ist in einer ballaststoffreichen Kost die Energiedichte pro Bissen zwar geringer, der Sättigungseffekt aber ist im großen der gleiche. Davon machte man in Hungerszeiten stets Gebrauch, indem man ballaststoffreiche Nahrungsmittel mit wenig Energie – wie das isländische Moos oder die Kleie – zum Auffüllen der täglichen Kost heranzog. Man ernährte sich zwar unterkalorisch und magerte auch ab, aber man hatte wenigstens das Gefühl, satt zu sein.
Ballaststoffreiche Kost verzögert auch die Abgabe von Nährstoffen in das Blut. Das ist besonders bei den Kohlenhydraten wichtig. Vor allem gegessener Zucker (in welcher Form immer)

kann schrankenlos in das Blut übertreten. Wenn man, wie das im Experiment geschehen ist, der zuckerhältigen Mahlzeit Ballaststoffe zusetzt, dann wird der Übertritt gebremst, was man am niedrigeren und in die Länge gezogenen Blutzuckeranstieg beobachten kann. Das kommt besonders dem Zuckerkranken zugute. Hier hat man mit den Zusätzen von Pektinen oder von Guar die ersten Erfahrungen gemacht und festgestellt, daß man durch eine ballaststoffreiche Kost Insulin einsparen kann. Das ist auch für den Übergewichtigen wichtig, besonders wenn er unter übersteigertem Appetit leidet. Nun ist es das körpereigene Insulin, welches bei zu schnellem Einfließen von Zuckermolekülen in den Darm reagiert. Der Zucker wird prompt abgebaut (der Körper will kein zu hohes Blutzuckerniveau), und nach etwa zwei Stunden ist der Zuckergehalt des Blutes sogar unter die Ausgangslage gedrückt. Das erzeugt neuerlich Hunger. Man muß also, wenn man Kohlenhydrate in der Nahrung hat, insbesondere deren Grundbaustein Zucker, auf die gleichzeitig gegessenen Ballaststoffe achten. In der Natur gibt es diese Nährstoffe ungetrennt ohnedies kaum.

Mineralstoffe und Vitamine – mit abwehrkraftsteigernder Wirkung

Neben den Ballaststoffen hat eine Reihe weiterer nicht energieliefernder Nährstoffe eine besondere Beziehung zu Widerstand und Abwehrkräften:

● die Mineralstoffe,
● die Spurenelemente,
● die Vitamine.

In irgendeiner Wirkart haben sie alle Einfluß. Nicht alle aber muß man im Detail besprechen. Denn hat man seine Ernährung auf eine Ballaststoffzufuhr von 40–50 Gramm im Tag ausgerichtet, so hat man automatisch einen guten Teil der „nicht energieliefernden Nährstoffe" ebenfalls in ausreichender Menge im Körper.

Bei den Mineralstoffen und Spurenelementen sind dies:

das **Kalium,**
das **Silicium,**
das **Mangan,**
das **Molybdän,**
das **Chrom.**

Bei den Vitaminen sind es:

die Vitamine **A, B₁ bis B₆, C, K,**
die **Folsäure,**
das **Biotin.**

Wenn man bevorzugt pflanzliche Nahrungsmittel ißt, dann nimmt man diese Nährstoffe in reichlich bedarfsdeckenden Mengen mit in sich auf. Wo viele Ballaststoffe sind, dort sind auch sie vorhanden.

Folgende Regeln sind bei Auswahl und Verteilung pflanzlicher Nahrungsmittel zu beachten:

● Bei Getreide- und Getreideprodukten soll man das Vollkorn bevorzugen. Weißmehl und Weißbrotverzehr nicht überhandnehmen lassen! Sonst verliert man nicht nur wichtige Ballaststoffe, sondern auch einen der wertvollen Vitamin-B-Träger.

● Das Gesamtverhältnis von Getreide- und Getreideprodukten zu Gemüse, Beeren und Obst sollte bei etwa 1:3 bis 1:4 liegen — vom Gewicht her gesehen. Das erlaubt die größtmögliche Vielfalt an pflanzlichen Nahrungsmitteln, zugleich die Vollversorgung mit verschiedenartigen Ballaststoffen und einem Großteil der Mineralstoffe und Vitamine. Da die Getreide 6 bis 10mal so kalorienreich sind wie die Gemüse und Obstsorten, liefern sie trotzdem den größeren Anteil am reinen Nährwert.

● Braten, Dünsten und Kochen macht den Ballaststoffen nichts aus. Wohl aber werden manche Vitamine durch starkes Erhitzen unwirksam, die Mineralstoffe werden durch Kochen in viel Wasser ausgeschwemmt. Deshalb sollte man in der Küche schonend arbeiten: Gemüse mit wenig Fett im eigenen Saft dünsten oder im Siebeinsatz über Wasserdampf dämpfen. Hier sind die Verluste geringer. So ist die Größe des Verlustes an Vitamin B₁ aus Gemüsen von der Garmachungstechnik abhängig:

— Kochen: 40% Vitamin B₁ gehen verloren,
— Dämpfen: 21% Vitamin B₁ gehen verloren,
— Dünsten: 14% Vitamin B₁ gehen verloren.

● Einen Teil des täglich vorgesehenen Pflanzenquantums sollte man roh essen. Hier bieten sich in erster Linie die Obst- und Beerensorten an, weiters Wasserfrüchte, Tomaten, Paprikasorten, Rettiche, Blattgemüse und manche Kohlsorten.

Auch milchsauer vergorenes Gemüse (Sauerkraut, Bete [rote Rüben], Möhren, Zwiebel, Gurken usw.) hat dieselben Eigenschaften wie erntefrisches Material – Mineralstoffe und Vitamine sind voll erhalten, bei manchen Stoffen (z. B. Vitamin C) kommt es durch die Aktivität der an der Vergärung beteiligten Bakterien sogar zu einer Steigerung der Nährwertkonzentration. Da milchsauer vergorenes Gemüse bei richtiger Handhabung neun Monate lang haltbar ist, hat man auch die heimischen Krautsorten, Gurken usw. das ganze Jahr über praktisch in Frisch- bzw. Rohkostqualität zur Verfügung.

Im Handel erhältliche milchsauer vergorene Produkte wie Sauerkraut sind nur dann frisch, wenn sie aus Fässern im offenen Verkauf angeboten werden oder als „Delikateß"-Ware deklariert sind. Andere Ware, vor allem Dosenware, ist pasteurisiert oder sterilisiert.

Beachtet man alle diese Punkte, so erreicht man, soweit die tägliche Ernährung die Abwehrkräfte steigern kann, bald ein gutes Maß an Sicherheit.

Trotzdem bleiben noch einige Fragen offen. Sie betreffen die Vollversorgung mit den Mineralien **Magnesium** und **Calcium,** mit dem Spurenelement **Eisen** und dem **Vitamin E.** Besonders in Zeiten erhöhter Belastung steigt der Bedarf an ihnen, und das Maß der Ballaststoffe – das, wenn nur einmal in richtiger Tagesmenge erfüllt, auch die anderen nicht energieliefernden Nährstoffe mitbringt – ist hier nur teilweise gültig. Um den entsprechenden Magnesium- und Vitamin E-Anteil (obwohl vorwiegend in pflanzlichen Nahrungsmitteln enthalten) aufzunehmen, muß man die tägliche Kost sehr überlegt auswählen. Und um den Calcium- und Eisenbedarf komplikationsfrei sicherzustellen, empfiehlt es

sich, die anderen großen Nahrungsmittelgruppen Milchprodukte und direkt tierische Nahrungsmittel (Fleisch, Fisch, Eier) zur Erweiterung heranzuziehen. Die bedarfsdeckenden Mengen sind nicht groß, bei den direkt tierischen Nahrungsmitteln sogar deutlich geringer als heute in den Industrieländern üblich.

Die Ausrichtung auf Calcium bei den Milchprodukten und auf Eisen bei Fleisch, Fisch und Eiern hat darüber hinaus einen praktischen Vorteil:

● Wenn die ergänzenden Milchprodukte das ausreichende Maß an Calcium gebracht haben, dann sind in derselben Menge alle anderen spezifisch wirksamen Nährstoffe der Milch enthalten, sei es die aufbauende **Orotsäure** oder das **Vitamin B₂**.

● Wenn man die direkt tierischen Nahrungsmittel Fleisch, Fisch und Eier in dem Maß einsetzt, daß der Eisenbedarf mit Sicherheit gedeckt ist, dann hat man auch alle anderen starken Nährstoffe der tierischen Nahrungsmittel, wie das **Kupfer,** das **Zink** oder das **Vitamin B₁₂,** mit aufgenommen.

Im folgenden werden nun die lebenswichtigen Mineralien Magnesium, Calcium und Eisen ebenso ausführlich besprochen wie das Vitamin E.

Das Magnesium

Das Leichtmetall Magnesium zählt zu den lebenswichtigen Mineralstoffen. Eine bestimmte Mindestmenge davon sollte unser Körper regelmäßig zugeführt bekommen, denn ein Mangel verursacht eine Reihe von unliebsamen Erscheinungen, die in der Folge zu ernsthaften Erkrankungen führen können.

Der **tägliche Mindestbedarf an Magne-**

sium liegt beim Erwachsenen bei 250 mg, das ist ein Viertelgramm. Jugendliche im Wachstumsalter, schwangere und stillende Frauen, Sportler und Schwerarbeiter brauchen mehr – bis 400 mg und darüber im Tag. Mengen, die in einer vernünftigen Ernährung mit hochwertigen Nahrungsmitteln durchaus enthalten sind. Und doch häufen sich in den letzten Jahren und Jahrzehnten in den Industrieländern jene Leiden, die man zumindest teilweise auf einen chronischen Magnesiummangel zurückführen kann. Dafür gibt es mehrere Gründe:

A) Die Änderung der Eßgewohnheiten

1. *Die großen Magnesiumträger unter unseren Nahrungsmitteln werden zu sehr vernachlässigt.* Das sind die grünen Blätter, das Vollkorn (besonders Hirse, Hafer, Grünkern) sowie Samen, Keime und Kleie. Auch Hülsenfrüchte sind zu selten auf dem Tisch.

2. *Es wird zuviel verkocht.* Die Magnesiumverluste betragen beim Kochen von Gemüse bis zu 40%, während bei schonendem Dünsten in geeigneten Geräten (Römertopf, versiegelte Pfannen usw.) oder beim Dämpfen der Wert fast voll erhalten bleibt.

3. *Es wird zu fett gegessen.* Zuviel Fett bindet das Magnesium im Darm und behindert den Transport in das Blut.

4. *Es wird zuviel Eiweiß gegessen.* Je höher die Eiweißaufnahme, um so mehr Magnesium braucht man. Der hohe Eiweißkonsum entsteht bei uns meist durch den überzogenen Gebrauch tierischer Nahrungsmittel, welche selbst aber keine rationellen

Magnesiumlieferanten sind – von Magermilchprodukten, Schnecken, Muscheln und einigen Meeresfischen abgesehen. Viele tierische Nahrungsmittel auf dem Teller verdrängen die guten Magnesiumlieferanten unter den Pflanzen. Das ist ein Teufelskreis.

B) Die Änderung der Lebensgewohnheiten

1. *Der zunehmende Bewegungsmangel.* Viele bewegungsfaule Menschen müssen sich beim Essen einschränken, um nicht dick zu werden. Man hat errechnet, daß in 1.000 Kalorien der in den Industriestaaten üblichen Kost oft nur 110 mg Magnesium enthalten sind. Die Sekretärin, die sich daran gewöhnt hat, von 2.000 – 2.200 Kalorien im Tag zu leben, lebt stets an der Grenze zum Magnesiummangel.

2. *Der hohe Alkoholkonsum.* Die Pro-Kopf-Rate hat sich gegenüber der Zeit vor dem Zweiten Weltkrieg mehr als verdoppelt. Alkoholkonsum beschleunigt die Magnesiumausscheidung durch die Niere. Dadurch wird unter anderem die Fähigkeit des Lebergewebes, sich zu erneuern, beeinträchtigt. Und neuerlicher Alkohol trifft auf eine besonders anfällige Leber. Ein weiterer Teufelskreis, dem man nur durch Einschränkung des Alkoholverbrauches oder, wenn das schwer möglich sein sollte, durch vermehrte Magnesiumgaben begegnen kann.

3. *Der zunehmende Streß.* Unter Streßbelastung wird das Magnesium sowohl schlechter aufgenommen als auch vermehrt ausgeschieden. Niedrige Blutwerte sind die Folge. Das gilt besonders für den Lärmstreß.

4. *Falsche Düngegewohnheiten.* Un-

ter der langjährig praktizierten Stick-stoff-Phosphat-Kalium-Kunstdün-gung litt die Aufnahmefähigkeit der Pflanzen für Magnesium. Ein Um-denken hat zwar eingesetzt, sich aber bei weitem noch nicht überall durch-gesetzt.

Die Zeichen des Magnesiummangels

Gemäß der Bedeutung des Ma-gnesiums für den Organismus sind diese Zeichen vielfältig. Es sind zum Beispiel bis heute nicht weni-ger als 250 Enzyme unseres Kör-pers als vom Magnesium abhängig bekannt. Doch kann man diese Vielfalt in vier Gruppen einteilen (nach Prof. Holtmeier):

● **Die Gehirnformen** mit den Symptomen Benommenheit, Kopf-druck, Schwindel und Konzentra-tionsschwäche (Lernschwierigkei-ten). Auch innere Unruhe und Angstzustände können vorherr-schen.

● **Die Herzformen** mit unregelmä-ßigem Puls und Herzstolpern als mögliche Magnesiummangelsymp-tome, auch Herzstechen kommt vor.

● **Die Magen-Darm-Formen** mit Bauchkrämpfen, Übelkeit, Brech-reiz und der Neigung zu Durchfäl-len.

● **Die muskulären, verkrampfen-den Formen** mit Wadenkrämpfen, Fußsohlenkrämpfen, Rücken- und Nackenverspannungen. Auch Ver-krampfung der Gesichts- oder Schlundmuskulatur und Taub-heitsempfindungen an den Fingern kommen vor.

Freilich ist wichtig zu wissen, daß es alle diese Symptome auch aus anderer

Ursache gibt. Ob nun wirklich ein Magnesiummangel dahintersteckt oder nicht, wird letztlich nur ein Arzt klären können. Immerhin sollte man daran denken.

Das Magnesium hat eine Reihe von weiteren Eigenschaften, die es bemer-kenswert machen: Es senkt das erhöh-te Cholesterin im Blut und verringert darüber hinaus die Neigung zur Bil-dung von Blutgerinseln. Damit kann dem drohenden Herzinfarkt und dem Hirnschlag vorgebeugt werden. Diese Wirkung (die man natürlich rechtzei-tig nutzen sollte) soll bei einer tägli-chen Zufuhr von insgesamt etwa 350 mg Magnesium pro Erwachsenen und Tag zum Tragen kommen. Das sind Mengen, die man mit ein bißchen kluger Planung ohne weiteres aus der täglichen Ernährung beziehen kann.

Die besten Magnesiumquellen: Erklärung der folgenden Tabelle

Sehr gute Magnesiumquellen sind in erster Linie bestimmte pflanzliche Nahrungsmittel. Sie sind in nachfol-gender Tabelle angeführt. Besonders zu beachten ist die zweite Spalte, denn sie sagt aus, wie groß die Dichte an Magnesium in einem Nahrungsmittel ist, das heißt, wieviel Kalorien man mitessen muß. Je weniger, desto bes-ser, das liegt auf der Hand. Denn dann kann man auch Schlankheitsku-ren mit wenig Kalorien, aber viel Magnesium durchführen.

Man sieht, daß bei den **Getreiden** die Weizenkeime vor Weizenvollkorn, Hirse, Hafer und Grünkern die Liste anführen, bei den **Broten** das Stein-metzbrot und das Pumpernickel.

Die **Hülsenfrüchte** sind alle stark. Be-sonders die Lupinensamen, die bei uns zuwenig zum Einsatz kommen (wohl aber in Frankreich), die Soja-produkte und die grünen Bohnen (Fisolen).

Bei den **Gemüsen** gibt es den großen Spitzenreiter Portulak, das ist ein bei uns heimisches Kohlgemüse (Bürzelkohl), und auch die meisten grünen Blätter sind reich an Magnesium.

Die **Nüsse** sind an sich magnesiumreich − allerdings, das zeigt wieder die zweite Spalte der Tabelle, nicht ganz so magnesium**dicht; dazu** haben sie zuviel an Kalorien.

Trotzdem: in kleinen Mengen hochwertige Nahrungsmittel. Sehr stark schließlich sind **besondere Produkte** wie Weizenkleie, Leinsamen, Kakaopulver und die Speisehefen Bierhefe und Torulahefe. Auch die Melasse, die man als alternatives Süßmittel einsetzen kann (50% Zuckergehalt), hat beachtliche Magnesiumwerte.

Die besten Magnesiumlieferanten unter unseren Nahrungsmitteln

Nahrungsmittel	mg Magnesium in 100 Gramm	mg Magnesium in 100 Kcal (Magnesiumdichte)	Wieviel Gramm sind 100 Kcal
A) Getreide und Brote			
Weizenkeime	336	93	28
Steinmetzbrot	122	57	47
Weizenvollkorn	173	54	31
Hirse	162	50	31
Haferflocken	145	38	26
Grünkern	130	37	28
Pumpernickel	71	35	30
Vollreis	120	32	27
Roggenvollkorn	95	30	31
Knäckebrot	68	20	30
Vollkornbrot	47	20	43
B) Hülsenfrüchte/ Produkte			
Lupinensamen	430	100	23
Sojamehl, halbfett	286	78	28
Grüne Bohnen	26	74	280
Sojabohnen	247	59	24
Sojakeimlinge	15	58	220
Sojamehl, vollfett	235	53	23
Erbsen, grün	33	41	125
Weiße Bohnen	132	39	30

Nahrungsmittel	mg Magnesium in 100 Gramm	mg Magnesium in 100 Kcal (Magnesiumdichte)	Wieviel Gramm sind 100 Kcal
C) Gemüse			
Portulak	151	656	430
Spinat	58	193	330
Sauerampfer	41	152	300
Petersilwurzel	52	150	300
Blattsellerie	27	112	410
Tomaten	20	95	470
Weißkraut	20	80	400
Löwenzahnblätter	36	78	215
Chinakohl	11	69	630
Broccoli	24	68	280
Endivien	13	68	520
Kopfsalat	11	65	590
Gurken	8	62	770
D) Nüsse			
Cashewnüsse	267	48	18
Pinienkerne	268	42	15
Mandeln	252	42	17
Erdnüsse	181	31	17
Haselnüsse	150	24	16
Walnüsse	134	20	15
E) Sonstiges			
Weizenkleie	590	342	58
Leinsamen	350	80	23
Kakaopulver	420	123	34
Bierhefe	231	83	36
Torulahefe	165	100	61
Melasse	209	92	44

Das Vitamin E

Es ist nach den Ballaststoffen und neben dem Magnesium ein dritter guter Maßstab, an dem man Menge und Art des pflanzlichen Anteiles einer Ernährung, die auch die Abwehrkräfte fördern soll, ausrichten soll. Zum Teil deckt das Vitamin E die Frage nach den wichtigen mehrfach ungesättigten Fettsäuren (den Polyensäuren) ab. Denn die Kerne, Keime, Samen und Nüsse sind nicht nur die wichtigsten natürlichen Vitamin E-Träger, sondern auch reich an den hochwertigen Fettsäuren. Die Vitamin E-starken Gemüse wiederum sind gleichzeitig reich an den für die allgemeine Widerstandskraft unerläßlichen Spurenelementen Mangan und Selen.

Das **Selen** steht mit dem Vitamin in einer besonderen Wechselbeziehung. Als „Schutzstoffe" haben sie eine ähnliche Wirkung. Doch gibt es manche Störungen im Sinne von Zellvergiftung, die mehr durch das Selen, andere wieder, die mehr durch das Vitamin E bereinigt werden. Hier ergänzen sie einander. Bei der Wirkung gegen Schwermetallschäden (Blei, Cadmium, Quecksilber) wiederum arbeiten beide gemeinsam.

1922 beobachteten die beiden Wissenschafter H. M. Evans und K. S. Bishop, daß Ratten, um sich fortpflanzen zu können, einen (damals noch unbekannten) Stoff brauchen, der im Fettanteil von Getreidekeimen und Pflanzensamen vorhanden sein muß. Diesen Stoff nannten sie vorerst „Factor X". Wenn er fehlt, dann werden die männlichen Ratten impotent und die weiblichen steril. Bald merkte man auf Grund verschiedener Hinweise, daß es sich um ein Vitamin handeln müsse. Die Vitamine A, B, C und D waren damals bereits entdeckt, also nannte man die Neuentdeckung Vitamin E.

Vor allem Evans arbeitete dann zwölf Jahre lang intensiv an der weiteren Aufklärung des Stoffes. Sie gelang ihm 1936. Dabei zeigte sich, daß es sich um zwei einander sehr ähnliche Verbindungen handelte, die Evans „alpha"- und „beta-Tocopherol" nannte (nach den griechischen Wörtern Tokos = Geburt und pherein = tragen) – GeburtsträgerVitamin also, oder wie es sich eingebürgert hat: FruchtbarkeitsVitamin. Man hat inzwischen weitere in natürlichen Nahrungsmitteln vorkommende Tocopherole gefunden sowie ähnliche Wirksubstanzen, die man Tocotriene

nannte. Sie alle zusammen bilden das Vitamin E.

Das alpha-Tocopherol wirkt am stärksten, das beta-Tocopherol knapp halb so stark, alle anderen Formen des Vitamins sind deutlich schwächer. Deshalb kann es vorkommen, daß die Menge aller Tocopherole und Tocotriene zusammen beim Sonnenblumenöl nur halb so groß ist wie beim Maiskeimöl. Davon aber sind 80% alpha-Form, beim Maiskeimöl nur 10%. Im Endeffekt also ist das Sonnenblumenöl das wirksamere, zumindest was das Vitamin E anbetrifft.

In den meisten modernen Ernährungstabellen trägt man diesen Unterschieden Rechnung und gibt den Vitamin E-Wert eines Nahrungsmittels auf die Wirkstärke des alpha-Tocopherol umgerechnet an. Der Tagesbedarf eines Erwachsenen wird auf 12 Milligramm (mg) alpha-Tocopherol geschätzt – nach einer Feststellung der Deutschen Gesellschaft für Ernährung aus dem Jahre 1984.

12 mg „Tocopherol-Äquivalente" (so nennt man es korrekt) scheinen in einer gut ausbalancierten täglichen Ernährung gar nicht so schwer erreichbar zu sein. Das zeigt folgende Tabelle:

Zu dieser Tabelle:

Tierische Nahrungsmittel fehlen in dieser Tabelle. Sie spielen bei der Versorgung mit Vitamin E keine große Rolle. Allenfalls wären Eidotter, Kalbsinnereien, Hühnerinnereien, Truthahnfleisch und manche Seefische (Rotbarsch, Katfisch, Makrele) zu erwähnen. Man kann diese Nahrungsmittel gelegentlich zur Ergänzung nützen. Die wichtigsten Vitamin E-Träger sind aber doch die

Nahrungsmittel	mg Vitamin E in 100 g	mg Vitamin E in 100 Kcal	Tagesbedarf 12 mg Vitamin E sind in g
Weizenkeimöl	160	17	8
Baumwollsamenöl	52	6	23
Sonnenblumenöl	50	6	24
Walnußöl	39	4	30
Maiskeimöl	31	3,5	39
Sojaöl	29	3,2	41
Distelöl	29	3,2	41
Sesamöl	28	3,1	43
Erdnußöl	25	2,8	48
Palmöl	25	2,8	48
Olivenöl	13	1,4	92
Diätmargarine	14	1,9	85
Lupinensamen	160	37	8
Leinsamen	57	13	21
Mandel	28	4,3	43
Sonnenblumenkerne	22	4,2	55
Haselnuß	21	3,2	57
Sojamehl vollfett	21	4,7	57
Roggenkeime	17	4,6	70
Sojabohnen	15	3,6	80
Weizenkeime	12	3,2	100
Fenchelkraut	6	12	200
Grünkohl	4	7,2	300
Erbsen, grün	3	3,8	400
Knollensellerie	2	6,5	450
Porree	2	7,5	600
Spinat	2	8	600
Spargel	2	8	600
Avocado	3	1,2	400

pflanzlichen Öle. Das Weizenkeimöl führt dabei die Liste unangefochten an.

> Schon in 8 g Weizenkeimöl = ½ Eßlöffel sind jene 12 mg Tocopherol-Äquivalente enthalten, die die Tagesdosis ausmachen.

Auch von der Vitamindichte her gesehen ist das Weizenkeimöl äußerst rationell, denn 8 g davon bedeuten erst ca. 75 Kalorien. Man kann Weizenkeimöl ebenso wie die anderen Öle als Speiseöl verwenden, am besten kalt pur oder als Zusatz zu Quark (Topfenkäse), Müslis usw. Beim Erhitzen treten keine Vitamin E-Verluste auf (wohl aber an den in diesen Ölen meist gleichzeitig angereicherten mehrfach ungesättigten Fettsäuren). Bei längerem Tiefkühlen unter 18 Grad sind Verluste bis 60% registriert. Das spielt allerdings nur bei den Gemüse-, Fleisch- und Fischsorten mit Vitamin E eine Rolle. Öle sollte man ohnedies zwar kühl, aber nicht kühler als +8 Grad aufbewahren (da sie sonst stocken).

Weizenkeimöl kann man auch in Form von Kapseln zu sich nehmen. Es handelt sich dabei um das reine Öl, allenfalls mit Zusätzen wie Knoblauch, Mistel, Weißdorn usw., umgeben von einer Gelatinehülle.

Die anderen Speiseöle sind nicht mehr ganz so rationell, spielen aber bei der Vitamin E-Versorgung eine wichtige ergänzende Rolle. Das Olivenöl ist als Fruchtöl am schwächsten. Man müßte über 90 Gramm davon zu sich nehmen (was 800 Kalorien entspricht), um den Vitamin E-Tagesbedarf zu decken. Hochwertige Diätmargarine schließlich hat durchaus brauchbare Werte. Das liegt daran, daß sie aus Grundstoffen wie Sonnenblumenöl, Palmöl, Sojaöl usw. hergestellt wird.

Diese bringen das Vitamin in das Nahrungsmittel.

Einige Gemüsesorten schließen die Tabelle ab. Die Auswahl der Gemüse mit mehr als 2 mg Tocopherol-Äquivalenten ist nicht groß. Die übrigen, hier nicht erwähnten Sorten liegen bei 1 mg und darunter. Doch haben die guten Vitamin E-Träger unter den Gemüsen meist auch gute Selen- und Manganwerte.

Die Bedeutung des Vitamin E für den Körper

Bereits vor fünfzig Jahren hat man entdeckt, daß das in Pflanzenfetten gespeicherte Vitamin E bei verschiedenen Tieren eine große Rolle spielt. Im Hinblick auf den Menschen allerdings fand man keine vergleichbaren Eigenschaften, so daß eine echte Vitamin E-Mangelkrankheit durch unzureichende Zufuhr mit der Nahrung lange umstritten war. Das Food and Nutrition Board, die maßgebliche amerikanische Gesundheitsbehörde, erkannte das Vitamin E erst im Jahre 1959 als „notwendigen Bestandteil der menschlichen Ernährung" an. Doch selbst heute noch wird Vitamin E vielfach als „Vitamin ohne dazugehörige Krankheit bezeichnet".

Dieser Anschauung allerdings steht eine Fülle von aus Mediziner- und Laienkreisen stammenden Veröffentlichungen gegenüber, in denen dem Vitamin E eine − auch für den Menschen − viel größere Bedeutung zugeschrieben wird, etwa daß man mit Überdosen von Vitamin E eine ganze Reihe von Krankheiten heilen könne. So wurden besonders in den USA, in Japan und in Deutschland zusätzliche Vitamin E-Gaben in Form von Ölkapseln und Kautabletten empfohlen bei:

● erhöhter Umweltbelastung, Smog, erhöhter Gefahr gewerblicher Vergiftung,

● erhöhtem Alkohol- und Nikotinkonsum,

● erhöhter körperlicher Belastung (Sport, Schwerstarbeit),

● erhöhtem Streß,

● Schwangerschaften, besonders bei Neigung zu Früh- und Fehlgeburten. Dabei wurden Riesendosen verwendet. Der zweifache Nobelpreisträger Linus Pauling (Chemie, Frieden) sagte: „Ich nehme täglich 1.200 I.E. Vitamin E (ca. 800 mg) – das halte ich für vernünftig und für eine einfache Methode, mit Hilfe von zusätzlichen Vitaminen, die das ganze Leben lang eingenommen werden können, die Lebenserwartung zu steigern und die vitalen Jahre unseres Lebens entscheidend zu verlängern."

Lange Zeit glaubte man, daß Riesendosen von Vitamin E nicht schaden können. Es gab einen richtigen Vitamin E-Boom: In der Bundesrepublik ist der Jahresumsatz von Vitamin E-Präparaten innerhalb von drei Jahren von 20 auf 100 Millionen DM angestiegen. Der Eindruck, daß dabei auch Geschäftsinteressen mitspielten, war schwer von der Hand zu weisen. Inzwischen hat sich die Situation etwas beruhigt – man hat auch Schäden durch Vitamin E-Überdosierung gefunden: Schilddrüsenstörungen und Beeinträchtigung des Wachstums.

Sicher ist, daß das Vitamin E unser körpereigenes Abwehrsystem insofern unterstützt, indem es gegen Sauerstoff anfällige Moleküle, wie das Vitamin A oder die mehrfach ungesättigten Fettsäuren, schützt. Auch die bei Schadstoffen giftig wirkenden Atomgruppen, die sogenannten Radikale, werden durch das Vitamin E entschärft. Außerdem schützt es vor Muskelschwund. Die dazu notwendigen Dosen von 12 mg bis 25 mg (bei außergewöhnlicher Belastung; – mehr halten die Ernährungsphysiologen nicht für sinnvoll) kann man auch aus der Nahrung beziehen, wenn man die geeignete Auswahl trifft. Fallweise mögen Dosen von 100 mg und mehr pro Tag angebracht sein – Dosen, die man nur mehr aus Kapseln oder Dragées beziehen kann. Darüber jedoch sollte der Arzt entscheiden.

Das Calcium

Ein für Aufbau und Widerstandskraft wichtiger Mineralstoff ist das Calcium. In jedem erwachsenen Menschen sind nicht weniger als 1.500 Gramm davon gelagert – zu 99% in den Knochen und in den Zähnen. Dort sorgt es in Verbindung mit Phosphor, Fluor, Chlor, Magnesium, Natrium, Kalium und Kohlenstoff für Form und Festigkeit unserer Gestalt. Das restliche Prozent spielt eine immens wichtige Rolle bei fast allen unseren Körpervorgängen. Die Blutgerinnung wird durch Calcium mitgesteuert, die Leitfunktion der Nerven, die Arbeit der Muskelfaser – es gibt keine Zelle im Körper, die nicht vom Calcium als struktur- oder funktionserhaltendem Mineralstoff abhängig wäre. Ein Säugling bezieht sein Calcium aus der **Muttermilch** und nützt es zu zwei Dritteln aus. Von den 300 Milligramm, die ein Liter Muttermilch besitzt, nimmt er 200 Milligramm auf und baut sie in Knochen oder Körperzellen ein. Das ist – verglichen mit anderen Mineralstoffen in Nahrungsmitteln, die der Körper oft nur zu 5% und weniger verwerten kann (siehe nächstes Kapitel: Eisen)

– ein beachtenswerter Nutzeffekt. Die Muttermilch gibt ihre Stoffe am besten ab, das ist keine Frage.

Aber auch **Kuhmilch** ist für uns Menschen ein hervorragender Stofflieferant. Bei Säuglingsgetränken auf Kuhmilchbasis kann der Säugling immerhin ein Viertel des angebotenen Calciums direkt umsetzen. Zwar ist ein Viertel deutlich weniger als zwei Drittel, doch hat dafür Kuhmilch bedeutend mehr Calcium. Deshalb resultiert – hinsichtlich Calcium – folgende Rechnung: siehe erste Tabelle auf der rechten Seite.

Der Grund, daß man Kuhmilch überhaupt als Muttermilchersatz verwerten kann, liegt nicht zuletzt in ihrem Calciumreichtum, der nicht nur das Manko des schlechteren Nutzeffektes ausgleicht, sondern sogar noch Verdünnungen erlaubt (konzentrierte Kuhvollmilch vertragen Säuglinge nicht).

Die Frage nach dem Calcium in unserer Ernährung ist schon deshalb wichtig, weil nach einer 1976 erstellten Studie der Deutschen Gesellschaft für Ernährung bis zu einem Drittel unserer Jugendlichen mit diesem Mineral unterversorgt ist: siehe zweite Tabelle auf der rechten Seite.

Das sind natürlich alarmierende Zahlen! Fehler, die im Wachstumsalter geschehen sind, lassen sich später schwer ungeschehen machen. Am meisten trifft es die Kinder zwischen dem zehnten und dem 14. Lebensjahr. Hier ist der Bedarf am größten, ebenso leider auch die durchschnittliche Unterversorgung. Mit etwas mehr Milch oder Milchprodukten wäre das Problem schnell gelöst. An sich eignen sich alle Milchsorten von allen milchspendenden Tieren. In manchen jedoch ist das Calcium hochkonzentriert, in manchen eher schwach vertreten. Siehe dritte Tabelle auf der rechten Seite.

In etwas mehr als einem Drittel Liter Kuhmilch (oder dem daraus hergestellten Käse, Sauermilch usw.) ist also der halbe Calciumbedarf auch eines Heranwachsenden enthalten. Die andere Hälfte wird aus den übrigen Nahrungsmitteln beschafft, was in dieser Größenordnung keine Probleme schafft.

Auch bei den anderen Trinkmilchsorten (Kuh) sind die Werte fast gleich wie bei der Vollmilch: siehe vierte Tabelle auf der rechten Seite.

Die **Käsesorten** schließlich sind, je nach Wasser- und Fettgehalt, unterschiedlich (siehe Tabelle auf Seite 72).

Der Calciumbedarf erhöht sich, wenn man eiweißreich ißt. In den USA hat man festgestellt, daß nicht wenige Erwachsene an echtem Calciummangel leiden, weil sie ihr Eiweiß überziehen, und das aus unverhältnismäßig viel Fleisch und Fisch, die ja selbst (im Gegensatz zu den Milchprodukten) ausgesprochen calciumarm sind: 100 g **Fleisch** bringen im Schnitt ganze 10 mg Calcium mit! Erst mit 5 Kilogramm Fleisch hätten wir unseren halben Tagesbedarf an Calcium gewonnen – und auch das nur theoretisch, da die riesigen Eiweißmengen den Calciumverschleiß anheben.

Der eßbare Anteil von **Fisch,** Muscheln, Krustentieren usw. ist in dieser Hinsicht kaum gehaltvoller als Fleisch. Eine Ausnahme sind **Sardinen,** wenn man sie einschließlich Wirbelsäule und Gräten verzehrt. Dann haben 100 g Sardinen die gute Menge von 330 mg Calcium. Entgrätete Sardinen aber besitzen nur 20 mg pro

1 Liter	Calcium-Gehalt	Nutzeffekt	echter Umsatz
Muttermilch	300 mg	2/3	200 mg
Kuhmilch-Säuglingspräparat	700 mg	1/4	175 mg

Alter	Calciumbedarf pro Tag in mg	% Unterversorgung (-) m = männlich, w = weiblich
Kinder 4—6 Jahre	700	-16% (m) -23% (w)
Kinder 7—9 Jahre	800	-21% (m) -31% (w)
Kinder 10—14 Jahre	900—1000	-35% (m) -37% (w)
Jugendliche 15—18 Jahre	800— 900	-21% (m) -23% (w)

Milchart 1 Liter	mg Calcium	der halbe Tagesbedarf (500 mg) ist enthalten in
Büffelmilch	1850	270 ml
Schafmilch	1800	280 ml
Kuhmilch	1400	360 ml
Kamelmilch	1400	360 ml
Stutenmilch	1100	460 ml
Ziegenmilch	400	1250 ml
Eselsmilch	100	5000 ml

Milchart 1 Liter	mg Calcium	der halbe Tagesbedarf (500 mg) ist enthalten in
fettarme Milch 1,5%	1400	360
Magermilch 0,3%	1400	360
Buttermilch	1200	420
Joghurt 3,5%	1400	360
Joghurt 1,5%	1400	360
Joghurt 0,3%	1500	300
Kefir	1400	360
Sanoghurt	1400	360
Edelsaure Milch	1400	360

Käsesorte 100 g	mg Calcium	der 1/2 Tages-bedarf (500 mg) ist enthalten in g Käse	das sind Kalorien
Parmesan	1300	39	164
Emmentaler 45% F.i.T.	1180	43	180
Gouda 45% F.i.T.	820	60	240
Tilsiter 30% F.i.T.	820	60	170
Tilsiter 45% F.i.T.	820	60	210
Chester 50% F.i.T.	810	62	250
Edamer 30% F.i.T.	800	63	170
Edamer 40% F.i.T.	760	66	230
Butterkäse 50% F.i.T.	700	72	250
Romadur 30% F.i.T.	700	72	150
Edelpilz 50% F.i.T.	600	84	340
Schmelzkäse 45% F.i.T.	540	93	280
Limburger 20% F.i.T.	530	95	200
Brie 50% F.i.T.	400	125	460
Camembert 45% F.i.T.	380	130	390
Sauermilchkäse	125	400	560
Speisequark mager	100	500	410
Hüttenkäse	90	550	620
Doppelrahm-Frischkäse 60% F.i.T.	70	715	2500

Mit Käsesorten kommt man, um den halben Tagesbedarf an Calcium zu decken, mit oft erstaunlich kleinen Mengen aus. Das zeigt die Tabelle. Am konzentriertesten sind Parmesan und Emmentaler. Die Frischkäsesorten sind wegen ihres Wasserreichtums relativ schwächer, was den Calciumgehalt anbetrifft, doch bringen sie andere hochwertige Nährstoffe mit. Bei sehr fetten Käsen steigt der Kalorienwert natürlich an. In der Spalte rechts außen sind die Kalorien angegeben, die man mitessen muß, um aus einem bestimmten Käse den halben Tagesbedarf an Calcium (500 mg) zu decken.

100 g. Bei tierischen Nahrungsmitteln sind eben 99% des Gesamtcalciums im Gerüst (Knochen, Gräten, Zähne) und nur 1% in dem Material, das wir üblicherweise essen.

Etwas höher ist der Calciumgehalt der **Eier,** bei denen es außer in der Schale mittlere Calciummengen auch im Dotter gibt. Eier mitsamt der Eierschale zu essen (fein zermixt und wie Rührei zubereitet) ist eine Alternative, wenn man Milchprodukte nicht verträgt und deshalb mit den notwendigen Calciummengen in Schwierigkeiten kommt. Auch andere Tiereier, wie Seerogen und Kaviar, sind relativ calciumreich, doch kann man allein darauf eine tägliche Ernährung nicht aufbauen. Der wichtigste und verläßlichste Calciumlieferant sind für uns nun einmal die Milchprodukte.

Wenn man sich auf ein mehr oder weniger tägliches Quantum Milch oder Käse wegen des Calciums eingerichtet hat, ist man automatisch mit anderen wichtigen Nährstoffen mitversorgt:

– mit *Phosphor,* einem Mineralstoff, der an allen Energieumsetzungen im Körper beteiligt ist und eine wichtige Rolle beim Aufbau des Zellkernmaterials und des allgemeinen Stützgewebes spielt;

– mit *Zink,* einem Spurenelement, das eine allgemein wachstumsfördernde Wirkung hat, die Wundheilung sowie das Haarwachstum fördert.

Es ist wichtig für die Fruchtbarkeit beider Geschlechter. Zinkmangel verursacht Lern- und Intelligenzschwächen. Es ist Bestandteil des Zuckerhormons Insulin. Zink ist zum Teil reichlich auch in Pflanzen vorhanden, doch kann es unser Körper daraus schwerer verwerten als aus tierischen Nahrungsmitteln, wie auch Milch und Käse es sind;

– mit dem auch „Milchfarbstoff" Lactoflavin genannten *Vitamin B2,* welches in engem Zusammenhang mit Widerstands- und Abwehrkraft steht;

– mit der „Molkensäure", der *Orotsäure,* die manchmal auch *Vitamin B13* genannt wird. Sie hat die Eigenschaft, relativ minderwertiges Material zu hochwertiger Körpersubstanz aufbauen zu helfen. Das ist besonders für den älteren Menschen, der Schwierigkeiten hat, das Gegessene voll zu verwerten, von Vorteil.

Neben der Milch und ihren Produkten gibt es noch eine Reihe von pflanzlichen Nahrungsmitteln, die man als Calciumlieferanten ergänzend einsetzen kann: siehe dazu die Tabelle auf Seite 74.

Auch bei dieser Tabelle sollte man die Spalte rechts außen, welche die notwendig mitgegessenen Kalorien angibt, besonders berücksichtigen: Die Blätter, angeführt von Brunnenkresse, Grünkohl und Brennessel, stellen die rationellste Form dar, aus Blattpflanzen Calcium aufzunehmen. Allerdings ist unser Körper nicht ganz so gut imstande, das vorhandene Calcium aus dem Nahrungsmittel auch herauszulösen wie bei den Milchprodukten. Typisch dafür der Spinat: Mit 70 mg ist sein Calcium/100 g an sich nicht schlecht. Doch bindet seine gleichzeitig vorhandene Oxalsäure sein eigenes Calcium, und unser Körper kann es nicht ganz so gut verwerten. Allerdings, das muß man hinzufügen, ist Spinat (der ansonsten ganz große Werte besitzt) trotzdem ein hervorragendes Blattgemüse.

Sehr aufschlußreich ist der Vergleich der beiden letzten Nahrungsmittel der Tabelle. Während der Samen von Se-

Pflanzensorte 100 g	mg Calcium	der halbe Tages-bedarf (500 mg) ist enthalten in g	das sind Kalorien
Sojabohnen	260	190	770
Nüsse im ∅	230	220	1320
Grünkohl	230	220	85
Brennessel	190	260	72
Brunnenkresse	180	280	56
Löwenzahnblätter	170	300	135
Fenchelgemüse	110	450	120
Broccoli	110	450	250
Bleichsellerie	80	620	110
Linsen	70	710	2410
Spinat	70	710	200
Kohlrübe	65	760	350
Weiße Rübe	60	830	340
Blattsalat	50	1000	140
Kartoffel	30	1660	1260
Sesamsamen	1500	30	230
Getreide im ∅	50	1000	3600

sam außergewöhnlich calciumreich ist, sind unsere Getreide in dieser Hinsicht ausgesprochen schwach. Bevor unsere Vorfahren vor etwa 12.000 Jahren den systematischen Getreideanbau entdeckt haben, ernährten sie sich als Sammler viel mehr von Gräser- oder Kräutersamen (wie Sesam) als wir es heute tun. Damals benötigten sie auch keine Milch von Tieren als Calciumlieferanten. Mit dem Ackerbau hat sich vieles geändert. Der Mensch *mußte* die Milchwirtschaft hinzuentdecken, um einen Vorteil, der zugleich einen (kleinen, aber doch wichtigen) Mangel mit sich brachte, richtig nützen zu können.

Das Eisen

Eisen ist nicht nur ein Metall, sondern auch ein lebenswichtiger Nährstoff. Es zählt zu den Spurenelementen, jenen unerläßlichen Nahrungsbestandteilen, von denen wir zwar nur winzige Mengen brauchen, diese aber unbedingt. Beim Eisen sind es nur wenige

Tausendstel Gramm am Tag. Wenn sie in der Nahrung fehlen, kann der Körper noch eine gute Zeit von seinem Eisenspeicher leben, welchen er vorsorglich in Leber, Milz und Darmschleimhaut angelegt hat. Zwar enthält dieser Speicher nicht mehr als ein Gramm Eisen insgesamt, doch reicht das für viele Monate, wenn keine besonderen Forderungen oder Verluste an Eisen auftreten. Der Körper geht mit dem Eisen auch wirklich sparsam um: was nur möglich, verwendet er wieder. Wenn ein rotes Blutkörperchen nach durchschnittlich 100 Tagen Lebensdauer zerfällt, dann wird wohl der Großteil seines Baumaterials als Abfall über die Nieren ausgeschieden, sein Eisen aber wird sorgfältig aufbewahrt und bei Bedarf wieder eingebaut – in ein neues Blutkörperchen oder in ein wichtiges Ferment. Eisen allerdings, das unwiederbringlich verlorengegangen ist, mit ausfallenden Haaren, abschilfernden Haut- oder Darmzellen, mit dem Schweiß – oder aber, bei Frauen im Reifealter, mit der Monatsblutung, mit der Muttermilch, weil es zum Aufbau der Billionen roter Blutkörperchen des Kindes im Mutterleib benötigt wird –, ein solches Eisen kann man natürlich selbst nicht mehr verwerten.

Der normale Verschleiß beträgt im Tag 1 Milligramm Eisen. Er ist bei Kindern, Erwachsenen und Senioren beiderlei Geschlechts in etwa gleich. Bei Frauen in der Lebensspanne zwischen Pubertät und Wechsel aber verdoppelt sich dieser Wert.

> Deshalb wird das Eisen zum Problem vornehmlich des weiblichen Geschlechtes, auch unter normalen Bedingungen.

Es wäre kein Problem, könnte man diesen nötigen Mehrbedarf an Eisen so ohne weiteres mit der täglichen Nahrung zuführen. Das aber gelingt – überraschenderweise – gar nicht so einfach. Eine Expertengruppe der Weltgesundheitsorganisation hat errechnet, daß die übliche Nahrung auch in den wohlhabendsten Ländern – wie Schweden, Deutschland, Japan oder USA – zwar genügend Eisen enthält für die Männer sowie für die Kinder und die Senioren beiderlei Geschlechts. Für Mädchen und Frauen im Reifealter aber sind die Mengen oft nur zur Not ausreichend. Das heißt, ihr Körper ist auf eine gesteigerte Eisenverwertung aus der Nahrung im Darm angewiesen. Das kostet Kraft. Und manchmal reicht es trotzdem nicht: „Sofern sie nicht übermäßig Energie zuführen (und sich dadurch dickessen), reicht der Eisengehalt der Kost vieler Frauen nicht aus, um ihren Eisenbedarf zu decken. Auch in der Schwangerschaft kann der Eisenbedarf kaum durch die Kost allein gedeckt werden."

Die durchschnittliche Normalkost in den Industrieländern enthält 6 Milligramm Eisen pro 1.000 Kalorien. Für einen Mann ist das ein meist ausreichendes Maß. Seinem Körper genügt es, wenn er das Nahrungseisen zu 7% ausnutzt. Dann hat er die für ihn notwendige Menge bereits in 2.500 Kalorien „Normalkost", denn:

7% von 15 mg Eisen = 1,05 mg.

Männer müssen sich also nicht dickessen, um ihren Eisenbedarf aus der üblichen Kost zu decken. Ein Mann kann sogar ein wenig abspecken und hat dabei immer noch genug an täglichem Eisen. Für Frauen gilt dieselbe Rechnung wie für Männer erst in der Menopause, nach dem Wechsel. Erst dann bereitet ihnen das Eisenproblem nicht mehr Kopfzerbrechen als den

Männern. Von der ersten Monatsblutung bis zum Wechsel sieht die Eisenrechnung für Frauen aber anders aus. Die Nettomenge an Eisen, die eine Frau im Reifealter täglich benötigt, ist natürlich sehr abhängig von der Intensität ihrer Regelblutung. Im Durchschnitt sind es 1,8 Milligramm, bei starker Blutung sind aber auch 2,5 und mehr Milligramm Eisen nötig (umgerechnet auf den tagesdurchschnittlichen Nettobedarf). Nun muß man diese Eisenmengen aus einem kaloriengerechten (d. h. noch nicht dickmachenden) Nahrungsgemisch erst einmal herausziehen können! Man weiß, daß viele Frauen ohnedies schon halb leere Eisenspeicher haben. Deshalb nutzt ihr Körper das Nahrungseisen im Darm auch besser aus. Eine brauchbare Rechnung gibt es, bezogen auf 2.500 Kalorien täglicher Nahrung mit insgesamt 15 mg Eisen erst dann, wenn der weibliche Körper das gegessene Eisen zu 13% nützt:

13% von 15 mg Eisen =
1,95 mg Eisen

2.500 Kalorien entsprechen jedoch einer Nahrungsmenge, bei der sich so manche zartgewachsene Frau stets an der Grenze zum drohenden Übergewicht bewegt. Viele schieben deshalb fallweise Abmagerungskuren ein und kommen, was das Eisen anbetrifft, vom Regen in die Traufe. Deshalb sollten kalorienarme Kuren bei bestehendem Eisenmangel immer gut überdacht sein: Entweder Abdeckung mit Eisenpräparaten oder Einbeziehen ausreichender Mengen direkt tierischer Nahrungsmittel: Fleisch, Fisch, Eier usw.

Während Schwangerschaften und der Stillzeit sind weitere 10 bis 20 mg nötig. Hier wird der Arzt oft zu eisenhältigen Präparaten greifen müssen.

Die besten natürlichen Eisenquellen:

A. Tierische Nahrungsmittel — Nutzungsgrad 15 — 30%	mg Eisen in 100 g
Schweineleber	20,6
Schweinelunge	18,9
Hammelleber	12,4
Kalbsleber	10,2
Schweineniere	10,0
Rinderniere	9,5
Hühnerleber	7,4
Rinderleber	6,6
Rinderherz	4,0
Schweineherz	4,0
Wildfleisch im ⌀	3,5
Rindfleisch im ⌀	3,0
Hammelfleisch im ⌀	3,0
Schweinefleisch im ⌀	2,5
Geflügelfleisch im ⌀	2,0
Kalbfleisch im ⌀	2,0

A. Tierische Nahrungsmittel — Nutzungsgrad 15 — 30%	mg Eisen in 100 g
Muscheln im ∅	5,0
Fisch im ∅	1,7
1 Ei	1,4
1 Eigelb	1,2
1 Eiweiß	0,2

Die Tabelle, die sich mit dem Eisengehalt der tierischen Nahrungsmittel beschäftigt, zeigt, daß man mit relativ geringen Fleisch-Fisch-Zulagen gut und sicher lebt. Es ist — man muß es immer wieder betonen — vor allem für Mädchen und Frauen im Reifealter einer Überlegung wert.

1. Beispiel: Tierleber

Ihr Eisen wird zu mindestens 15% ausgenützt. Das heißt, daß bereits 30 g Schweineleber oder Lunge bzw. 60 g Hammelleber, Kalbsleber, Schweineniere oder Rinderniere Ihren halben Tagesbedarf an Eisen decken (bei Kindern, Männern und Senioren sogar den ganzen). Bei Hühner- bzw. Rinderleber sind es ca. 80 g. Ab und zu sollte man davon Gebrauch machen, wobei größere Mengen nicht notwendig sind, teilweise auch nicht ratsam. Eine Frau, die 2.500 Kalorien im Tag nicht überschreiten sollte, verbraucht hier höchstens 5% ihrer Tageskalorien, gewinnt aber 50% ihres Eisens. Zwei- bis viermal im Monat sollte man dies nutzen.

2. Beispiel: Fleisch und Fisch

Ihr Eisen wird zu 25% ausgenutzt. Das heißt, daß man als Frau mit durchschnittlich 120 g Fleisch oder Fisch die Hälfte des Eisenbedarfes gewonnen hat. Die andere Hälfte liefern die pflanzlichen Nahrungsmittel. 120 g Fleisch oder Fisch bedeuten etwa 200 Kalorien, das sind weniger als 8% von 2.500 Kalorien, aber wieder 50% des Eisenbedarfes einer reifen Frau. Die küchenübliche Fleisch-, Fischportion hat 160 g. Davon genügen 3 bis 4 wöchentliche Mahlzeiten — größere Mengen sind nicht notwendig (aber, solange der Rahmen vernünftig bleibt, auch noch nicht gesundheitsschädlich).

Die Frage nach dem Eisen ist die Frage nach den direkt tierischen Nahrungsmitteln.

Pflanzliche Nahrungsmittel enthalten oft gar nicht wenig Eisen, doch kann es unser Körper nicht so gut nützen wie Eisen aus tierischen Produkten. Man hat das mit markiertem Eisen, dessen Aufnahme und Verteilung im Körper gut verfolgt werden kann, bei einer Reihe von Nahrungsmitteln untersucht. So wird unter Normalbedingungen (kein Eisenmangel) das Eisen aus Sojabohnen zu 7%, aus Weizen zu 5%, aus Blattgemüse zu 4%, aus Mais zu 3%, aus schwarzen Bohnen zu 2%, aus Reis und Spinat zu 1% genützt. Aus Fleisch jedoch zu durchschnittlich 28%.

Unter Mangelbedingungen — bei erschöpften Eisendepots, wie sie besonders bei Frauen im Reifealter vorkommen — steigt der Nutzungsgrad an. Am weitaus rationellsten jedoch wieder bei den tierischen Nahrungsmitteln. Bei Leber hat man Werte von 39% Nutzungsgrad, bei Schweinefleisch sogar von 73% gemessen.

Bei üblicher gemischter Ernährung kann man unter Normalbedingungen mit 10% Nutzungsgrad rechnen. Deshalb wird die notwendige Bruttomenge Eisen aus der Nahrung mit dem Zehnfachen des Nettobedarfes angegeben: siehe dazu die Tabelle, rechte Seite oben.

3. Beispiel: Das Ei

Man könnte, am besten an fleischfreien Tagen, auch das Ei heranziehen. Zwar wird sein Eisen − nach Untersuchungsergebnissen − nicht so gut genutzt wie das von Innereien, Fleisch und Fisch. Immerhin deckt ein Ei etwa 10% des täglichen Eisenbedarfes einer Frau, macht aber nur 3% der erlaubten Kalorien aus. Siehe dazu die Tabelle auf Seite 79.

Es gibt in *pflanzlichen Nahrungsmitteln* zum Teil gar nicht so wenig Eisen. Die wirklich starken unter ihnen aber − Samen, Keime, manche Körner und Bohnen − sind zugleich sehr kalorienreich. Die Eisen*dichte,* das ist die Menge pro 100 Kalorien, ist hier geringer als bei Innereien, Fleisch und Fisch. Dazu kommt, daß unser Körper das Eisen aus pflanzlichen Nahrungsmitteln weniger gut verwerten kann. Und dieser Umstand beeinträchtigt auch die gut eisenhältigen Blattgemüse − obwohl sie gleichzeitig kalorienarm sind und ihre Eisendichte sehr hoch ist. Die Pilze wiederum, zwar zum Teil sehr gute Eisenlieferanten bei gleichzeitiger Kalorienarmut, kann man schwer in eine wirklich alltäglich praktizierbare Ernährung einbauen.

Die letzten beiden Abschnitte der Tabelle sollte man besonders beachten:

Torulahefe (Futterhefe) und Bierhefe (Brauereitrockenhefe) sowie unsere Küchengewürze haben, auf 100 Gramm berechnet, zum Teil unwahrscheinlich hohe Eisenmengen. Man kann diese Produkte natürlich nicht wie ein Nahrungsmittel verwenden, sondern eben „nur" wie ein Gewürz. Doch auch in diesen kleinen, aber alltäglichen Dosen werten sie die Eisenbilanz (und nicht nur diese) beachtlich auf. Darauf sollte man nicht verzichten.

Milchprodukte sind keine großen Eisenlieferanten. Muttermilch und Kuhmilch haben denselben Gehalt, nämlich 0,5 mg Eisen im Liter. Hier aber sieht man, wie unterschiedlich die Verwertbarkeit sein kann, denn aus der Muttermilch zieht ein Säugling 49% des vorhandenen Eisens, aus der Kuhmilch dagegen nur 11%. Muttermilch nützt er ungleich besser aus. Das haben neuere Untersuchungen des Wissenschafters M. Saarinen ergeben. Wie verwerten Erwachsene den Eisengehalt der Kuhmilch? Zu 2,8%, also schwächer als die Säuglinge. Das alles ist natürlich sinnvoll.

Das Beispiel Milch als Eisenlieferant zeigt neuerlich, daß es das allein seligmachende Nahrungsmittel nicht gibt. Milch enthält fast alles, was ein Säugetier wie der Mensch braucht, das liegt schon in der Logik der Dinge. Wollte man eine Reihung der Nahrungsmittel nach ihrem ernährungsphysiologischen Wert erstellen, müßte man der Milch den ersten Platz geben. Aber auch sie ist nicht ganz komplett und muß durch andere Nahrungsmittel ergänzt werden.

Es stellt sich die Frage, ob man mit einer vollvegetarischen oder milchvegetarischen Ernährung seinen Eisenhaushalt klaglos versorgen kann. Es

Kinder Männer Senioren beiderlei Geschlechtes	Die tägliche Nahrung soll 10 mg Eisen enthalten
Mädchen und Frauen im Reifealter	Die tägliche Nahrung soll 18 mg Eisen enthalten

B. Pflanzliche Nahrungsmittel — Nutzungsgrad 1 — 7%	mg Eisen in 100 g
Sesamsamen	10,0
Weizenkeime	9,4
Hirse	9,0
Sojabohnen	8,4
Leinsamen	7,7
Linsen	6,9
weiße Bohnen	6,1
Pinienkerne	5,2
Kresse	4,5
Löwenzahnblätter	3,1
Spinat	3,0
Nüsse im $\varnothing$	2,5
Fenchelkraut	2,5
Mangold	2,5
Grünkohl	2,2
Feldsalat	2,2
Pfifferlinge	6,5
Trüffeln	3,5
Steinpilz	3,5
Birkenpilze	1,6
Torulahefe	20,0
Bierhefe	17,3
Bäckerhefe	4,9
Thymian	135
Majoran	73
Lorbeerblätter	53
Kümmel	48
Basilikum	43
Rosmarin	33
Salbei	27
Estragon	24
Paprika	23
Schnittlauch, frisch	13
Petersilie, frisch	8

ist sicher möglich – allerdings sollten zumindest Mädchen und Frauen im Reifealter wirklich alles, was die eßbare Pflanzenwelt zur Verfügung stellt, nützen können. Und man müßte den Energieumsatz anheben. Das heißt: Speziell die gefährdeten Frauen sollten mehr Sport betreiben. Der Zusammenhang scheint undurchsichtig, ist aber einfach: Man kann, wenn man Sport betreibt, mehr essen, ohne dick zu werden. Automatisch führt man, bei Beibehaltung der gewohnten (auch vegetarischen) Ernährung, nun mehr Eisen zu. Die sportliche Mehraktivität aber verschleißt dieses Mehr-Eisen nicht zur Gänze. So bleibt einiges für die Gesundheit. Das Ganze ist sogar medizinhistorisch belegt. Bis nach dem Ersten Weltkrieg gab es eine besonders extreme Form von Frauen-Eisenmangel: die Chlorose der jungen Mädchen bzw. die Spätchlorose der verheirateten Frauen. Als um etwa 1930 der vermehrte Breitensport einsetzte, verschwand diese Krankheit von der Bildfläche. Sport und Gymnastik haben eben eine breitere Heilwirkung als man allgemein glaubt.

Der sicherste Weg allerdings ist, gezielt von den direkt tierischen Nahrungsmitteln Gebrauch zu machen. Zusätzlich zu den Pflanzen und den Milchprodukten. Eine auf die breitestmögliche Basis gestellte Ernährung ist der sicherste Weg zu gesteigerter Widerstandskraft und Abwehrbereitschaft des Körpers.

Die Bedeutung des Eisens im Körper und die Mangelzeichen

Insgesamt enthält unser Körper etwa 5 Gramm Eisen. Das ist zwar nur ein Fünfzehntausendstel des Gewichtes eines erwachsenen Menschen, aber ein Leben ohne diese 5 Gramm wäre völlig unmöglich – binnen weniger Sekunden wäre man tot. Die wichtigsten Funktionen des Eisens sind die Bildung des Blutfarbstoffes, des Muskelfarbstoffes und die Beteiligung am Aufbau der eisenhaltigen Fermente. Das sind etwa 4 Gramm Eisen, die auf diese Art als Baustoff oder Funktionsträger gebunden sind.

Das restliche 1 Gramm sollte verfügbares Eisen sein, in den Depots und als Transporteisen. Dieser Teil wird bei Mangel zuerst angegriffen. Dann spricht man von erschöpften Eisendepots. Man schätzt, daß in Mitteleuropa bei etwa 40% aller Mädchen und Frauen im Reifealter (wegen des Blutverlustes bei der Regelblutung) keine gefüllten Depots vorhanden sind. Diese Mädchen und Frauen haben nur geringe oder überhaupt keine mobilisierbaren Eisenreserven. Noch scheinen sie gesund, weil das im Bau und Funktion aktive Eisen vollzählig ist. Doch entspricht diese Situation einem Zustand, bei dem alle verfügbaren Soldaten im Einsatz sind – Reservearmee gibt es keine. Wenn jetzt eine auch nur geringe zusätzliche Belastung auftritt, der Blutverlust bei einer Operation zum Beispiel, eine Schwangerschaft oder ein Virusinfekt, der einen erhöhten Verschleiß an eisenhältigen Fermenten zur Entgiftung fordert – Entgiftung gehört zu den Hauptaufgaben eisenhältiger Fermente –, dann kommt es zu den echten spürbaren und sichtbaren Mangelzeichen: Die Erholungszeit ist verlängert, man bleibt schwach und müde, obwohl die Krankheit oder die Schwangerschaft schon länger zurückliegt. Die ersten Zeichen sind dementsprechend Schwäche, Schwindel, leichte Ermüdbarkeit, Konzentrationsverlust, Fahrigkeit, inneres Zittern, Herzklopfen, Ohrensausen, Kopfschmerzen. Häufig tritt dann unbezähmbarer Heißhunger auf, aber auch das Gegenteil gibt es: totale Appetitlosigkeit. Diese Anfangssymptome sind noch nicht typisch – es gibt sie ähnlich auch bei anderen Störungen. Typischer wird es in der Folge, wenn der Eisenmangel über Monate weiterbesteht und durch die monatliche Blutung (oder eine Schwangerschaft) weiter gefördert wird. Schluckbeschwerden wie „Knödel im Hals", Zungen- und Rachenbrennen, und dann die zunehmende Blässe, die „Bleichsucht". Auch diese Zeichen gibt es allerdings bei anderen Erkrankungen und Zuständen. Für den Fachmann charakteristischer sind die in der Folge auftretenden Veränderungen an Fingernägeln, Haaren und Haut: Die Fingernägel werden gerillt, auf eigene Art brüchig und dazu großflächig eingedellt – es bilden sich sogenannte Hohlnägel. Das Haar erscheint struppig und ist brüchig, die Haut ist trocken und faltig. Risse an den Mundwinkeln (die besonders dann auftreten, wenn zum Eisenmangel der Mangel an Vitamin B_2 kommt) und glatte rote Zunge sind typische Symptome. Klarheit schafft schließlich der Arzt mit seinen exakten Laboruntersuchungen.

Entgiften und Entschlacken

Die Ring-Basenkur

Die Ring-Basenkur hat ihren Namen von dem bei Hartberg in der Steiermark gelegenen Ringkogel, an dessen Fuß ein Kurzentrum liegt, in dem diese Diätform entwickelt wurde und seit Jahren erfolgreich praktiziert wird. Ihrem Wesen nach ist sie eine **Entgiftungs- und Entschlackungsdiät bei zugleich ausgesuchtem ernährungsphysiologischem Gehalt.** Das unterscheidet sie von den in den nächsten Kapiteln beschriebenen Einformdiäten. Und darin liegt auch einer ihrer besonderen Vorteile, die sie jenen gegenüber aufweist: Die Abweichung von einer allgemein als gesund zu empfehlenden Vollernährung ist geringer, in den entscheidenden Punkten aber genau präzisiert. Auf diese Weise ist die Belastung/Nutzenrechnung optimalisiert – viel Nutzen bei wenig Belastung –, und so hat der Kurausübende nicht das Gefühl des tiefen Einschnittes. Es ist eher, als würde er von einer Küche in die andere wechseln, und doch erhält er eine Diät von hohem Entgiftungs- und Entschlackungswert vorgesetzt. Deshalb ist die Ring-Basendiät auch für ältere Menschen geeignet. Bei ihnen sind ja regelmäßige Entgiftungskuren besonders angebracht. Anderseits bestehen häufig Gegenanzeigen für die härteren Fasten- oder Teilfastenformen. Sehr zum Tragen kommt nun bei der Ring-Basendiät, daß es *gleichzeitig* mit der Entgiftung zu einer Auffrischung des Zellpotentials kommt. Der Körper wird mit Vitalstoffen, Spurenelementen, Mineralien, Vitaminen usw. angereichert. Das wieder liegt im *Vollwertcharakter* der Diät.

So könnte man sie auch als eine Austauschkost bezeichnen: Zeitgleich mit der Entfernung der Schlacken kommt es zum Einbau hochwertiger Substanzen. Überaltetes Material wird *sofort* ausgetauscht. Das ist ein Vorteil natürlich nicht nur für ältere Semester.

Die allgemeinen Richtlinien:

1. Betonter Basenüberschuß,
2. betont vitalstoffreich,
3. Eingewöhnung an Ballaststoffe,
4. eiweißarm,
5. fettarm, aber polyensäurereich,
6. reich an langkettigen Kohlenhydraten,
7. kalorienarm = energiearm.

Diese Kombination läßt sich nur unter Verwendung von hochwertigem Material erzielen. So liegt in der notwendigen Materialauslese der 8., oben nicht erwähnte Punkt.

Die Kostform selbst ist eine Milch-Pflanzen-Kost (lactovegetabil). Die direkt tierischen Produkte (Fleisch, Fisch, Eier) sind während der Kur ausgeschlossen. Sie würden, wegen ihres Säureüberschusses, den Basenwert in Frage stellen und auch die Eiweißzufuhr über das angestrebte Maß erhöhen.

Durch den *Basenüberschuß* in der Ernährung wird die sogenannte Fasten-Acidose, eine Übersäuerung der Gewebe, die während jeder energiereduzierten Kost auftreten kann, abgefangen. Die körpereigene Basenreserve (Alkalireserve), einer der zentralen Regulationsmechanismen unseres Organismus, bleibt erhalten. Das ist wichtig: Man kann auch Stoffwechselstörungen, wie die heute so häufige Urikämie (erhöhte Harnsäure – Gicht), welche bei den härteren Fastenkuren nicht selten Verschlimmerungen erleiden, mit in das Programm nehmen. Sogar als besondere Indikation für eine Basenkur.

Den Basenüberschuß erreicht man, indem man die beiden großen Pflanzengruppen: Gemüse und Obst auf der einen Seite und Körner auf der anderen Seite, in das richtige Verhältnis zueinander setzt:

70% Gemüse und Obst – 30% Körner.

Gemeint sind Gewichtsanteile. Das ergibt, daß die Körner als besonders konzentrierte Pflanzen zwar immer noch den größeren Energieanteil bringen, daß ihr Säureüberschuß aber durch Gemüse und Obst abgegolten wird. Das Gesamtgemisch ist deutlich basenüberschüssig.

Ob ein Nahrungsmittel säure- oder basenüberschüssig ist, hängt in erster Linie vom Verhältnis seiner Mineralien ab. Überwiegen die metallischen Mineralien (etwa Kalium), dann besteht ein Basenüberschuß. Das ist bei sämtlichen Gemüse- und Obstsorten der Fall. Wenn aber die nicht metallischen Mineralien (wie Phosphor und Chlor) überwiegen, dann besteht ein Säureüberschuß. Das ist bei den Körnern der Fall, auch bei sämtlichen direkt tierischen Produkten: bei Fleisch, Fisch und Eiern.

Auch die organischen Säuren, wie sie in Gemüsefrüchten, Südfrüchten und Obst vorkommen, hinterlassen im Körper nach ihrem Abbau einen Basenüberschuß. Das klingt widerspruchsvoll. Abhängig ist es von den besonderen Ausscheidungsmechanismen des lebenden Körpers: Bei der Verbrennung der organischen Säure wird Kohlendioxyd abgeatmet, so daß der basische Anteil übrigbleibt. Daher können ein „saurer" Apfel oder eine Zitrone besonders basisch sein, ebenso der Apfelessig, den Dr. D. C. Jarvis so eindringlich empfiehlt. Im Rea-

---

Umfassende Informationen zu diesem Thema finden Sie in Dr. Ulf Böhmigs Buch „Entschlackungs- und Entgiftungskuren", erschienen im Verlag Orac.

genzglas freilich sind organische Säuren das, was ihr Name sagt: säureüberschüssig. Ein gutes Beispiel, daß man die Verhältnisse im Reagenzglas (in vitro) nicht immer auf die Verhältnisse im lebenden Organismus (in vivo) übertragen kann. Wie stark ein Nahrungsmittel basen- oder säureüberschüssig ist, wird normalerweise in Kubikzentimeter Normalsäure bzw. Normalbase pro 100 g des Nahrungsmittels angegeben. Zu Vergleichszwecken kann man es dann vereinfachend als % Überschuß bezeichnen: % Säureüberschuß oder % Basenüberschuß.

Die folgende Tabelle zeigt Durchschnittswerte verschiedener Nahrungsmittelgruppen.

Wie geht man nun bei der Erstellung der richtigen Tagesmengen vor?

Um das zu eruieren, seien einige Berechnungen erlaubt.

Die vorgegebenen Werte sind

a. Das 30:70-Verhältnis der Gewichtsmenge Körner: Gemüse + Obst.

b. Eine Beschränkung der täglichen Eiweißmengen auf ca. 50 g. Das ergibt etwa 200 Kalorien, die aus Eiweiß bezogen werden, oder 14% der Gesamtenergiemenge, wenn wir diese ebenfalls beschränken, und zwar auf

c. 1.500 Kalorien (= ca. 6.300 Joules). Bei dieser Menge speckt man im Tag, je nach zusätzlicher Bewegung, welche auch bei dieser Kur empfohlen wird, zwischen 150 g und 250 g ab, bleibt aber, wie die Erfahrung lehrt, durchaus satt. Der Sättigungswert wird durch den hohen Vitalstoffgehalt erzielt.

200 Kalorien reservieren wir für die Milchprodukte, mit deren Hilfe wir die Eiweißmengen auf die erwünschten 50 g anheben. Wenn man dabei rationell vorgeht und die energieärmeren Milchprodukte bevorzugt, kommt

Säureüberschuß		Basenüberschuß	
Fleisch, Fisch	12—16	Wurzeln, Rüben	9—14
Eier	11	Kartoffeln	9
Weizen, Roggen, Hafer, Gerste	12	Rettiche	5—8
Reis, Mais, Hirse, Buchweizen	9	Hülsenfrüchte	8—12
Brot, Teigwaren	5—9	Alle anderen Gemüse	3—7
Nüsse, Kerne, Samen	6—10	Obst und Südfrüchte	3—6
		Milch und Milchprodukte	1—3

Ein wesentlicher Maßstab bei der Erstellung der Ring-Basenkur liegt in der Bestimmung der Säure- und Basenüberschüsse der einzelnen Nahrungsmittel. In dieser Hinsicht lassen sich alle Nahrungsmittel leicht in zwei Gruppen teilen: Direkt tierische Produkte sind alle deutlich säureüberschüssig. Das ist ein Mitgrund, wieso sie während der Dauer der Kur ausgeschlossen werden. Die Körner, ebenfalls säureüberschüssig, werden verwendet, aber in ein 3:7-Gewichtsverhältnis zu den Gemüsesorten gesetzt.
Milchprodukte sind mäßig basenüberschüssig. Sie spielen bei der Diät eine Rolle u. a. bei der Erzielung des angestrebten Eiweißwertes. Die Werte in der Tabelle (nach Lang, Ranke u. a.) sind auf Grund chemischer Analysen gewonnen. Die Basenwirkung der organischen Säuren ist nicht miteingerechnet. Sie liegen also bei den Gemüsefrüchten, den Obst- und Südfrüchten höher als man im Reagenzglas mittels der sogenannten Titrations-Methode feststellen kann. Chemisch überdüngtes Material verliert gewöhnlich einen Teil seiner Basenwerte. Auch deshalb wird in der Original Ring-Basenkur ausschließlich biologisch gedüngtes Material verwendet.

man auch mit weniger aus, etwa mit 100 Kalorien.

Weitere 300 Kalorien sind den hochwertigen Fetten vorbehalten. Keim-, Kern- und Samenöle, kalt gewonnen und kalt verwendet als Polyensäureträger, eventuell kleine Mengen Butter als Träger der verdauungsfreundlichen kurzkettigen Fettsäuren. Alle diese „sichtbaren" Fette zusammen ergeben weniger als 40 g. 30 g = 2 Eßlöffel polyensäurereiche Öle (Distelöle, gutes Leinöl, Sonnenblumenkernöl, Maiskeimöl u. a.) + 10 g Butter wären ein brauchbares Verhältnis.

So bleiben 1.000 Kalorien für die Aufteilung der Pflanzen:

220 g Körner (= 300 g Vollbrot) und 600 g durchschnittliches Mischgemüse + Obst erfüllen beide offenen Bedingungen – das Verhältnis von 30:70 bleibt gewahrt, und die 1.000 Kalorien sind damit erreicht.

220 g Körner = 750 Kalorien
600 g Gemüse = 240 Kalorien*)
820 g = 990 Kalorien

Daß es sich nicht ganz ausgeht, soll auch ein Hinweis darauf sein, daß man die Rechnereien nicht zu ernst nehmen soll. Nicht bei Ernährungsfragen. Bei der Bestimmung einer wirksamen Diät aber sind sie doch von Nutzen. Sie helfen bei der Ermittlung des Rahmens, innerhalb dessen Grenzen man arbeiten kann.

Wieviel pflanzliches Eiweiß bringen diese 220 g Körner und 600 g Gemüse? Zusammen 35 – 40 g, je nach Art der Gemüse, welche man verwendet.

Will man die Eiweißarmut der Kur betonen, dann verzichtet man auf die konzentrierten Hülsenfrüchte: Bohnen, Linsen, Erbsen. Grüne Bohnen aber braucht man nicht auszuschließen, denn sie enthalten nur 2,6% Eiweiß.

Ansonsten kann man weitere 10 – 15 g Eiweiß aus Milchprodukten hinzufügen. Das sind ca. 300 – 400 g Milch, Sauermilch, Buttermilch, Yoghurt oder Magerkäsesorten, wobei die Gewichtsmengen nach dem Wassergehalt schwanken.

Einige Beispiele:

10 g Eiweiß sind enthalten in: je 30 g Harzer oder Mainzer, 50 g Frischquark, 70 g Hüttenkäse.

Die einfachen Milchformen sind den Käsesorten aber vorzuziehen, da ihre natürliche Pufferwirkung erwünscht ist. Diese besteht im Abfangen von Zersetzungsprodukten saurer oder basischer Art im Darm. Deshalb wird ja auf die Milch (Buttermilch, Yoghurt usw.) bei der Milch-Semmel-Kur nach F. X. Mayr nicht gerne verzichtet (Seite 86 ff).

Nicht einschränken sollte man – im Glauben etwa, dadurch Eiweiß einzusparen – die angegebenen Körnermengen. Sie erfüllen einen wichtigen Zweck, indem sie den Organismus mit langkettigen Kohlenhydraten versorgen. Nach Dr. R. Glehr ist ein Energieanteil von 60%, geliefert vorzugsweise durch die langkettigen Kohlenhydrate, erfahrungsgemäß gerade richtig. Dazu aber brauchen wir – jetzt alles bezogen auf die 1.500 Kalorien unseres Beispieles – jene 250 g Körner. Sie bringen unverzichtbare

---

*) Bei den Gemüsen wurde ein Durchschnittswert von 40 Kalorien pro 100 g gewählt. Das Spektrum reicht von der Gurke mit 7 cal/100 g bis zur Kartoffel mit 90 cal/100 g. Wenn man Hülsenfrüchte verwendet, muß man ihr tischfertiges Gewicht in Rechnung stellen und nicht ihr Trockengewicht. 100 g tischfertige Hülsenfrüchte besitzen zwischen 30 (Fisolen = grüne Bohnen) und max. 100 Kalorien (Erbsen, Bohnen, Linsen).

150 g langkettige Kohlenhydrate, das sind ca. 620 Kalorien. Der fehlende Rest ist in den 600 g Gemüsesorten enthalten, so daß auch hier die Rechnung aufgeht: 850 Kalorien aus mehrheitlich langkettigen Kohlenhydraten entspricht bei 1.500 Gesamtkalorien gerade 60%. Ohne Belassung der Körnermengen allerdings erreicht man dieses Ziel nicht. Wir können also festhalten.

Bei Reduktion auf 1.500 Gesamtkalorien verteilt sich das verwendete Material auf:
220 g Körner (= 300 g Vollbrot),
600 g Gemüse + Obst,
400 g Milch, Sauermilch, Buttermilch, Yoghurt, Kefir, Kumys usw.,
30 g kaltgepreßte polyensäurereiche Öle,
10 g Butter.

Das ist das **Leitprogramm** der Ring-Basenkur. Man kann diese Diätform auch längere Zeit kontinuierlich nutzen, viel länger jedenfalls als jede der anderen hier beschriebenen Fasten- oder Teilfastenformen.
Wie man die Nahrungsmittel auf den Tag verteilt, bleibt nun weitgehend dem Leser überlassen; auch die Anzahl der Mahlzeiten. In den meisten Fällen aber wird man sich – ein Vorteil der langkettigen Kohlenhydrate – auf drei Mahlzeiten beschränken können. Eventuell eine zusätzliche spätabendliche Sicherheitsmahlzeit – für Leser, die nachts gerne „umfallen" und dann den Kühlschrank plündern. Diese Sicherheitsmahlzeit zwackt man dann von den übrigen ab. Im eigentlichen Kurbetrieb variiert man das Leitprogramm je nach Notwendigkeit. Varianten sind möglich, da die Diät nach jeder Richtung hin offen ist. Man kann ebenso zwanglos

in eine normale Vollwertkost mit 2.400 Kalorien überleiten als auch in eine der intensiven Teilfasten- oder Fastenkuren.
So wird es bei „Adipositas (Übergewicht) mit Zeichen der Eiweißüberfütterung" (R. Glehr) häufig erwünscht sein, die Eiweißmengen und die Kalorien über einen kalkulierten Zeitraum weiter zu reduzieren. Dadurch soll ein pathologischer Eiweißspeicher, welcher nach elektronenmikroskopischen Befunden von Prof. Dr. L. Wendt wichtige Feinmembranen im Körper blockiert und so Austauschvorgänge behindert, abgebaut werden.
Es gibt eine spezielle „Rohkostfastenform", welche so konzipiert ist, daß trotz Energie- und Eiweißreduktion die Vitalstoffzufuhr unbeschadet bleibt. Dabei spielen auch Frischgemüsesäfte eine Rolle. Andere Formen sind „für psychisch oder physisch Schwächere" (R. Glehr) gedacht. Durch Veränderung des Garmachungsgrades – von Rohkost über fermentierte Rohgemüse bis zum hitzeaufgeschlossenen Material – kann man die Diät an die Verträglichkeit des einzelnen anpassen. Mit ungewohnten Ballaststoffmengen soll man den Organismus nicht überfallen, wohl aber kann man ihn allmählich trainieren. Auch das ist ein Ziel der Kur.

Kombinationsmöglichkeiten der Ring-Basenkur mit anderen Kuren bestehen:

a) *Zeitgleich,* da die Diät aus mehreren auswechselbaren Bausteinen besteht – im Gegensatz zu den Einformdiäten, die einen nur geringen Spielraum erlauben.
Ein Beispiel: Die zeitgleiche Kombination mit der Molkekur (Seite 91).

Molke enthält 8 g Eiweiß pro Liter, kann also in Kurmengen eingebaut werden (an Stelle der anderen Milchprodukte).

b) *Im Zeitintervall,* da der Abstand der Ring-Basenkur zu den härteren Fasten- oder Teilfastenkuren groß genug ist, um beim Wechselspiel umstimmend zu wirken.

Ein Beispiel: Man kann die Zirkaseptanperiodik nutzen und jeden 7. Tag einen Tee- oder Saftfastentag einschalten. Der erzielte Einschnitt reicht aus, um eine reaktive Schwingung auszulösen.

Wegen ihres Variantenreichtums, der deshalb besteht, weil von vornherein keine extremen Positionen eingenommen werden, gibt es praktisch keine Gegenanzeigen für diese Kur. Freilich, welche Variante im Einzelfall zu wählen ist, kann nur der erfahrene Kurarzt entscheiden.

Die Hauptindikationen für eine *kontrollierte* Kur (nach R. Glehr): „Adipositas (Übergewicht) mit Zeichen der Eiweißüberfütterung, Gicht, Hypertonie (Bluthochdruck), Diabetes mellitus (Zuckerkrankheit), Hyperlipoproteinämie (Fettstoffwechselstörungen), Nierenerkrankungen, Hauterkrankungen, Ballaststoffmangelobstipation (ernährungsbedingte Verstopfung), diffuse rheumatische Erkrankungen."

Bei der Originalkur wird selbstverständlich eine Reihe von therapeutischen Zusatzmaßnahmen eingesetzt. Analog zum Variantenreichtum der Diät ist auch das therapeutische Zusatzprogramm ausgesprochen breit konzipiert. Dadurch wird natürlich der effektive Erfolg der Gesamtkur gesteigert.

Eine besondere Rolle spielt der Vollwertbegriff.

Dr. Glehr definiert ihn biologisch:

„Nichts Fremdes hinzufügen beim Wachstumsprozeß des Nahrungsmittels, nichts Eigenes wegnehmen, wenn es ausgewachsen ist." Schadstofffreiheit und Naturbelassenheit: ein Prinzip, welches heute fast alle erfahrenen Kurärzte fordern. Wenn man eine Kur durchführt, braucht man das beste Material. Und das wächst einmal auf naturbelassenen Böden. Manche hören es verständlicherweise nicht gern: Aber wenn man Chromatogramme von S. Lübke, der am Aufbau des Kurbetriebes maßgeblich beteiligt war, betrachtet, zieht man sehr wohl den Unterschied zwischen chemisch und nicht chemisch gedüngtem Material. Das (ungeschwindelt) Naturgedüngte ist deutlich gehaltvoller.*)

Für den Kurbetrieb stehen eigene Anbauflächen zur Verfügung. Will man die Kur hausgemacht durchführen, empfiehlt sich die Beschaffung von einwandfreiem Material, speziell für diesen Zweck. Es gibt auch verläßliche Quellen.

Die Milch-Semmel-Kur nach Dr. Franz Xaver Mayr

Der 1875 im obersteirischen Gröbming geborene Franz Xaver Mayr beschäftigte sich schon als junger Arzt vornehmlich mit der diätetischen Behandlung von Verdauungskrankheiten. Er hatte damals auch eine Schondiät entworfen, doch zum Gedankensprung zur für damalige Zeiten aben-

*) Die Chromatogramm-Methode stammt von dem Biochemiker Dr. E. Pfeiffer, Spring Valley, N.Y. Sie ist ein „Prüfverfahren von landwirtschaftlichen Erzeugnissen in Hinblick auf Qualität und Nährwert". Siehe dazu auch das Buch „Chroma Bodentest" von Voitl/Guggenberger, Verlag Orac, Wien.

teuerlich anmutenden Beschränkung auf Milch und altbackene Semmeln (Brötchen) als Kur fehlte ihm offenbar eine entsprechend überraschende Beobachtung. Diese machte er 1916 in Sarajevo, wo er die Leitung der „Abteilung für Verdauungskranke aus dem Mannschaftsstand" im dortigen Militärspital über hatte.

Es gab keinen Nachschub an Nahrungsmitteln, nur Milch, Weißbrot und Haferschleim waren vorhanden, und davon zuwenig, so daß man die Ration strecken und sogar Fasttage einschalten mußte. Woraufhin – und das war die überraschende Beobachtung – die Soldaten viel schneller gesund wurden als mit der bisher üblichen Diät. Heute wundert sich niemand mehr, denn die Erfolge der Milch-Semmel- bzw. Teefasten-Kur, welche Mayr nun entwickelte, haben sich längst herumgesprochen. Hätte die damalige Versorgungslücke im Spital von Sarajevo länger angedauert, über Monate, dann wären bei den Soldaten Mangelerscheinungen aufgetreten. Das ist ein wesentlicher Punkt: Stark eingeschränkte Diäten haben einen beachtlichen Entgiftungs- und Heilwert. Auf lange Sicht aber könnten sie nicht ernähren. Man führt sie, wie das echte Fasten selbst, nur über einen gut kalkulierten Zeitraum durch. Im Kurhaus mit Einstieg und Ausstieg (Übergang zur normalen Ernährung) ca. vier Wochen lang.

Man nennt solche Diätformen, welche, wenn man sie zeitlich überzieht, ein Mangelrisiko in sich tragen, auch *Kurzzeitdiäten* oder *Einformdiäten*.

Die Diät ist einförmig zusammengesetzt, aber gerade darin liegt ihre besondere Wirkung.

Man spricht in solchen Fällen auch nicht von Nahrungsmitteln, sondern von Kurmitteln, im Falle der Milch-Semmel-Diät von der „Kursemmel" und von der „Kurmilch".

Diese Kurmaterialien sollen von ausgesuchter Qualität bzw. in einem für den Kurerfolg erfahrungsgemäß optimalen Alterszustand sein (die Semmel).

Die *Kurmilch* ist am besten „melkfrisch", und Mayr-Kurhäuser haben meist auch eigene Lieferanten. Dann Vorzugsmilch, das ist unpasteurisierte Milch von kontrolliertem Kuhbestand. Erstere ist direkt vom Bauernhof, letztere indirekt – sie geht den Umweg über die Molkerei. Auch Babymilch wird von E. Rauch als gut geeignet angegeben. (Weitere Möglichkeiten sind Buttermilch, Sauermilch, Milchgärprodukte auf Frischmilchbasis.)

Pasteurisierte Milch wird in der Originalkur nicht oder nur bei Mangel an anderen Sorten verwendet. Es sind Feinheiten, aber gerade bei den Einformdiäten spielen auch kleinere Qualitätsunterschiede eine große Rolle.

Die *Kursemmel* muß den richtigen „Quellwert" (E. Rauch) haben. Sie darf nicht zu frisch und zu weich, aber auch nicht zu hart und zu trocken sein. Ihre Aufgabe ist es ja, den Speichelfluß in richtiger Weise anzuregen. Die beste Konsistenz erreicht man, wenn man die Semmeln frisch kauft und selbst in einem nicht zu feuchten Raum lufttrocknet. Der Trockenprozeß dauert zwei bis vier Tage. Die Semmel soll „schnittfest, derb, elastisch..., gerade noch etwas eindrückbar" sein.

Bei einer echten Mayr-Kur wird bewußt die aus Feinmehl hergestellte Semmel gewählt und nicht etwa Vollkornbrot. Ein Nährwert wird ja, wie schon erwähnt, nicht angestrebt, und der Verträglichkeitswert einer Feinmehlsemmel ist größer: Das angestrebte Ziel, den Verdauungsapparat möglichst zu entlasten, wird mit ihr am besten erreicht.

Es hängt natürlich auch davon ab, wozu man die Einzelmahlzeit nach Mayr nutzen will. Wenn sie als reines Eßtraining gedacht ist, kann man auch Vollkornbrot verwenden. Doch auch dieses muß entsprechend altbacken sein. Man kann empfehlen, täglich wenigstens eine Zwischenmahlzeit bewußt in der exakt durchzuführenden Eßtechnik nach Mayr zu konsumieren, auch wenn man sonst gerade keine Kur macht.

Wenn man aber die Entlastung des Verdauungsapparates anstrebt, dann greift man zur Originalkursemmel aus Feinmehl.

Die Eßtechnik

Direkt vor der Mahlzeit wird die altbackene Kursemmel in fingerdicke Scheiben geschnitten. Eine Schale Milch und ein kleiner Löffel (Teelöffel) sind ebenfalls vorbereitet. Die Mahlzeit muß ohne Hast und in Ruhe eingenommen werden. Es muß ausreichend Zeit dafür vorhanden sein. Keine Tischgespräche!

1. Ein Stück der Semmel in den Mund nehmen und bedachtsam kauen. Wie ein Jogi konzentriert man sich nur auf einen Körperteil: die Mundhöhle. Und nur auf eine Empfindung: den sich allmählich verändernden Geschmack der Semmel. Dieser wird nach einiger Zeit süßlich, weil die Speichelfermente die langkettigen Kohlenhydrate der Semmel zu zweiwertigen Zuckern (Disaccharide) abbauen können, wenn man die Semmel nur lange genug im Mund behält. Und so lange *muß* man sie im Mund be-

halten, soll das Ganze seinen Zweck erfüllen. Was man nämlich nicht merkt, ist, daß nunmehr auch die übrigen Darmabschnitte des Körpers in eine sinnvolle Erwartungsstellung gehen. Über einen Reflex von der Mundhöhle aus. Das ist von der Natur bei der Konstruktion unseres Organismus so geplant und will genutzt sein. Die Verdauung beginnt (beim vorwiegenden Pflanzenesser, der auch der Mensch ist) wirklich im Mund. Deshalb ist dieser erste Akt des bedächtigen Kauens und Einspeichelns so wichtig.

Wenn der Semmel-Speichel-Brei süßlich schmeckt, folgt der zweite Akt:

2. Nun wird ein Löffel mit Milch hinzugenommen. Die Milch wird vom Löffel am besten regelrecht angesaugt, denn durch die Ansaugwirkung werden die Speicheldrüsen zusätzlich entleert. Dieses Gemisch wird nun bedächtig weitergekaut, wobei empfehlenswert ist, den Kopf eher nach vorn zu halten, damit der Nahrungsbrei nicht zu früh an den Zungengrund gelangt und einen vorzeitigen Schluckzwang auslöst. Die weitaus meisten Menschen essen ja gewohnheitsmäßig falsch, und so hat sich ein viel zu schneller Ablauf von Kauakt und Schluckakt ausgeprägt. Das Ganze ist ein geschlossener Vorgang und soll als solcher erlebt werden. Wenn man damit fertig ist, atmet man einige Male ruhig durch und greift zum nächsten Stück der Kursemmel.

Man ißt so lange, bis sich die ersten Anzeichen von leichtem Sättigungsgefühl einstellen, und auf keinen Fall nur deshalb weiter, weil noch einige vorgeschnittene Semmelstücke oder ein Rest der Milch am Tisch sind. Auch soll der Milchrest *nicht* nachgetrunken werden. Dadurch würde das ganze System, die Zusammensetzung des Breies im Magen, gestört werden.

Bei der Mayr-Kur wird der Eßtechnik besondere Aufmerksamkeit geschenkt. Sie ist (fast) wichtiger als das Material selbst. Dieses kann man austauschen, wenn es nicht anders möglich ist. Die Eßtechnik nicht, Wer nicht so essen will, der soll mit der Kur gar nicht erst beginnen, meint E. Rauch. Das heißt, ohne diese Eßtechnik ist der Kurwert nicht gegeben. („Man will doch den großen Erfolg!") Während die altbackene Semmel auf Grund ihrer Konsistenz dem besonderen Speicheldrüsentraining dient, hat die Milch noch eine zusätzliche Rolle. Dank ihrer Puffersubstanzen bindet sie sowohl saure als auch alkalische Zersetzungsprodukte im Darm. So erleichtert sie die Entgiftung des Körpers, und Kurkrisen werden gemildert. Deshalb verzichtet man bei einer Mayr-Kur nur ungern auf die Milch.

Hauptanwendungsgebiete der Mayr-Kur:

Die Reinigung des Darmes durch Entlastung des Magen-Darm-Traktes bei gleichzeitiger Beseitigung entzündlicher Veränderungen der Schleimhäute. Die Behandlung der chronischen Verstopfung, Gewichtsabnahme bei gleichzeitigem Abbau von Stoffwechselschlacken. Darüber hinaus gibt es eine ganze Reihe von Indikationen. Leber- und Bauchspeicheldrüsenerkrankungen, chronische Entzündungen, Hauterkrankungen u. a.

Bei bestehender Erkrankung wird man die Mayr-Kur unter Aufsicht des Arztes ambulant oder im Kurhaus durchführen. Hier bringen auch weitere therapeutische Maßnahmen zusätzlichen Gewinn. Auch darf man nicht vergessen, daß bei bestehenden Erkrankungen während der Kur besondere Rückstoßerscheinungen auftreten können, welche sich dann als Kurkrise äußern. Das bedarf natürlich ärztlicher Kontrolle. Der noch Gesunde aber kann die Mayr-Diät als *kleine* Kur durchaus auch hausgemacht nutzen. Es wird ja betont, daß sie sich auch für den „vollbeschäftigt Tätigen" eignet. Man nimmt Mahlzeiten ein wie auch sonst, nur beschränkt man sich auf die altbackene Semmel und die Milch und widmet sich der besonderen Eßtechnik.

Während der Nachkriegsjahre waren viele Menschen froh, wenn sie das vorgesetzt bekamen, was in der Mayr-Kur enthalten ist. Schäden traten nur auf, wenn die Karenz zu lange dauerte. Der noch Gesunde, der die Kur weniger zu Heilzwecken als vielmehr zur vorbeugenden Entgiftung und Entschlackung benutzt, braucht also keine übertriebenen Ängste zu haben. Als *obere* Grenze einer hausgemachten Milch-Semmel-Kur wollen wir *4 – 6 Tage* bestimmen. Mit einem Tag Vorentschlackung und 3 – 4 Aufbautagen werden so insgesamt 10 Tage nicht überschritten. Diese Periode von 4 – 6 Tagen ist von der Beobachtung H. Anemuellers abgeleitet, daß bei der chronischen Verstopfung – eines der Hauptanwendungsgebiete der Kur – es so lange dauert, bis der gewünschte Erfolg, die spontane Stuhlentleerung, eintritt. Mit anderen Worten, es ist die Zeit, in der sich abgeschwächte Funktionsabläufe wieder einstellen können. Mehr wollen wir nicht.

Die Durchführung

1 Tag Vorbereitung: Dieser dient der Vorentschlackung. Man läßt die eiweißreichen und zugleich faserstoffarmen tierischen Produkte aller Art möglichst gänzlich weg. Ebenso die eiweißreichen pflanzlichen Produkte wie Hülsenfrüchte und Nüsse. Obst und andere Gemüsesorten werden in beliebiger Menge gegessen. Nur bei starker Verstopfung kann man, als einmalige Gabe, am Abend eine Tasse emodinhältigen Abführtee nehmen (Medizinalrhabarber, Faulbaum, Senna, Aloe – nicht bei bestehender Schwangerschaft!). Die emodinhältigen Abführmittel haben den Vorteil der verläßlichen Wirkung. Das kann ausnahmsweise vor Eröffnung einer Kur, wie der nach F. X. Mayr, bei der der Darm möglichst jungfräulich und von Restschlacken gereinigt sein soll, genutzt werden. Ein unkontrollierter Dauergebrauch dieser Kräuter verursacht stets zum Teil beachtliche Schädigungen und ist daher grundsätzlich abzulehnen. Im weiteren Verlauf der hausgemachten Kur werden keine Abführmittel eingenommen, welcher Art immer; der Entleerungsreflex soll sich spontan entwickeln. Im Kurhaus werden wohl morgendliche salinische Mittel verabreicht (Karlsbader-, Bitter-, F.-X.-Mayr-Passagesalz), aber das sind andere Voraussetzungen.

3 – 6 Tage schließen an den Vorbereitungstag an. Die Semmeln hat man schon einige Tage vorher besorgt, sie sind inzwischen altbacken. Selbstverständlich muß man während der Kur für regelmäßigen Nachschub sorgen. Die Mahlzeiten werden, wie schon beschrieben, eingenommen. Zweimal täglich wird als *Mindest*anzahl der Mahlzeiten angegeben. Es ist aber viel besser, häufiger zu essen, denn man darf nicht vergessen, daß ein wesentliches Ziel des Ganzen im Trainingseffekt liegt, in der Ausbildung einer Eßkultur, welche man, einmal erlernt, in Zeiten normaler Ernährung weiter praktizieren sollte. Drei- bis fünfmal wird für die meisten Menschen richtig sein.

Hungern soll man nicht. Obwohl man eine Zufuhr von 1.500 Kalorien (6.300 Joules) bei dieser Kurart kaum überschreiten wird, bleibt man satt. Vorausgesetzt, man ißt richtig. E. Rauch: „Ein außerhalb der Mahlzeiten aufgetretenes Hungergefühl weist auf unrichtige Semmeln oder hastigeres unkonzentriertes Essen hin." Man wird in einem solchen Fall also zuerst überdenken und kontrollieren, ob alles in Ordnung war. Sehr wichtig ist die ausreichende Flüssigkeitszufuhr. Mineralwässer, gutes Trinkwasser, Kräutertees, alles in kleinen Schlucken, werden in beliebiger Menge zugeführt. Von den Kräutertees natürlich nur solche, bei denen keine Überdosierungen zu erwarten sind, und diese bewußt dünn zubereitet. Nicht selten ist kein ausreichendes Durstgefühl vorhanden. Dann trinkt man absichtlich, im Bewußtsein, den Körper durchspülen zu müssen. Auf etwa 2 Liter Flüssigkeitszufuhr im Tag sollte man kommen. Es wird ohnedies alles wieder ausgeschieden.

Abends werden 1 – 2 Tassen Kräutertee gelöffelt. Bei der Wahl richtet man sich nach seinen Bedürfnissen, doch wird man keine Pflanze nehmen, welche zu stark wassertreibend wirkt. Gut eignen sich die nervenberuhigenden Kräuter, wie Baldrian, Melisse, Lavendel, Bitterorange, Haferkornabsud, oder aber die blähungswidrigen und darmdesinfizierenden Mittel:

Kümmel, Fenchel, Kamille, Minze. Natürlich alle ohne Zucker oder Honig.

Die **Körperpflege** sollte intensiviert werden. Duschungen, Waschungen, Bürstungen, schon um die meist vermehrte Ausdünstung der Haut abzufangen, welche im Zuge der Entgiftung entsteht. Auch sollte man sich genügend Zeit für einen täglichen erholsamen Spaziergang reservieren. Ansonsten braucht man das Berufsleben nicht zu unterbrechen.

Die Aufbautage nach Ende der eigentlichen Kur sind dadurch geprägt, daß man sich anfangs auf leichte Basenkost beschränkt. Zuerst betont wenig Fleisch, Fisch und Hartkäse, um den Körper nicht gleich mit Eiweiß zu überlasten. Ebenso werden „schwere Gemüse" (E. Rauch), wie Hülsenfrüchte und Kohl, zu Beginn der Aufbautage vermieden. Auch an Rohkost und schwere frische Brote in größerer Menge muß man sich erst gewöhnen. Man baut allmählich auf, wobei die eigene Erfahrung ein wesentlicher Maßstab sein soll.

Nach E. Rauch:

„a) Nur essen, was aus eigener Erfahrung gut vertragen und als leicht bekömmlich empfunden wird; und
b) alles vermeiden, was sich als belastend, schwer verdaulich, blähend, Völle bereitend, luftaufstoßend oder säurebildend erwiesen hat."

Schließlich geht man auf eine unkomplizierte und natürliche Normalkost über, wobei man die während der Mayr-Kur einmal geübte Eßkultur weiterpflegt.

Dr. Franz Xaver Mayr hat seine eigene Kur in Abständen immer wieder an sich selbst praktiziert. Er ist 90 Jahre alt geworden (gestorben 1965 in seiner Geburtsstadt Gröbming), obwohl er in seiner Jugend an schwerer Tuberkulose gelitten hatte.

Die Molkekur

Die Molkekur ist eine Einformdiät, das heißt, die therapeutischen Erwartungen sind in erster Linie auf dieses eine Produkt ausgerichtet. Und in der ursprünglichen Form beschränkte man sich auch auf die Einnahme von einem Liter Molke im Tag, verteilt auf 5 – 7 Portionen. Zusätzlich, um den restlichen Flüssigkeitsbedarf zu decken, wurden Kräutersäfte und Kräutertees genommen: Brennessel, Löwenzahn, Schafgarbe und Weißdorn. Auch wurde die Molke selbst gerne mit frischgepreßten Kräutersäften angereichert.

Molkekuren gehören zu den ältesten Trinkkuren überhaupt. Sie wurden schon von den Ärzten um Hippokrates zu Zwecken der Entgiftung und Entschlackung verordnet, speziell auch bei Nahrungsmittelvergiftungen und chronischen Lebererkrankungen. Auch die Wirkung auf die Stuhlverstopfung war im alten Griechenland bereits bekannt. In Rom gab es eigene Kuranstalten, in denen die gleichzeitige innerliche und äußerliche Anwendung der Molke – Trinkkur *und* Bäder – nicht nur für Hautkrankheiten, sondern auch zur Straffung und Verjüngung der gesunden Haut geübt wurde. Man kann die Molke ruhig als eines der großen klassischen Verjüngungsmittel bezeichnen. Allerdings wußte man damals schon zu Zeiten des großen Claudius Galenus, wie sehr die Qualität der Molke von der Futterart der milchspendenden Tiere abhängt. Kühe, Ziegen, Stuten, Eselinnen wurden mit auserlesenen Pflanzen, denen Heilkräuter zugesetzt waren, gefüttert. Etwa Waldmelisse und Hornklee, beruhigend wirkende Pflanzen, oder der kräftigend wirkende Schlangenknöterich, welchen die Tiere gar nicht gerne fressen.

Man stellte sich vor, daß die Heilpflanze bei der Passage durch den Körper des Milchtieres eine verfeinerte Wirkung bekäme, welche sich dann auf Milch und Molke übertrage.

Im 18. Jahrhundert begann eine regelrechte Blüte in Sachen Molke als Kurmittel. Vor allem in der Schweiz, aber auch in Deutschland und Österreich gab es zahlreiche bestens besuchte Molkekurorte. Das Dorf Gais im schweizerischen Appenzell machte um 1750 den Anfang. Es war bald durch seine Ziegenmilchmolke europaberühmt. Zahlreiche Schweizer Bergorte folgten. In Bayern wurden Oberstaufen, Reichenhall und Kreuth zu vielbesuchten Molkekurorten, in Österreich Ischl und Aussee. Insgesamt soll es in den Alpen und im Alpenvorland 160 Molkekurorte gegeben haben. Sie konnten neben so berühmten Orten wie Karlsbad mit seinen Quellen durchaus bestehen.

Man hat die Molke damals auch als eine Art „milderes" oder „tierisches" Karlsbader Wasser bezeichnet. Viele Wirkungen, wie die auf die Leber, die Gallengänge und die Verstopfung, sind ja auch ähnlich.

Meist wurde die Molke recht umständlich in den Kurort gebracht. In Gais begannen die Käser auf der drei Wegstunden vom Kurort entfernten Alm bereits um Mitternacht mit der Käsezubereitung. Die dabei entstehende Molke wurde abgeseiht und in Traggefäße geschüttet. Die Gefäße wurden mit Tüchern umschlagen, um die Molke trinkwarm zu halten. Von 3 Uhr früh bis 6 Uhr waren die Senner nun auf dem Weg in den Ort. Bei ihrer Ankunft wurde die Kurhausglocke geläutet, und die Gäste strebten zum Trunk.

Gewöhnlich wurden an- und absteigende Molkekuren durchgeführt. Bei einer 24tägigen Kur begann man mit $1/4$ Liter Molke vor und nach „einem leichten Frühstück" (Dr. Rosenmerkel, zitiert bei Anemueller) und steigerte die Tagesdosis täglich um $1/4$ Liter. Nach 1 Woche war man bei zwei Litern angelangt. Die wurden nicht auf einmal getrunken, sondern in viertelstündlichen Abständen je $1/4$ Liter. Man braucht also 2 Stunden dazu. Meist tritt nun während dieser Zeit das angestrebte Ziel, der Stuhlgang, ein. 10 Tage lang beließ man es bei dieser Dosis, dann wurde allmählich zurückgeschaltet, bis man am 24. Tag wieder bei $1/4$ Liter angelangt war. Ende der Kur.

In ähnlicher Weise könnte man eine Molkekur auch heute durchführen. Man fastet gleichzeitig nicht, sondern ernährt sich am besten mit einer zusätzlich entschlackenden Kost (s. Ring-Basenkur, Seite 81 ff.).

Die Frischmolke, wie sie früher in Kuranstalten verwendet wurde, war äußerst empfindlich. Auch deshalb beschränkte man sich auf die Einnahme in den frühen Morgenstunden. Durch Zersetzungsvorgänge kommt es schnell zu Geschmacksveränderungen, außerdem geht einer ihrer wertvollsten Stoffe, die rechtsdrehende L(+)Milchsäure, relativ rasch verloren. Innerhalb weniger Stunden bildet sich in der älter werdenden Frischmolke die linksdrehende D(−)Milchsäure, welche in größeren Mengen dem Organismus nicht zuträglich ist. Vor allem der Fettstoffwechsel wird erschwert.

Deshalb ist die Verwendung von Frischmolke nur unter besonderen Voraussetzungen möglich: kontrollierter Kuhbestand oder, wie in Gais, Ziegen, umgehendes Verkäsen nach dem Melken und alsbaldiger Verbrauch der Molke. Bis Mittag ist die in der Nacht gewonnene Molke gewöhnlich verdorben. Ebba Waerland gibt ein Rezept für Molke hausgemacht an:

Molke – hausgemacht: das Rezept

> 3 Teile Buttermilch werden in einem Teil heißer Frischmilch verrührt. 4 – 5 Stunden lang zugedeckt stehenlassen. Die sich absondernde Molke wird abgeseiht und müßte natürlich, nach dem vorhin Gesagten, möglichst umgehend verwendet werden. Die zurückbleibende Käsemasse, den Quark, kann man als solchen verwenden.

Es gibt heute in einigen Ländern bereits haltbar verpackte Molken, die den Kuransprüchen genügen. Sie sollen zu etwa 90% rechtsdrehende und nur zu 10% linksdrehende Milchsäuren enthalten. Gewöhnlich sind sie als „Diätkurmolke" deklariert. Es gibt auch Trockenmolke, doch wird diese die zweite Wahl sein.

Achten muß man auf den Eiweißgehalt einer Diätkurmolke. Zumindest in Deutschland gibt es mit Eiweiß angereicherte Formen: auf 30 g pro Liter, während normale Molke 8 g und weniger enthält.

Bei der Aufwertung wird Molke-Eiweiß (Albulaktin) verwendet, welches wasserlöslich und, zum Unterschied vom Kasein der Milch, leicht verdaulich ist. Es handelt sich also um ein echtes Diäteiweiß. In manchen Fällen allerdings werden die größeren Eiweißmengen nicht erwünscht sein, besonders, wenn man sich zugleich eiweißärmer ernähren will. Man wird sich also an den auf der Packung angegebenen Werten orientieren.

Eine reine Molkefastenkur wird man auf eigene Faust nicht durchführen. In Kurhäusern steigert man von 1/4 Liter auf 1 Liter innerhalb von 3 – 4 Tagen. Täglich sollten 3 Liter Gesamtflüssigkeit zugeführt werden. Der Rest wird jeweils mit Kräutertees ergänzt.

Ab dem 4. Tag hält man die Mengen bei oder steigert weiter bis maximal 2 Liter, ähnlich der Beschreibung von Dr. Rosenmerkel aus Kreuth, 1822. Nur wird die Molke-Einnahme auf den Tag gleichmäßig verteilt. Mit dem heute viel haltbareren Material ist das möglich. Im Durchschnitt dauert eine reine Molke-Kräutertee-(Kräutersäfte-)Kur 20 Tage. Natürlich unter ärztlicher Kontrolle. In einem solchen Fall ist die mit Eiweiß angereicherte Diätkurmolke sicher angebracht.

Man kann aber häusliche Molkekuren zusätzlich zur normalen oder auch reduzierten Ernährung durchführen. Die Vorgangsweise ist dieselbe:

> 1. Tag: 1/4 Liter Molke,
> 2. Tag: 1/2 Liter Molke,
> 3. Tag: 1 Liter Molke, dabei bleiben. Gegen Ende der Kur wieder zurückschalten.

Stets in Portionen über den Tag verteilt nehmen. Dazu Kräutertees und/oder Frischpflanzensäfte.

Für diesen Zweck nimmt man die eiweißarme Normalmolke. 1 Liter bringt ca. 240 Kalorien, davon 180 in Form von Milchzucker (Lactose), welcher im Dickdarm von den darmeigenen Bakterien in Milchsäure verwandelt wird. Auf diese Weise kommt der stuhlfördernde Effekt zustande.

Als unterstützende Frischpflanzensäfte werden Brennessel, Löwenzahn und Artischocke empfohlen (Heikenberger Molke-Trinkkurstudie): täglich 80 ml, eßlöffelweise auf den Tag verteilt.

Folgender Turnus hat sich bewährt:
1. und 2. Tag Brennessel,
3. und 4. Tag Löwenzahn,
5. und 6. Tag Artischocke,
7. und 8. Tag wieder Brennessel und so fort.

Originalflaschen, die 160 ml enthalten, eignen sich für eine Person am besten, da man den Inhalt innerhalb von 2 Tagen verbraucht.

Es ist interessant, daß es gerade 100 Jahre her ist, daß Molkekuren außer Kurs gekommen sind. Um 1880 brach der Boom, der bis dahin immerhin 130 Jahre gedauert hatte, plötzlich ab. Als Hauptursache wird die schwierige Beschaffung von geeignetem Material angegeben.

Mit Hilfe der heutigen schonenden, aber gut stabilisierenden technischen Methoden – es genügen 2,4 Sekunden direkter Dampfinjektion mit Erhitzung auf 85 Grad C, dann sofortige Schockkühlung – sind diesbezügliche Probleme beseitigt. Es ist zu hoffen, daß sich mehr Molkereien der Herstellung brauchbarer Molkeprodukte widmen, denn es gibt da und dort noch Versorgungslücken.

Die Molkekur kommt sicher wieder.

Andere Diätformen mit entschlackender Wirkung

Es gibt eine Reihe von anderen Diätformen, bei welchen ein einziges oder eine kleine Gruppe von Nahrungsmitteln Verwendung findet. Es gibt auch fast nichts, was nicht irgendwann schon einmal als Einformdiät empfohlen wurde. Kuren mit angekeimten oder nicht angekeimten Eiern, Fleischkuren, sogar Kuren mit alkoholischen Getränken.

Wir wollen aber festhalten, daß man Entgiftung und Entschlackung nur von pflanzlichen Lebensmitteln und Trinkmilchsorten erwarten kann. Einige praktikable Formen sollen in diesem Kapitel besprochen werden. Manche von ihnen werden da und dort auch als Langzeitdiäten empfohlen. Davon wollen wir abraten. Je mehr eine Diät auf ein einzelnes Nahrungsmittel ausgerichtet ist, um so leichter ist wohl die Handhabung, um so größer aber auch die Gefahr eines Schadens bei unkontrolliertem längerem Gebrauch.

Der Wert dieser ganz einförmigen Kostformen liegt in ihrer stoßartigen entschlackenden Wirkung. Ein bis drei Tage ist richtig. Besonders kann man eine solche Diät für das „Einmal-in-der-Woche-Teilfasten" – im Sinne der Zirkaseptanperiodik, s. Seite 102 – nutzen.

Die Kartoffeldiät

1.000 bis 1.500 g Kartoffeln, das entspricht 900 bis 1.350 Kalorien (3.700 bis 5.500 Joules) werden in möglichst einfacher Zubereitung in kleinen Portionen auf den Tag verteilt (5 – 7 Einzelmahlzeiten). Der Sinn dieser Diät liegt in der Zufuhr von Mineralstoffen, insbesondere von Kalium, während Natrium fehlen soll. Deshalb darf man auch nicht salzen. Die Kartoffeln müssen in der Schale gekocht werden, da das Kalium und die übrigen Mineralien sonst ausgewaschen werden. Am einfachsten und zugleich am besten sind Pellkartoffeln, die man mit der Schale verzehren kann. *Besondere Wirkung:* harntreibend, Entlastung von Stoffwechsel, Kreislauf und Verdauung.

Die Möhren/Karottendiät

1.000 – 1.500 g Möhren (Karotten), das entspricht 400 – 600 Kalorien (1.700 – 2.500 Joules), roh gerieben oder gekocht und passiert in kleinen Portionen auf den Tag verteilt. Nicht salzen.

Die Möhre/Karotte enthält besonders darmschonende Ballaststoffe, ist also bei Neigung zu Magen-Darmschleimhaut-Entzündungen als Kurzzeitdiät angebracht. Ansonsten ähnliche Wirkung wie bei der Kartoffel. Der roh geschabten Möhre (Karotte) etwas Öl, Sahne oder Milch (1 Teelöffel pro Portion) zufügen, damit die fettlösliche Vorstufe des Vitamin A besser verwertet wird. Bei der Karotte gibt es besonders auffallende Qualitätsunterschiede zwischen chemisch und biologisch gedüngtem Material (nach Wittwer und Schroeder). Da, wie schon erwähnt, gerade für Kuren das beste Material verwendet werden sollte, lohnt sich die Suche nach biologisch gedüngten Karotten.

Die Reisdiät

300 g Vollreis oder halbpolierter Reis (Trockengewicht) in üblicher Weise zubereitet, aber ohne Salz, in kleinen Portionen auf den Tag verteilt. Das entspricht 1.050 Kalorien (4.400 Joules).

Im Prinzip ist die Wirkung ähnlich wie bei der Kartoffel und der Möhre (Karotte), allenfalls stehen die Entlastung des Kreislaufs und der regulierende Einfluß auf den erhöhten Blutdruck im Vordergrund.

Beim Reis ist der Begriff des „1x in der Woche" am besten bekannt. Man spricht auch vom „Reistag". Es mag daran liegen, daß man sich Reis in gleichbleibender Qualität jahrein, jahraus beschaffen kann. Man sollte aber auch von den anderen Eintagediäten Gebrauch machen. In wenigen Wochen hat man sie alle ausprobiert und kann beurteilen, welche im persönlichen Fall am zuträglichsten ist.

Die Frischobstdiät

Eine besondere Mischung wird von Prof. Dr. Heupke angegeben:
400 g Äpfel,
700 g Birnen,
400 g Bananen,
zusammen ca. 700 Kalorien (ca. 2.900 Joules).
Verteilung auf 3 bis 5 (– 7) Mahlzeiten.

Diese Diät ist praktisch fett- und eiweißfrei, woraus ein den Stoffwechsel entlastender Effekt resultiert. Gute Verträglichkeit vorausgesetzt, wird die Frischobstdiät, einmal in der Woche durchgeführt, bei Neigung zu erhöhter Harnsäure und zu erhöhten Blutfetten empfohlen.

Es gibt eigene Frischobstfastenkuren, Dauer: 10 – 20 Tage, deren Durchführung dem Kurhaus vorbehalten ist. Heupke und Demole berichten über eine besonders günstige Wirkung auf die Basenreserven einer solchen Kur: Erhöhung um 20 g Basen nach 10tägiger Anwendung.

Auch die Ananas wird hervorgehoben: Sie besitzt ein besonders eiweißaufspaltendes Ferment, das Bromelin. Dadurch wird die Verdauung von zu üppigen Fleischmahlzeiten erleichtert. Das Bromelin – welches übrigens auch in Verdauungsdragées enthalten ist – findet sich allerdings nur in den frischen Ananas, wie man sie auch auf europäischen Märkten sieht. In Ananaskonserven gibt es kein Bromelin mehr.

Ein ähnliches Ferment enthält die Papayafrucht (Melonenbaum), nämlich das Papain, konzentriert allerdings nur in den unreifen Früchten.

Die Banane aus Heupkes Grundrezept wieder übt eine wohltuende Wirkung auf den Dickdarm aus, so daß aggressive Substanzen von Apfel und Birne abgefangen werden.

Es gibt zahlreiche andere Kombinationen für Frischobstkuren. *Kirschen,* besonders die Vogelkirsche und die Sauerkirsche (Weichsel), wirken deutlich antirheumatisch, ebenso die beiden *Johannisbeeren,* die *Preiselbeere* und − geringer − *Apfel* und *Birne.*

Eine weitere Variante ist die Anreicherung mit *Nüssen.* 6 Walnußkerne am Tag genügen. Sie bringen gute Mengen an Polyensäuren, Vitamin B_1, Vitamin B_6, Vitamin E, Stoffe, die im Frischobst fehlen. Zugleich stören diese Mengen die entschlackende Stoßwirkung noch nicht. Mehr Nüsse hinzuzufügen ist nicht empfehlenswert. Es gibt Vorschläge diesbezüglich, bis 200 g Hasel- oder Walnüsse (das sind 1.300 Kalorien!). Zuviel des Guten ist aber meist nicht das Beste. Die angestrebte entschlackende Wirkung wird verwaschen.

Die Rohsäftediät

Eintagekuren mit Rohsäften sind sehr beliebt und vor allem unproblematisch. Zudem hat man eine große Anzahl von möglichen Pflanzen: Obst, Beeren, Gemüsesorten, die man einzeln, kombiniert oder auch direkt im Glas gemischt verwenden kann.

Mit 5−7 Portionen, auf den Tag verteilt, verbraucht man etwa 1,5 Liter ungezuckerter Säfte, was ca. 750 Kalorien (3.150 Joules) entspricht. Obst und Beerensäfte enthalten neben ihren typischen Aromastoffen einen höheren Anteil an Frucht- und Trauben-

zucker, Gemüsesäfte sind spurenelementereich. Im Unterschied zu den Rohkostdiäten enthalten Säfte meist keine Faserstoffe. Das kann, wenn eine besondere Schonung des Verdauungsapparates vordergründig ist, erwünscht sein. Auch der Stoffwechsel und der Kreislauf werden entlastet. Manche Gemüsesorten besitzen besondere heilsame Moleküle: In den *Kohlsorten* ist das „Methylmethioninsulfoniumbromid" mit Wirkung u. a. auf Gastritis und Geschwüre im Magen-Darm-Trakt enthalten, in der *roten Bete* das Betain, eine leberzellregulierende Aminosäure, und das Betanin, ein Farbstoff, der das Bakterienwachstum im Darm hemmt.

Die *Artischocke* enthält den Bitterstoff Cynaropikrin und das Cynarin, mit Wirkung auf die Gallengänge bei zugleich leberzellschützendem Effekt. Der *Rettich* ein Sulforaphen: Förderung der Darmflora und gallenentzündungshemmend. Und die *Möhre/Karotte* enthält ein ätherisches Öl, welches gegen Madenwürmer wirkt.

Dem *Gurkensaft* wird eine besonders hautreinigende Wirkung zugeschrieben, dem Kürbissaft wieder ein antirheumatischer Effekt.

An Stelle von Frischpreßsäften werden gerne die Säfte von vergorenen Gemüsesorten verwendet, z. B. Sauerkrautsaft an Stelle von Kohlsaft. Sie entwickeln meist eine verstärkte Wirkung bei Neigung zu Verstopfung.

Es gibt zahlreiche geschmacklich ansprechende Mischungen. Wohl am häufigsten gebraucht ist: Karotte + rote Bete + Sellerie + eine Obst- oder Beerensorte.

Die Milchdiät

Milchdiäten sind, ebenso wie die bereits beschriebene Molkekur (s. Seite 91 ff.), schon sehr alt. Buttermilch wurde zu therapeutischen Zwecken von der altgriechischen Arztschule von Knidos kurmäßig in Anwendung gebracht. Milchkuren sind eng mit dem Namen des deutsch-russischen Arztes P. H. Karell (1806–1886), der sich ihrer sehr angenommen hat, verbunden. Man nennt sie deshalb auch Karell-Kuren.

1 Liter Milch, auf 5 Portionen verteilt, ist das Wesen der Kur. Man kann Vollmilch, Magermilch und die verschiedenen Sauermilchformen wie Buttermilch, Dickmilch, Yoghurt, Sanoghurt, Bioghurt, Kefir und Kumys verwenden. Alle diese Formen sind entsprechend eiweißreich:

Bei Kuhmilch und Ziegenmilch jeweils ca. 35 g Eiweiß im Liter der angegebenen Produkte. Unterschiedlich ist der Fettgehalt. Davon hängt der Kalorienwert ab.

Den geringsten Kalorienwert besitzen (pro Liter):

Buttermilch, Magermilch 0,3% je 360 Kalorien (1.500 Joules), Yoghurt „mager" 0,3%.

Dann gibt es „1,5%- bis 1,8%"-Sorten, z. B. „fettarmer" Yoghurt mit 500 Kalorien (2.100 Joules).

Alle Vollsorten („mindestens 3,5%"), ob Vollmilch, Dickmilch, Joghurt usw., weisen einen Gehalt von ca. 660 Kalorien (ca. 2.760 Joules) auf.

Weniger Kalorien als die Magermilchsorten haben nur die Molken:

8% Eiweiß (normale) Molken, ca. 240 Kalorien (1.000 Joules),

30% Eiweiß (aufgewertete) Molken, ca. 330 Kalorien (1.390 Joules).

Bei der Auswahl der Milchsorten wird man also auch den erwünschten Nährwert in Rechnung stellen.

Die Sauermilchsorten sind leichter verdaulich, da ihr Eiweiß im Magen feinflockiger ausfällt.

Der Fettstoffwechselgestörte, auch der Gichtkranke, wird berücksichtigen, daß in Yoghurt größere Mengen an der ungünstigen D(−)-Milchsäure enthalten sind: bis 6 g pro Liter. Die anderen handelsüblichen Sorten sind dagegen in dieser Hinsicht unbedenklich, vor allem Dickmilch und Sanoghurt enthalten fast ausschließlich nur die günstige L(+)Milchsäure.

Die Wirkung der Milchdiäten ist ebenfalls in der allgemeinen Entlastung gelegen: Stoffwechsel, Kreislauf, Magen-Darm-Trakt. Darüber hinaus wird die Wirksamkeit bei Hauterkrankungen betont, vorausgesetzt, daß man nicht gegen Milcheiweiß allergisch ist. Dann verbietet sich diese Diät selbstverständlich.

Biorhythmen

In jedem von uns ist eine Reihe bestimmter Rhythmen vorgeprägt. Denken wir hier etwa an die in hundertstel, sogar in tausendstel Sekunden ablaufenden periodischen Tätigkeiten bestimmter Nervenzellen, an das im Sekundenrhythmus schlagende Herz, an die Atmung, an die in 30-Sekunden-Abständen arbeitenden Darmmuskeln und an die Stundenintervalle bestimmter Teilkörperfunktionen. Der Bogen reicht bis zu den Rhythmen, in denen unser ganzer Körper rhythmisch schwingt: im Tages-, Wochen-, Monats- und Jahresrhythmus.

Zu den „Biorhythmen" finden Sie ebenfalls Auskunft in dem Buch „Entschlackungs- und Engiftungskuren" von Dr. med. Ulf Böhmig, erschienen in der Reihe „Naturnahe Behandlung" (Verlag Orac).

Diese großen Rhythmen sind für uns besonders interessant: Hier können wir bewußt eingreifen und den Ablauf von Tag, Woche, Monat und Jahr so gestalten, daß wir der Schwingung unseres Körpers entgegenkommen.

Man bezeichnet die zeitliche Ordnung im Ablauf von Lebensvorgängen auch als „Zeitgestalt" des Lebendigen. Dabei handelt es sich um die zeitliche Abfolge wechselnder Lebensbedingungen, denen man sich weitgehend anpassen sollte, um nicht nutzlos Regulationskräfte zu vergeuden.

So gibt es, speziell im Tagesrhythmus, Zeiten für körperliche oder geistige Arbeit, und andere, die zur Erholung vorgesehen sind. Da sind Zeiten für die Aufnahme bestimmter Nahrungsmittelgruppen vorgesehen und Zeiten für deren Verdauung. Wenn man der vorgegebenen Neigung unseres Organismus ständig zuwiderhandelt, kommt es früher oder später zum körperlichen oder nervlichen Zusammenbruch bzw. zu Fehlleistungen unseres Stoffwechsels.

Die jeweilige Neigung unseres Organismus kann man auch als Empfehlung ansehen, das Richtige zur richtigen Zeit zu tun. So hat sich herausgestellt, daß man sich den vorteilhaften Wochenrhythmus erhält, wenn man in exakten wöchentlichen Abständen einen fördernden Reiz setzt, zum Beispiel in Form eines **Teilfastentages.** Entschlackungskuren wirken tatsächlich dann am besten, wenn man sie zur „richtigen" Jahreszeit durchführt. Einem Rhythmus entspricht es auch, daß Frauen im Reifealter mit aufbauenden Trainingsprogrammen am besten direkt nach der Monatsblutung beginnen.

Tagesrhythmus, Monatsrhythmus und **Jahresrhythmus** sind *endogene* Rhythmen. Das heißt, sie sind uns als innere Uhren angeboren. Durch die äußere Abfolge von Tag und Nacht, von Mondphasen und Jahreszeiten werden diese inneren Uhren nachgestellt und im Takt angepaßt. Für besondere Umstellungen im biologischen Verhalten sind sogenannte **Zeitgeber** vorgesehen — Sonnenaufgang, Sonnenuntergang, der steile Anstieg der UV-Lichteinstrahlung im Frühjahr und der ebenso steile Abfall im Herbst. Es sind Signale an unseren Instinkt. Man sollte sich besonders zu diesen Zeiten viel im Freien aufhalten, um die großen Richtungsänderungen der Natur unvermittelt empfinden zu können. Es sind Zeiten, in denen man seinen Instinkt kultivieren kann; dann tut man das Richtige, ohne daß man viel darüber nachdenken muß.

Der **Wochenrhythmus** ist ein *reaktiver* Rhythmus. Das heißt, eine 7-Tage-Schwingung ist uns zwar mehr oder weniger deutlich angeboren. Um sie aber auszulösen, bedarf es eines Reizes. Es zahlt sich aus, solche Reize zu setzen. Sie bringen unseren Organismus in Gleichtakt mit dem nun einmal vorgegebenen Arbeits-Freizeit-Rhythmus von Montag bis Sonntag. Dann geschieht vieles leichter.

Der Tagesrhythmus (Zirkadianrhythmus)

Der Tagesrhythmus ist in uns sehr stark vorgeprägt und wird durch den äußeren Ablauf von Tag und Nacht gleichgerichtet. Daß dieses Gleichrichten manchmal Schwierigkeiten bereiten kann, weiß jeder, der plötzlichen Zeitverschiebungen ausgesetzt ist. Wenn man nach Amerika fliegt, muß man die Armbanduhr um sechs Stunden nachstellen. Das ist zwar leicht. Aber die innere Uhr läuft dennoch den gewohnten Gang weiter.

Nur allmählich läßt sie sich zurückstellen, so daß es Tage dauert, bis man sich an die neuen äußeren Bedingungen und ihre Zeitgeber voll angepaßt hat. Der meßbare Ausdruck des Tagesrhythmus sind nicht so sehr der Schlaf- und der Wachzustand, sondern die periodischen Umstellungen unseres Körpers zwischen Wärmebildung und Wärmeabgabe.

● Von 3 Uhr früh bis 15 Uhr steigt die Temperatur im Körperkern an. Dabei hält der Körper die Wärme und drosselt die Abgabe nach außen. Deshalb ist in dieser Zeit die Hauttemperatur niedrig. Der Umsatz in den Zellen der Organe aber ist erhöht − es wird mehr Nahrung verbrannt.

● Um 15 Uhr beginnt die Umschaltung: Die Körperkernwärme wird jetzt nach außen abgegeben, die Hauttemperatur steigt deshalb an. Der Umsatz in den Zellen der Organe wird herabgesetzt − in dieser Zeit aufgenommene Nahrung wird nicht mehr so gut verbrannt; es wird mehr in die Depots abgegeben als am Vormittag. Deshalb setzt man bei gleicher Kalorienzufuhr mehr Fett an, wenn man den Schwerpunkt der Nahrungsaufnahme auf den Abend verlagert.

Von 3 Uhr bis 15 Uhr ist die **Aufheizungsphase** unseres Körpers.

Von 15 Uhr bis 3 Uhr ist die **Entwärmungsphase** unseres Körpers.

Dieser Tagesrhythmus von Aufheizung und Entwärmung ist bei allen Menschen gleich. Doch nicht jeder ist gleich anpassungsfähig an erzwungene Veränderungen, die diesem Rhythmus entgegenlaufen. Das zeigt sich an den Meßwerten nach längerem Nachtdienst:

Der sogenannte **Abendmensch** stellt sich gut um − seine Temperaturkurven flachen insgesamt ab, was bereits Ausdruck einer Anpassung ist. Nach etwa zwei Wochen Nachtdienst kommt es sogar zur Umkehr der Temperaturkurve. Der Körper hat sich den neuen Lebensbedingungen angeglichen. Der Abendmensch ist am Morgen nach dem Nachtdienst auch entsprechend müde und hat wenig Einschlafschwierigkeiten. Nach Beendigung einer mehrwöchigen Nachtdiensttätigkeit stellt er sich schnell wieder auf den Tag um: nach längstens zwei Wochen haben sich alle seine vegetativen Funktionen (Temperaturregulation, Kreislauf, Wasserhaushalt, Grundumsatz usw.) wieder an Tagesarbeit angepaßt.

Der **Morgenmensch** dagegen paßt sich sehr schwer an Nachtdienstbedingungen an. Seine Temperaturkurve stellt sich nicht um, sondern verdoppelt sich sogar, das heißt, sie geht innerhalb von 24 Stunden zweimal auf Tag- und zweimal auf Nachtrhythmus. Zum Teil liegt das wohl daran, daß der Morgenmensch den Tag nicht so gut zur Erholung nutzen kann wie der Abendmensch. Dafür spricht, daß auch der Abendmensch mit der ungesunden Verdoppelung seiner Temperaturkurve nach längerem Nachtdienst reagiert, wenn seine Ruhebedingungen am Tag gestört sind − zum Beispiel aus familiären Gründen.

Aufheizungsphase (A) und Entwärmungsphase (E) im Verlauf von 24 Stunden

Es zeigt sich, daß die Anpassung des Morgenmenschen an Nachtdienstbedingungen unvollständig und substanzfordernd ist. Nicht nur, daß das Wechselspiel zwischen Aufheizung und Entwärmung sich verdoppelt; auch die Ausschläge sind überhöht. Eigentlich müßte man schon bei der

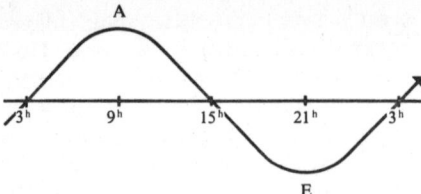

a) normal

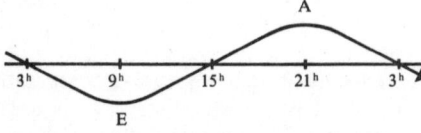

b) nach zwei Wochen Nachtdienst beim Abendmenschen

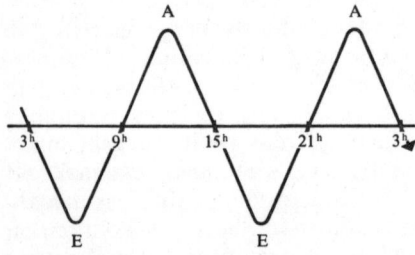

c) nach zwei Wochen Nachtdienst beim Morgenmenschen bzw. beim Abendmenschen, dessen Erholungszeit am Tag gestört ist

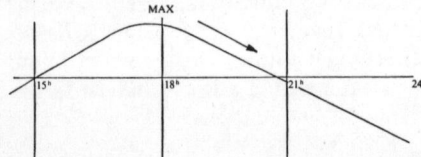

Die Hauttemperatur beim Morgenmenschen, mit dem höchsten Wert um 18 Uhr.

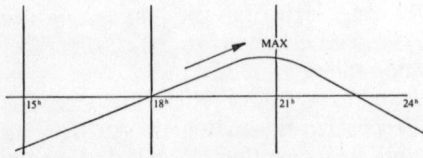

Die Hauttemperatur beim Abendmenschen, mit dem höchsten Wert um 21 Uhr.

Berufswahl solche Eigenheiten berücksichtigen, denn ein Morgenmensch gewöhnt sich zeitlebens nie ganz an Nachtdienstbedingungen – dafür hat er andere, sehr produktive Stärken.

Ob man ein Abend- oder ein Morgenmensch ist, weiß man in ungefähr aus Erfahrung. Ein recht verläßlicher Hinweis ergibt sich auch aus der Hauttemperaturkurve zwischen 18 Uhr und 21 Uhr. Beim Morgenmenschen ist der Temperaturgipfel um 18 Uhr Normalzeit (19 Uhr Sommerzeit) erreicht. Ab diesem Zeitpunkt sinkt die Hauttemperatur wieder ab, wenn auch nur um wenige Zehntelgrad Celsius. Beim Abendmenschen steigt die Hauttemperatur noch bis 21 Uhr an, um dann erst abzufallen.

Man mißt am besten in Abständen von einer halben Stunde, beginnend um 18 Uhr, in der Achselhöhle. Während der drei Stunden bis 21 Uhr sollte man keinen Sport betreiben, keine größeren Mahlzeiten einnehmen und sich möglichst in der stets gleichen Umgebungstemperatur aufhalten. Und natürlich auch nicht gerade krank sein. Denn sonst sind die Werte verfälscht.

Die Nutzung des Tagesrhythmus

Man kann die periodisch wechselnden Körperzustände von Aufheizung und Entwärmung auf verschiedene Weise nutzen, ohne deshalb allzusehr von den bisherigen Gewohnheiten abgehen zu müssen.

a) Ernährung

Von den drei energieliefernden Nährstoffen bildet das Eiweiß am meisten Nebenwärme. 30 Prozent seiner Ener-

100

gie werden während des Abbaues in den Zellen in Wärme umgewandelt (bei den Kohlenhydraten und den Fetten sind es nur etwa 5 Prozent). Man nennt das die „spezifisch dynamische Wirkung" der Eiweißstoffe. Diese Wärmebildung ist während der Aufheizungsphase erwünscht, während der Entwärmungsphase aber wirkt sie dem Tagesrhythmus entgegen. Daher sollte man den Eiweißanteil der täglichen Nahrung mehr auf Frühstück, Gabelfrühstück und Mittagsmahlzeit verteilen (Fleisch, Fisch, Milchprodukte, Hülsenfrüchte). Am Abend sind die eiweißarmen pflanzlichen Nahrungsmittel günstiger (Gemüse, Getreide).

Ein anderer Blickwinkel ergibt sich aus der Dämpfung des Grundumsatzes während der Entwärmungsphase. Wer mit Übergewicht zu kämpfen hat, sollte deshalb nach 15 Uhr keine allzu kalorienreichen Mahlzeiten zu sich nehmen. Besonders stark setzen alkoholische Getränke an – wem sie zur abendlichen Gewohnheit geworden sind, sollte leichte trockene oder halbtrockene Weine bevorzugen (mit weniger als 4 bzw. 12 Gramm Restzucker pro Liter).

b) Wasseranwendung

Für den tagesrhythmusgerechten Einsatz gilt:
Kurze Kaltanwendungen, lange Warmanwendungen am Vormittag,
lange Kaltanwendungen, kurze Warmanwendungen am Nachmittag.

Das kühle Bad oder der kalte Wickel am Abend fördert die Entwärmung und damit die Einschlafbereitschaft. Für Kneipp waren sie deshalb bevorzugte Mittel gegen die Schlaflosigkeit. Warme Bäder oder ein Saunabesuch dagegen sind eher am Vormittag rhythmusgerecht, da sie den Körper bei der Aufheizung unterstützen.

In der Praxis der gezielten Wasserheilkunde allerdings arbeitet man oft bewußt gegensinnig, um die Anpassungsfähigkeit des Körpers besonders zu trainieren. Nach Kaltwasserreizen ist die Wiedererwärmungszeit um 9 Uhr vormittags am längsten, man neigt stärker zum Kältezittern, und auch der Blutdruckanstieg durch kalte Bäder ist am ausgeprägtesten. Im allgemeinen sind länger dauernde Kaltwasseranwendungen in dieser Zeit ungünstig; in speziellen Fällen aber wird der Kneipparzt sie gerade jetzt verordnen – wozu viel Sachkenntnis nötig ist, denn sonst erschlägt man die Regulationskraft des Körpers, statt sie zu trainieren.

c) Körperliche und geistige Arbeit

Körperliche Tätigkeit, die viel Muskelkraft erfordert, ist während der Aufheizungsphase bis 15 Uhr rhythmusgerechter, da die maximale Muskelkraft mit Beginn der Entwärmungsphase abnimmt und in der Nacht ihren Tiefpunkt erreicht.

Umgekehrt ist es mit der Dauerleistungsfähigkeit. Hier erreicht man gegen Abend die besten Werte. Das wurde durch die Meßergebnisse des Leistungszuwachses nach Ausdauertraining auch bestätigt: Das Kraft- und Durchhaltevermögen war nach regelmäßigem Abendtraining deutlich besser als nach Morgentraining. Deshalb sind Trainingsformen wie der forcierte Spaziergang, der Dauerlauf (Joggen) oder das Radfahren am Abend von größerem Nutzeffekt. Natürlich, das muß man hier hinzufügen, sind

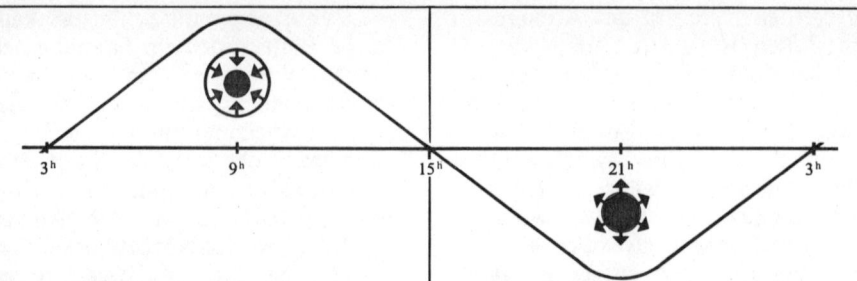

AUFHEIZUNGSPHASE	ENTWÄRMUNGSPHASE
Körperkern hält die Wärme	*Körperkern gibt Wärme nach außen ab*
Rhythmusgerecht sind:	**Rhythmusgerecht sind:**
Ernährung: 75 Prozent des Eiweißtagesbedarfes; beim Übergewichtigen 75 Prozent des Energiebedarfes.	*Ernährung:* 25 Prozent des Eiweißtagesbedarfes; beim Übergewichtigen 25 Prozent des Energiebedarfes.
Wasseranwendungen: Kurze Kalt-, lange Warmanwendungen	*Wasseranwendungen:* Lange Kalt-, kurze Warmanwendungen
Körperliche Tätigkeit: Kurze, kraftbetonte Tätigkeit.	*Körperliche Tätigkeit:* Die Ausdauer fördernde Maßnahmen (Wandern, Laufen).
Geistige Tätigkeit: Lernen, rechnen, konzentriertes Denken	*Geistige Tätigkeit:* Überdenken, eingliedern, meditieren.

diese Tätigkeiten auch am Morgen sehr sinnvoll. Denn das Wichtigste ist, daß man überhaupt etwas für seine körperliche Form tut; die Wahl der idealen Zeit ist dabei von zweitrangiger Bedeutung.

Konzentrierte geistige Arbeit wie Rechnen, Erlernen von Sachverhalten usw. verlegt man besser in die Zeit der Aufheizungsphase. Das Überdenken des Erlernten aber gelingt gegen Abend am besten (und, wie viele aus eigener Erfahrung wissen, in der Nacht, während eines entspannten Schlafes). Auch das beschauliche Denken (Kontemplation, Meditation) gelingt in der Regel besser in den Abendstunden.

Der Wochenrhythmus (Zirkaseptanperiodik)

Der Wochenrhythmus ist ein *reaktiver* Rhythmus — er ist in uns zwar vorgeprägt, befindet sich aber nicht in ständiger Eigenschwingung. Es bedarf eines auslösenden Reizes, um den Wochenrhythmus in uns in Bewegung zu bringen. Es ist so wie bei einer Baßgeigensaite: Der Grad ihrer Spannung bestimmt zwar im voraus, wie sie schwingen wird, wenn man sie erst einmal in Bewegung gebracht hat. Von selbst aber tut sie nichts und bleibt in Ruhe; sie braucht, ebenso wie unser Körper beim Wochenrhythmus, einen auslösenden Reiz. Deshalb spricht man von einem „reaktiven" Rhythmus – Baßgeigensaite ebenso wie unser Körper besitzen eine die Schwingungsdauer bestimmende Grundspannung, sie „reagieren" aber erst dann in Form einer Schwingung, wenn man den entsprechenden Reiz gesetzt hat.

Man könnte annehmen, daß das regelmäßige Auf und Ab unserer Kalenderwoche Reiz genug für das Erhalten einer inneren Schwingung im 7-Tage-Takt ist. Tatsächlich aber haben Messungen gezeigt, daß bei weitem nicht alle Menschen den idealen Wochenrhythmus auch innerlich besitzen. Bei vielen ist die Schwingungsdauer zu lang, nicht selten mit einer Frequenz von bis zu zehn Tagen. Der Körper verhält sich wie eine zu schwach gespannte Baßgeigensaite: es geht ihm alles viel zu schnell bzw. er selbst ist zu langsam und hinkt hinter dem nun einmal gegebenen Wochentakt nach. Diese Menschen schaffen ihr Wochenpensum nicht und fühlen das auch. („Gibt es das, schon wieder Samstag, war ja gerade erst!") Die äußere und die innere Woche passen nicht zueinander. Bei einigen wenigen Menschen ist die innere Saite zu stark gespannt; ihr reaktiver Rhythmus kann sich dann auf sechs Tage verkürzen. Auch sie haben Anpassungsschwierigkeiten.

Wirklich „in der Zeit" lebt man nur dann, wenn der eigene reaktive Rhythmus im 7-Tage-Takt schlägt, exakt wie unsere Kalenderwoche. Das Wort Zirkaseptanperiodik bedeutet auch nichts anderes als „7-Tage-Takt". Wenn ein Reiz richtiger Größenordnung gesetzt wird, gerät unser Körper in Schwingung. Bei einem einmaligen Reiz läßt die Intensität der Schwingung nach einigen, immer schwächer werdenden Ausschlägen

wieder nach, bis es zum völligen Stillstand kommt. Das zeigt folgende Abbildung:

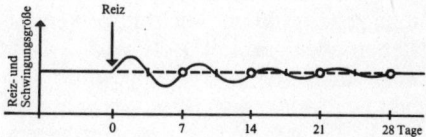

Wenn man den Reiz in exakten Wochenabständen wiederholt, dann erhält man sich die Schwingung mit relativ geringem Aufwand. Das haben auch Untersuchungen des Frankfurter Internisten Ferdinand Hoff gezeigt: Man kommt mit der weitaus kleinsten Dosis einer fiebererzeugenden Injektion (Pyrifer) aus bei gleichzeitig größtem Nutzeffekt = Höhe des erzeugten Fiebers, wenn man die Injektionen genau im 7-Tage-Abstand wiederholt. Bei kürzeren und auch bei längeren Abständen braucht man, um dieselbe Fieberhöhe zu erzielen, ungleich höhere Dosen. Ein in exakten Wochenabständen gesetzter Reiz entspricht unseren körpereigenen Regulationen am besten. Anders ausgedrückt: Wenn es gelingt, unsere innere Saite so zu spannen, daß sie im Wochenrhythmus schwingt, nutzt man gesetzte Reize am besten aus und befindet sich am (aus diesem Blickwinkel gesehen) besten Gesundheitsniveau.

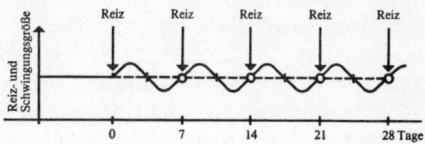

Freitagfasten, Sonntaggottesdienst und Zirkaseptanperiodik

Menschen früherer Zeiten dürften weniger Schwierigkeiten mit der Einordnung in den reaktiven Wochenrhythmus gehabt haben. Nicht nur, weil das Leben weniger hektisch war – das mag auch eine Rolle gespielt haben –, sondern weil sie viel mehr als wir heute präzise Reize gesetzt haben, die eine 7-Tage-Schwingung auslösen und erhalten können. Diese Reize wurden bewußt gesetzt, was die Wirkung noch beträchtlich verstärkt. Allerdings hat man sich damals kaum darüber Gedanken gemacht, welche unerwarteten und unbeabsichtigten Vorteile Freitagsfasten und Sonntagsgottesdienst mit sich bringen können (oder vergleichbare Hinwendungen im Glaubensleben anderer Religionen).

Freitagsfasten und Sonntagsgottesdienst sind, und das soll ihre spirituelle Bedeutung nicht im geringsten schmälern, hervorragende Beispiele für die richtige Reizsetzung, um eine reaktive Wochenschwingung auszulösen. Ihr spiritueller Inhalt ist sogar unerläßlich, zumindest für die Menschen, die spüren, daß ein körperlicher Takt ohne zeitgleiches Mitschwingen von Geist und Seele unvollkommen ist (irgendwie spürt das jeder).

Das Freitagsfasten

Ein Fasten- oder Teilfastentag beeinflußt den Organismus in der gerade richtigen Größenordnung für das Entstehen der Zirkaseptanperiodik als reaktive Wochenschwingung. Der Reiz muß intensiv genug sein, um den Körper zu einer Regulation herauszufordern. Das ist bereits dann der Fall, wenn man weniger als die Hälfte des Gewohnten ißt; auf jeden Fall bei einer Reduktion auf 1.000 Kalorien (4.200 Joules) oder weniger.

Soweit der Reiz auf das körperliche Geschehen beschränkt bleibt, ist es gleichgültig, welchen Wochentag man wählt. Die reaktive Schwingung des Organismus hält sich an die einmal getroffene Wahl und erhält sich durch die Konsequenz der Weiterführung des (Teil)Fastens am gewählten Wochentag. Selbstverständlich kann man zwischendurch von einem Wochentag, etwa Freitag, auf einen anderen, etwa Mittwoch, umsteigen, falls man merkt, daß es der gehandhabten Praxis oder den inneren Neigungen besser entspricht. Dann paßt sich die Periodik binnen kurzem den neuen Gegebenheiten an. Es wird für viele Leser auf der Hand liegen, diesen Tag der verminderten Nahrungszufuhr zugleich auch mit vermehrtem geistigem Sinngehalt erfüllen zu wollen. Zudem haben alle großen Fastenärzte wie etwa Otto Buchinger ausführlich über ihre Beobachtung berichtet, daß der heilsame Effekt des Fastens um vieles deutlicher zutage kommt, wenn die rein mechanische Beschränkung auf weniger Kalorien mit intensiver innerer Zuwendung verbunden ist. Erst sie macht aus dem erzwungenen Hungern das freiwillig angenommene Fasten.

Die technische Durchführung ist einfach: Morgens und abends eine kleine Stärkung (die „Collatio" – um Leib und Seele zusammenzuhalten), mittags ein bewußt bescheidenes Fastengericht (Suppe und Gemüse). Natürlich könnte man auch mit Hilfe erlesener Speisen fasten, aber das Richtige ist es nicht – die angestrebte gesamtheitliche Schwingung von Leib **und** Seele bleibt dann wohl aus.

Gegenanzeigen zum wöchentlichen Teilfastentag gibt es für den einigermaßen gesunden Menschen kaum. Allenfalls könnte man sich an die seinerzeitige kirchliche Verordnung halten, nach der die Fastengebote nur für Kirchenangehörige galten, die das 21. Lebensjahr vollendet und das 60. noch nicht begonnen hatten.

Seit dem Jahr 1966 gibt es etwa in der römisch-katholischen Kirche die „Neue Bußordnung", nach der als Fasttage nur noch der Karfreitag und der Aschermittwoch vorgeschrieben sind. Damit war auch die auf diesem Tag beruhende 7-Tage-Schwingung für viele Menschen beendet. Es ist aber nicht uninteressant, daß (unabhängig davon) gerade in dieser Zeit der Aufschwung jenes Wissenschaftszweiges begann, der sich mit diesen Fragen beschäftigt: die Chronobiologie. So gibt es, was die Empfehlungen anbetrifft, einen nahtlosen Übergang.

Der Sonntaggottesdienst

Hier ist die spirituelle Umstimmung im Vordergrund. Auch wenn das Frühstück ausgelassen wird. Es beginnt mit der inneren Sammlung, welche durch die zum Gottesdienst rufenden Kirchenglocken (die die Rolle des Zeitgebers übernehmen) auf den Brennpunkt gebracht wird — Einstimmung und Aufbruch. Und dann die Erbauung mit der anschließenden Nachempfindung. In Menschen, die es intensiv genug erleben können, beginnt eine Schwingung, die sich durch die wöchentliche Wiederholung der konzentrierten spirituellen Hinwendung erhält. Der tiefere Sinn des Gottesdienstes bleibt durch solche Überlegungen natürlich unberührt.

Der Monatsrhythmus

Er ist naturgemäß bei Frauen im Reifealter stark ausgeprägt, da bei ihnen die regelmäßige hormonelle Umstellung als exakter Zeitgeber fungiert. Die Mondphasen als mutmaßlich ursprüngliche Zeitgeber haben ihre Bedeutung im Ablauf von Jahrmillionen verloren — heute jedenfalls kann man einen Zusammenhang von Mondperiode und Menstruationsperiode nicht mehr nachweisen. Deshalb hat jede Frau ihren eigenen Rhythmus. Es gibt auch große individuelle Unterschiede im körperlichen und psychischen Verkraften der monatsrhythmischen Schwankungen. Im allgemeinen aber steigen Anpassungsfähigkeit an neue Bedingungen und ebenso die Schnellkraft direkt nach der Menstruation steil an. Daher sollte man den Beginn von Kuren in diese Zeit verlegen. Auch die Bestform für bestimmte sportliche Leistungen läßt sich so erklären. Bei nicht wenig Frauen ist der Wasserhaushalt während ihres Zyklus wechselnd — sie speichern vor der Menstruation oft beträchtliche Flüssigkeitsmengen, wodurch auch das Körpergewicht ansteigt. Dem begegnet man am besten diätetisch, durch sanfte Beschränkung der Salzzufuhr. Nach der Menstruation ist die Kälteempfindlichkeit gesteigert. Durch Unterkühlung geförderte Erkrankungen wie Blasenentzündung treten leichter auf. Das wird man berücksichtigen, wenn Kaltwasseranwendungen im Kurprogramm vorgesehen sind.

Der Jahresrhythmus

Wie der Tages- und der Monatsrhythmus ist auch der Jahresrhythmus endogen; er ist in uns als innere Uhr vorgeprägt und wird von Zeitgebern in der Natur gleichgerichtet. Als Zeitgeber dienen besonders der steile Anstieg der ultravioletten Lichteinstrah lung im Frühjahr und der steile Abfall im Herbst. Diese Zeitgeber unserer Umwelt sind etwas durchaus Reales, ebenso wie der in uns schlummernde Instinkt, darauf zu reagieren. Allerdings haben wir beides weitgehend weggefiltert; die Zeitgeber, indem wir uns unter die Dunstglocken der Städte begeben und hinter Fenster zurückgezogen haben, die das ultraviolette Licht nicht durchlassen. Den Instinkt, weil wir Nahrungsmittel essen, auf die wir ursprünglich gar nicht programmiert waren – für die Umsetzung der

jahreszeitlichen Bedingungen spielt gerade das eine Rolle. So spüren zumindest die erwachsenen Menschen die Angebote der Natur zur Verhaltensänderung während verschiedener Stationen im Verlauf des Jahres nicht mehr; für den Erwachsenen haben sich die an sich schon vergleichsweise schwachen jahreszeitlichen Auslöser in weiten Bereichen nivelliert. Nicht aber bei Kindern. Das zeigt eine Untersuchung von G. Debry, G. Bleyer und R. Reinberg (zitiert bei G. Hildebrandt): Wenn man Kindern im Vor-

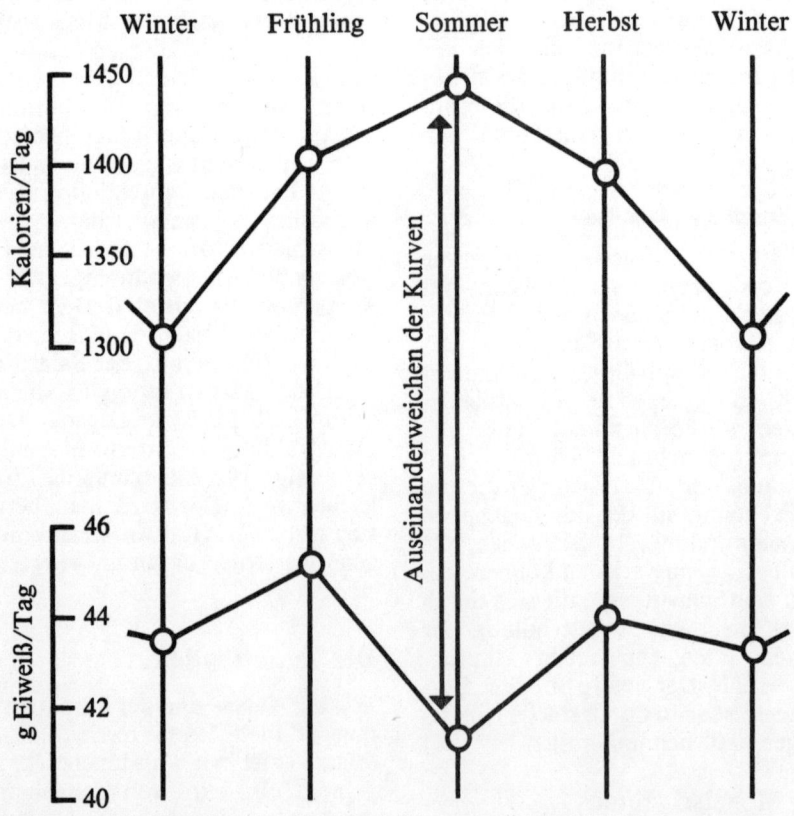

Jahresrhythmische Schwankungen der spontanen täglichen Aufnahme an Gesamtkalorien und an Eiweiß bei Kindern im Vorschulalter.

schulalter freie Nahrungswahl bei möglichst unverbildeten Nahrungsmitteln erlaubt, ergeben sich interessante Abweichungen zu bestimmten Zeiten:

● Zur Zeit des ausklingenden **Winters** und im **beginnenden Frühjahr** schränken sie ihre Nahrungsaufnahme ein. Die Eiweißzufuhr aber bleibt im Jahresdurchschnitt.

● Im **Hochsommer** und im **beginnenden Herbst** essen die Kinder instinktiv am meisten, allerdings schränken sie zugleich ihre Eiweißaufnahme ein.

Man kann, wenn auch mit gewissen Einschränkungen, das Ergebnis auf den Erwachsenen übertragen und folgende Empfehlung abgeben:

● Im **Frühjahr** beschränkt man die tägliche Nahrungsmittelzufuhr, ohne die Eiweißmengen wesentlich zu reduzieren. Milchprodukte und andere tierische Nahrungsmittel werden also mitverwendet. Trotz der geringeren Kalorienzufuhr dürfte man keinen besonderen Hunger verspüren — das haben die Kinder auch nicht, sonst hätten sie nicht so gehandelt. Offenbar ist die Zeit gerade jetzt reif für die Durchführung einer Reduktionsdiät.

● Im **Hochsommer** braucht man es an Kalorien nicht fehlen zu lassen, doch beschränkt man die tägliche Eiweißzufuhr: viele Früchte, weniger an tierischen Nahrungsmitteln. Eine Art Eiweiß-Teilfasten, das (nach dem Internisten Lothar Wendt) unsere Gefäßsituation verbessert.

Keine der beiden Ernährungsumstellungen sollte allzu intensiv erfolgen, und auch nicht zu lange praktiziert werden: zwei bis vier Wochen jeweils sind richtig. Daß sie zeitlich mit dem Osterfasten und dem Marienfasten im August weitgehend zusammenfallen, wird vielen Menschen entgegenkommen.

II. Behandeln

Die Behandlung über Punkte und Flächen

Bestimmte körperliche Schmerzzustände und psychische Befindensstörungen kann man über Einwirkung auf bestimmte Punkte und Flächen auf der Haut fürs erste zumindest subjektiv erleichtern oder psychisch beruhigen.

Für unseren Gebrauch kann man diese Punkte und Flächen in drei Typen einteilen:

● Solche, die auf den Gedankengebäuden „Reflexzonen" beruhen: *Fußreflexzonen* und *Rückenreflexzonen*.
● Und solche, die aus dem *Meridiansystem* der chinesischen Akupunktur entwickelt wurden.

Es gibt gewisse Unterschiede in Art und Wirkung, und manches spricht dafür, daß es sich dabei um voneinander verschiedene therapeutische Methoden handelt, die man zwar auf ein und dasselbe Ziel ausrichten kann – auf eine schmerzende Schulter zum Beispiel, oder auf innere Verspannung –, die sich aber getrennter Wirkmechanismen bedienen. Jede Methode wirkt für sich, auf ihre Art, unabhängig von der anderen.

Vor allem spricht für diese Vorstellung, daß die verschiedenen Massageformen bei gleichzeitiger oder hintereinander gesetzter Anwendung einander nicht stören, ja eher den Boden für eine bessere Wirkung aufbereiten. Sie können also, müssen jedoch nicht in einem Behandlungsgang gemeinsam verwendet werden.

I. Die Fußreflexzonenmassage

Die Fußreflexzonenmassage wurde um die Jahrhundertwende von dem amerikanischen Arzt William Fitzgerald erstmals wissenschaftlich beschrieben. Die Methode selbst aber ist viel älter: Hinweise dafür findet man im alten Indien, in Ostasien und besonders bei den Indianern Nordamerikas. Fitzgerald teilte, um die Wirksamkeit der Fußreflexe erklären zu können, den menschlichen Körper in zehn Längszonen ein. Je fünf münden rechts und links in die Beine und Fußsohlen.

Außerdem gibt es eine Unterteilung in drei Querzonen, je eine für
● Kopf und Hals,
● Brustraum und Oberbauch sowie
● Bauch und Becken.

Organe oder Körperabschnitte, die sich näher zur Mittellinie des Körpers befinden, sind am Fuß näher zur Zone 1 gelagert. Umgekehrt befinden sich außenliegende Körperteile, wie die Ohren, im Gebiet der Zonen 4 und 5; und, weil der Kopf der Querzone I entspricht, im Bereich der Zehen.

So kann man sich, anhand einer schematischen Darstellung der Körperzonen, recht gut orientieren und Organe bzw. Körperabschnitte dem Fuß zuordnen. Eine echte Erklärung der

Zusammenhänge steht allerdings noch aus, obwohl jeder, der sich mit Fußreflexzonenmassage beschäftigt hat, ihre objektive Wirkung kaum leugnen kann.

Körperzonen

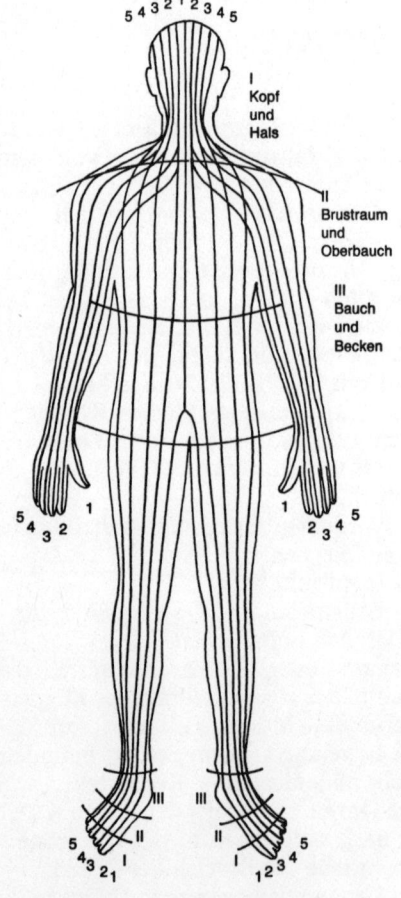

Schneidezahn 1 — Zone 1 — Großzehe
Schneidezahn 2 — Zone 2 — 2. Zehe
Eckzahn 3   — Zone 2 — 2. Zehe
Backenzahn 4, 5 — Zone 3 — 3. Zehe
Backenzahn 6, 7 — Zone 4 — 4. Zehe
Weisheitszahn 8 — Zone 5 — 5. Zehe

Wie massiert man die Fußreflexzone richtig?

Man drückt mit dem Daumen oder dem Stiel eines erwärmten (Silber)Löffels auf die entsprechende Stelle. Der Druck soll spürbar, aber nicht schmerzhaft sein. Das geht am besten mit leicht kreisenden Bewegungen, wobei der angewandte Druck rhythmisch verstärkt und gelockert wird. Die Zonen selbst, das sind die für eine bestimmte Störung zuständigen Areale, sind im jeweiligen Kapitel dieses Buches angegeben. Und zwar:

1. Gegen Gelenksbeschwerden ab Seite 119
2. Gegen Rückenschmerzen und Ischias ab Seite 137
3. Gegen Kopfschmerzen und Migräne ab Seite 175
4. Gegen Verdauungserkrankungen ab Seite 160
5. Gegen Schlafstörungen und Nervosität ab Seite 188
Die dort abgebildeten Zonen werden in der angegebenen Weise bearbeitet. Ein gutes Beispiel für eine einfache, selbst durchzuführende Massage sind die Reflexzonen für Kopfschmerzen. Sie befinden sich an den Großzehen.

Hier sind die Areale für Schädeldach, Schläfe, Hinterkopf und Nacken.
Bei der Fremdbehandlung liegt der Patient entspannt und gut zugedeckt am Rücken, die Füße sollen leicht nach außen gedreht werden. Der Behandelnde sitzt vor dem Patienten. Wer die Fußsohlenreflexmassage nicht gelernt hat, beschränkt sich auf die im jeweiligen Kapitel angegebenen Areale.
Eine Fußreflexzonenmassage wirkt oft sehr intensiv! Bei empfindlichen Patienten tritt während der Behand-

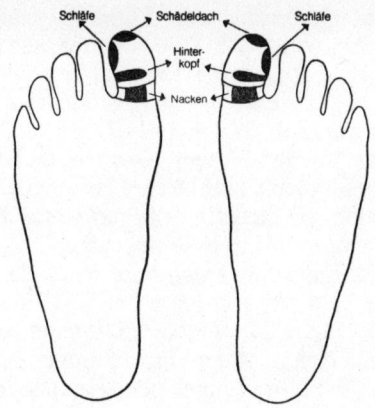

Je nach Schmerzart massiert man mit dem Daumen etwa zwei Minuten lang die richtige Stelle, erst an schmerznäheren, dann am schmerzferneren Fuß. Anschließend läßt man die Zehen sanft kreisen. Oder man massiert mit einem (Silber-)Löffel – vor allem, wenn man sich nicht gut bücken kann. Silber hat den Vorteil, daß es die Wärme gut speichert; außerdem wirken Silberatome beruhigend.

lung mitunter erst Handschweiß, dann Körperschweiß auf. In diesem Fall unterbricht man die Massage und nimmt sie erst dann wieder auf, allerdings sanfter, wenn die Schweißbildung zum Stillstand gekommen ist. Während der Massage sollte man keine Öle oder Gleitmittel verwenden. Nach der Behandlung ist das Auftragen einer hautpflegenden Salbe angebracht. Areale, die mit Fußpilz befallen sind, dürfen nicht massiert werden.

Eine fachgemäß durchgeführte Fußreflexonenmassage wird „aufgebaut". Bei der ersten Behandlung tastet der Behandelnde, um einen Überblick zu gewinnen, **alle** Reflexzonen durch. Dann erst werden die auffälli-

gen Areale speziell behandelt, wobei man gewöhnlich mit der Symptomzone beginnt – im Fall von Kopfschmerzen mit den Arealen an der großen Zehe. Schließlich werden die „Kausalzonen" massiert.

● Wenn der Kopfschmerz von einer Störung der Verdauungsorgane herrührt, werden die Areale von Magen, Darm, Leber, Galle, Bauchspeicheldrüse usw. bearbeitet.

● Bei nervlichen Belastungen: die Areale von Schilddrüse, Nebenniere, Keimdrüsen, Sonnengeflecht und Zwerchfell.

● Sind bestimmte statische Abweichungen die Verursacher, dann werden in vielen Fällen die Areale von Wirbelsäule, Schultergürtel und -gelenk im Vordergrund stehen.

Es existieren für die Behandlung von Beschwerden über die Fußreflexzonen so viele Aufbaumöglichkeiten als es jeweils Ursachen für diese Beschwerden gibt. Die großen Erfolge sind hier natürlich nur vom Fachmann zu erwarten.

In Fachkreisen umstritten ist die Bedeutung der als Fußhilfen bezeichneten Geräte, mit denen man die Fußsohlen bearbeiten kann: Matten, Rollen und Kugeln aus verschiedenen Materialien. Von den Therapeuten werden sie meist abgelehnt, obwohl eine der berühmtesten unter ihnen, Mildred Cater, selbst solche Geräte konstruiert hat. Eine richtige Fußsohlenreflexmassage kann man damit zwar nicht durchführen (am ehesten mit einer Kugel, etwa einem Tennisball). Doch manche Areale, wie die der Wirbelsäule oder die gegen Verstopfung, erreicht man damit recht gut. Außerdem fördern sie die Durchblutung und den Lymphabfluß der Füße, wenn man sie sanft und ohne Übertreibung einsetzt.

113

II. Die Rückenreflexzonen-massage

Sie ist Teil einer „Massage reflektorischer Zonen im Bindegewebe", die ab 1929 von Elisabeth Dicke entwickelt wurde. Sie selbst war ihre erste Patientin, litt sie doch an einer Gefäßerkrankung am rechten Bein und konnte sich durch Massagen an Kreuzbein und Beckenkamm selbst heilen.

Im Gegensatz zur Fußreflexzonenmassage ist der Zusammenhang zwischen Massageareal und ferngelegener Schmerzstelle bei der Bindegewebsmassage in den meisten Fällen durch das Vorhandensein gekoppelter Nervenbahnen zu erklären. Deshalb ist sie heute als medizinisch-therapeutisches Verfahren durchaus anerkannt.

Erkrankt ein Organ oder ein Gelenk, so bleibt das entsprechende Hautgebiet nicht unbeschadet. Oft sieht man mit freiem Auge Einziehungen und derbe Schwellungen oder Hautstellen, die sich gegen das darunterliegende

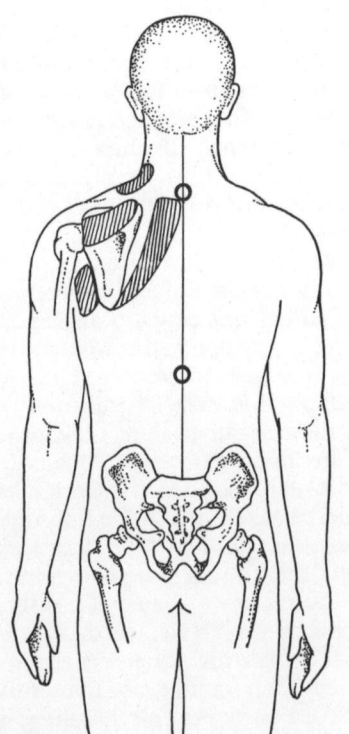

Die Rückenreflexzonen für das Herz

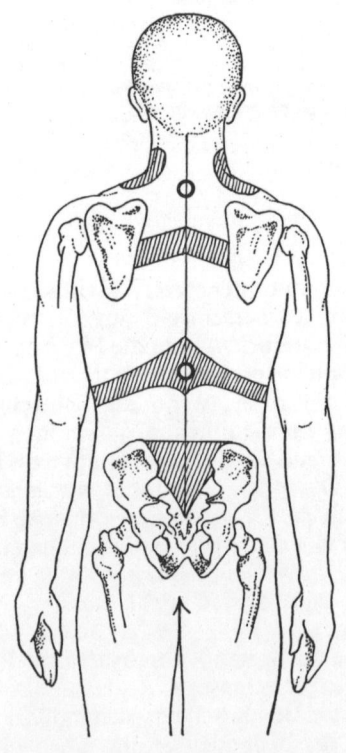

Die Rückenreflexzonen für die beiden Nieren und für die Blase

Bindegewebe nur schwer verschieben lassen. Mit geeigneter Massage kann man diese Veränderungen beseitigen und zugleich auch die den Hautveränderungen zugrunde liegenden Beschwerden lindern. Rechtsgelegene Organe wie Zwölffingerdarm, aufsteigender Dickdarm, Leber und Galle haben ihre gekoppelten Hautstellen am rechten Rücken, linksgelegene Organe wie Magen, Milz, Bauchspeicheldrüse und Herz am linken Rücken. Paarig angeordnete Organe wie die Lungen, die Nieren oder die Keimdrüsen haben ihre Hautstellen jeweils an beiden Seiten, und zwar das rechtsgelegene Organ (z. B. die rechte Niere) am rechten Rücken, das linksgelegene am linken. Ebenso ist es mit Armen und Beinen bzw. ihren Gelenken. Alles ist seitengerecht aufgeteilt.

Es gibt oberflächliche Verklebungen, die hauptsächlich bei akuten Erkrankungen auftreten und nach deren Abklingen wieder verschwinden können, und tiefe Verklebungen, die in der Mehrheit bei chronischen Krankheiten vorkommen. Geht eine akute Krankheit in das chronische Stadium über, so wird aus einer oberflächlichen Verklebung (Haut/Unterhaut) eine tiefe Verflechtung von Unterhaut und Körperfaszie, eine sogenannte Einziehung.

Diese durch echte Nervenverbindungen erklärbaren Reflexzonen gibt es nicht nur am Rücken, sondern auch an Brust, Bauch und den körpernahen Abschnitten von Armen und Beinen. Für unseren Gebrauch aber ist der Rücken am wichtigsten, da man hier die besten Areale für tägliche Bürstungen findet.

Dabei können sich, wie die Abbildungen zeigen, die Hautzonen verschiedener Organe durchaus in manchen Bereichen überlagern.

Wie behandelt man die Rückenreflexzonen richtig?

Im Hausgebrauch arbeitet man am besten mit einer Massagebürste oder einer gewöhnlichen Nylonbürste. **Man bearbeitet die Reflexzonen, die zur jeweiligen Störung gehören, von unten nach oben.**

Zum Beispiel: Bei einer Zwölffingerdarmerkrankung massiert man zuerst den vom 12. Brustwirbel schräg nach unten ziehenden „Ausläufer", dann die Umgebung des unteren Schulterblatt-, des oberen inneren Schulterblattabschnittes und schließlich den Nacken-Schulter-Übergang. Alles rechts, wie aus der Abbildung ersichtlich.

Man bürstet in etwa fünf Zentimeter langen Strichen, die immer wieder von kreisförmigen Bewegungen unterbrochen werden. Die Ausläufer werden von innen nach außen behandelt.

Man kann trocken bürsten oder sanfter mit einem Massageöl. Auch Distelöl, das Samenöl mit dem größten Gehalt an mehrfach ungesättigten Fettsäuren, eignet sich erfahrungsgemäß sehr gut. Es ist möglich, daß die ungesättigten Fettsäuren, die beim zarten Bürsten unter Sauerstoffeinfluß zerfallen, eine zusätzliche heilsame Wirkung entfalten.

Bei der vorbeugenden und bei der unterstützenden Behandlung chronischer Erkrankungen bürstet man am besten täglich vor dem morgendlichen Waschen. Für die Selbstbehandlung eignet sich eine Stielbürste recht gut, eine Hilfsperson nimmt eine gewöhnliche Bürste.

Die Zonen selbst, das sind die für eine bestimmte Störung zuständigen Areale, sind in den jeweiligen Kapiteln dieses Buches angegeben. Und zwar:

1. Gegen Gelenksbeschwerden ab Seite 119
2. Gegen Kopfschmerzen und Migräne ab Seite 175
3. Gegen Erkrankungen der Verdauungsorgane ab Seite 160
4. Gegen asthmatische Zustände ab Seite 244
5. Die Rückenreflexzonen für die Niere und für die Blase sowie für das Herz sind auf Seite 114 abgebildet.

Eine fachgerecht durchgeführte Rückenreflexmassage folgt eigenen Gesetzen. Danach werden nie wirklich starke Reize gesetzt, denn es sollen ja in erster Linie heilsame Reflexe ausgelöst werden. Außerdem wird mit der Massage immer außerhalb der erkrankten Zonen begonnen. Nach einem Grundaufbau werden, je nach dem Grad der Entspannung, die zuständigen Zonen erst allmählich miteinbezogen. Dabei ist wichtig, daß die verschieden tiefen Gewebsschichten getrennt behandelt werden und nicht mit ein und demselben Griff. Das erfordert viel an Fachkenntnis und Handfertigkeit – die Erfolge aber sind oft genug überzeugend.

III. Die Akupunktmassage

Die Akupunktmassage, auch Akupressur genannt, ist mindestens 4.000 Jahre alt. Damals lebte Kaiser Huang-Ti, der die zu dieser Zeit bereits bestehende Akupunktur geordnet und modernisiert haben soll. Was bei den Fußreflexzonen die Längslinien Fitzgeralds und bei den Rückenreflexzonen die gekoppelten Nerven sind, welche die Leitung übernehmen, sind in der Akupunktur die Meridiane. In ihnen zirkuliert nach der traditionellen chinesischen Vorstellung die Lebensenergie. Wenn es durch innere oder äußere Einflüsse zu einem Mangel- oder Überschußzustand dieser Energie bzw. ihrer beiden Komponenten Yin und Yang kommt, dann bieten sich auch bestimmte Punkte an, die das

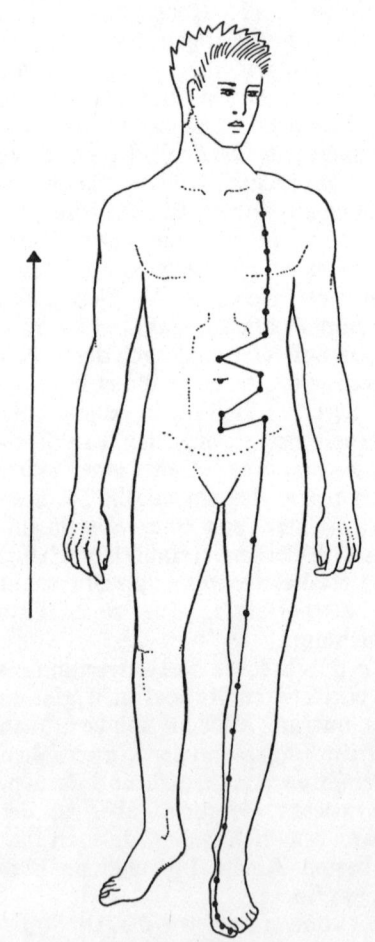

Der Milz-Pankreasmeridian (MP).
Die Energie verläuft hier von unten nach oben.

Ungleichgewicht wieder regulieren helfen. Diese Punkte kann man auf verschiedene Art aktivieren: durch Stechen mit einer Nadel, durch Brennen mit Beifußkraut (Moxa), durch Injektion einer für den jeweiligen Punkt spezifischen pflanzlichen oder mineralischen Lösung usw. Zwei Formen der Reizung von Punkten, die auch im Hausgebrauch gute Dienste leisten, werden in den verschiedenen Kapiteln dieses Buches beschrieben:

1. Die Akupunktmassage von aktuellen Einzelpunkten

Sie dient der Linderung von momentan auftretenden Beschwerden wie Schmerzzuständen oder nervösem Unbehagen. Auch bei regelmäßig auftretenden Störungen − wie wetterbedingten Kopfschmerzen, allergischem Augenbrennen oder Prüfungsangst − kann man mit Hilfe des richtigen aktuellen Einzelpunktes oft beachtliche Erleichterung finden und Medikamente einsparen. Bei manchen Beschwerden, zum Beispiel bei bestimmten Rücken- oder Gelenksschmerzen, ist es sinnvoll, mehrere Punkte in einem Arbeitsgang hintereinander zu massieren und dazwischen lockere Bewegungsübungen durchzuführen.

Die gegen bestimmte Beschwerden wirksamen Einzelpunkte sind in den jeweiligen Kapiteln dieses Buches angegeben, und zwar:
1. Gegen Gelenksbeschwerden ab Seite 119
2. Gegen Rückenschmerzen und Ischias ab Seite 137
3. Gegen Kopfschmerzen und Migräne ab Seite 175
4. Gegen Verdauungsbeschwerden ab Seite 160
5. Gegen nervöse Beschwerden ab Seite 188
6. Gegen Beschwerden bei Erkältungskrankheiten bzw. Allergien ab Seite 218
7. Gegen Beschwerden bei Wetterfühligkeit ab Seite 211

Die Technik der Akupunktmassage

Um die Massage erfolgreich durchführen zu können, muß man zunächst den richtigen Punkt finden und möglichst genau lokalisieren. Man orientiert sich an Abbildung und Beschreibung der Punkte. Das Massieren eines falschen oder falsch lokalisierten Punktes bringt zwar wenig oder keinen Erfolg, aber auch keinen Schaden.

Es genügt fast immer die Massage mit der Fingerkuppe, manchmal verstärkt durch einen kurzgeschnittenen Fingernagel. Gut geeignet sind auch Bleistifte (stumpfes Ende), spezielle Akupressurstäbchen und batteriebetriebene Akupressurgeräte.

Für die Akupressur mit dem Finger nimmt man Daumen, Zeigefinger oder Mittelfinger. Man massiert etwa eine Minute, wobei man rhythmisch fester und lockerer drückt. Das gelingt am besten, wenn man mit dem Finger kleine Kreisbewegungen durchführt.

2. Die Bürstung von Punktesystemen

Sie spielt bei der kurmäßigen Behandlung von nervösen Störungen eine Rolle. Hier sind zwei Basiskombinationen ausgewählt, deren jeweilige Wirkung so beschrieben ist, daß der Leser die für seine Störung passende möglichst zielsicher findet. Die Basiskombinationen wirken nicht nur gegen zwei Grundtypen nervöser Beschwerden, darüber hinaus mildern sie auch Entzugserscheinungen, was gerade heute sehr wertvoll sein kann. Zusatzprogramme entsprechen jeweils einer gesonderten Symptomatik, wie sie sich häufig auf den allgemeinen Typus nervöser Störungen aufpfropft, oft aber auch für sich allein vorkommt: *Konzentrationsschwäche, Impotenz* und andere Brennpunkte sind hier beschrieben. Dementsprechend wird man diese Zusatzprogramme häufig mit dem gewählten Basisprogramm verbinden, man kann sie aber auch für sich allein nutzen.

Die Technik der Anwendung

Morgens, nach dem Waschen, trägt man auf die Punkte und ihre nähere Umgebung Johanniskrautöl auf. Eine Minute einwirken lassen und dann eine halbe Minute lang sanft mit einer Nylonbürste bürsten. Vor dem Schlafengehen macht man dasselbe, jedoch mit Distelöl. Alle paarigen Punkte werden beidseitig massiert oder gebürstet.

Ein guter Teil der in den verschiedenen Kapiteln dieses Buches empfohlenen Punkte liegt auf einem der klassischen Meridiane der altchinesischen Akupunktur. Dann sind sie mit der Abkürzung der Bezeichnung des Meridians und der Position angegeben, die der Punkt im Energieverlauf seines Meridians einnimmt. Jeder Punkt hat einen besonderen Namen, der manchmal auf seine spezielle Wirkung hinweist, wie der 6. Punkt des Dünndarmmeridians (Dü 6), „Pflege des Alters". Andere Punkte wieder,

---

Die Meridiane (in alphabetischer Reihenfolge) und die Anzahl ihrer Punkte:

B	=	Blasenmeridian	67 Punkte	
BE	=	Dreifacher Erwärmermeridian	23 Punkte	
Di	=	Dickdarmmeridian	20 Punkte	
Dü	=	Dünndarmmeridian	19 Punkte	
G	=	Gallenblasenmeridian	44 Punkte	
H	=	Herzmeridian	9 Punkte	
KG	=	Konzeptionsgefäß	24 Punkte	unpaarig
KS	=	Kreislauf-Sexualitätsmeridian	9 Punkte	
Le	=	Lebermeridian	14 Punkte	
LG	=	Lenkergefäß	28 Punkte	unpaarig
Lu	=	Lungenmeridian	11 Punkte	
M	=	Magenmeridian	45 Punkte	
MP	=	Milz-Pankreasmeridian	21 Punkte	
N	=	Nierenmeridian	27 Punkte	

12 paarige Meridiane +
2 unpaarige Gefäße   722 Punkte

Zählt man die paarigen Punkte einfach, kommt man immer noch auf die Zahl 361.

etwa der 39. Punkt des Gallenblasen-meridians (G 39), heißt „aufgehängte Glocke". Darunter kann man sich heute schwer etwas Sinnvolles vorstellen, aber die alten Chinesen werden sich bei der Namensgebung sicherlich etwas gedacht haben.

Zu diesen klassischen, oder wie man sie auch nennt: „antiken", kommen außerhalb der Meridiane gelegene Punkte. Sie werden mit der Bezeichnung **PaM** abgekürzt. Auch sie haben zum Teil treffende Namen, wie der Punkt PaM 138 an der Ferse: „Schlaflosigkeit", oder der Punkt PaM 108 am Handrücken: „Hexenschuß." Ihre Gesamtzahl wird mit 171 angegeben, die meisten davon paarig.

Weiters gibt es sogenannte Neu-Punk-te. Sie wurden vor etwa 30 Jahren während der chinesischen Kulturrevolution entdeckt. Ihre Abkürzung ist **Neu P.** Ihre Zahl beträgt 110, die meisten sind paarig.

Schließlich spielen im Rahmen dieses Buches bestimmte „Handpunkte" eine wichtige Rolle — sie zählen zu den Sonderformen der Akupunktur und wurden ebenfalls erst vor etwa 30 Jahren entdeckt. Ihre Abkürzung ist **Hand P.** Die Namen weisen oft sehr deutlich auf ihre Wirkung hin. So heißt der Handpunkt 6 „Vorderkopfpunkt", der Handpunkt 7 „Scheitelpunkt" und der Handpunkt 10 „Hinterkopfpunkt". Die Gesamtzahl der Handpunkte wird mit 32 angegeben, alle paarig.

Hilf Dir selbst bei Rheuma

Behandlung über Punkte und Flächen

Schulterbeschwerden

I. Fußreflexzonenmassage bei Schulterbeschwerden; in angegebener Reihenfolge massieren

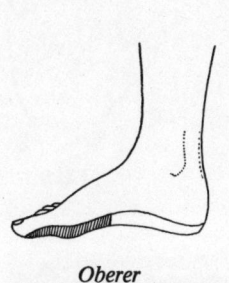

Oberer Wirbelsäulenabschnitt

Schulterzone auf der Sohle

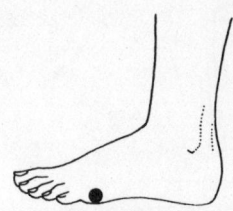

Schulterzone am Außenrist

II. Rückenreflexzonenmassage bei Schulterbeschwerden

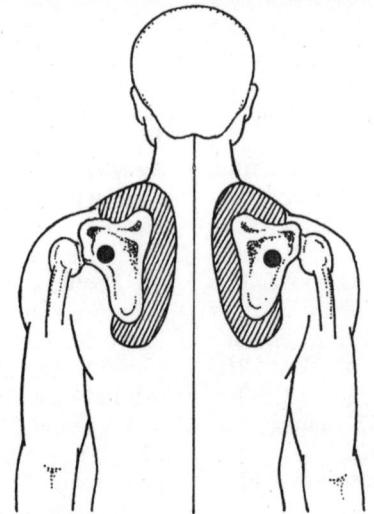

Schulterblattkanten + Punkt DÜ 11 in einem Arbeitsgang

III. Akupunktmassage bei Schulterbeschwerden;

In angegebener Reihenfolge massieren (beidseits)

A. Schulterschmerzen vorne
Bewegungsschmerz bei Drehen des Armes auf den Rücken
Knie von außen

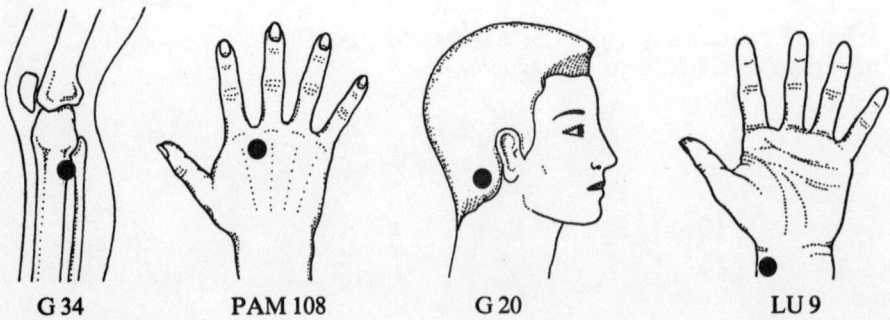

| G 34 | PAM 108 | G 20 | LU 9 |

---

* In seinem Buch „Rheumaschmerz und Gicht" zeigt Dr. med. Ulf Böhmig die ganze Palette naturnaher Behandlungsmöglichkeiten in diesem Bereich auf (Verlag Orac).

B. Schulterschmerzen oben
Bewegungsschmerz bei Heben des Armes nach oben
Knie von vorne

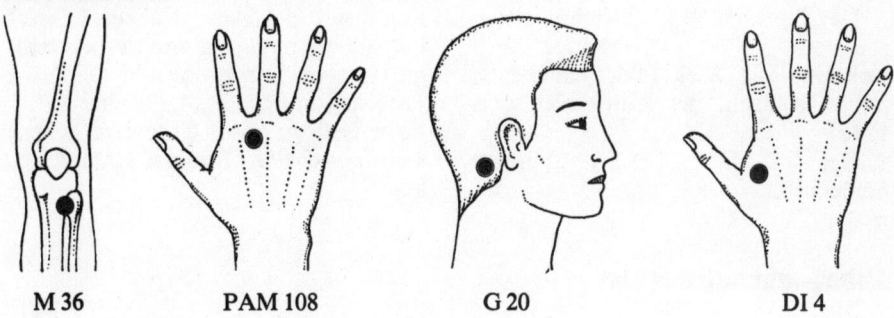

| M 36 | PAM 108 | G 20 | DI 4 |

C. Schulterschmerzen hinten
Bewegungsschmerz bei Heben des Armes nach vorne
Knie von hinten

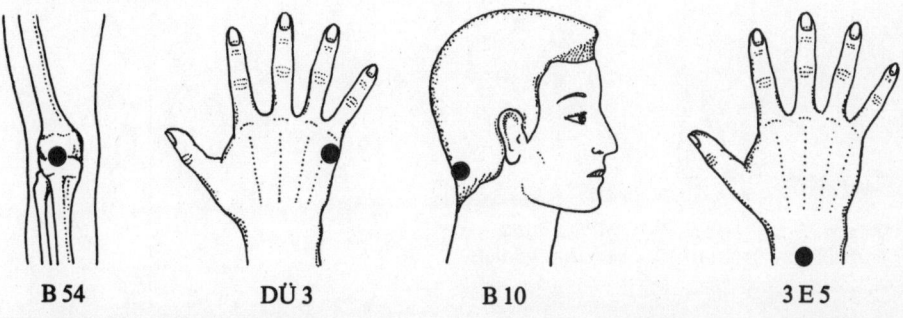

| B 54 | DÜ 3 | B 10 | 3 E 5 |

Beschreibung und Lokalisation der Punkte bei Schulterbeschwerden:

1. Der Punkt Dü 11 „Himmlische Ahnen".
Lokalisation: In der Mitte des Schulterblattes.

2. Der Punkt G 34 „Yang-Hügel-Quelle".
Lokalisation: Vor und unter dem Wadenbeinköpfchen in einer Mulde, bei gebeugtem Knie gut tastbar.

3. Der Punkt PaM 108 „Hexenschuß".
Lokalisation: Am Handrücken, zwischen 2. und 3. Mittelhandknochen, nahe den Fingergrundgelenken.

4. Der Punkt G 20 „Windteich".
Lokalisation: Nacken-Hinterhauptübergang, in der Mitte zwischen Ohr und hinterer Mittellinie, in einer Vertiefung.

5. Der Punkt Lu 9 „Großquelle".
Lokalisation: Am Handgelenk, außerhalb der Pulstaststelle.

6. Der Punkt M 36 „Drei Entfernungen".
Lokalisation: Oberster Teil der Schienbeinaußenkante, zwischen Schien- und Wadenbein, in einer Mulde.

7. Der Punkt Di 4 „Talbegegnung".
Lokalisation: Am Handrücken zwi-

121

schen Daumen und Zeigefinger, in der Mitte der Daumenseite des Zeigefingermittelhandknochens.
8. Der Punkt B 54 „Mittlere Speicherung".
Lokalisation: Direkt in der Kniekehle, im Mittelpunkt der Kniekehlenquerfalte.
9. Der Punkt Dü 3 „Hintere Schlucht".

Lokalisation: An der seitlichen Handkante, am Ende der queren Handlinie.
10. Der Punkt B 10 „Himmelssäule".
Lokalisation: Am Nacken-Hinterkopfübergang, 3 cm von der Mittellinie, in einer Vertiefung.
11. Der Punkt 3E5 „Außengrenze".
Lokalisation: Am Unterarmrücken, 3 cm hinter der Mitte des Handgelenkes.

Ellbogenbeschwerden

I. Fußreflexzonenmassage

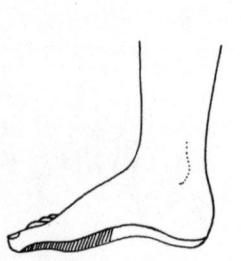

Oberer Wirbelsäulenabschnitt

Ellbogenzone auf der Fußsohle

II. Rückenreflexzonenmassage bei Ellbogenbeschwerden

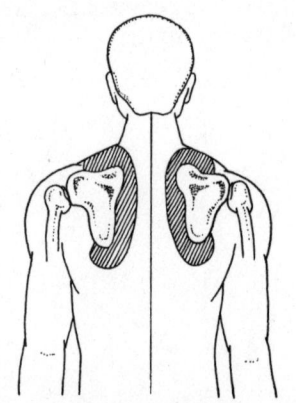

Schulterblattkanten

III. Akupunktmassage bei Ellbogenbeschwerden

A. Ellbogenschmerzen außen („Tennisarm" außen)

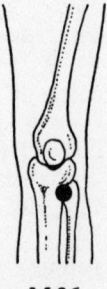

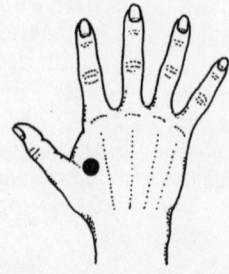

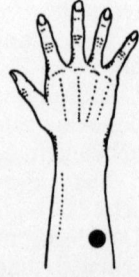

M 36   DI 4   DÜ 7

122

**B. Ellbogenschmerzen hinten („Tennisarm" hinten)
Knie von außen**

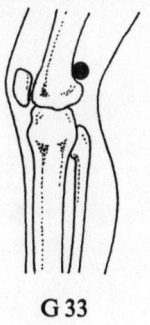

G 33

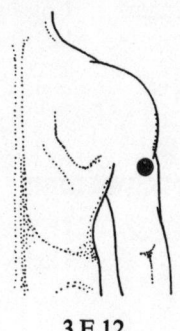

3 E 12

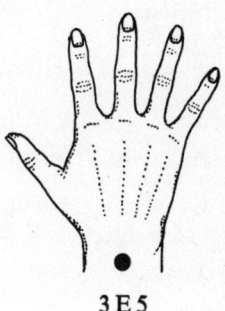

3 E 5

**C. Ellbogenschmerzen innen – vorne („Tennisarm" innen)
Knie von innen**

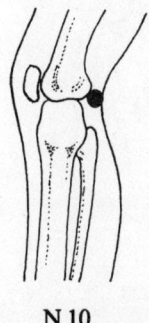

N 10

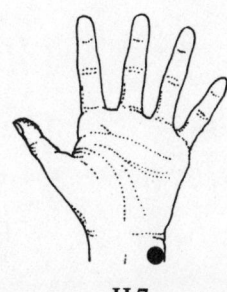

H 7

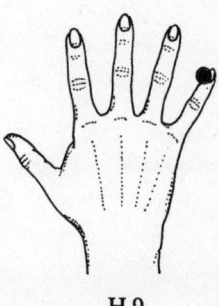

H 9

Beschreibung und Lokalisation der Punkte bei Ellbogenbeschwerden:

1. Der Punkt M 36 „Drei Entfernungen".
Lokalisation: Oberster Teil der Schienbeinaußenkante, zwischen Schien- und Wadenbein, in einer Mulde.
2. Der Punkt Di 4 „Talbegegnung".
Lokalisation: Am Handrücken zwischen Daumen und Zeigefinger, in der Mitte der Daumenseite des Zeigefingermittelhandknochens.
3. Der Punkt Dü 7 „Richtiges Glied".

Lokalisation: In der Mitte zwischen Handgelenk und Ellbogen, seitlich am Ellenbein.
4. Der Punkt G 33 „Yang-Grenze".
Lokalisation: An der Knieaußenseite hinten, vor dem tastbaren Sehnenansatz.
5. Der Punkt 3E12 „Ableitung des stehenden Wassers".
Lokalisation: An der Oberarmhinterseite, unter dem Ansatz des Schultermuskels, in der Mitte.
6. Der Punkt N 10 „Yin-Tal".
Lokalisation: Am Knie innen hinten, hinter der tastbaren Sehne.

7. Der Punkt H 7 „Göttliches Tor".
Lokalisation: An der mittleren Handgelenksfalte, unter dem Kleinfingerballen.

8. Der Punkt H 9 „Geringer Angriffspunkt".
Lokalisation: Am inneren Nagelwinkel des Kleinfingers.

Hand- und Fingergelenksbeschwerden

I. Fußreflexzonenmassage bei Hand- und Fingergelenksbeschwerden

II. Rückenreflexzonenmassage bei Hand- und Fingergelenksbeschwerden

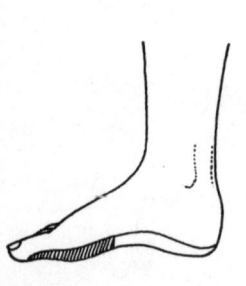

Oberer Wirbelsäulenabschnitt

Handgelenks- und Fingerzone auf der Sohle

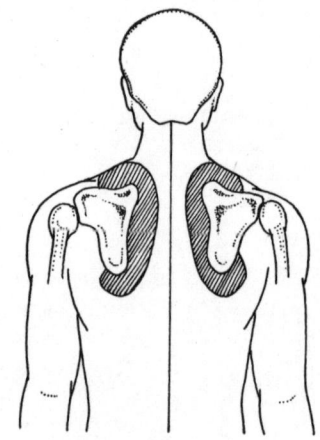

Schulterblattkanten

III. Akupunktmassage bei Hand- und Fingergelenksbeschwerden

A. Schmerzen und Bewegungshemmung mehr an der Daumenseite

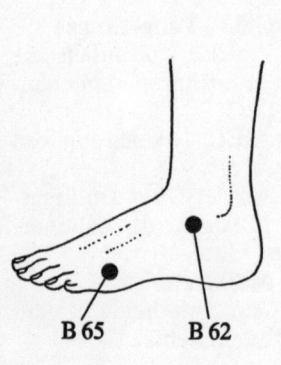

B 65   B 62

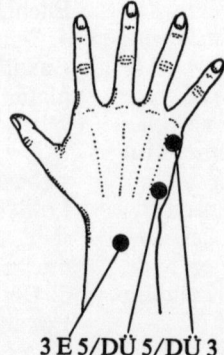

3 E 5/DÜ 5/DÜ 3

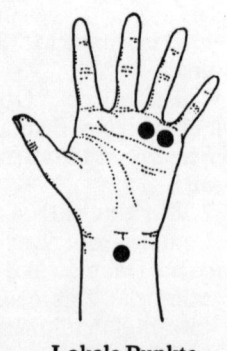

Lokale Punkte

B. Schmerzen und Bewegungshemmung mehr an der Kleinfingerseite

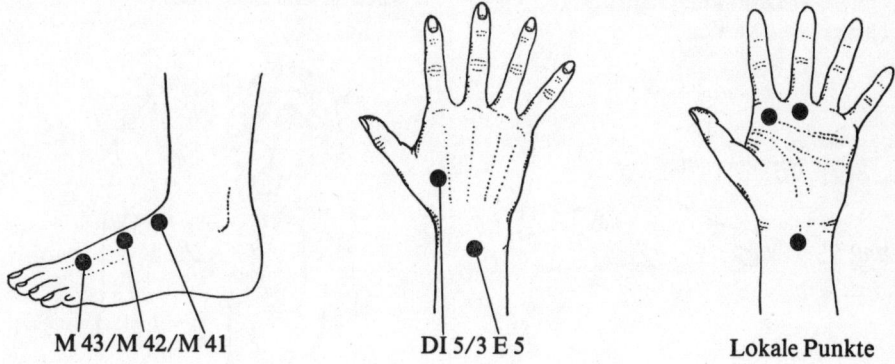

M 43/M 42/M 41   DI 5/3 E 5   Lokale Punkte

Beschreibung und Lokalisation der Punkte bei Hand- und Fingerbeschwerden:

1. Der Punkt M 41 „Tibiamulde".
Lokalisation: An der Fußrückenmitte, in der Mulde vor dem Sprunggelenk.
2. Der Punkt M 42 „Yang-Angriff".
Lokalisation: An der Fußrückenmitte, auf der höchsten Wölbung des Fußrückens.
3. Der Punkt M 43 „Versunkenes Tal".
Lokalisation: Zwischen 2. und 3. Fußmittelknochen, in einer Mulde.
4. Der Punkt Di 5 „Sonnenschlucht".
Lokalisation: An der Daumenseite des Handgelenkes am Handrücken, in einer Mulde.
5. Der Punkt 3E5 „Außengrenze".
Lokalisation: Am Unterarmrücken, 3 cm hinter der Mitte des Handgelenkes.
6. Der Punkt B 65 „Knochenbindung".
Lokalisation: Hinter dem Grundgelenk der Kleinzehe, noch über dem Endteil des äußeren Mittelfußknochens.

7. Der Punkt B 62 „Gefäß der Streckung".
Lokalisation: Vor dem äußeren Knöchel, in einer Vertiefung.
8. Der Punkt Dü 5 „Sonnental".
Lokalisation: An der Kleinfingerseite des Handgelenkes, in einer Vertiefung.
9. Der Punkt Dü 3 „Hintere Schlucht".
Lokalisation: An der seitlichen Handkante, am Ende der queren Handgelenkslinie.
10. Lokale Punkte, ohne spezielle Bezeichnung.
Lokalisation: Direkt über den Grundgelenken der Finger 2 bis 5, an der Handfläche der Mitte des Handgelenkes, an der Handflächenseite.

Kniegelenksbeschwerden

I. Fußreflexzonenmassage bei Kniegelenksbeschwerden

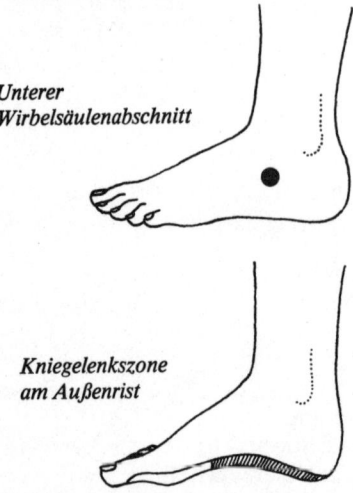

Unterer Wirbelsäulenabschnitt

Kniegelenkszone am Außenrist

II. Rückenreflexzonenmassage

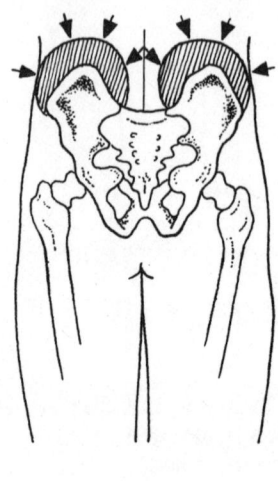

Beckenkammkanten

III. Akupunktmassage bei Kniegelenksbeschwerden

A. Kniegelenksschmerzen innen

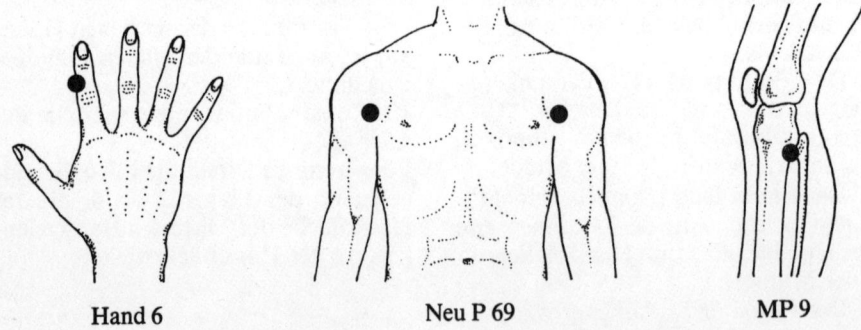

Hand 6   Neu P 69   MP 9

Beschreibung und Lokalisation der Punkte bei Kniegelenksbeschwerden sowie bei Knöchel- und Vorfußbeschwerden:

1. Der Punkt Hand 6 „Vorderkopfpunkt".

Lokalisation: An der Daumenseite des Zeigefingermittelgelenkes.
2. Der Neu-Punkt 69 „Arm heben".
Lokalisation: An der Schulter vorne, 5 cm oberhalb der vorderen Achselfalte.
3. Der Punkt MP 9 „Hügelquelle".

B. Kniegelenksschmerzen außen

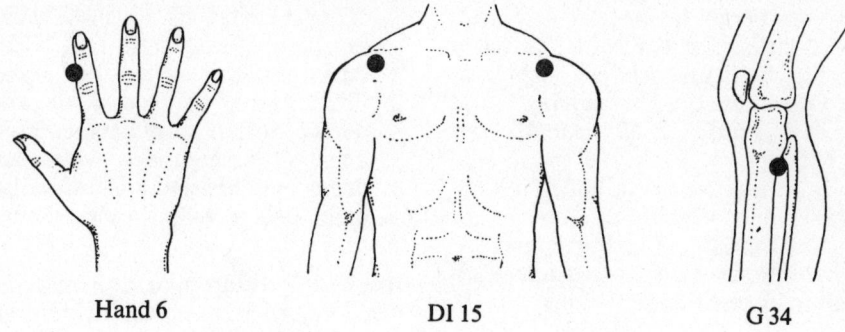

Hand 6   DI 15   G 34

Knöchel- und Vorfußbeschwerden

I. Keine eigenen Fußreflexzonen
II. Rückenreflexzonen (s. S. 126)

III. Akupunktmassage bei Knöchel- und Vorfußbeschwerden

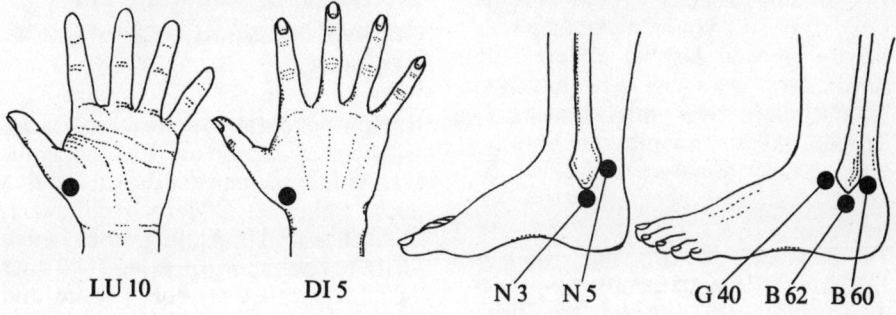

LU 10   DI 5   N 3   N 5   G 40   B 62   B 60

Lokalisation: An der Kniegelenksinnenseite, an der Schienbeinhinterkante.
4. Der Punkt Di 15 „Schulterknochen".
Lokalisation: An der Schulter vorne, unter dem Schlüsselbeinende.
5. Der Punkt G 34 „Yang-Hügel-Quelle".
Lokalisation: Vor und unter dem Wadenbeinköpfchen in einer Mulde, bei gebeugtem Knie gut tastbar.
6. Der Punkt Lu 10 „Daumenballen-

grenze".
Lokalisation: Am Daumenballen, in der Mitte des 1. Mittelhandknochens, an dessen Außenkante.
7. Der Punkt Di 5 „Sonnenschlucht".
Lokalisation: An der Daumenseite des Handgelenkes am Handrücken, in einer Mulde.
8. Der Punkt N 3 „Großbecher".
Lokalisation: Unterhalb des inneren Knöchels, in einer Mulde.
9. Der Punkt N 5 „Leucht-Meer".
Lokalisation: In der Mitte zwischen

innerem Knöchel und Achillessehne.

10. Der Punkt B 60 „Koun Lun" (Name eines Berges in Tibet).

Lokalisation: In der Mitte zwischen Achillessehne und Außenknöchel, an der Oberkante des Fersenbeins.

11. Der Punkt B 62 „Gefäß der Streckung".

Lokalisation: Vor dem äußeren Knöchel, in einer Vertiefung.

12. Der Punkt G 40 „Hügelmarkt".

Lokalisation: Vor dem Außenknöchel, in einer Mulde.

Wasseranwendungen bei Rheuma

Die Wasseranwendungen haben bei Erkrankungen des rheumatischen Formenkreises vorsichtiger angewendet zu werden als bei anderen Beschwerden, etwa bei gewöhnlichem Kopfschmerz oder mangelnder Widerstandskraft. Es gibt auch falsch eingesetzte Maßnahmen, die den Zustand eher verschlechtern denn verbessern.

Bei Sebastian Kneipp, der den Problemkreis Rheumatismus von allen Wasserpionieren am tiefsten durchdacht hat (und auch die besten Erfolge hatte), steht folgender bemerkenswerter Satz: „Je schonender nämlich der Körper behandelt wird, um so leichter kann es die Natur aushalten und selbst mithelfen, die Krankheitsstoffe auszuheilen." Und an anderer Stelle: „Gar nichts nämlich bringt das Wasser als Heilelement sosehr in Verruf und Mißkredit als maß- und vernunftloses Anwenden, scharfes, strenges, schroffes Verfahren."

Die Wasseranwendung am bereits Erkrankten beginnt stets gemäß der körperlichen Ausgangssituation, die ja oft durch Schwäche charakterisiert ist — also warm, mild und eher zeitraubend. Nichts darf wirklich belasten, auf keinen Fall darf man glauben, den Körper herausfordern zu müssen, wie das beim sonst gesunden Menschen, der seine Widerstandskraft allgemein heben will, durchaus angebracht ist.

Am besten erklärt man die Wassertherapie bei rheumatischen Erkrankungen an einem Beispiel, das Kneipp selbst in seinem bekanntesten Buch „Meine Wasserkur" niedergeschrieben hat. Es handelt sich um die Behandlung und Heilung der rheumatischen Erkrankung des Grafen N.

Die Wasserbehandlung der rheumatischen Erkrankung des Grafen N.

Kneipp berichtet vom Grafen N., der seit über 25 Jahren an Rheumatismus litt. Anfangs konnte er diesen mit den damals üblichen Bäderbehandlungen, in Aachen und in Aibling, noch in den Griff bekommen. Im Krieg 1870 aber verschlechterte sich durch Kälte und Nässe der Zustand hochgradig. Bäderkuren wirkten nur mehr kurzfristig, schließlich überhaupt nicht mehr.

Am 20. Juni 1887 besuchte N. den Pfarrer Kneipp. Dieser schreibt: „Nach unmittelbar vorausgegangenem zweimonatigem Krankenlager kam der Kranke hier an mit Rheumatismus am ganzen Körper, in den Fuß- und Kniegelenken, Hand- und Schultergelenken. Der rechte Arm war von den Fingern bis über den Ellenbogen dick aufgeschwollen, die Gelenke ganz unbeweglich; die Knie, ebenfalls unbeweglich, konnten nicht gebraucht werden. Den kräftigen, stattlichen Herrn hatte das lange Leiden ziemlich angegriffen."

Man kann die Gedankengänge, die Kneipp durch den Kopf gingen, als er den Grafen N. untersuchte, leicht nachvollziehen.

1. „Kräftig und stattlich": Man darf dem Körper etwas zumuten.

2. „Durch das lange Leiden ziemlich stark angegriffen": Zuviel darf man dem Körper aber auch nicht zumuten.
Also: Mittlere Behandlungsintensität.

3. „Alle Körperteile sind erfaßt": Es ist nichts da, wohin man mit feuchtkalten Wickeln oder kalten Güssen „ableiten" könnte.
Also: Große warme Wickel und Bäder.

4. „Der rechte Arm ist besonders befallen", deshalb muß ihm besondere Aufmerksamkeit gewidmet werden.
Also: Zusätzlich zur Ganzkörperbehandlung fallweise Lokalbehandlung des rechten Arms.

Dementsprechend erstellte Kneipp für den Grafen N. folgendes Behandlungsprogramm:

1. Zweimal wöchentlich Unterwickel (von den Achseln bis über die Zehen). Der Wickel wurde in 38° Celsius warmes Wasser getaucht, „in welchem Haferstroh, Heublumen und Fichtennadeln gesotten wurden".
Verweildauer: eineinhalb Stunden.

2. Zweimal wöchentlich Kräutervollbäder mit dreimaligem Wechsel. Temperatur ca. 38° Celsius.
Verweildauer im Bad samt Wechsel (ganz kurze kalte Duschen): ca. 30 Minuten.

3. Dreimal wöchentlich Schal (Wickel über Hals, Brust, Rücken, Oberarme). Temperatur ca. 32° Celsius.
Verweildauer: eine Stunde.

Also: Verteilt auf die Woche, täglich eine der großflächigen Anwendungen. Die längste davon dauerte eineinhalb Stunden.

Zusätzlich behandelte Kneipp den rechten Arm gesondert, und zwar täglich zweimal.

4. Armwickel (von Achsel und Schulter bis über die Finger): 38° Celsius, gleich wie der Unterwickel in den Absud von Haferstroh, Heublumen und Fichtennadeln getaucht.
Verweildauer: ein bis zwei Stunden. Da der Armwickel morgens und abends angelegt wurde, wurden die großen Anwendungen tagsüber durchgeführt. Anders geht sich das zeitlich nicht aus.

5. Schließlich setzte Kneipp sicherlich die tägliche Ganzwaschung ein, wenn sie auch in der Fallbeschreibung nicht eigens erwähnt ist.

Alles zusammengenommen, dürfte der Graf täglich etwa vier Stunden in Behandlung gewesen sein, wobei die Zeitdauer der täglichen Armwickel wohl manchmal länger, manchmal kürzer gewählt wurde, je nach Länge der anderen Anwendungen am selben Tage.

Auf diese Weise wurde zwei Wochen lang behandelt. Man beschreibt das am besten in Form eines Wochenplanes, wobei man die heute üblichen Abkürzungen einsetzt:

Gw = Ganzwaschung
Fw = Fußwickel
Aw = Armwickel
Uw = Unterwickel
Sh = Schal
Vb = Vollbad
W = Wechsel
Ha = Haferstroh
Fi = Fichtennadel
Hbl = Heublumen

(Die Tabelle finden Sie, wenn Sie umblättern.)

Tag	morgens 1	morgens 2	tagsüber	abends
Montag	Gw kalt	Fw oder Aw warm	Vb + W (3x) Ha, Fi, Hbl	Fw oder Aw warm
Dienstag	Gw kalt	Fw oder Aw warm	Sh warm	Fw oder Aw warm
Mittwoch	Gw kalt	Fw oder Aw warm	Uw warm	Fw oder Aw warm
Donnerstag	Gw kalt	Fw oder Aw warm	Vb + W (3x) Ha, Fi, Hbl	Fw oder Aw warm
Freitag	Gw kalt	Fw oder Aw warm	Sh warm	Fw oder Aw warm
Sonnabend	Gw kalt	Fw oder Aw warm	Uw warm	Fw oder Aw warm
Sonntag	Gw kalt	Fw oder Aw warm	Sh warm	Fw oder Aw warm

„Nach vierzehn Tagen war bereits eine wesentliche Besserung bemerklich", berichtet Kneipp. Die Situation hatte sich zugunsten des Patienten geändert, die rheumatischen Erscheinungen waren zurückgegangen, und die Widerstandskraft des Patienten war durch die bisherigen Anwendungen so weit gesteigert, daß er entlassen werden konnte.

Für die nächsten acht Wochen erhielt der Graf einen Behandlungsplan mit kürzeren Warmanwendungen, zugleich zunehmendem Einsatz von Anwendungen mit „temperiertem" Wasser (22 bis 28° Celsius) und schließlich, nach nochmaligem Aufenthalt bei Kneipp, ein Abhärtungsprogramm (Seite 218), das durch gelegentliche warme Kräutervollbäder und warme Wickel gemildert wurde.

Im Vordergrund aber standen nun kurze Kaltanwendungen.

Die detailreiche Darstellung dieser Behandlung zeigt, daß Kneipp hier **allgemeine Regeln für Wasseranwendungen bei rheumatischen Erkrankungen** skizziert hat:

● Einleitung der Behandlung mit warmen Anwendungen.
● Besondere Berücksichtigung der am schwersten befallenen Körperteile.
● Erst nach deutlichem Nachlassen der Beschwerden allmählicher Übergang zu temperierten und zu kalten Anwendungen, mit deren Hilfe ein hoher Grad an Widerstandskraft erreicht werden soll.

So wird auch die Rückfallgefahr gemindert, wie beim Grafen N., der noch im selben Jahr „zum Erstaunen der anderen hohen Herrn wieder neun Tage lang eine Jagd mitmachen konnte".

Natürlich werden dabei auch die Ernährungsempfehlungen Kneipps mitgewirkt haben – „Hausmannskost", kein Zuckerwerk, dafür Vollkornbrot, Obst und Wurzeln, auch als Rohkost, überhaupt viel an Gemüse. Ausreichende Eiweißzufuhr. Dabei gab Kneipp den Milchprodukten den Vorzug, lehnte aber Fleisch und Fisch nicht ab; nur das Zuviel hemme die Entgiftung.

Die Praxis der Anwendungen

Akute Schübe rheumatischer Erkrankungen müssen mit besonderer Vorsicht behandelt werden. Überwärmung kann ebenso wie Unterkühlung zur Verschlechterung des Leidens führen. In diesem Fall überläßt man Art und Auswahl der Wasseranwendungen einem auf diesem Gebiet sehr erfahrenen Arzt. Dieser muß auch über die jeweils richtige Kombination von antirheumatischen Medikamenten (auf die man im akuten Schub nicht verzichten wird können), mild reizsetzenden Wasseranwendungen, Bewegungstherapie, Diät usw. entscheiden und überwachen können – was natürlich nur in einem entsprechend eingerichteten Kur- oder Krankenhaus möglich ist.

Die besten Erfolge bringen die Wasseranwendungen nach Kneipp im schubfreien Intervall einer rheumatischen Erkrankung, zugleich aber möglichst frühzeitig, bevor noch schwere Gelenksveränderungen aufgetreten sind. Auch Graf N. ist offenbar nach Beendigung eines Schubes, der ihn, wie berichtet, zwei Monate

ans Krankenlager gefesselt hatte, bei Kneipp erschienen.

Im folgenden sind die einzelnen Anwendungen seiner Behandlung beschrieben.

1. Die Ganzwaschung

Die Ganzwaschung, eine bevorzugte Anwendung von Kneipp, dient nicht der Reinigung des Körpers, sondern der allgemeinen Abhärtung. Der Körper wird dabei von oben nach unten mit einem feinen Wasserfilm bedeckt. Nur der Kopf bleibt frei. Die Ganzwaschung soll nur auf einem gut durchwärmten Körper erfolgen, am besten also morgens, wenn die Bettwärme noch vorhanden ist und wenn auch das Bett selbst noch warm genug ist, damit man sich dorthin zum eventuellen Nachdunsten zurückziehen kann.

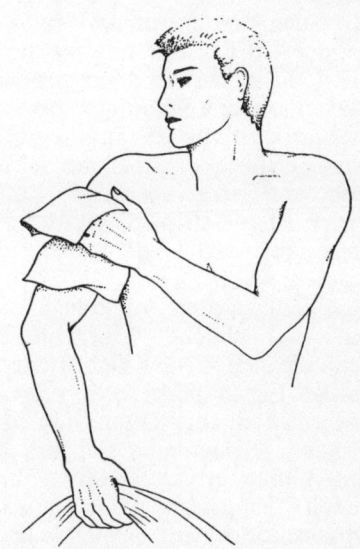

Die Technik: Ein rauhes, grobes Handtuch wird in kaltes Wasser getaucht. Damit „wäscht" man sich. Ohne Reiben oder Frottieren

131

benetzt man zuerst den rechten Arm, dann den linken, den Hals, die Brust, den Bauch, den Rücken, die Beine und schließlich – nicht zu vergessen – die Fußsohlen. Nach Beendigung der Waschung soll der ganze Körper mit Ausnahme des Kopfes von einem dünnen Wasserfilm bedeckt sein. Der ganze Vorgang soll nicht länger als zwei Minuten dauern.

„Jede Waschung, die darüber währt, kann von Übel sein", sagt dazu Kneipp.

Am besten wäre nun, sich wieder in das noch warme Bett zu begeben, um nachzudunsten. Man deckt sich allseits gut zu, nur der Kopf schaut heraus – deshalb wurde er in die Waschung nicht miteinbezogen.

Nach etwa 10 bis 15 Minuten ist man trocken.

Durch den Verdunstungsvorgang, für den der Körper die Energie liefern muß (560 kleine Kalorien pro Liter Wasser), werden Stauungen beseitigt, das Blut wird von den inneren Organen abgeleitet, der Stoffwechsel wird belebt und feine, anregende Reflexe werden ausgelöst, auch die der Fußsohlen, auf welche man deshalb nicht vergessen sollte.

Nach dem zweiten Aufstehen macht man die übliche Morgentoilette. Wenn die Zeit für das Sich-wieder-in-das-Bett-Legen fehlt, geht man folgendermaßen vor: Ohne sich abzutrocknen, kleidet man sich an. Nun dunstet man in der Kleidung fertig. Kneipp empfiehlt dazu leichte Gymnastik oder aufwärmende leichte Arbeit.

Bei geschwächten Patienten ließ Kneipp anstelle der Ganzwaschung nur eine **Halbwaschung** durchführen:

● die **Oberkörperwaschung,** die den ganzen Oberkörper einschließlich der Arme umfaßt;

● die **Unterkörperwaschung,** bei der der Körper von Nabelhöhe bis an die Fußsohlen gewaschen wird. Und schließlich

● die **Leibwaschung,** welche nur den Leib (ohne Hals, Kopf, Arme und Beine) umfaßt.

Außerdem empfahl er, bei geschwächten Menschen dem Wasser Weinessig zuzusetzen (1 Glas pro Liter Wasser).

Schließlich verwendete er oft anfangs das „temperierte Wasser", mit ca. 22 bis 28° Celsius. Wenn dann eine gewisse Stabilität der Widerstandskraft erreicht war, ging er auf das „kalte" Wasser über: mit Temperaturen von unter 20°.

2. Die Wickel

Zu einem Wickel gehören mindestens drei, besser vier Tücher:

1. Das nasse Innentuch aus grobmaschigem Leinen, möglichst alt und ausgewaschen, so daß es das Wasser gut ansaugt. Hier eignen sich alte Bettlaken oder Handtücher. Es gibt aber auch ein großporiges *Kneippleinen.*

2. Das Zwischentuch, ebenfalls aus grobem Leinen. Es hilft, den Dunst besser zu halten und schützt zugleich das meist teure Abschlußtuch vor Verschmutzungen. Es soll das nasse Innentuch an allen Seiten um einige Zentimeter überragen.

3. Das Abschlußtuch aus Wolle oder Flanell. Damit werden die gewickelten Stellen regelrecht eingepackt. Das Abschlußtuch soll auch luftdurchlässig sein, denn ein Wickel soll atmen können.

Die Maße des nassen Innentuches sind von der Körpergröße abhängig. Im

Durchschnitt eines Erwachsenen betragen sie:
- Fußwickel (Fw).... 80 × 80 cm
- Armwickel (Aw)... 60 × 90 cm
- Unterwickel (Uw).. 180 × 180 cm
- Schal (Sh)..... 100 × 100 cm plus 50 × 50 cm.

Es gibt heiße, warme, temperierte und kalte Wickel.

Im beschriebenen Fall des Grafen N. hat Kneipp nur warme Wickel verwendet: Fuß-, Arm- und Unterwickel mit Wasser von 38° Celsius, den Schal mit Wasser zu 32° Celsius.
Dieser Temperaturunterschied hat eine einfache Erklärung: Jeder Wickel muß vom Patienten als angenehm und wohltuend empfunden werden. Der Schal, der Brustkorb und Arme einschließt, dürfte beim Grafen Atembeschwerden verursacht haben, wenn er zu heiß gewählt worden war. Der Unterwickel umfaßt zwar auch den Brustkorb, aber nur ab der Achselhöhle, und läßt die Arme frei. Hier werden die mit 38° doch höheren Temperaturen weniger oder keine Beklemmung verursacht haben. Innerhalb von „kalt", „temperiert", „warm" und „heiß" gibt es einen Spielraum. Hier paßt man sich an das Wohlbefinden des Patienten an:
● kalt: bis 20° Celsius;
● temperiert: von 20 (bzw. 22) bis 28° Celsius (es muß als angenehm temperiert empfunden werden — für den einen beginnt das bei 20°, für den anderen erst ab 22°, wie beim Badegefühl in einem See);
● warm: von 28 bis 38° Celsius;
● heiß: über 38° Celsius.

Wie legt man einen Wickel an?

Zunächst wird man einen Absud mit Kräutern zubereiten. Heute verwendet man gewöhnlich handelsübliche Extrakte, die man in der angegebenen Dosis dem warmen Wasser zusetzt.
● Das Bett selbst muß vorgewärmt oder noch körperwarm sein.
● Etwa zehn Sicherheitsnadeln oder Bandagenklemmen sollen bereitliegen.
● Bevor man nun das Innentuch naß macht, legt man das Abschlußtuch und darüber das Zwischentuch im Bett zurecht.
● Nun taucht man das Innentuch in den richtig warmen Kräuterabsud und näßt es gut durch.
● Leicht auswringen — es soll nicht abtropfen.
● Dann wird es möglichst schnell faltenfrei angelegt und an die Haut angestrichen.
● Sobald es gut sitzt, wird das etwas größere Zwischentuch glatt, aber nicht zu fest darüber gelegt. Es soll das Innentuch an allen Rändern überlappen.
● Anschließend wird das Abschlußtuch mit den vorbereiteten Sicherheitsnadeln oder Bandagenklemmen fixiert. Besonders bei größeren Wickeln sind zwei Abschlußtücher von Vorteil, da der Dunst dadurch länger gehalten wird.
● Schließlich deckt man den Patienten mit einer nicht zu schweren Bettdecke zu.
Nach dem Abnehmen des Wickels, der zumindest 40 Minuten belassen wird, sollte der Patient noch etwa eine halbe Stunde nachruhen.

Der Fuß- und der Armwickel

Fußwickel, Fuß-Waden-Wickel (als erweiterte Form) und **Armwickel** werden in gleicher Technik angelegt. Sie sind nur verschieden groß. Die Tücher werden dabei zum Dreieck gefaltet

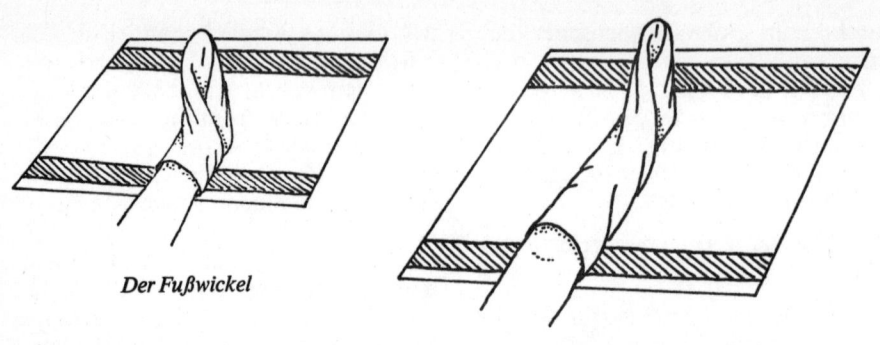

Der Fußwickel

Der Fuß-Waden-Wickel

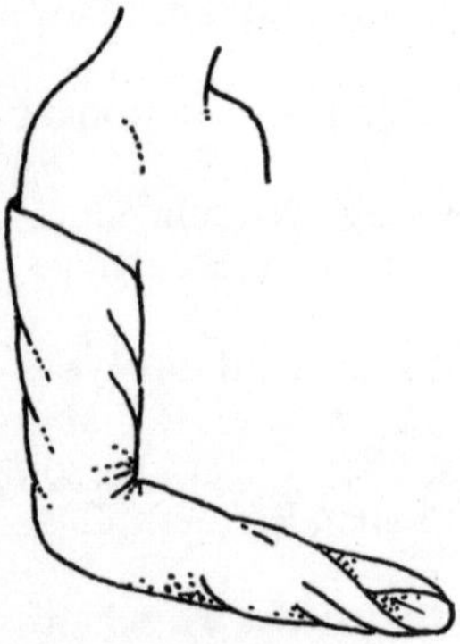

Der Armwickel

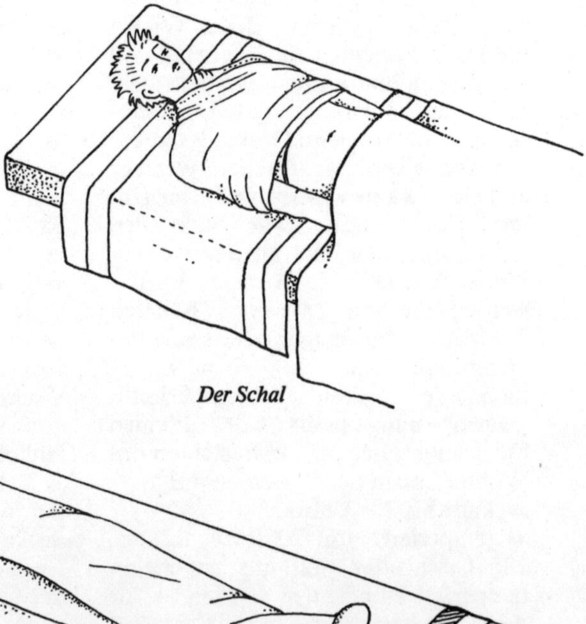

Der Schal

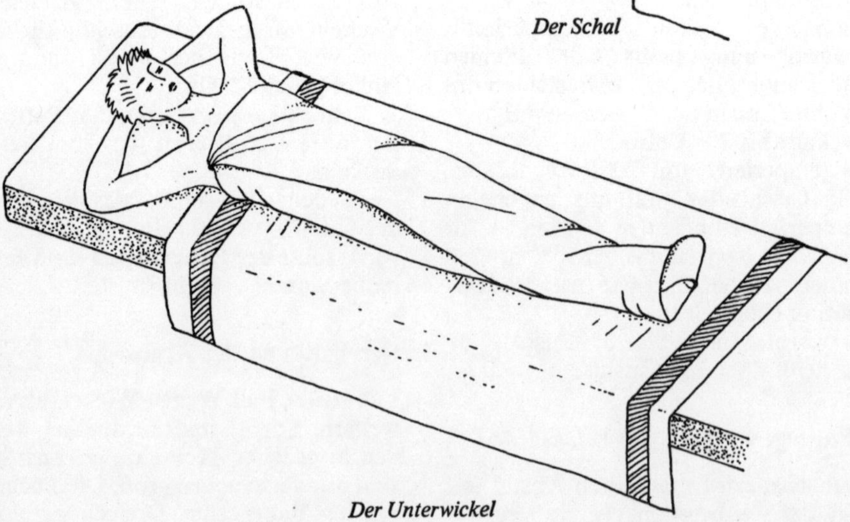

Der Unterwickel

und so gelegt, daß die Zehen bzw. die Finger zur Spitze des Dreieckes zeigen. Davon muß man so viel freilassen, daß beim Zurückschlagen der Hand- bzw. der Fußrücken zugedeckt werden.

Der Unterwickel

Beim **Unterwickel** wird der Körper von der Achselhöhle bis zu den Füßen eingepackt. Das nasse Innentuch wird so über den Leib und die Beine geschlagen, daß auch die Füße gut eingepackt werden können. Dazu muß das Tuch unten ausreichend Spielraum haben.

Der Schal umschließt den Oberkörper einschließlich des Halses und die Oberarme bis zum Ellbogen. Um den Schalwickel richtig durchführen zu können, muß man das viereckige Innentuch nach dem Anfeuchten zu einem Dreieck falten.

● Auf dieses legt sich der Patient, wobei die Spitze nach unten, gegen das Gesäß, die Breitseite nach oben bis zum Haaransatz gelegt werden (damit auch der Hals mit eingepackt werden kann).

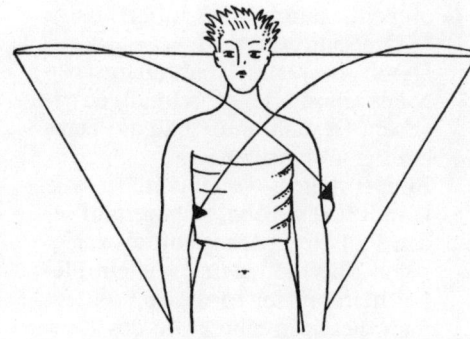

*Das Legen der Innentücher
beim Schal*

● Nun wird über die Brust das zweite, kleinere Innentuch gelegt und an beiden Brustseiten eingeschlagen.

● Darüber wird das große Innentuch gelegt — so daß es auch die Oberarme miterfaßt.

● Die zuerst eingeschlagene Spitze des zum Dreieck gefalteten Tuches wird zwischen Brustkorb und Oberarm der anderen Seite gegeben, die zweite Spitze an die Außenseite des zweiten Oberarmes modelliert. So sind Brustkorb und Arminnenseiten durch ein feuchtes Innentuch voneinander getrennt. Dies ist für die richtige Dunstbildung dieses Wickels sehr wichtig.

Die Bäder

Auch Bäder gibt es in der Kneipptherapie in mehreren Varianten:

● Als Vollbäder, Dreiviertelbäder, Halbbäder, Sitzbäder, Armbäder und Fußbäder.

● Kalt, temperiert, warm und heiß (Überwärmungsbad), mit gleichbleibender, ansteigender oder abfallender Temperatur.

● Als Wechselbad, das sind warme Bäder, die durch einen kurzen Guß (Dusche, Waschung, Bad) unterbrochen und dann wieder fortgesetzt werden.

● Mit oder ohne Badezusatz.

Für die rheumatische Erkrankung des Grafen N. hat Kneipp das **warme Vollbad mit Kräuterzusatz und dazwischengeschalteten Wechsel** eingesetzt. Die Temperatur lag bei 38° Celsius. Höhere Temperaturen führen zum Wärmestau — was besonders bei Rückenleiden manchmal erwünscht ist, aber Herz und Kreislauf stark belastet. Man muß den Arzt fragen, ob sie angebracht und zugleich unbedenklich sind. Und tiefere Temperaturen (unter 34°) werden von vielen an rheumatischen Leiden Erkrankten nicht als wohltuend empfunden. Die Gesamtdauer des warmen Vollbades mit dreimaligem Wechsel betrug bei Kneipp 30 Minuten. Also:

● Beginn mit warmem Bad, 7 Minuten,
● dann 10 bis 15 Sekunden kalte Ganzkörperanwendung (erster Wechsel),
● wieder 7 Minuten warmes Bad – kurze Kaltanwendung (zweiter Wechsel),
● das gleiche noch einmal (dritter Wechsel).
● Den Abschluß bilden ein letztes 7-Minuten-Warmbad und
● eine kurze temperierte oder kalte Dusche.
● Dann im gut vorgewärmten Bett 30 Minuten lang nachruhen.

Im Hausgebrauch wird man die zwischengeschaltete Kaltanwendung in Form einer kurzen Ganzwaschung durchführen, da man meist nicht zugleich warm baden und kalt duschen kann. Erst die abschließende = vierte Kaltanwendung wird als Dusche möglich sein, da man das Badewasser jetzt ablaufen läßt.
Die Häufigkeit der Anwendung: zweimal pro Woche.

Die Wirkung der Badezusätze

1. Das Haferstroh
Bindegewebsstärkend durch seinen Gehalt an Kieselsäure, zugleich schmerzstillend und antirheumatisch.

2. Die Fichtennadeln
Muskelentspannend und stoffwechselanregend. Der aus den Nadeln und den kleinen Zweigen hergestellte Fichtennadel-Vollextrakt wirkt besonders bei Verspannungen. Bei dem aus Fichtenrinde hergestellten Lohtannin-Bad steht die anregende Wirkung im Vordergrund.

3. Die Heublumen
Sie werden aus der Gesamtheit der Blüten, Gräser, Blätter und Samen, die sich auf einer Wiese befinden, hergestellt. Da bei den Heublumen die schmerzstillende Wirkung im Vordergrund steht, werden sie gerne bei akut auftretendem Hexenschuß eingesetzt. Beliebt ist auch der Heublumensack – gegen kleinflächige Verspannungen am Nacken oder im Lendenbereich. Seine Wirkung ist oft so ausgeprägt, daß man ihn als das „Morphium der Naturheilkunde" bezeichnet hat.

Die Zubereitung eines Heublumensackes
Man nimmt einen Leinensack von passender Größe – dem Schmerzbereich entsprechend –, füllt ihn zu drei Viertel mit Heublumen und knöpft oder bindet ihn gut zu. Der gefüllte Sack wird mit siedendem Wasser überbrüht. 10 Minuten im heißen Wasser belassen, dann mit einer eigenen Heusackpresse oder zwischen zwei Brettern gut auspressen, damit alles überflüssige Wasser entfernt wird.

Durch zu heiße Heublumensäcke hat es schon oft Verbrennungen gegeben. Deshalb muß man die Temperatur überprüfen.

Einigermaßen verläßlich ist die Handrückenprobe, sicherer auf jeden Fall die Prüfung mittels geeigneten Thermometers. Wie ein Fieberthermometer in die Achsel legt man diesen in eine Falte des Heublumensackes. 42° Celsius gelten als richtige Temperatur.

Hilf Dir selbst bei Rückenschmerzen

Behandlung über Punkte und Flächen

I. Einzelpunkte und Punktekombinationen

Gegen die verschiedenen Arten von Rückenschmerzen gibt es spezifisch wirksame Einzelpunkte, mit deren Hilfe man momentan auftretende Schmerzzustände lindern kann. Und Kombinationen von Einzelpunkten, die sowohl für den Bedarf als auch für den kurmäßigen Einsatz verwendet werden. In diesem Fall massiert man die zur Beschwerdeart passende Kombination täglich ein- bis zweimal. Die Technik der Punktmassage ist eingehend ab Seite 116 beschrieben.

1. Die Einzelpunkte

Sie wirken auf einen größeren oder kleineren Rückenabschnitt, z. B. auf den Nacken, den Lendenbereich oder auch speziell bei Ischias. Ihr Auffinden bereitet keine großen Schwierigkeiten. Alle hier beschriebenen Einzelpunkte befinden sich entweder auf dem Handrücken oder auf einer Linie, die von der Unterschenkelaußenseite zur Ferse verläuft.

a) Die Handpunkte

Sie sind erst in jüngerer Zeit gefunden worden. Man gab ihnen praktische Namen, welche exakt aussagen, wogegen sie wirken.

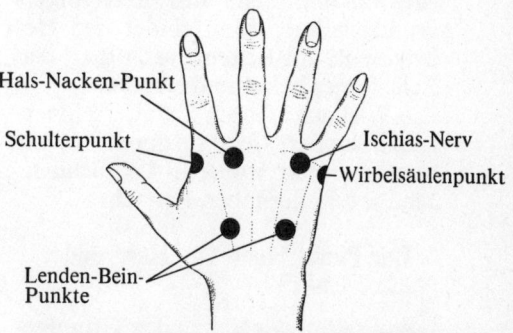

Die rückenwirksamen Handpunkte auf einen Blick. Sie verteilen sich in einem leicht merkbaren Muster: Beidseits des Zeigefingergrundgelenkes, beidseits des Kleinfingergrundgelenkes und 2 Querfinger oberhalb der stärksten Handgelenksfalte.
Die aus dem Chinesischen übersetzten Namen sagen deutlich aus, in welche Richtung die einzelnen Punkte wirken. Die Handpunkte sind in erster Linie Punkte für den Akutfall: für den momentanen Hexenschuß. Der diesbezüglich Anfällige sollte das Schema abzeichnen und für den Bedarfsfall bei sich tragen.

1. Die beiden Punkte Hand 1 „Lenden-Bein-Punkte"

Lokalisation: An der Außenseite der Strecksehnen des Zeigefingers bzw. Kleinfingers, zwei Querfinger vor der

---

* Das Buch „Rückenschmerz, Bandscheiben und Ischias" von Dr. med. Ulf Böhmig ist ein unentbehrlicher Ratgeber im Hinblick auf naturnahe Behandlung für alle, die in diesen Bereichen Schmerzen haben (Verlag Orac).

deutlichsten Querfalte des Handgelenkrückens. Wenn man die Finger beugt und streckt, tastet man die Sehnen, weil sie sich bewegen, am besten.
Die Wirkung: Gegen den akuten Verrenkungsschmerz im Lendenbereich, mit oder ohne Ausstrahlung in das Bein.

2. Der Punkt Hand 5 „Schulterpunkt"

Lokalisation: An der dem Daumen zugewandten Seite des Zeigefingergrundgelenkes. Man findet den Gelenksspalt am besten, wenn man den Zeigefinger beugt und streckt.
Die Wirkung: Gegen Schulterschmerzen, besonders wenn sie durch Zugluft hervorgerufen wurden. Bei Schmerzen im schulternahen Bereich.

3. Der Punkt Hand 14 „Hals- und Nackenpunkt"

Lokalisation: Zwischen den Grundgelenken des 2. und 3. Fingers am Handrücken, näher dem 2. Fingergrundgelenk. Wenn man die Hand zur Faust ballt, findet man den Punkt leicht – in der Mulde zwischen den Knöcheln der Finger.
Die Wirkung: Gegen den Verrenkungsschmerz im Bereich der Halswirbel, gegen Hexenschuß im Nacken. Auch gegen ausstrahlende Schmerzen in den Hinterkopf, die Schultern oder die Arme, die ihre Ursache im Halswirbelbereich haben.

4. Der Punkt Hand 12 „Ischias-Nerv"

Lokalisation: Zwischen den Grundgelenken des 4. und 5. Fingers am Handrücken, näher dem 4. Fingergrundgelenk. Bei geballter Faust in der Mulde zwischen den Knöcheln der Finger.

Die Wirkung: Gegen den Ischiasschmerz, gegen Schmerzen im Gesäß und gegen Hüftgelenksschmerzen.

5. Der Punkt Hand 11 „Wirbelsäulenpunkt"

Lokalisation: Am äußeren Gelenksspalt des Kleinfingergrundgelenkes. Man findet den Gelenksspalt am besten, wenn man den Kleinfinger beugt und streckt.
Die Wirkung: Gegen Schmerzen nach Wirbelsäulenprellungen oder Überdehnungen, auch gegen Kreuzschmerzen nach Wirbeloperationen sowie gegen den Steißbeinschmerz.

b) Die Fußpunkte

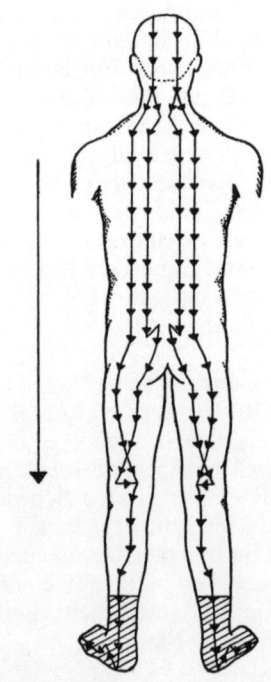

Der Blasenmeridian
Der Pfeil gibt die Verlaufrichtung der Energie an.

Sie befinden sich im unteren Verlauf des Blasenmeridians und wurden von den alten Chinesen schon vor 5000 Jahren gegen Rückenschmerzen eingesetzt. Der Blasenmeridian ist mit 67 Punkten der punktereichste und längste Meridian unseres Körpers. Beginnend in den Augenwinkeln, läuft er beiderseits in zwei Spuren über den Rücken bis in die Kniekehle, von dort in einer Spur bis zur Kleinzehe. Sein Verlauf am Bein entspricht dem Ausstrahlungsgebiet des Ischiasnerves. Deshalb kann man die folgenden beschriebenen Punkte auch hier einsetzen, denn es gibt die allgemeine Regel, daß die Endpunkte eines Meridianes auf Schmerzgeschehen wirken, welche sich im Verlauf des Meridians abspielen. Die Namen der Punkte sind nicht so eindeutig wie die der Handpunkte, doch gibt es auch hier sinnvolle Bezeichnungen. So heißt der Punkt an der Außenseite der Ferse „Hilfe der Hausangestellten", und ein anderer Punkt trägt den Beinamen „Meister der Schmerzbekämpfung".

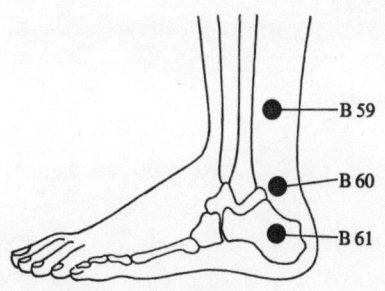

1. Der Punkt B 59 „Yang des Fußknochens"

Lokalisation: Je nach Körpergröße 6 bis 9 cm oberhalb des Außenknöchels, am seitlichen Rand der sich verbreiternden Achillessehne.

Die Wirkung: Gegen Schmerzen im Lenden- und Kreuzbereich, gegen Schmerzen und Schwellungen an den Knöcheln, gegen Kopfschmerzen.

2. Der Punkt B 60 „Koun Lun" (Name eines Berges in Tibet), Beiname „Meister der Schmerzbekämpfung"

Lokalisation: In der Mitte einer gedachten Linie zwischen der Spitze des äußeren Knöchels, knapp oberhalb der oberen Fersenbeinkante, gegen die man massiert.
Die Wirkung: Gegen Nacken-, Rücken-, Lenden- und Ischiasschmerzen. Darüber hinaus gegen Schmerzen am ganzen Körper, Schwäche an den Beinen und Erschöpfung nach Gewalttouren. Auch gegen Wadenkrämpfe und Hämorrhoiden.

3. Der Punkt B 61 „Hilfe der Hausangestellten"

Lokalisation: Zentral über der Außenfläche des Fersenbeins.
Die Wirkung: Gegen Kreuz- und Rückenschmerzen sowie gegen Knöchel- und Fußschmerzen. Auch gegen geschwollene Beine. Gegen alle Beschwerden, welche Hausangestellte nach langem Stehen auf hartem Boden oder nach langer Arbeit in vorgebeugter Haltung verspüren. Auch die weiteren Punkte im Endverlauf des Blasenmeridians wirken gegen Rückenschmerzen. Da aber ihr Haupteinsatzgebiet die verschiedenen Arten von Kopfschmerzen sind, werden sie dort besprochen (ab Seite 175).

2. Die Punktekombinationen

Während die Einzelpunkte vorwiegend bei akutem Schmerzgeschehen am Rücken eingesetzt werden, sind die Punktekombinationen vor allem für den chronisch Leidenden gedacht. Es gibt Überschneidungen: Einige der bereits besprochenen Einzelpunkte kommen auch in der Kombination vor. Nur werden sie durch andere Punkte in der Zielwirkung unterstützt. Zu den Zielen gehört hier nicht nur die Schmerzlinderung, sondern auch die Förderung von regulativen Prozessen, wie der Aufbau von geschädigten Geweben, besserer Kalkeinbau in den Knochen usw. Daß man über Akupunkturpunkte solche Initiativen setzen kann, scheint durch vielfältige Beobachtung bestätigt.

Die folgenden Punktekombinationen sind etwas diffiziler als die Einzelpunkte. Man muß sich nicht nur darüber im klaren sein, *wo* es weh tut, sondern auch, *wie* es weh tut. Ob beim Drehen oder beim Beugen und Strecken des Rumpfes.

Wenn man im persönlichen Fall die richtige Kombination gefunden hat, verwendet man sie am besten kurmäßig. Die an der Kombination beteiligten Punkte werden ein- bis mehrmals täglich akupressiert. Etwa zwei bis

vier Wochen lang. Die Punkte tragen vor ihrem Namen deutsche Kürzel und eine Nummer. Was sie bedeuten, ist auf Seite 118 beschrieben.

Beschreibung und Lokalisation der Punkte bei Nacken- und Rückenbeschwerden:

1. Der Punkt B 60, „Koun Lun" (Name eines Berges in Tibet).
Lokalisation: In der Mitte zwischen Achillessehne und Außenknöchel, an der Oberkante des Fersenbeins.
2. Der Punkt Dü 3, „Hintere Schlucht".
Lokalisation: An der seitlichen Handkante, am Ende der queren Handlinie.
3. Der Punkt Dü 6, „Pflege des Alters".
Lokalisation: Am vorderen Unterarmrücken, direkt unter dem vorstehenden Ellenbeinknöchelchen.
4. Der Punkt B 10, „Himmelssäule".
Lokalisation: Am Nacken-Hinterkopfübergang, 3 cm von der Mittellinie, in einer Vertiefung.
5. Der Punkt G 39, „Aufgehängte Glocke".
Lokalisation: 5 cm oberhalb des Au-

Akupunktmassage bei Nackenschmerzen

A. Nackenschmerzen in der Mitte
Bewegungsschmerz bei Vor- und Rückenbeugen des Kopfes

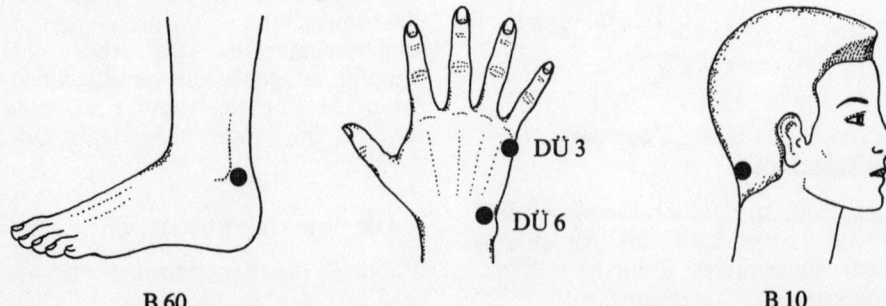

B 60   DÜ 3   DÜ 6   B 10

B. Nackenschmerzen seitlich
Bewegungsschmerz bei Drehen und Wenden des Kopfes

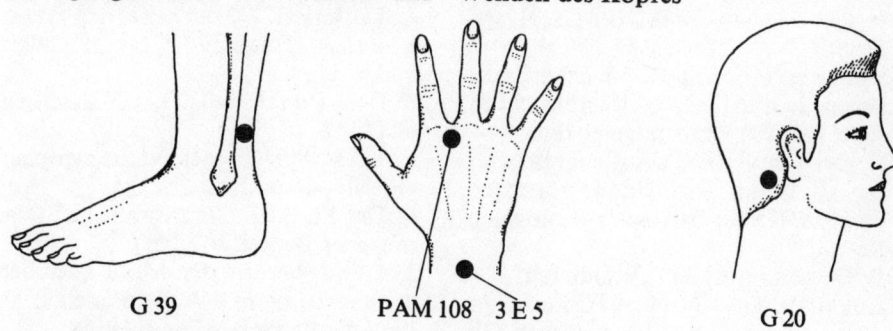

G 39   PAM 108   3 E 5   G 20

Akupunktmassage bei Rückenbeschwerden

A. Rückenschmerzen nahe der Wirbelsäule
Bewegungsschmerz bei Vorbeugen und Aufrichten

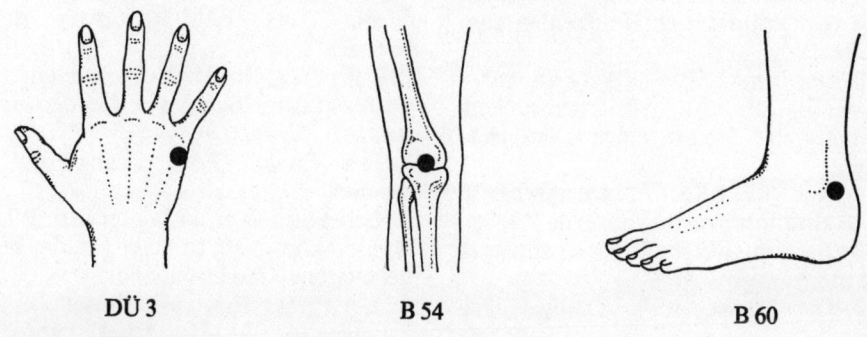

DÜ 3   B 54   B 60

B. Rückenschmerzen seitlich, am Brustkorb
Bewegungsschmerz bei Drehen des Brustkorbes

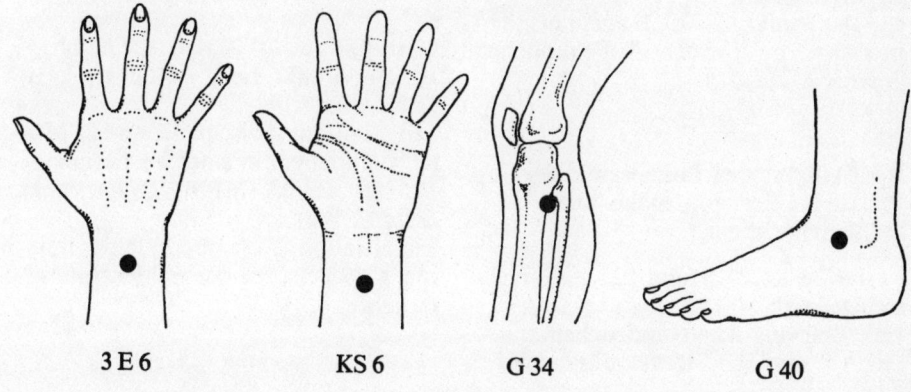

3 E 6   KS 6   G 34   G 40

ßenknöchels, an der Hinterseite des Wadenbeins.

6. Der Punkt PaM 108, „Hexenschuß".
Lokalisation: Am Handrücken, zwischen 2. und 3. Mittelhandknochen, nahe den Fingergrundgelenken.

7. Der Punkt 3E5, „Außengrenze".
Lokalisation: Am Unterarmrücken, 3 cm hinter der Mitte des Handgelenkes.

8. Der Punkt G 20, „Windteich".
Lokalisation: Nacken-Hinterhauptübergang, in der Mitte zwischen Ohr und hinterer Mittellinie, in einer Vertiefung.

9. Der Punkt B 54, „Mittlere Speicherung".
Lokalisation: Direkt in der Kniekehle, im Mittelpunkt der Kniekehlenquerfalte.

10. Der Punkt 3E6, „Zweiggraben".
Lokalisation: Am Unterarmrücken, 4 cm hinter der Mitte des Handgelenkes.

11. Der Punkt KS 6, „Innengrenze".
Lokalisation: Am Unterarm-Vorderarm, 5 cm oberhalb der mittleren Handgelenksfalte.

12. Der Punkt G 34, „Yang-Hügel-Quelle".
Lokalisation: Vor und unter dem Wadenbeinköpfchen, in einer Mulde, bei gebeugtem Knie gut tastbar.

13. Der Punkt G 40, „Hügelmarkt".
Lokalisation: Vor dem Außenknöchel in einer Mulde.

Beschreibung und Lokalisation der Punkte bei Kreuz-, Lenden- und Hüftbeschwerden:

1. Der Punkt Hand 12, „Nervus Ischiadicus".
Lokalisation: Am Handrücken, zwischen 4. und 5. Mittelhandknochen.

2. Der Punkt Dü 3, „Hintere Schlucht".
Lokalisation: An der seitlichen Handkante, am Ende der queren Handgelenkslinie.

3. Der Punkt LG 25, „Wassergraben".
Lokalisation: In der Mitte zwischen Oberlippe und Nase.

4. Der Punkt B 60, „Koun Lun" (Name eines Berges in Tibet).
Lokalisation: In der Mitte zwischen Achillessehne und Außenknöchel, an der Oberkante des Fersenbeins.

5. Der Punkt Dü 6, „Pflege des Alters".
Lokalisation: Am vorderen Unterarmrücken, direkt unter dem vorstehenden Ellenbeinknöchelchen.

6. Der Punkt PaM 74, „Auge des Kreuzes".
Lokalisation: In der Beckenschaufelmitte, in der Höhe des 4. Lendenwirbels.

7. Der Punkt G 34, „Yang-Hügel-Quelle".
Lokalisation: Vor und unter dem Wadenbeinköpfchen, in einer Mulde, bei gebeugtem Knie gut tastbar.

8. Der Punkt 3E3, „Mittelinsel".
Lokalisation: Am Handrücken vorne, zwischen 4. und 5. Mittelhandknochen.

9. Der Punkt B 32, „Folgende Grube".
Lokalisation: Im 2. Kreuzbeinloch.

10. Der Punkt Le 3, „Höchster Angriffspunkt".
Lokalisation: Zwischen 1. und 2. Mittelfußknochen, in einer Vertiefung.

11. Der Punkt MP 6, „Treffpunkt der drei Yin".
Lokalisation: 5 cm oberhalb des inneren Knöchels, an der Schienbeinhinterkante.

Akupunktmassage bei Kreuz- Lenden- und Hüftbeschwerden

A. Kreuz- und Lendenschmerzen in der Mitte
Bewegungsschmerzen bei Beugen und Aufrichten

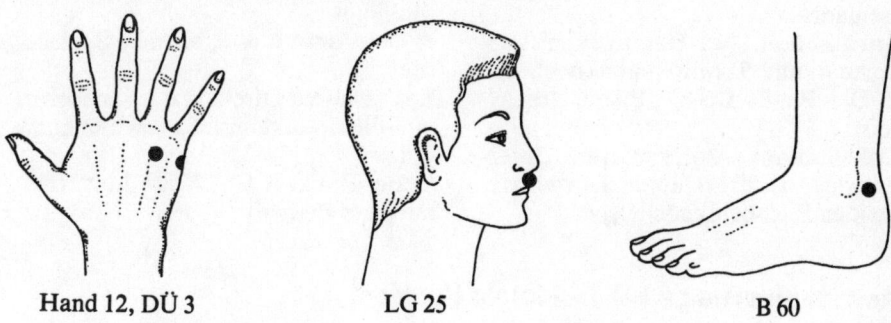

Hand 12, DÜ 3   LG 25   B 60

B. Kreuz- und Lendenschmerzen seitlich (Beckenkamm)
Bewegungsschmerz bei Beugen, Strecken und Dehnen des Rumpfes

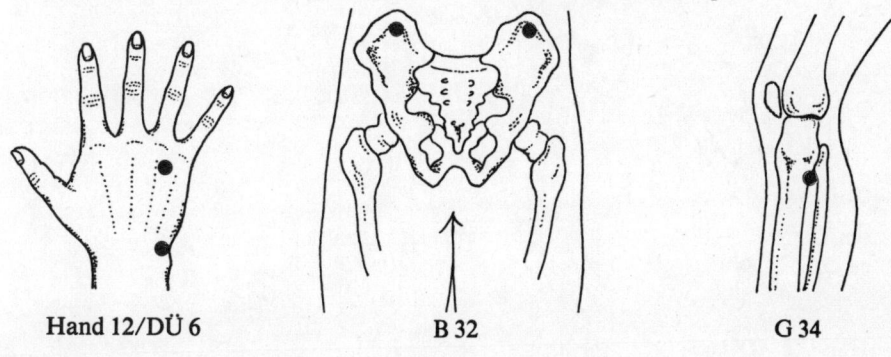

Hand 12/DÜ 6   B 32   G 34

C. Kreuz- und Lendenschmerzen außen, in Hüftgelenk und Leiste aus-strahlend
Bewegungsschmerz bei Drehen des Rumpfes

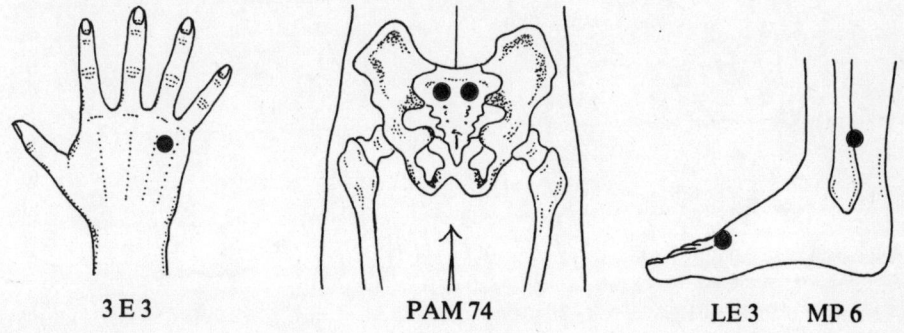

3 E 3   PAM 74   LE 3   MP 6

143

Beschreibung und Lokalisation der Punkte bei Ischialgie (Ischias):

1. Der Punkt Hand 12, „Nervus Ischiadicus".
Lokalisation: Am Handrücken, zwischen 4. und 5. Mittelhandknochen.
2. Der Punkt Dü 6, „Pflege des Alters".
Lokalisation: Am vorderen Unterarmrücken, direkt unter dem vorstehenden Ellenbeinknöchelchen.

3. Der Punkt G 30, „In den Reifen springen".
Lokalisation: Hinter dem vorstehenden Oberschenkelknochen, in einer Mulde.
4. Der Punkt B 54, „Mittlere Speicherung".
Lokalisation: Direkt in der Kniekehle, im Mittelpunkt der Kniekehlenquerfalte.
5. Der Punkt B 60, „Koun Lun" (Name eines Berges in Tibet).

Akupunktmassage bei Ischialgie (Ischias)

A. Ischialgie hinten
Schmerzen bei Beugen und Strecken des Rumpfes, ausstrahlend in das Bein

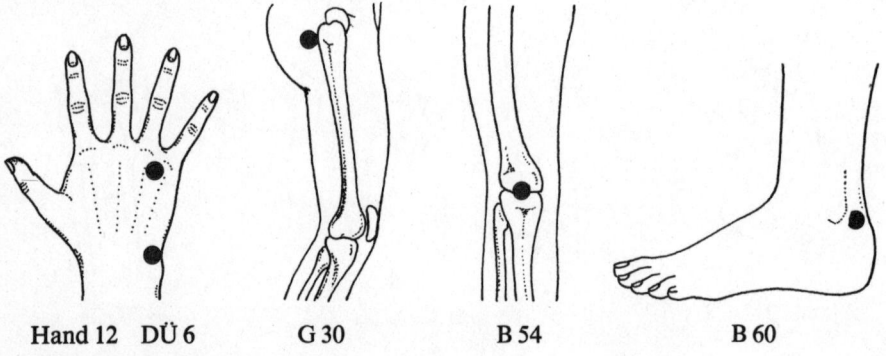

Hand 12   DÜ 6   G 30   B 54   B 60

B. Ischialgie seitlich
Schmerzen bei Drehen des Rumpfes, ausstrahlend in das Bein

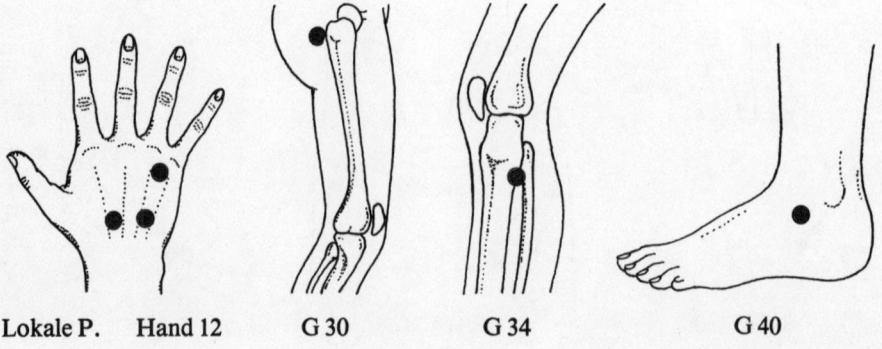

Lokale P.   Hand 12   G 30   G 34   G 40

Lokalisation: In der Mitte zwischen Achillessehne und Außenknöchel, an der Oberkante des Fersenbeins.

6. Der Punkt G 34, „Yang-Hügel-Quelle".

Lokalisation: Vor und hinter dem Wadenbeinköpfchen, in einer Mulde, bei gebeugtem Knie gut tastbar.

7. Der Punkt G 40, „Hügelmarkt".

Lokalisation: Vor dem Außenknöchel, in einer Mulde.

8. Lokale Punkte befinden sich am Handrücken.

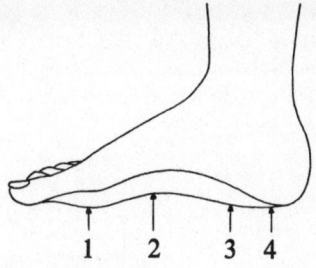

1 Halswirbelsäule
2 Brustwirbelsäule
3 Lendenwirbelsäule
4 Steißbein

Die Reflexzonen

Auch über Reflexzonen kann man Rückenschmerzen, Bandscheibenleiden und Ischias günstig beeinflussen. Ihre Handhabung aber ist bereits diffiziler: Um echten Erfolg zu erreichen, bedarf es schon eines Fachmannes und seiner geübten Finger. Das gilt sowohl für die Fußreflexzonenmassage wie für die Rückenreflexzonenmassage.

Deshalb sind hier nur vereinfachte Techniken, wie man sie auch im Hausgebrauch nutzen kann, ohne sich Schaden zu setzen, angeführt.

Vor allem bei den Rückenreflexzonen sollte man bedenken, daß es ein Unterschied ist, ob man Fernwirkungen auf Organe über Rückenareale erzielen will, welche selbst nicht besonders schmerzen, oder ob man an einem Rücken, der selbst geschädigt ist, manipuliert. Unsachgemäßes Arbeiten kann hier einiges verschlechtern.

Die *Fußreflexzone* für die Wirbelsäule beginnt am Großzehengrundgelenk und tangiert hier gerade noch die Fußsohle selbst. Dort befindet sich das Areal für die Halswirbelsäule. Direkt in der Falte des Grundgelenkes der Großzehe ist der Abschnitt für die so wichtigen sechsten und siebenten Halswirbel.

Das Areal für die Brustwirbelsäule verläßt die eigentliche Fußsohle und bewegt sich in einer sanften Linie an der Seiteninnenkante des Fußes.

Die Areale für die Lendenwirbelsäule und für das Steißbein sind in Richtung Ferse daran angelagert und erreichen wieder die Sohle.

Man bearbeitet das jeweils entsprechende Areal im Hausgebrauch am besten mit dem Stiel eines erwärmten Löffels. Das ist alles andere als fachgemäß, aber so kann man sich am wenigsten schaden, und etwas Hilfe bringt es doch.

Bedächtig mit kreisenden Bewegungen massieren. Die Massage immer wieder unterbrechen und leichte Bewegungsübungen durchführen. Es steigert den Erfolg.

1 – 2 × täglich, an beiden Fußsohlen.

Auch das Rollen mit einem Ball führt, wenn man es geschickt macht, zum Ziel.

Eine eigene Fußreflexzone gibt es für Ischiasschmerzen. Die Technik der Behandlung im Hausgebrauch ist dieselbe wie oben beschrieben.

Ischiaszone
an der Fußsohle

man das falsch macht, erhöht sich die Muskelspannung und die Beschwerden nehmen zu. Besonders in der Mitte der Schulterblattinnenkante findet man bei praktisch jedem Rückengeschädigten solche verhärteten Stränge. Vorsicht! *Diese Arbeit lieber dem Fachmann überlassen.* Man kann von solchen Stellen echte Migränen auslösen.

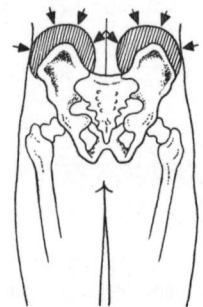

Beckenkammkanten

Die *Rückenreflexzonen* für die verschiedenen Arten von Rückenbeschwerden oder für Ischias sind äußerst kompliziert. Es müssen die Reflexe oft erst über eine „muskuläre" Massage an den Bauchdecken vorausgelöst werden, dann wird das Bindegewebe bearbeitet, dann erst kommt die kranke Seite in Arbeit, dann wieder Zwischenreflexsetzung über Beckenkamm oder Schulterblatt, anschließend „Anhakstriche" am Oberschenkel- oder Schulterknochen und als letztes das Wirbelsäulengebiet. „Muskuläre", „bindegewebige" Massage oder „Lymphdrainage" wählt man nach Befund und Notwendigkeit, also von Fall zu Fall.
Hier ist man im Hausgebrauch doch überfordert.
Zwei Stellen kann man aber empfehlen: die **Massage des Beckenkammes** und die **Massage der Schulterblattkanten.** Man massiert sehr sanft und sehr bedächtig, in kreisenden Bewegungen. Auf keinen Fall sollte man, wenn man auf Muskelverhärtungen trifft, diese „ausmassieren" wollen. Wenn

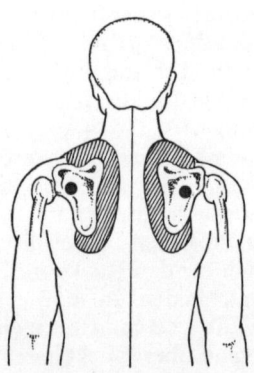

Schulterkammkanten

Für den Hausgebrauch kann man bei Rückenbeschwerden nur sehr sanfte Massagen entlang der Beckenkammkanten und entlang der Schulterblattkanten empfehlen. Über die Beinhaut des Knochens werden von hier aus Reflexe mit entspannender Wirkung ausgelöst. Massagen, die darüber hinaus gehen, sollte man dem Fachmann überlassen.

Bewegungstherapie und Gymnastik

I. Übungsbeispiele für zu Hause

A. Allgemeine Übung (Surya Namaskar)

Eine einfache und in der Yoga-Praxis bewährte Übung ist ein *Namaskar*. Von mehreren Formen scheint eine bestimmte zur Vorbeugung und Linderung von Rückenbeschwerden besonders geeignet: der *Surya Namaskar*. Man könnte den Begriff mit „Sonnengebet" übersetzen. Das türkisch-persische *Namas* ist die Bezeichnung für das kanonische Gebet der Mohammedaner. Dementsprechend ist ein Namaskar eine Art Richtschnur (Kanon), eine allgemeine Anleitung, in die man Varianten einbauen kann, ganz nach persönlichen Bedürfnissen. Und Surya ist der Sonnengott der vedischen Mythologie.

Wesentlich beim Namaskar ist die Abstimmung von Atmung und Bewegung. Beides ist von gleicher Wichtigkeit. Das ist einleuchtend, hat doch ein Teil unserer Wirbel über die Wirbel-Rippengelenke direkt mit der Atmung zu tun.

Der Namaskar in seiner Grundform wird in 10 Takten durchgeführt und kann mehrmals in gleicher Weise – oder in Varianten – wiederholt werden. Er eignet sich sehr als erste Morgengymnastik im Freien. Dehnung und Streckung sowie Anregung des Kreislaufes, alles im Atemrhythmus, stehen im Vordergrund.

Ein Namaskar dauert etwa 2 Minuten

– die 7 Atemzüge im ersten und zehnten Takt miteingerechnet. Man kann also mehrere Namaskar hintereinander absolvieren.

Zum Beispiel: Den ersten und/oder den zehnten Takt in der Hockestellung, mit den sieben Atemzügen, oder den vierten und/oder siebenten Takt mit Rumpf-Drehbewegungen durchführen usw. Seien Sie erfinderisch!

Ablauf eines Surya-Namaskar

1. Takt: Stehen – Schultern hochheben und siebenmal einatmen – siebenmal ausatmen. Vor der siebenten Ausatmung beginnt der zweite Takt.

2. Takt: Den Oberkörper bei gestreckten Beinen vorbeugen, so gut man kann – Augen auf die Taille gerichtet. Ausatmen.

3. Takt: Die Haltung eines Sprinters vor dem Start einnehmen – einatmen.

4. Takt: Arme und Beine auf den Boden – zugleich Katzenbuckel machen – während der Zeit Atem anhalten.

5. Takt: Liegestütze – ausatmen.
Die Liegestütze werden während dieser Zeit mit abgewinkelten Armen durchgeführt.

6. Takt: Ellbogen durchstrecken – Körper durchhängen lassen – einatmen.

7. Takt: Wie vierter Takt:
Arme und Beine auf den Boden – Katzenbuckel machen – Atem anhalten.

8. Takt: Wie dritter Takt:
Sprinterstellung einnehmen, nur die Beine umgekehrt – weiterhin Atem anhalten.

9. Takt: Wie zweiter Takt. Bei gestreckten Beinen sich soweit wie möglich nach vorne beugen – ausatmen.

10. Takt: Aufstehen – Arme und Schultern anheben – einatmen. Wieder siebenmal ein- und siebenmal ausatmen.

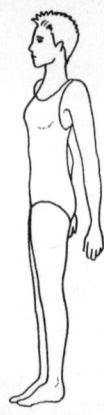

1. Takt
Den Leib hochziehen, siebenmal ein- und ausatmen, beim siebentenmal in 2. Stellung übergehen und ausatmen.

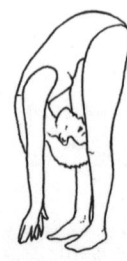

2. Takt
Die Augen auf Taille richten, die Nase soll Knie berühren. Steife Knie, die Hände auf den Boden, ausatmen.

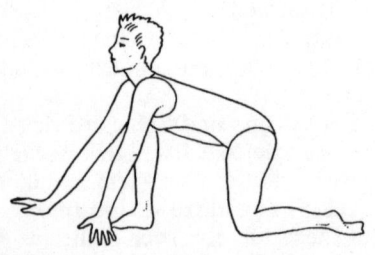

3. Takt
Arme gestreckt, auf den Boden aufgestützt. Das linke Knie auf den Boden. (Jede 2. Runde rechtes Knie.) Kopf hoch. Linken Schenkel in Seite drücken, einatmen.

4. Takt
V-Stellung. Kinn auf Hals, Fersen am Boden, Atem anhalten.

5. Takt
Zehen, Knie, Brust, Stirn auf den Boden. – Hüften und Unterleib hoch. Kinn auf Schlüsselbein, ausatmen.

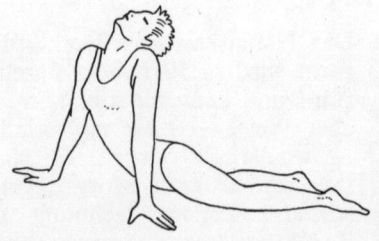

6. Takt
Brust heraus. Rücken hohl. Kopf zurück. Hals gestreckt. Knie Boden berührend, einatmen.

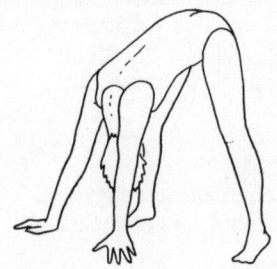

7. Takt
V-Stellung wie oben, Atem anhalten.

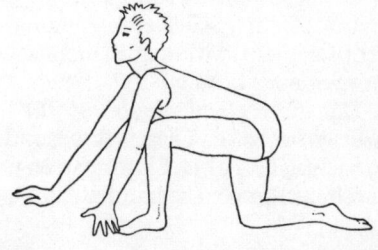

8. Takt
Stellung wie dritte Übung, aber rechtes Knie auf den Boden (Jede 2. Runde linkes Knie), einatmen.

9. Takt
Stellung wie zweite Übung, ausatmen.

10. Takt
Stellung wie erste Übung, siebenmal ein- und ausatmen, Übergang zum 2. Namaskar.

B. Übungen für die einzelnen Wirbelsäulenabschnitte

Sie lassen sich vorteilhaft nach der durch den Namaskar erzielten allgemeinen Lockerung durchführen. **Die Übungen sollen locker und ohne Anstrengung durchgeführt werden.** Man soll den Muskel dehnen, aber nicht überdehnen. Und denke dabei an ein japanisches Sprichwort: „Jeden Tag ein Tropfen mehr." Auf diese Trainingsphilosophie haben die Japaner ihre Turner eingestellt, die schließlich die Besten der Welt wurden, wahre Wirbelsäulenakrobaten. Durch asiatische Geduld und Ausdauer – und durch *Nicht*überziehen der Übungen – erreicht man am meisten. Andere Länder, die ihre Leistungsspitze der Turner zu schnell herausbringen wollten, ließen mit Gewalt üben und hatten Ausfälle durch Bänderzerrungen, Sehnenscheidenentzündungen usw. Man kann die Richtlinien für olympisches Turnen sehr wohl auf die häusliche Gymnastik des Rückengeschädigten übertragen, was nämlich die

Übungsvorsicht und die Gewaltlosigkeit der Übungen anbetrifft. Hier wie dort gilt „steter Tropfen höhlt den Stein". Also: „Jeden Tag (nur) einen Tropfen mehr." Man muß nicht schon morgen alles können.

1. *Die Beweglichkeitsübung für die Halswirbelsäule.* Diese ist besonders vorsichtig und ohne Kraftanstrengung durchzuführen. Es handelt sich um zwei einfach durchzuführende Bewegungsarten, um das Seitlichneigen des Kopfes und um das Kopfdrehen, die jeweils aus drei verschiedenen Ausgangsstellungen durchgeführt werden.

a) Kopf gerade,
b) Kopf nach vorne gebeugt und
c) Kopf nach hinten gestreckt.

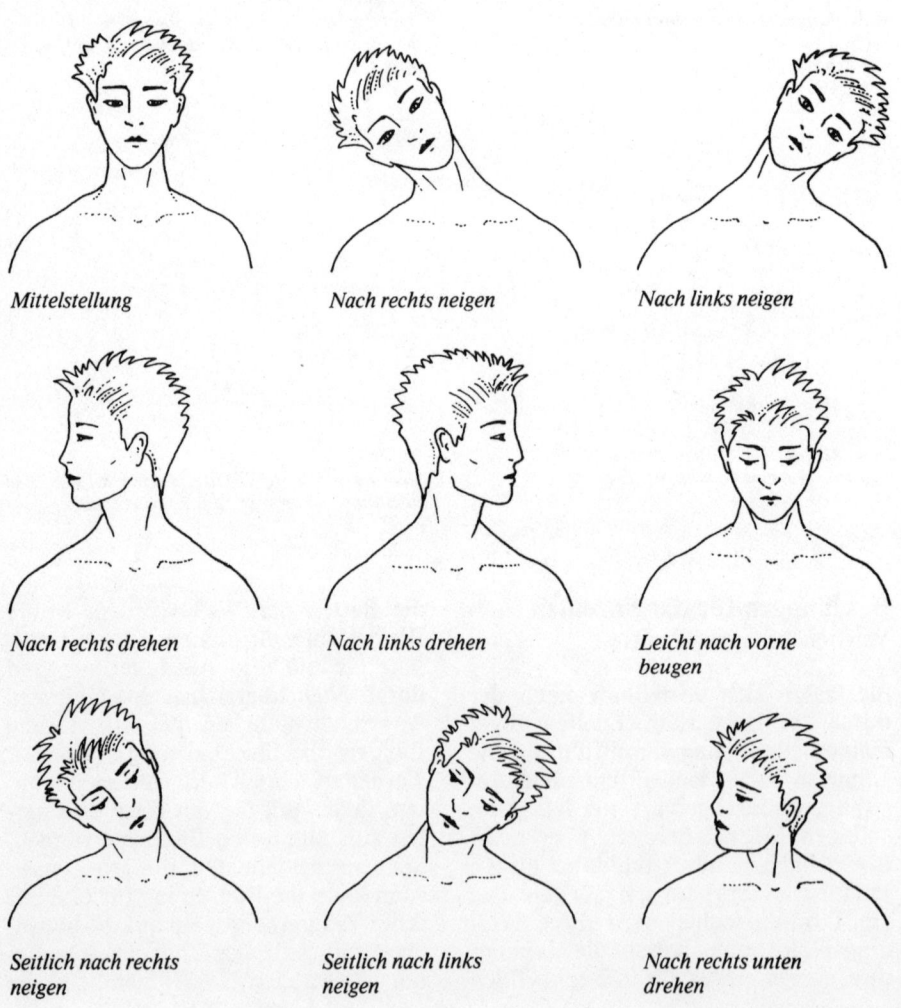

Mittelstellung

Nach rechts neigen

Nach links neigen

Nach rechts drehen

Nach links drehen

Leicht nach vorne beugen

Seitlich nach rechts neigen

Seitlich nach links neigen

Nach rechts unten drehen

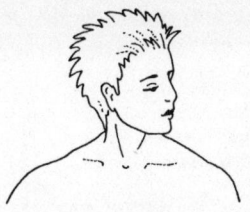

*Nach links unten
drehen*

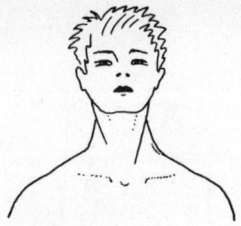

*Leicht nach hinten
strecken*

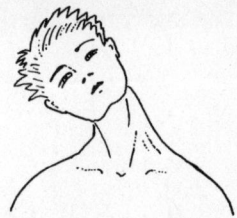

*Seitlich nach rechts
neigen*

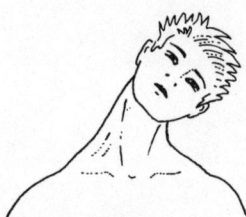

*Seitlich nach links
neigen*

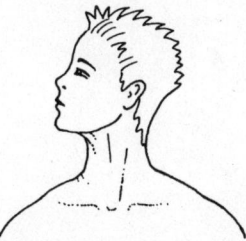

*Nach rechts oben
drehen*

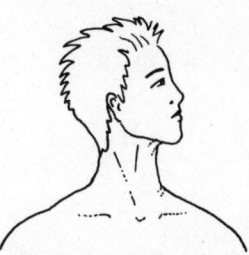

*Nach links oben
drehen*

2. Die Beweglichkeitsübung für die obere Brustwirbelsäule im Zusammenhang mit dem Schultergürtel besteht in einer eigenen Schulterblattübung, nämlich dem Auseinanderziehen der Schulterblätter voneinander und dem Zusammenschieben der Schulterblätter zueinander. Und dem abwechselnden Heben der rechten und linken Schulter.

Schultergürtel

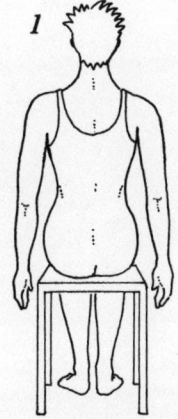

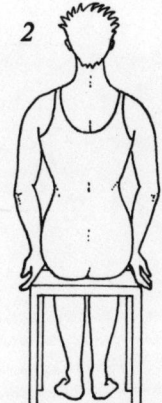

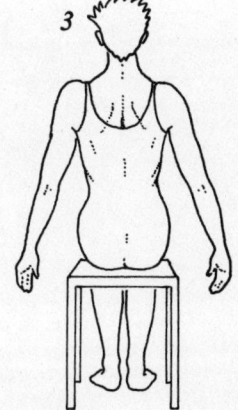

151

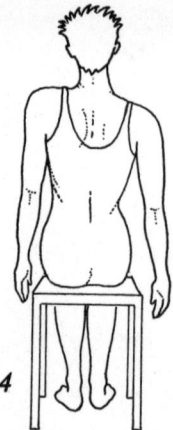
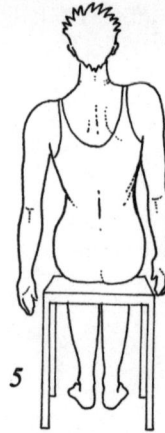

4

5

1 *Ausgangsstellung: Beine parallel*

2 *Schultern nach vorne, Handflächen nach außen drehen, entspannen.*

3 *Schultern nach hinten, Schulterblätter zusammendrücken, entspannen.*

4 *Linke Schulter heben*

5 *Rechte Schulter heben (beides wiederholen).*

3. Die Bewegungsübung der Brustwirbelsäule im Zusammenhang mit der Lendenwirbelsäule besteht aus einer Dreh-, einer Gleit- und einer Dehnübung.

Drehübung

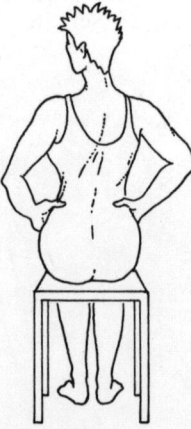
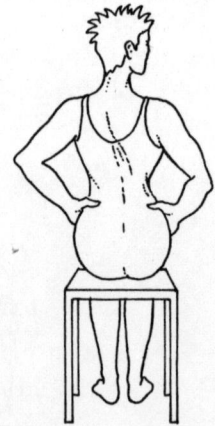

Die Handflächen auf den Beckenkamm, den Oberkörper nach links drehen . . .

. . . und nach rechts.

152

4. Die Beweglichkeitsübung für die Lendenwirbelsäule in ihrem Verhältnis zum Beckengürtel besteht aus zwei verschiedenen Standübungen für das Becken. Bei der ersten wird das Becken seitlich verschoben, bei der zweiten läßt man das Becken kreisen. Damit ist die Gymnastik speziell für die Wirbelsäule abgeschlossen.

Gleitübung

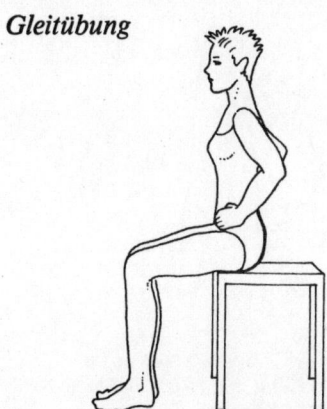 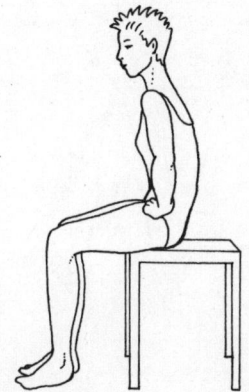

Körper strecken, Kreuz durchdrücken, Gesäß nach vorne rollen, Becken nach vorne kippen.

Kreuz nach hinten drücken, Becken durch Abrollen des Gesäßes nach hinten kippen.

Dehnübung

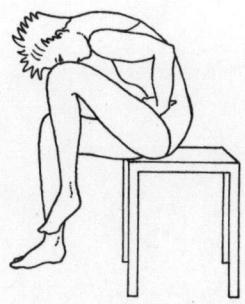

Während des Vorwärtsbeugens abwechselnd linkes und rechtes Bein heben.

Beckenverschiebung

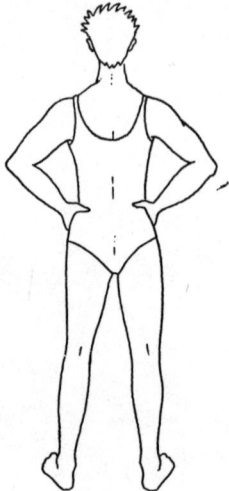

Grätschstellung

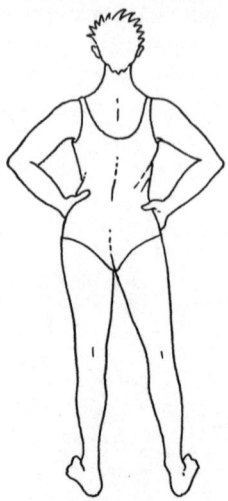

Verlagerung des Körpergewichts auf das linke Bein, ohne die Knie zu beugen und ohne Seitneigung des Oberkörpers.

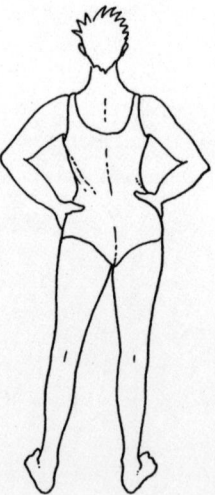

Verlagerung des Körpergewichtes auf das rechte Bein, ohne die Knie zu beugen und ohne Seitneigung des Oberkörpers.

Beckenkreisen

II. Übungen für die tägliche Bewegungspraxis

Ebenso wie sich ein Sportler einen richtigen Bewegungsablauf eintrainieren kann, sollte man das auch für jene Bewegungsabläufe im täglichen Leben, welche erfahrungsgemäß das größte Risiko für Rücken und Bandscheiben darstellen.

Besonders drei der typischen Risikobewegungen sollten regelrecht geübt werden, so lange, bis man sie reflektorisch beherrscht und sie gar nicht auf andere, unsachgemäße Weise durchführen kann.

1. Das richtige Heben von Lasten,
2. das richtige Aufstehen vom Sitz,
3. das richtige Vorbeugen aus dem Sitz.

Durch Einlernen richtiger Bewegungsabläufe verlernt man falsche. Der Aufwand ist nicht groß, wohl aber der Nutzen für Wirbelsäule und Bandscheiben.

1. Das richtige Heben von Lasten

Die wichtigste Regel: Nie unaufgewärmt Hebeakte durchführen! Eine unterkühlte Lendenmuskulatur weist einen höheren Spannungszustand auf. Auch kleinere Lasten können dann zu einem reflektorischen „Muskelkrampf" führen, und plötzlich „sitzt es im Kreuz".

Ein häufig zu beobachtendes Beispiel soll das demonstrieren: Jemand kauft im Supermarkt eine Kiste mit Mineralwasserflaschen. Ganz abgesehen davon, daß es besser ist, zwei kleine Kisten à 6 Flaschen als eine große à 12 Flaschen zu nehmen (der Preis ist derselbe), fällt auf, daß selten etwas im Supermarkt während des Hebens der Kiste in den Schiebewagen passiert: Durch das Herumgehen im Markt ist die Rückenmuskulatur ausreichend durchblutet. Auch beim Umladen in den Kofferraum, am Parkplatz vor dem Supermarkt, gibt es meist keine Probleme — man ist lange genug vor dem Hebeakt in Bewegung gewesen.

Die häufigsten Schäden treten beim Ausräumen der Kisten aus dem Kofferraum und beim Transport in das Haus oder in den Keller auf. Man ist im Auto gesessen und schon dadurch etwas steif; mögliche Zugluft hat zusätzlich jenen Anflug von Verspannung bewirkt, der genügt, um nun — zusammen mit der Belastung — den Hexenschuß, die Bänderzerrung oder die Wirbelfehlstellung auszulösen. Das, obwohl man auch nicht ungeschickter ist als zuvor auf dem Markt.

Die prinzipielle Konsequenz: **Keine schweren Arbeiten nach vorheriger Ruhe durchführen.** Wer gleich nach der Ankunft zu Hause sein Selterswasser trinken will, nimmt eine Flasche aus der Kiste. Zehn bis zwanzig Minuten Bewegung, leichte Hausarbeiten usw., erst dann verstaut man die Kisten.

Jeder Sportausübende weiß, daß man sich allmählich aufwärmen muß, bevor man den Muskeln höhere Grade an Anspannung zutraut. Im Haushalt wird das oft vergessen.

Darüber hinaus kann man das richtige Heben *üben*. Wie bei einem Trainingsprogramm übt man, sozusagen am Modell, so lange, bis man zu falsch durchgeführten Hebeakten gar nicht mehr fähig ist.

Sehr wichtig ist, daß man beim Hebeakt frontal — und niemals schräg! — zur Last steht, bevor man sie in Angriff nimmt. Auch das kann man durch Übung lernen.
● Man stellt sich beim Üben bewußt schräg links oder schräg

rechts zur Last und lernt den Zwischenschritt ein. Dieser wird so durchgeführt, daß er in direkt frontale Stellung zur Last führt.

● Erst wenn man mit beiden Beinen absolut sicher am Boden steht, geht man in die Knie. Dieses In-die-Knie-Gehen soll die Arme der Last nähern. Die Abbildung a. zeigt, daß das dann am besten funktioniert, wenn die Fußspitzen ganz nahe zur Last gestellt sind. Der Rücken ist dabei möglichst wenig gekrümmt, das Hinterteil fern von der Last.

● Aus jener Haltung resultieren beim nun durchgeführten Anheben jene Hebelwirkungen, wie sie unserer Wirbelsäule und ihrem Muskelapparat am genehmsten sind.

Zum Vergleich zeigt die Abbildung b. die falsche Vorgangsweise: Die Fußspitzen sind zu weit von der Last entfernt, es ist nicht möglich, durch Beugen der Knie die Arme griffgerecht an die Last zu bringen (probieren Sie einmal!); man *muß* den Rücken nach vorne unten krümmen. Nun werden die Hebelwirkungen unphysiologisch verteilt und treffen besonders einen unserer großen Schwachpunkte: das Kreuz (Pfeil). Die Folgen kennt jeder, der Hebeakte auf diese falsche Art schon einmal bereut hat. Darunter wird so mancher Leser sein. Deshalb: umdenken – umlernen. Durch üben.

Heben von Lasten

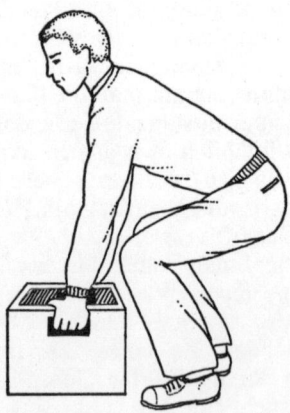

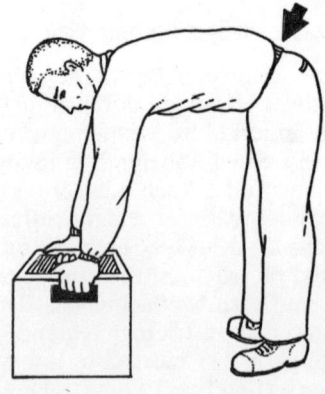

a. Heben richtig:
Fußspitzen nahe zur Last, die Arme können der Last durch Beugen der Knie genähert werden.

b. Heben falsch:
Fußspitzen fern der Last, die Arme können der Last nur durch Krümmen des Rückens genähert werden. Der Lendenwirbelbereich ist überlastet (Pfeil)

2. Das richtige Aufstehen vom Sitz

Ein zweiter alltäglicher Bewegungsvorgang, bei welchem nicht selten momentane Schmerzen der Verspannung am Rücken auftreten, ist das Aufstehen. Besonders wenn man zu lange gesessen ist, zu tief oder zu weich, kann es vorkommen, daß man zunächst gar nicht gerade stehen kann. Das Kreuz ist wie blockiert, man muß sich erst einmal durchdrücken oder einige Schritte gehen, bis man sich wieder einigermaßen frei fühlt. Es wäre jetzt grundfalsch, eine Last oder eine schwere Arbeit in Angriff zu nehmen – das wurde bereits erwähnt, am Beispiel des Kisten-aus-dem-Kofferraum-Hebens nach dem Autofahren. Man kann aber richtiges Aufstehen vom Sitz sehr einfach üben – als Bewegungsvorgang, bei dem die Wirbelsäule nicht unsachgemäß belastet wird. Sie wird von der Sitzhaltung in die Stehhaltung *geschoben* – die Rückenmuskulatur wird dabei kaum gefordert. Erst wenn man dann den ersten Schritt macht, um zu gehen, kommt es zu einem leichten Durchstrecken der Lendenwirbelsäule. Und auch das zwanglos, aus der Bewegung heraus.

Zum Üben nimmt man einen körpermaßgerechten Sitz ohne Lehne. Es soll ja so geübt werden, daß man keines Nachschiebens mit den Armen bedarf.
- Vor dem Aufstehen wird der Rumpf gerade gestreckt, so wie er später auch im Stand sein soll. Die Arme hängen herunter.
- Nun stellt man ein Bein zurück. Dieses ist das Startbein, wie bei einem Läufer, der sich zum Start bereit macht.
- Das zweite Bein, es ist das spätere Standbein, ist schon so auf den Boden gestellt, daß man es später einwandfrei, und ohne es verschieben zu müssen, belasten kann.
- Das Startbein tritt in Aktion und *schiebt* den Körper von der Sitz- in die Standhaltung.
- Die Rumpfmuskulatur hat dabei – mit Ausnahme einer gewissen Gleichgewichtsfunktion – nichts zu tun.
- Nun steht man auf dem Standbein. Das Gehen kann beginnen.

Wie bei allen „Übungen für die tägliche Bewegungspraxis" wird der Leser aufgefordert, die vorgeschlagene Bewegung gleich auszuprobieren. Auch wenn man nicht gerade Rückenschmerzen hat: Der Versuch überzeugt – hinsichtlich des Rückens ist es die zwangloseste Form, vom Sitz aufzustehen. (Als Gegenprobe versuche man das beidbeinige Aufstehen. Vom Rücken her gesehen ist es bedeutend unrationeller.)

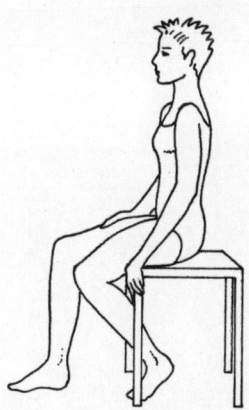

a) Rumpf gerade strecken! Ein Bein geht unter den Sitz in Startstellung. Das rechte (wie in der Abbildung) oder das linke.

157

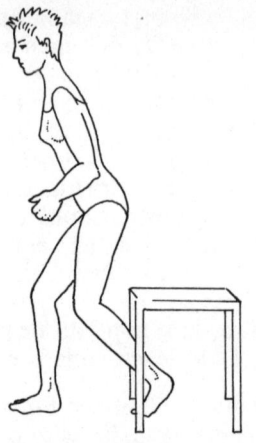

b) Das Startbein schiebt den Körper vom Sitz in den Stand. Die Rumpfhaltung ändert sich nicht.

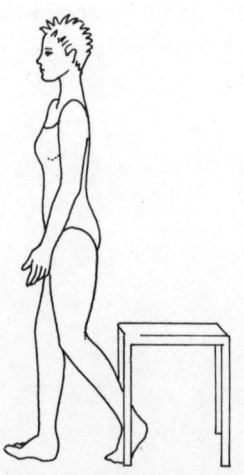

c) Gewichtsverlagerung auf das Standbein (in der Abbildung das linke). Erst jetzt erfolgt automatisch ein geringes Durchstrecken der Lendenwirbelsäule (Pfeil). Der Übergang vom Sitzen zum Gehen wurde ohne Belastung des Rückens geschafft.

3. Das richtige Vorbeugen vom Sitz

Das Knüpfen der Schuhbänder oder wenn man etwas vom Boden aufheben will – auch das sind Bewegungsvorgänge, die geübt und erlernt werden wollen.

Die Übung lockert die Rückenmuskulatur und die Wirbelgelenke. Zugleich lernt man richtiges Verhalten ein. Durch falsches Vorbeugen aus dem Sitz ist schon so manchem der Hexenschuß zwischen die Schulterblätter oder ins Kreuz geschossen, besonders älteren Menschen.

Der richtige Bewegungsvorgang entspricht dem richtigen Bücken beim Aufnehmen von Lasten. Das Wesentliche dabei ist, daß das Becken bei geradem Rücken nach vorne, zwischen die etwas gespreizten Beine geschoben wird. Das hört sich viel komplizierter an als es wirklich ist. Man braucht es nur auszuprobieren: Wenn man durch Krümmen des Rückens die Finger zu den Schuhbändern führen will, bewegt sich das Becken nicht. Diese Bewegung wäre auch falsch, sie belastet den Rücken, und wer empfindlich ist, verspürt das deutlich als Dehnungsschmerz zwischen den Schulterblättern. Außerdem ist bei dieser falschen Vorgangsweise die Atmung eingeengt, es kommt zum Venenstau in den Kopf: Die Anstrengungsröte im Gesicht nach dem falschen Bücken.

Wenn man sich aber richtig verhält und den Rücken gerade läßt, dann schiebt sich das Becken *automatisch* nach vorne. Man spürt sofort, daß diese Art des Bewegungsablaufes viel zwangloser vonstatten geht. Man kann auch länger in der vorgebeugten Haltung mit geradem Rücken verharren, da die Atmung nun weitgehend frei bleibt.

Wie bei allen Übungen für die tägliche Bewegungspraxis empfiehlt es sich, den richtigen Bewegungsvorgang immer wieder durchzuführen. So lange, bis er unwiderruflich eingeprägt ist.

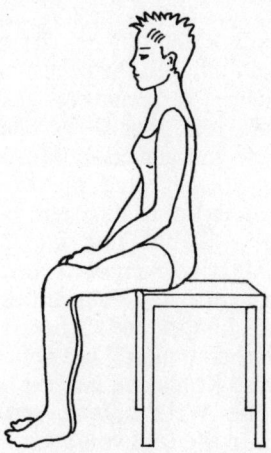

a) Ausgangshaltung am Sitz

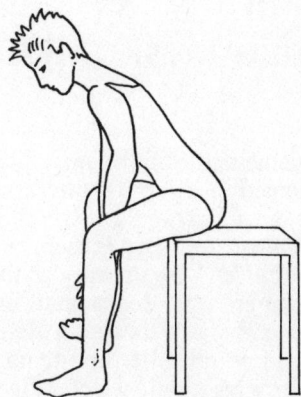

b) Den gestreckten Rücken nach vorne beugen. Dadurch schiebt sich das Becken automatisch zwischen die Beine.

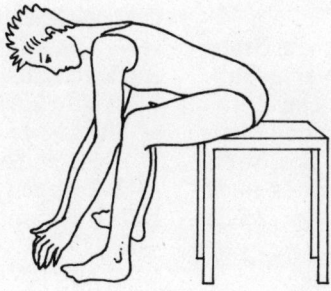

c) Bis zur Bodenberührung den Rücken gestreckt lassen.

Hilf Dir selbst bei Verdauungserkrankungen

Ernährung bei Verdauungskrankheiten

Im allgemeinen kommt man bei Erkrankungen des Verdauungsapparates mit einer nur wenig eingeschränkten Vollkost aus. Die Einschränkungen betreffen bestimmte Zubereitungsformen, von denen man erfahrungsgemäß weiß, daß man sie nicht verträgt, und auch bestimmte natürliche Nahrungsmittel, welche die Verdauung stören, Blähungen verursachen, Durchfälle auslösen oder Verstopfung nach sich ziehen. Meist weiß der Betroffene selbst, was ihm nicht guttut. Aber es kommt auch vor, daß man sich nicht im klaren darüber ist, ob der Verursacher etwa der Gurkensalat war, oder der bei derselben Mahlzeit getrunkene Weißwein oder gar die Kombination von Speise und Getränk.

Eine praktische Hilfe gibt die Statistik. In breitangelegten Untersuchungen wurde festgestellt, welche Zubereitungsformen und welche Nahrungsmittel am häufigsten Beschwerden verursachen. Dabei gab es recht interessante Ergebnisse. So zeigte sich, daß Weißkohl bei der zu einer Mahlzeit üblichen Portionsmenge und in üblicher Zubereitung (gedünstet, gekocht) von über 20% aller Menschen, die in irgendeiner Hinsicht verdauungsschwach sind, nicht vertragen wird. Sauerkraut dagegen, also der gleiche Weißkohl, nur mittels Milchsäurebakterien vergoren und somit ein fermentiertes Rohgemüse, zeigte bei nur knapp 16% Unverträglichkeitserscheinungen. Und roher Weißkohl, also Kohlsalat, gar nur bei 12%. Der rohe Weißkohlsaft schließlich, welcher in Mengen von 1 Liter (!) täglich an Kliniken zur Behandlung von Magen-Darm-Erkrankungen verabreicht wurde, wurde generell gut vertragen.

Um den Prozentzahlen ein anschaulicheres Bild zu geben:

Durchgeführt wurde die Reihenuntersuchung an 2.000 Patienten mit Verdauungserkrankungen an deutschen Krankenhäusern und Kliniken von der „Arbeitsgemeinschaft für klinische Diätetik". Es ergibt sich bei Rückrechnung der Prozente folgendes Bild: Von 2.000 Patienten vertragen
– 404 keinen gedünsteten Weißkohl,
– 316 kein Sauerkraut,
– 242 keinen Weißkohlsalat.
Dabei darf man nicht vergessen, daß

Hier empfiehlt es sich auch, auf Dr. med. Ulf Böhmigs bekanntes Buch „Stoffwechsel und Verdauung" zurückzugreifen: erschienen in der Reihe „Hilf Dir selbst" im Orac-Verlag.

es sich stets um dieselben 2.000 Patienten gehandelt hat. Das heißt, daß ein guter Teil jener, die Weißkohl gedünstet nicht vertragen, ihn sehr wohl als Rohkostsalat ohne Beschwerden essen können. Das ist sicherlich eine Überraschung, denn wenn man in älteren medizinischen Diätbüchern nachliest, stellt man fest, daß meist das Gegenteil angenommen wurde.

Auch die analogen Untersuchungen von Koch und Donaldson haben das gleiche Ergebnis gebracht: Es sind immer wieder die gleichen Nahrungsmittel, Zubereitungen oder Getränke, welche häufig Beschwerden verursachen, ebenso wie andere nur ganz vereinzelt Unverträglichkeiten bereiten.

Insgesamt wurden 52 verschiedene Nahrungsmittel, Zubereitungsformen und Getränkesorten ermittelt, welche relativ häufig oder auch nur selten Unverträglichkeiten hervorrufen. Das beginnt bei den Hülsenfrüchten, welche bei fast einem Drittel aller verdauungsschwachen Patienten Beschwerden verursachen, und geht bis zur Butter, welche nur von 1,2% nicht vertragen wird. Das heißt, fast alle Magen-, Leber-, Galle- und Darmgestörten verarbeiten Butter in vertretbaren Mengen ohne Komplikationen — von den 2.000 Untersuchten 1976 —, während 24 von ihnen doch über Beschwerden klagten: Druck in der Gallengegend, Magenübelkeit oder Durchfall.

Nahrungsformen, die nur bei wenigen Leuten Beschwerden verursachen, braucht man fürs erste nicht zu berücksichtigen. Es genügt, wenn man vorsorglich alle jene Positionen in der Liste wegläßt — Nahrungsmittel, Zubereitungsformen und Getränke —, welche bei mehr als 10% sich nachteilig auswirkten. Zusätzlich auch jene, von denen man aus persönlicher Erfahrung weiß, daß man sie nicht verträgt, auch wenn sie unter 10% allgemeiner Verträglichkeitsrate liegen. So bleiben fürs erste 21 Positionen, die man vom Speiseplan streichen sollte, wenn man mit der Verdauung Schwierigkeiten hat. Auf diese einfache Weise betreibt man bereits Ernährungstherapie. Dazu H. Anemueller: „Mit einer Kost oder Diät, die diese Lebensmittelintoleranzen berücksichtigt und dabei nur relativ wenig Lebensmittel ausschalten muß, läßt sich beim Gros gastroenterologischer Erkrankungen Langzeit-Ernährungstherapie betreiben. Nur bei wenigen und relativ selten vorkommenden gastroenterologischen Erkrankungen ist demgegenüber der Einsatz spezieller Schondiäten erforderlich."

Solche selten vorkommenden Erkrankungen gibt es natürlich. Etwa die **Zöliakie** der Kinder bzw. die **Sprue** des Erwachsenen: Krankheiten, bei denen bestimmtes Getreideeiweiß nicht vertragen wird, und zwar das Kleberprotein von Weizen und Roggen (Gliadine), von Gerste (Hordein) und (seltener) auch von Hafer (Avenin). Der Sammelbegriff dieser Eiweißkörper heißt Glutene. Deshalb spricht man bei diesen Krankheiten auch von „gluteninduzierten Enteropathien".

Reis, Mais, Hirse und Buchweizen dagegen enthalten keine Glutene und verursachen bei diesen Erkrankungen keine Beschwerden. Bei diesen Störungen, ebenso wie bei anderen eher seltenen Erkrankungen, muß man natürlich eine spezielle Diät einhalten. Unverträglichkeiten wie bei der Zöliakie und der Sprue gibt es bei weniger als 1% aller Darmerkrankungen. Sie sind in der Tabelle der „Arbeitsgemeinschaft für klinische Diätetik" nicht mehr berücksichtigt.

Die 21 wichtigen Positionen sind in

den folgenden Tabellen festgehalten: Es sind 4 natürliche Lebensmittel: Hülsenfrüchte, Kohlsorten, Paprikagemüse und Zwiebeln. An sich wertvolle Lebensmittel, deren (vorübergehender) Verzicht jedoch vor keine Probleme stellt.

Neben diesen „eigentlichen Nahrungsmitteln" gibt es einige spezielle Zubereitungen, die häufig Schwierigkeiten im Verdauungsgeschehen hervorrufen, von denen sich manche Menschen oft erst Tage und Wochen später erholen. Vor allem langwierige Durchfälle, aber auch Verstopfungsphasen können so ausgelöst werden. Man ist sich dessen oft gar nicht bewußt und gibt irgend etwas anderem die Schuld.

Nahrungsmittel, die Unverträglichkeit bei über 10% aller Menschen mit Verdauungsschwäche hervorrufen	%	Anzahl bei 2000 Untersuchten
Hülsenfrüchte	30,1	602
Weißkohl (Kraut)	20,2	404
Grünkohl	18,1	362
Paprikagemüse	16,8	336
Rotkraut	15,8	316
Zwiebeln	15,8	316
Wirsingkohl	15,6	312

An der Spitze der Unverträglichkeit bei Verdauungserkrankungen stehen einige pflanzliche Nahrungsmittel. Es hat keinen Sinn, sie aus falsch verstandenem Bewußtsein für natürliche Lebensweise trotzdem essen zu wollen. Oft genügt vorübergehende völlige Enthaltsamkeit an diesen Produkten bei sonst gesunder Lebensweise, um den Magen-Darm-Trakt zu schonen und dadurch zur Ausheilung zu bringen. Solcherart wurde schon manche chronische Verstopfung unerwartet beseitigt.

Zubereitungsformen, die Unverträglichkeit bei über 10% aller Menschen mit Verdauungsschwäche hervorrufen	%	Anzahl bei 2000 Untersuchten
Gurken in Salatform	28,6	572
Frittierte Speisen allgem.	22,4	448
Fette Speisen	17,2	344
Sauerkraut	15,8	316
Süße und fette Backwaren	15,8	316
Pommes frites speziell	15,3	306
Hartgekochte Eier	14,7	294
Zu frisches Brot	13,6	272
Kohl in Salatform	12,1	242
Mayonnaisen	11,8	236
Kartoffeln in Salatform	11,4	228
Geräuchertes	10,7	114

Frittierte und fette Speisen sowie süße und fette Backwaren sind auch für den Gesunden als ernährungsphysiologisch unvorteilhaft nicht zu empfehlen. Der Verdauungsgeschädigte tut gut daran, auch von den anderen Positionen sicherheitshalber, und wenn es nur vorübergehend ist, Abstand zu nehmen.

Getränke, die Unverträglichkeit bei über 10% aller Menschen mit Verdauungsschwäche hervorrufen	%	Anzahl bei 2000 Untersuchten
CO_2 hältige Getränke	20,1	402
Bohnenkaffee	12,5	250

Produkte, die Unverträglichkeit bei über 10% aller Menschen mit Verdauungsschwäche hervorrufen	%	Anzahl bei 2000 Untersuchten
Eisbein (Stelze)	9,0	180
Zu stark gewürzte Speisen	7,7	154
Zu heiße und zu kalte Speisen	7,6	152
Süßigkeiten	7,6	152
Weißwein	7,6	152
Rohes Stein- und Kernobst	7,3	146
Nüsse	7,1	142
Sahne	6,8	136
Paniert Gebratenes	6,8	136
Pilze	6,1	122
Rotwein	6,1	122
Lauch	5,9	118
Spirituosen	5,8	116
Birnen	5,6	112
Vollkornbrot	4,8	96
Buttermilch	4,5	90
Orangensaft	4,5	90
Vollmilch	4,4	88
Kartoffelklöße	4,4	88
Bier	4,4	88
Schwarzer Tee	3,5	70
Apfelsinen	3,4	68
Honig	3,1	62
Speiseeis	2,4	48
Schimmelkäse	2,2	44
Trockenfrüchte	2,2	44
Marmelade	2,2	44
Tomaten	1,9	38
Schnittkäse	1,6	32
Camembert	1,3	26
Butter	1,2	24

Diese 31 Nahrungsmittel, Zubereitungsformen und Getränke erzeugen weniger oft Unverträglichkeitserscheinungen bei verdauungsschwachen Menschen. Nach den Erhebungen sind es zum Beispiel weniger als 5% aller Kranken, die kein Vollkornbrot vertragen. Das Brot darf allerdings nicht zu frisch sein. In diesem Fall wären es 13,6%, welche davon Beschwerden bekommen. Dem Magen-Leber-Galle-Darm-Kranken wird empfohlen, diese Tabelle aufmerksam zu lesen. Nach den Gesetzen der Statistik, und diese sind verblüffend treffsicher, ist es genauso wahrscheinlich, daß er zur Zahl jener zählt, welche etwa Butter nicht vertragen, nämlich 1,2%. Wenn er aber dabei ist, dann zählt er zu jenen, die Butter hundertprozentig meiden sollten.

Zwei Getränke lösen − nach der Statistik − bei über 10% aller Verdauungsgeschädigten direkte Schwierigkeiten aus. Es fällt auf, daß Alkoholika noch nicht dabei sind.

Nun sind auch jene Nahrungsmittel, Zubereitungsformen und Getränke von Interesse, welche weniger als 10% der Verdauungsgeschädigten Probleme bereiten. Doch wird allgemein betont, daß man sich damit erst in zweiter Linie beschäftigen sollte. Erst wenn das Weglassen der hauptsächlichen Verursacher allein nicht zum Ziel führt, oder natürlich auch, wenn die Unverträglichkeit der einen oder anderen Speise im persönlichen Fall bekannt ist. Auch hier ist einiges dabei, was generell nicht zu empfehlen ist, wie Süßigkeiten, obwohl sie − bis auf 7,6% − alle Verdauungsschwachen „vertragen", das heißt, es treten zumindest keine schlagartigen Beschwerden auf. Süßigkeiten sind fraglos mehr zu meiden als mit ihrer 7,6% Unverträglichkeitsrate zum Ausdruck kommt.

Das gilt auch für paniert Gebratenes. Meist minderwertiges Fett ist zu sehr in Kohlenhydraten angesaugt: eine sinnlose Überbelastung der aufschließenden Fermente. Auch bei Alkoholika ist stets Zurückhaltung am Platze, selbst wenn man sie momentan von der Verdauung her verträgt.

Umgekehrt ist es bei rohem Stein- und Kernobst. Selbst wenn man zu jenen 7,3% gehört, die damit Schwierigkeiten haben, sollte man nach Möglichkeit nicht ganz darauf verzichten. Dieser Meinung sind die meisten Ernährungsforscher. Es gibt hier einige besonders verträgliche Zubereitungsformen: Frisch gepreßte Fruchtsäfte, vermischt mit Hafer- oder Leinsamenschleim oder eingerührt in Quark-(Topfen-)speisen. Auch gut zerkleinertes, vollreifes Obst mit Vollkornflocken in Müsliform, mit oder ohne Milch, macht oft auch dann keine Schwierigkeiten, wenn man rohes Obst als solches nicht verträgt. Hier wird man also erfinderisch sein.

Die Tabelle auf Seite 163 gibt die unter 10% Unverträglichkeitsrate von Produkten an, in der Reihenfolge der Häufigkeit.

Ernährung bei chronischer Verstopfung

Auch die chronische Verstopfung ist zum großen Teil ernährungsbedingt, wobei dem Mangel an Ballaststoffen eine bedeutsame Rolle zukommt. **Ballaststoffe** sind die unverdaulichen Bestandteile unserer Nahrungsmittel. Sie enthalten zwar alle Energie, aber unsere Darmfermente können sie nicht so weit aufschließen, daß diese Energie für den Körper auch genutzt wird. Sie werden also nicht ins Blut aufgenommen, sondern verbleiben im Darm, wo sie unter anderem die sehr wichtige Funktion haben, die Stuhlmenge zu vermehren.

Man hat die chronische ernährungsabhängige Verstopfung früher im Volksmund die Erkrankung der Stadtmenschen genannt. Tatsächlich wurden in den großen Städten auch vor hundert Jahren bedeutend geringere Mengen an Ballaststoffen mit der Nahrung mitgegessen als auf dem Land. Das lag zum Teil an der Nahrungszusammensetzung. In den Städten wurden mehr tierische, ballaststoffarme Produkte verzehrt und weniger von den besonders ballaststoffreichen pflanzlichen Nahrungsmitteln (Rüben, Kohlsorten, Kartoffeln). Zum anderen Teil lag dies aber auch daran, daß man aus Gründen der Haltbarkeitsmachung das Korn, aus dem das „Stadtbrot" hergestellt wurde, verfeinerte und die schneller verderblichen Randschichten und damit auch die Ballaststoffe beseitigte.

Der Unterschied im Ballaststoffgehalt zwischen Weißbrot und Vollkornbrot ist beachtlich, dementsprechend auch die durch beide erzeugte Stuhlmenge. Das hat der deutsche Wissenschafter H. Eppinger im Jahre 1943 exakt untersucht. Um einwandfreie Ergebnisse zu erhalten, ließ er seine Studenten einige Tage lang sich ausschließlich mit „Brot und Wasser" ernähren. Die Brotmengen waren so bemessen, daß sie den täglich notwendigen Energiebedarf deckten. Die Mengen dazu sind bei Weiß- und Vollkornbrot in etwa gleich, jetzt rein vom Kalorienwert aus gesehen, nämlich 1 Kilogramm, was im Durchschnitt 2.400 Kalorien bringt. Sehr unterschiedlich aber ist die reine Stuhlmenge, von Eppinger als „Trockenkotmenge" bestimmt. 1.000 Gramm Weißbrot ergab 36 Gramm Trockenkot, 1.000 Gramm Vollkornbrot dagegen 146 Gramm! Umgerechnet auf einen normal geformten Stuhl (25% Trockensubstanz, 75% Wasser) bedeutet das, daß man zwar von Weißbrot allein einen Tag lang satt werden kann, aber damit nur insgesamt knapp 150 Gramm Stuhl erreicht. Mehr nicht. Und solche Mengen sind zu gering, um als Auslöser für einen täglichen Stuhlgang zu genügen.

Bei Vollkornbrot in entsprechend sättigender Tagesmenge gibt es dagegen nicht weniger als 580 Gramm Stuhl. Das genügt, um den täglich notwendigen Dehnungsreiz in Dick- und Mastdarm zu erzeugen, damit ein regelmäßiger Stuhlgang erzielt werden kann. Die Stuhlmengen, die *automatisch*, auf Grund des verschiedenen natürlichen Ballaststoffgehaltes, erzeugt werden, sind bei den einzelnen Nahrungsmitteln sehr unterschiedlich. Wenn man sie insofern relativiert, daß man sie in tagessättigender Menge essen läßt, ergibt sich ein Bild, das aus der Tabelle unten ablesbar ist.

Man sieht also, daß man von den tierischen Produkten nicht viel Hilfe für die tägliche Verdauung erwarten kann. Ihr Wert liegt ja gerade im konzentrierten Nährstoffgehalt, den man mit Maß und Ziel nutzen kann. „Ballast"-Stoffe führen sie wenige mit. Aber auch solche braucht der Körper.

Als Basis einer gesunden Ernährung kann also gelten: Nehmen Sie vor allem naturbelassene, vorwiegend pflanzliche Kost zu sich, ergänzen Sie diese in haushälterischen Mengen mit tierischen Produkten.

Nahrungsmittelmenge, die den täglichen Energiebedarf des erwachsenen Menschen deckt	bewirkte tatsächliche Stuhlmenge
Fleisch, Fisch, Eier	100 g
Weißbrot, Eierteigwaren	150 g
Kuhmilch, Käse	170 g
Rüben, Wurzeln	400 g
Kohl, Blattgemüse	450 g
Kartoffel	530 g
Vollkornbrot	580 g

Viele chronisch Verstopfte werden sich, bevor sie ihre Ernährung umstellen, einer Kur unterziehen. Vor allem, wenn durch lang dauernden Abführmittelmißbrauch die Dickdarmschleimhaut geschädigt ist und eines schonungsvollen Wiederaufbaues bedarf. Hier ist an erster Stelle die **Milch-Semmel-Kur nach F. X. Mayr** zu erwähnen, auch **Molkekuren, Kuren mit milchsäurehaltigem Gärgemüse** (Frischsauerkraut, rote Bete, Gurken u. a.) sind brauchbar. Solche Kuren, richtig durchgeführt, sind hochwirksam, lösen aber oft tiefgreifende Stoffwechselumstellungen aus, sogenannte Krisen, die den Heilverlauf charakterisieren. Man sucht am besten ein diesbezüglich eingerichtetes Kurhaus auf, oder aber man läßt sich von seinem Arzt beraten und bei einer allfälligen ambulanten Kur laufend kontrollieren (siehe auch die Seiten 86, 91, 81).

Vielfach versucht man, Ballaststoffe künstlich zuzuführen – meist in Form von *Weizenkleie*. Das ist tatsächlich wirksam, wobei sich gezeigt hat, daß die richtige Größe der Kleieteilchen mit einem Durchmesser von über einem Millimeter am besten wirken. Die Tagesdosis liegt bei etwa 5 g. Allerdings sollte der therapeutische Einsatz von Weizenkleie eine Ausnahme sein. Besser ist es, von vornherein kleiehältiges Vollkornbrot zu verwenden. Ein sehr brauchbarer Ballaststoffträger ist der *Leinsamen*. Man kann ihn als das natürlichste Quell- und Gleitmittel mit stuhlfördernder Wirkung bei der chronischen Verstopfung bezeichnen. Auch handelt es sich beim Leinsamen – ein Unterschied zur Weizenkleie – um ein unzerteiltes Vollwertprodukt. Über Wirkmechanismus und Anwendbarkeit von Wei-

zenkleie und Leinsamen wird ab Seite 288 ausführlich berichtet.

Die Ernährung bei Gicht

Erhöhte Harnsäurekonzentration im Blut kann zur Gicht führen. Man weiß heute, daß man dazu eine Anlage haben muß, daß aber erst die zur Anlage passende Fehlernährung die Krankheit zum Ausbruch bringt. Der Betroffene allerdings merkt das Ansteigen der Harnsäure im Blut meist gar nicht. Oft wird der Arzt erst nach einem Gichtanfall (oder nach einer Nierensteinkolik mit Harnsäuresteinen) aufgesucht.

Nur Menschen und Affen können die Harnsäure nicht abbauen. Deshalb können sie auch prinzipiell an der Gicht erkranken. Nur Menschen allerdings praktizieren gerne, wenn sie der Wohlstand überfällt, die entsprechenden Ernährungsfehler. In den Mangelzeiten nach dem Zweiten Weltkrieg schien die Gicht bei uns ausgestorben zu sein. Fachleute allerdings, wie der deutsche Internist Nepomuk Zöllner, prophezeiten schon damals ihr Wiederauftreten, sobald die Zeiten danach sind.

Über die Anlage mancher Menschen, die zur Gicht führt, weiß man heute recht genau Bescheid. In den meisten Fällen wird die erhöhte Harnsäure durch die Nieren nicht genügend ausgeschieden, so daß es, wenn man mit der Nahrung zuviel harnsäurebildende Purine zuführt, allmählich zum Stau kommt. Bis etwa 6,5 Milligramm Harnsäure in 100 Milliliter Blutserum gibt es praktisch kaum Probleme, weil die Harnsäure noch in Lösung bleibt. Bei einer weiteren Erhöhung aber kann sie (muß aber nicht) ausfallen und einen Gichtanfall verursachen. Bei Werten von 8 bis

9 Milligramm Harnsäure erleidet jeder vierte Betroffene im Lauf seines Lebens einen Anfall, bei Werten von über 9 Milligramm bleibt nur einer von zehn verschont.

Man schätzt, daß 18 Prozent aller Männer in Deutschland gegenwärtig mehr als 7 Milligramm, und 5 Prozent der Männer mehr als 8 Milligramm Harnsäure in 100 Milliliter Blutserum haben. Dementsprechend hoch ist zur Zeit bei uns die Gichtanfallshäufigkeit. Alle diese Männer besitzen die Anlage zur Gicht, und sicher noch einige mehr – solche jedoch, die von den Wohlstandsverlockungen auf dem Nahrungssektor nicht Gebrauch machen (oder machen können). Frauen, das muß hier erwähnt werden, erleiden während ihrer Reifezeit praktisch nie einen Gichtanfall, da sie mit der Monatsblutung eine Art natürliches Ventil besitzen. Nach dem Wechsel allerdings gelten für Frauen die gleichen Bedingungen wie für Männer.

Die Anlage zur Gicht ist **nicht** gleichbedeutend mit dem Schicksal, sie unbedingt erleiden zu müssen. Denn zum Auftreten der Erkrankung gehört auch purinreiche Ernährung.

Die harnsäurebildenden Purine

Purine sind für uns sehr wichtige Moleküle, da sie ein unerläßlicher Baubestandteil unserer Zellkerne sind. Es ist aber nicht notwendig, Purine mit der Nahrung zuzuführen, denn unser Körper baut sich ausreichende Mengen aus kleineren Molekülen selbst auf. Eine völlig purinfreie Ernährung ist allerdings nicht möglich (und auch in keinem Fall notwendig), denn außer Milchprodukten und Eiern enthält jedes pflanzliche und tierische Nahrungsmittel Purine, wenn auch oft nur in kleinen Mengen, wie die Obst- und die meisten Gemüsesorten. Manche Nahrungsmittel enthalten viele Purine – zu viele, um sie als Mensch, der die Anlage zur Gicht besitzt, regelmäßig auf dem Speiseplan zu haben. Das sind naturgemäß in erster Linie die zellkernreichen tierischen Nahrungsmittel wie Bries, Leber, Herz, Niere. Ferner bestimmte Fische, wie Hering und Sardinen, und von den pflanzlichen Nahrungsmitteln die Hülsenfrüchte. Mit diesen Nahrungsmitteln sollte man als Gichtanwärter äußerst bescheiden umgehen.

Sehr große Mengen Purine enthalten Produkte wie Fleischextrakt oder Bierhefepräparate. Sie allerdings werden meist nur in Gewürzmengen verwendet, so daß ein völliger Verzicht nicht notwendig ist. Fleisch und Fisch enthalten mittlere Mengen, die man aber berücksichtigen muß. Zu oft dürfen Fisch oder Braten jedenfalls nicht auf den Tisch. Hier spielt auch die Zubereitungsart eine Rolle: Beim Kochen von Fleisch oder Fisch wird ein Teil der Purine ausgeschwemmt. Daher enthält das Stück Fleisch oder das Stück Fisch nur weniger davon. Allerdings sind diese Purine jetzt im Absud bzw. in der Suppe. Von beidem sollte man nicht essen, denn sonst spart man keine Purine ein – entweder das gekochte Fleisch oder die Suppe. Gebratene oder gebackene Fleisch- oder Fischzubereitungen haben ihre Purine voll behalten.

Die erste Regel für den Gichtanwärter oder bereits an Gicht Erkrankten also heißt:
Weitgehende Beschränkung oder gänzlicher Verzicht auf jene Nahrungsmittel, die einen **hohen Gehalt an harnsäurebildenden Purinen** haben. Man orientiert sich an folgender Tabelle.

Nahrungsmittel	Purine in 100g	Purine pro Portion	Portionsgröße
Bries	1030 mg	1030 mg	100 g
Leber	340	420	125
Herz	400	400	100
Niere	240	300	125
Gans	240	360	150
Hering	280	420	150
Bückling	320	320	100
Ölsardinen	560	280	50
Sprotten, geräuchert	530	270	50
Miesmuscheln	370	500	30 Stück
Fleischextrakt	3500	35	1 g
Bierhefe	2000	60	3
Hefeflocken	1400	70	5
Anchovis	360	40	6 Stück

Beschränkung auf ein vernünftiges Maß (auf etwa ein Drittel von dem, was in der Hausmannskost heute üblich ist) bei jenen Nahrungsmitteln, die einen **mittelhohen Gehalt an harnsäurebildenden Purinen** haben. Man orientiert sich an folgender Tabelle.

Nahrungsmittel	Purine in 100g	Purine pro Portion	Portionsgröße
Fleisch im ∅	130 mg	200 mg	150 g
Truthahn	170	250	150
Ente	150	230	150
Huhn	130	200	150
Wild im ∅	110	160	150
Hirn	100	100	100
Forelle	170	210	150
Schellfisch	160	240	150
Kabeljau	150	220	150
Karpfen	150	220	150
Seezunge	130	190	150
Krabben	170	170	150
Kaviar	150	40	30
Austern	90	40	6 Stück
Linsen	190	50	25 g
Erbsen grün	150	220	150
Soja-Fleisch	380	80	25
Bohnen, weiß	130	70	50
Spinat	70	100	150
Spargel	30	70	250

Die Tabellen zeigen deutlich, daß es nicht nur auf den absoluten Puringehalt (in 100 Gramm des Nahrungsmittels) ankommt, sondern auch vor allem auf die üblichen Portionsgrößen. So hat Sojafleisch absolut gesehen mehr Purine als tierisches Fleisch. Da das übliche Bratgewicht aber viel kleiner ist als bei Fleisch (Soja-Trockenfleisch geht auf, tierisches Fleisch schrumpft), resultiert letztlich im Soja die geringere Portionsmenge an Purinen.

Die Verhältnisse bei Brot:
Vollkornbrot hat − mit 40 mg pro 100 g − etwa doppelt so viele Purine wie Weißbrot. Wenn man also Brot nicht übertrieben verwendet, spielt es in keiner Form eine große Rolle.

Eier, Milch, Obst und Gemüse (soweit nicht oben angeführt) haben entweder keinen oder nur einen sehr geringen Puringehalt. Deshalb sagt man auch, daß sich der Gichtanwärter und der Gichtkranke mehr Ovo-Lacto-Vegetabil ernähren sollte: in Richtung Eier-Milch-Pflanzen-Kost, mit relativ bescheidenem Einsatz der übrigen tierischen Nahrungsmittel (sie enthalten allerdings viel Cholesterin, siehe S. 174).

Es gibt Purine, die **nicht** harnsäurebildend sind: in Tee, Kaffee, Kakao und Schokolade zum Beispiel. Hier braucht sich der Gichtkranke auch nicht speziell einzuschränken, wie das früher oft irrtümlich verordnet wurde.

Wohl aber spielt der Alkohol bei der Gicht eine große Rolle. Deshalb lautet **die zweite wichtige Regel:**
Vorsichtiger Umgang mit alkoholischen Getränken!
Bier enthält außer dem Alkohol auch harnsäurebildende Purinkörper, und zwar im Durchschnitt 150 Milligramm pro Liter. Alle anderen alkoholischen Getränke sind purinfrei. Doch erhöht Alkohol die Milchsäure im Blut und hemmt dadurch die Harnsäureausscheidung durch die Niere. Deshalb kann nach Alkoholgenuß die Harnsäure im Blut ansteigen und sogar ein Gichtanfall ausgelöst werden. Erfahrungsgemäß sollen dunkles Bier, Portwein, Dessertweine, Liköre und konzentrierte Getränke besonders leicht eine Gichtkrise heraufbeschwören. Andererseits sind viele Forscher der Meinung, es komme nur auf die reine Alkoholmenge an, und die Art des Getränkes sei von zweitrangiger Bedeutung.

Zu einem Milchsäureanstieg und damit zu einer Ausscheidungshemmung für Harnsäure kann es auch kommen, wenn dem Körper die ihm fremde D(−)Milchsäure zugeführt wird. Dies ist bei Yoghurt, Bioghurt und in geringem Maß bei Buttermilch der Fall. Deshalb lautet die **dritte Regel:**

D(−)milchsäurehaltige Sauermilchen einschränken (Yoghurt, Bioghurt und Buttermilch). Sauermilche, die zu über 90 Prozent die L(+)Milchsäure enthalten, sind dagegen unbedenklich, etwa Sanoghurt, Diätmolke und andere. Am sichersten fährt man mit Produkten, bei denen der überwiegende Gehalt an L(+)Milchsäure auf der Packung angegeben ist.

Fettreiche Nahrung und Hungerkuren mit Verbrennung des eigenen Fettes hemmen die Harnsäureausscheidung durch vermehrtes Auftreten von Fettabbauprodukten. **Die vierte Regel:**

Keine fettreichen Mahlzeiten. Gewichtsreduktion, die beim übergewichtigen Gichtiker durchaus sinnvoll ist, nur unter ärztlicher Aufsicht durchführen.

Bei vielen Gichtanwärtern ist das Durstgefühl gestört: Sie haben oft ein zu geringes Flüssigkeitsbedürfnis. Andererseits macht eine gute „Durchspülung" des Körpers gerade hier manchen Fehler wieder gut. **Die fünfte Regel:**

> Ausreichend Flüssigkeit zuführen – etwa drei Liter am Tag, in Form von Quellwasser, Mineralwässern mit oder ohne Kohlensäure, Pflanzentees und Gemüsesäften. Auch am Abend trinken, um nicht in der Nacht in eine anfallsauslösende Trockenphase zu kommen.

Die sechste Regel ergibt sich von selbst:

> Die Eiweißzufuhr bescheiden halten, um die Harnsäure nicht zu stark zu mobilisieren. Da man die direkt tierischen Nahrungsmittel Fleisch und Fisch generell wegen der harnsäurebildenden Purine einschränkt, reduziert sich die Eiweißzufuhr von selbst auf das (normale) Maß von ca. 0,8 Gramm pro Kilogramm Körpergewicht.
> **Die Ernährungsregeln für erhöhte Harnsäure (Gicht) auf einen Blick**
> ● Beschränkung der Zufuhr an harnsäurebildenden Purinen.
> ● Vorsicht bei Alkohol.
> ● D(−)milchsäurehaltige Sauermilchen beschränken, L(+)milchsäurehaltige Sauermilchen bevorzugen.
> ● Keine fettreichen Mahlzeiten, Hungerkuren nur unter ärztlicher Aufsicht.
> ● Ausreichend Flüssigkeit zuführen, auch am Abend.
> ● Beschränkung der Eiweißzufuhr (ergibt sich aus der ersten Regel von selbst).

Ernährung bei Fettstoffwechselstörungen

Fette sind ein lebensnotwendiger Bestandteil unserer Ernährung. Sie werden – nach der Mahlzeit – in unserem Darm zunächst in verschiedene Grundbausteine zerlegt und als solche von den Zellen aufgenommen. Dort aber werden sie wieder zusammengesetzt und als kleine Fetttröpfchen (sogenannte Chylomikronen) in die Lymphe abgegeben. Von da gelangen die Fette in das Blut.

Bei bestimmten Fettstoffwechselstörungen, und auch beim gesunden Menschen nach sehr fettreichen Mahlzeiten, kann man nach einer Blutabnahme die erhöhten Fettmengen im Blut mit freiem Auge an der Trübung des Blutserums erkennen. Vom Blut werden die Fette in die Gewebe abgegeben, wo sie entweder zum Energiegewinn herangezogen oder als Speicher verwendet werden.

Nicht alle Nahrungsfette werden von unserem Körper in gleicher Weise behandelt:

● Fette von Schlachttieren (Schmalz, Talg), ein Teil der Butter und die Pflanzenfette Kokosfett und Palmkernfett sowie die gehärteten Brat- und Backfette werden in der oben beschriebenen Weise umgesetzt. Im Übermaß genossen, belasten sie den Körper. Sie verdicken das Blut, verlangsamen seine Strömungsgeschwindigkeit und erhöhen die Neigung der Blutplättchen, zusammenzuklumpen. Das wieder bedingt eine erhöhte Gefahr der Gerinnselbildung. Der übertriebene Genuß dieser Fette zählt zu den großen Ernährungsfehlern der Wohlstandsgesellschaft. Bei Menschen, die jahrelang gewohnheitsmäßig zuviel von diesen Fetten essen, kann es zur Entgleisung ihres Fettstoffwechsels kommen. Man spricht dann von einer **erworbenen** Fettstoffwechselstörung — auf Grund falscher Ernährungsgewohnheiten.

Der haushälterische Verzehr dieser Fette aber schadet (außer bei Menschen mit angeborenen Fettstoffwechselstörungen) nicht. Das richtige Maß:
— 50 bis 70 Gramm am Tag beim gesunden Erwachsenen mit mittlerer körperlicher Tätigkeit;
— unter 50 Gramm beim bereits Erkrankten.

Diese Fette werden auch als „gesättigt" bezeichnet, abgekürzt S (von Stearin).

● Besonders leicht verdauliche Fette haben kürzere Moleküle. Man nennt sie „mittelkettig", abgekürzt MCT (vom englischen medium chain triglyderides). Sie können direkt von der Darmwand aufgenommen werden und belasten daher den Fettstoffwechsel weniger. Mittelkettige Fette kommen in hochwertigen Diät-Speiseölen (Distel-, Sonnenblumen-, Lein- und Kürbiskernöl), in speziellen Margarinen sowie teilweise auch in der Butter vor. Sie spielen eine große Rolle, wenn die Aufnahmefähigkeit von Fetten aus dem Darm gestört ist. Dann kann man den Fettbedarf bis zu zwei Dritteln aus MCT decken.

MCT sind allerdings empfindlich: Man muß sie kühl lagern (+4 bis +6°). Sie sind (mit Ausnahme von MCT-Ölen) nicht zum Kochen oder Braten geeignet, und man soll sie den Speisen erst kurz vor dem Verzehr zusetzen.

● Die Öle von Kernen, Keimen, Samen und Nüssen sowie Fischöle besitzen an mehreren Stellen ungesättigte Bindungen zwischen ihren Atomen. Deshalb nennt man sie „mehrfach ungesättigt", abgekürzt P (vom griechischen Polyensäuren). Auch die Bezeichnung MUFS = „mehrfach ungesättigte Fettsäuren" ist gebräuchlich. Sie sind lebensnotwendig, weil sie unser Körper nicht selbst bilden kann. Daher muß man einen Teil des täglichen Fettbedarfes aus Kernen, Keimen, Samen oder Nüssen bzw. den auf schonende Weise aus von ihnen hergestellten Ölen oder Margarinen decken.

Wie bei allen lebenswichtigen Nährstoffen gibt es auch bei den mehrfach ungesättigten Fettsäuren einen täglichen Mindestbedarf:

Mindestbedarf an mehrfach ungesättigten Fettsäuren: 10 Gramm

Der Bedarf erhöht sich bei körperlicher Mehrarbeit oder bei Streßsituationen. Auch der bereits an einer Fettstoffwechselstörung Erkrankte braucht größere Mengen, um den Verzehr an gesättigten Fettsäuren einschränken zu können.

Die Praxis im Umgang mit Fetten

In der Praxis einer auf richtige Zufuhr von Fetten ausgerichteten gesunden Ernährung hält man sich an einige einfache Grundsätze:

1. Die Gesamtfettmenge soll 100 Gramm nicht wesentlich überschreiten. Sie soll, anders ausgedrückt, nicht mehr als 35 Prozent der gesamten, aus Nahrungsmitteln bezogenen Energie ausmachen. Das ist, am Beispiel einer mittelgroßen Büroangestellten errechnet:
Gesamtenergieverbrauch: 2.400 Kalorien (ca. 10.000 Joules).
davon 35 Prozent — 840 Kalorien.
Das sind in Fetten: 90 Gramm (da 1 Gramm Fett 9,3 Kalorien bringt).

2. Diese 90 Gramm Fette werden aufgeteilt in:
a) unsichtbare Fette in den Nahrungsmitteln: 30 Gramm;
b) Streich- und Bratfette: 30 Gramm;
c) hochwertige Kern-, Keim- oder Samenöle: 30 Gramm.

Unsichtbare Fette kommen in allen Nahrungsmitteln vor. Am meisten muß man darauf bei Wurst- und Käsesorten achten, da sie hier oft feinverteilt enthalten und daher kaum merkbar sind. Weißwürste und Wiener Würstchen (Frankfurter) enthalten jeweils über 20 Prozent Fett, desgleichen alle Käsesorten mit über 40 Prozent Fett in der Trockenmasse − wie zum Beispiel Edamer Käse (40 Prozent Fett in der Trockenmasse [F. i. T.] − tatsächlicher Fettgehalt 23 Prozent). Bei solchen Nahrungsmitteln merkt man das Fett beim Verkosten gar nicht. Man muß also daran denken und wird sie haushälterisch einsetzen. Das geht oft durchaus leicht bei sehr fetten Würsten wie Salami und Mettwurst (jeweils 50 Prozent Fett), wenn man sie dosiert in Scheiben schneiden bzw. in kleinen Mengen streichen kann. Bei Portionswürsten ist es schwieriger, da man gewohnt ist, sie als Einheit zu verzehren. Größere Mengen an unsichtbaren Fetten gibt es auch in manchen Fleischsorten, bei wenigen Fischen (Aal, Makrele und Hering) sowie in Backwaren, Schokoladen usw.

Wenn man damit sorgsam umgeht, wird man kaum mehr als 30 Gramm Fette auf diese Weise verzehren, so daß ein ausreichender Spielraum für die bewußt verwendeten Fette bleibt.

Streich- und Bratfette werden bewußt zugesetzt. Als **Streichfette** verwendet man nach Geschmack Butter, Schweineschmalz oder Gänsefett in begrenzter Menge. Sie enthalten zum weitaus überwiegenden Teil gesättigte Fettsäuren.

Reform- und **Diätmargarinen** allerdings enthalten zum Großteil mehrfach ungesättigte Fettsäuren, da sie aus Grundprodukten (wie Sonnenblumen- oder Maiskeimöl) hergestellt worden sind. Sie empfehlen sich besonders dann, wenn man mit dem Fettstoffwechsel bereits Probleme hat (erhöhte Blutfette, erhöhtes Cholesterin) und die gesättigten Fettsäuren beschränken muß, um mehr Raum für die mehrfach ungesättigten zu gewinnen.

Natürlich zählen auch Schmelzkäse der Rahmstufe oder Leberstreichwurst zu den fetthaltigen Aufstrichen. Der tatsächliche Fettgehalt überschreitet jedoch nie die 50-Prozent-Marke. Man kann daher doppelt soviel davon verwenden wie bei Butter oder Schweineschmalz − ca. 30 Gramm pro Tag −, ohne die Fettmengen zu überziehen.

Als **Bratfette** verwendet man am besten Pflanzenfette mit hohem Siedepunkt. Es eignen sich auch Billigmargarinen, da beim Erhitzen über 200° Celsius ein Großteil besonderer Werte ohnedies verlorengeht.

Die hochwertigen **Kern-, Keim- und Samenöle** bzw. daraus hergestellte hochwertige Margarinen sind notwendiger Bestandteil unserer täglichen Ernährung. Denn sie bringen die unerläßlichen mehrfach ungesättigten Fettsäuren. Das Maß für den Tagesbedarf: ca. zwei Eßlöffel eines Öles, unerhitzt genossen − zum Salat oder mit Magerquark vermischt.

Der Gehalt der Öle an mehrfach ungesättigten Fettsäuren bzw. an gesättigten Fettsäuren ist unterschiedlich und wird in Form des Quotienten ausgedrückt:

Produkt	mehrfach ungesättigte Fettsäuren (P)	gesättigte Fettsäuren (S)	$\dfrac{P}{S}$
Distelöl (Safloröl)	75	10	7,5
Leinöl	70	10	7,0
Sonnenblumenöl	60	10	6,0
Maiskeimöl	60	12	5,0
Sojaöl	60	14	4,3
Kürbiskernöl	60	15	4,0
Baumwollsaatöl	50	25	2,0
Erdnußöl	31	19	1,6
Diät-Margarine	60	25	2,4
Reform-Margarine	55	25	2,2

Mehrfach ungesättigte Fettsäuren (P) dividiert durch gesättigte Fettsäuren (S). Je höher die daraus erhaltene Zahl, um so wertvoller (rationeller) ist das Öl bzw. die Margarine.

Fruchtöle (wie Olivenöl) sowie Kokosfett haben mehr an gesättigten Fettsäuren als an mehrfach ungesättigten. Ihr P/S-Quotient ist daher unter 1. Dasselbe gilt für gewöhnliche Margarinen und alle Schlachtfette. Olivenöl zum Beispiel hat den Wert 0,4. In der Praxis einer gesunden Ernährung ist das deshalb ausreichend, weil (nach Ansicht der Weltgesundheitsorganisation) ein Tagesgesamtwert von P/S = 0,2 genügt – allerdings nur für den gesunden Menschen. Wer an einer Fettstoffwechselstörung erkrankt ist, sollte einen Wert von P/S = 1,0 anstreben. Das gelingt nur, wenn man die hochwertigen Kern-, Keim- und Samenöle bzw. Margarinen vermehrt zuführt, bei den Fruchtölen, Fruchtfetten, gewöhnlichen Margarinen, Schlachtfetten und der Butter dagegen einspart, um die Gesamtfettmenge konstant zu halten.

An der Tabelle fällt auf, daß die gesättigten und die mehrfach gesättigten Fettsäuren zusammen nie 100 Prozent ausmachen. Der fehlende Rest sind „einfach" ungesättigte Fettsäuren. Sie beeinflussen den P/S-Quotienten und auch die Höhe des Cholesterins im Blut nicht.

Das Cholesterin

Es kommt nur in tierischen Lebewesen vor. Pflanzen enthalten kein Cholesterin. Bei den Tieren ist es ein wichtiger Baustein der Zellwände und Nervenscheiden sowie Vorstufe der Gallensäuren, wichtiger Hormone und des Vitamin D.

In tierischen Nahrungsmitteln sind verschieden hohe Mengen an Cholesterin enthalten. Man hat festgestellt, daß man bei ausgesucht geringem Verzehr an fetten Schlachttieren nur 40 bis maximal 100 Milligramm Cholesterin im Tag aufnimmt, aber bei einer heute nicht seltenen, an tierischen Fetten reichen Gewohnheitskost bis zu 1.400 Milligramm in den Körper zwingt. So viel braucht der Körper bei weitem nicht, und auf die Dauer führt es zum erhöhten Cholesterin im Blut. Vor allem die Herzkranzgefäßleiden mit Herzinfarkt werden heute mit einem Übermaß an Cholesterin in Verbindung gebracht.

Im allgemeinen kann man eine Verminderung der Cholesterinzufuhr erreichen, wenn man folgende Nahrungsmittel stark einschränkt:
1. Schlachtfette,
2. Fettes Fleisch,
3. Würste handelsüblicher Art,
4. Innereien,
5. Butter,
6. Fetter Käse,
7. Eier.

Eine genaue Übersicht über Nahrungsmittel mit hohem und sehr hohem Cholesteringehalt gibt folgende Tabelle.

Bei Nahrungsmitteln mit mittlerem Cholesteringehalt genügt es, wenn man sich auf das vernünftige Maß beschränkt. Diese sind:

Schlachttierfleisch im ∅	70— 90
Geflügel im ∅	70— 80
Wild im ∅	90—110
Fisch im ∅	30— 80
Käsesorten fett	70—120
Käsesorten mager	30— 60
Vollmilch (1 Liter)	100
Magermilch (1 Liter)	30
Würste im ∅	60—100
Schweineschmalz	100

Die gesättigten Fette heben das Cholesterin im Blut an, die mehrfach ungesättigten Fette (in Kern-, Keim- und Samenölen sowie in Fischen) senken das Cholesterin. Auch das wird man bei der Nahrungsauswahl bedenken.

100 g Ware		mg Cholesterin
Kalb	Hirn	3050
	Niere	500
	Leber	360
	Bries	300
	Herz	180
	Zunge	140
Rind	Hirn	2360
	Niere	410
	Leber	360
	Bries	300
	Herz	150
	Zunge	150
Schwein	Leber	420
	Niere	350
	Herz	140
	Zunge	140
1 Hühnerei, (ca. 60 g)		280
Eigelb		1400
Eipulver		1740
Butterschmalz		340
Butter		240
Kaviar		400
Auster		230
Miesmuschel		150

Hilf Dir selbst bei Kopfschmerz und Migräne

Massagen

Es gibt viele unterschiedliche Massageformen und -systeme, die sehr effektiv zur Linderung von Kopfschmerzen eingesetzt werden können. Die hier vorgestellten Techniken sind zumeist auch ohne spezielles medizinisches Vorwissen durchzuführen.

Einfache Massageformen

Schläfenmassage

„Gegen Kopfschmerzen hilft das Massieren der Schläfen mit den Fingerspitzen und das Drücken der Nasenwurzel mit Daumen und Zeigefinger. Selbst angewandt mit Erfolg!"
K. R. Poschanda, Bad Salzungen, DDR

Mit den Fingerspitzen die Schläfen zu massieren ist eine sehr bewährte Methode, die vielen Menschen bei Kopfschmerzen ebenso wie die Nasenwurzelmassage instinktiv durchführen. Es gibt zwei Techniken der Schläfenmassage:

1. Die Schläfen-Bindegewebsmassage

Hier wird die Schläfenpartie mit langsamen, nicht zu festen Strichen bis zur

Haargrenze ausgezogen (siehe Abbildung).

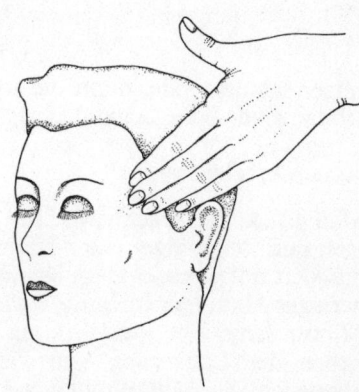

Der Fingerdruck ist dann richtig, wenn man die Haut deutlich nach hinten verschiebt. Nach einigen Strichen wird die Schläfe warm, die Kopfschmerzen lösen sich meist. Stets beide Schläfen hintereinander massieren.

2. Die Akupunktmassage

Es gibt an der Schläfe den Akupunkturpunkt Tai Yang, zu deutsch „Die Sonne". Er liegt etwa eineinhalb Fingerbreiten hinter und knapp unterhalb des äußeren Endes der Augenbrauen in einer Vertiefung (siehe Abbildung).
Dieser Punkt eignet sich auch für die Akupressur, wobei man zuerst die ge-

---

Umfassend informiert zu diesem Thema das Buch „Kopfschmerz und Migräne" von Dr. med. Ulf Böhmig, erschienen im Orac-Verlag.

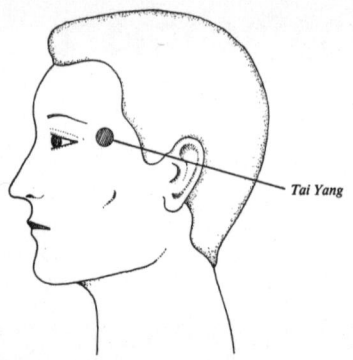

Tai Yang

ringer schmerzende, dann die stärker schmerzende Seite behandelt.

Nasenwurzelmassage

Man drückt die Nasenwurzel mit Daumen und Zeigefinger einer Hand und massiert mit wechselndem Druck und geringer Hautverschiebung etwa eine Minute lang. Für die Wirkung sind, neben der Lockerung von kleinen, aber wichtigen Muskeln in diesem Bereich, zwei Akupunkturpunkte verantwortlich: der 1. Punkt des Blasenmeridians mit dem Namen Jing Ming, das heißt „Glanz des Augapfels", und knapp darüber liegend der Neu-Punkt Nr. 1, der Shang Jing Ming oder „Oberer Augapfelglanz". Beide Punkte verbessern das Sehvermögen und die Konzentrationsfähigkeit, wirken aber auch bei von den Augen ausgehenden Kopfschmerzen, besonders bei Nervenentzündungen im Stirnbereich.

Sanfte Nackenmassage

„Da ich Kopfschmerzen für die schlimmsten Schmerzen halte, Medikamente aber nicht nehmen will, kann ich speziell die sanfte Nackenmassage empfehlen."
Inge Steinhogler, 8219 Rimsding

Es ist wichtig, diese Massage sanft und gezielt durchzuführen, da zu intensives Massieren den Kopfschmerz verstärkt. Behandelt werden die Flächen direkt seitlich der Wirbeldornfortsätze sowie in der Höhe des dritten Halswirbels und des Hinterhauptknochens nach außen. Die Massagerichtung verläuft gewöhnlich von unten nach oben. Eine richtige Rücken-Nacken-Massage gegen Kopfschmerzen baut man vom Lendenbereich auf.

Kopfhautmassage

„Ich leide sporadisch unter Kopfschmerzen. Dann massiere ich meine Kopfhaut durch starkes Klopfen mit den Fingerkuppen und massives Verschieben der Kopfhaut."
Kurt Olwig, 2000 Hamburg

Verbessert wird die Wirkung der Kopfhautmassage, wenn man vorher mit „Anhackstrichen" die Kopfschwarte am Hinterhaupt löst. Anhackstriche werden von unten nach oben bzw. nach innen gezogen (siehe Abbildung). Gelernte Masseure verwenden dazu Mittel- oder Zeigefinger.

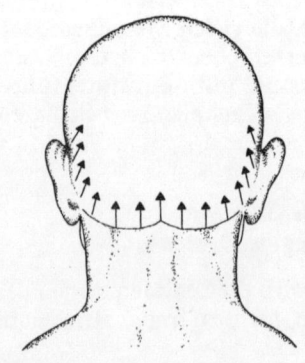

Die Richtung der Anhackstriche bei der Kopfhautmassage

Hinterkopfmassage

„Schmerzen im Hinterkopf können durch Verspannungen der Rücken- und Hinterkopfmuskulatur hervorgerufen werden. Hier wirken harte Massagen mit dem Daumen auf dem Muskelansatz am Hinterkopf sowie Kopfnicken in alle Richtungen bei angezogenem Kinn."

Wilhelm Kullmann, 6550 Bad Kreuznach

Diese Technik soll die normale Muskelspannung im Nacken- und Hinterhauptbereich wiederherstellen und die Sehnenansätze dehnen. Wichtig ist, daß man bei Verspannungen nicht allzu fest massiert, da sonst Reize gesetzt werden können, die die Muskelspannung noch zusätzlich erhöhen, wodurch der Kopfschmerz verstärkt wird.

Es gibt im Übergangsbereich von Nacken und Hinterkopf aber auch eine Reihe von sehr wirksamen *Akupunkturpunkten*. Die wichtigsten

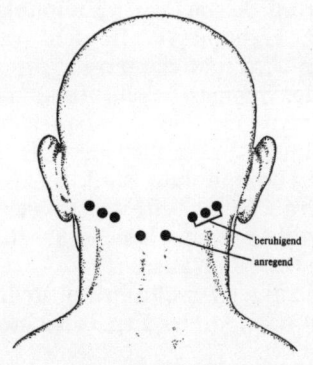

Die Akupunkturpunkte im Übergangsbereich von Nacken und Hinterkopf: Die Himmelssäule befindet sich 2 cm seitlich der Mittellinie und ¹/₂ cm oberhalb des hinteren Haaransatzes. Der Ruhige Schlaf 2 liegt knapp hinter dem Ohr in einer Rinne zwischen Warzenfortsatz und Hinterhauptsschuppe. Die beiden anderen Punkte sind knapp dahinter.

(von innen nach außen): die „Himmelssäule", ein Kopfschmerzpunkt mit zugleich anregender Wirkung, und die Punkte „Windteich", „Ruhiger Schlaf 1" und „Ruhiger Schlaf 2". Sie sind Kopfschmerz- bzw. Migränepunkte mit zugleich beruhigender Wirkung.

Bei einer Akupunktur werden diese Punkte gerne zugleich gestochen, um eine harmonisierende Wirkung zu erzielen. Die Kombination vom Punkt Himmelssäule mit dem Punkt Windteich nennt man sogar „das Valium der Akupunktur". Bei der Akupressur dieser Punkte sollte man mit Gefühl vorgehen.

Allgemeine Kopfmassage

„Mir hilft es, wenn ich bei Kopfschmerzen den Kopf von der Stirn zu den Schläfen bis hin zum Nacken stark massiere."

Gertrud Berger, 8650 Kulmbach

Diese einfache Massage hat eine Kopfschmerzen stark lindernde Wirkung, ist auch zur Vorbeugung hervorragend geeignet und verbessert Sehvermögen und Gedächtnis.

Der *erste Strich* führt von der Nasenwurzel bis an die Mitte des Hinterhauptes und zum Nacken.

Der zweite geht ebenfalls von der Nasenwurzel aus und zieht über den Scheitel zum seitlichen Hinterkopf und zum seitlichen Nacken.

Der dritte beginnt am vorderen oberen Ohransatz und zieht über die Schläfe nach vorne zur Stirne; dort mündet er unter Änderung der Richtung in den zweiten Strich nach seitlich hinten bis zum Nacken.

* Dieses Kapitel aus dem Buch „Naturnahe Behandlung — Kopfschmerz und Migräne" ist gemeinsam mit den Zusehern der Sendereihe „Die Sprechstunde" des Bayerischen Fernsehens entstanden. Daher sind Namen und Wohnort mitarbeitender Zuseher angegeben.

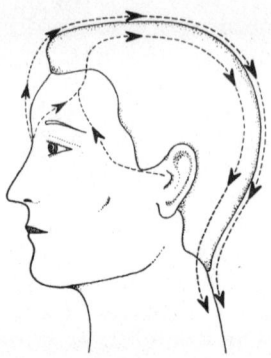

Die allgemeine Kopfmassage besteht aus fünf zügig durchgeführten Strichen. Strich eins ist unpaarig, die Striche zwei und drei werden sowohl links als auch rechts durchgezogen.

Wenn man die Massage selbst durchführt, bedient man sich am besten einer festen **Nylonborstenbürste** mit starkem Griff, um die Striche ordentlich durchziehen zu können. In der Regel genügt jeweils eine Anwendung morgens und abends.

Behandlung über Punkte und Flächen

Die Akupressur kennt eine Reihe von *Einzelpunkten,* von denen einige speziell gegen bestimmte Arten von Kopfschmerz wirken, andere wieder ganz allgemein lindernd. Für die Selbstmassage sind naturgemäß die Punkte am günstigsten, die leicht lokalisierbar und auch leicht erreichbar sind. Dazu eignen sich besonders die letzten Punkte des Blasenmeridians an der Fersenaußenseite und am Außenrist des Fußes. Diese Punkte waren den alten Chinesen schon vor eini-

gen tausend Jahren bekannt. Ihre eigentümlich anmutenden Namen wie „Goldtor" oder „Talpassage" sind meist Hinweise auf ihre Lokalisation. Andere wirksame Punkte befinden sich an den Fingern und an der Hand. Die meisten von ihnen sind erst in den letzten dreißig Jahren entdeckt worden. Sie tragen fast alle eindeutig wirkungsbezogene Namen wie „Vorderkopfpunkt", „Hinterkopfpunkt" oder „Hals- und Nackenpunkt".

Die Technik der Behandlung ist ab Seite 111 ausführlich beschrieben.

Die meisten der beschriebenen Punkte befinden sich über Knochen oder Knochenkanten. Ihre Berührung löst ein Gefühl aus, das mit Beinhautschmerz vergleichbar ist. Manche Punkte, wie der „Hals- und Nackenpunkt" am Handrücken oder der „Meister der Schmerzbekämpfung" (Seite 111) an der oberen Fersenbeinaußenkante schmerzen sogar recht intensiv, wenn sie richtig getroffen werden.

Man kann die Punkte auch kombinieren, zum Beispiel einen Fußpunkt mit einem Handpunkt. In den meisten Fällen wird man dann mit dem „Meister der Schmerzbekämpfung" beginnen und mit dem entsprechenden Handpunkt abschließen. Alle Fuß- und Handpunkte sind beidseitig. Wenn auch eine Seite meist wirksamer ist, sollte man doch sicherheitshalber beide Seiten massieren.

Bei richtiger Durchführung stellt sich schon nach kurzer Zeit Erleichterung ein.

Die Fußpunkte

Sie befinden sich alle im unteren Verlauf des Blasenmeridians, deshalb steht vor der Nummer des Punktes die Bezeichnung B.

1. Der Punkt B 59 „Yang des Fußknochens" (Fu Yang)

Lokalisation: 6 bis 9 cm oberhalb des hinteren Randes des äußeren Knöchels, am seitlichen Rand der sich verbreitenden Achillessehne. Mit der Fingerkuppe mittelkräftig massieren.

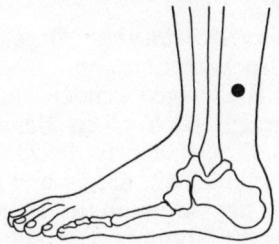

Wirkung: Gegen Kopfschmerzen, Schmerzen im Lenden- und Kreuzbereich, Schmerzen und Schwellungen an den Knöcheln.

2. Der Punkt B 60 „Koun Lun"

Lokalisation: In der Mitte einer gedachten Verbindungslinie zwischen der Spitze des äußeren Knöchels und der Achillessehne, das heißt knapp oberhalb der oberen äußeren Kante des Fersenbeins. Gegen diese Kante kräftig massieren.

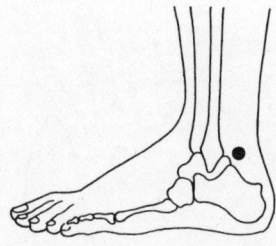

Wirkung: Gegen Nacken- und Kopfschmerzen, Rücken- und Lendenschmerzen, Fersenschmerzen, Ischias und gegen Schwäche der Beine.
Der Koun Lun zählt zu den zwölf Meisterpunkten der klassischen Akupunktur, und zwar als „Meister des Schmerzes" oder „Meister der Schmerzbekämpfung". Er ist nach einem tibetanischen Berg benannt, deshalb sind die chinesische und die deutsche Bezeichnung identisch.

3. Der Punkt B 62 „Gefäß der Streckung" (Shen Mai)

Lokalisation: 1 cm unterhalb des äußeren Knöchels in einer Vertiefung. Mittelstark massieren, der Punkt ist schmerzhaft.

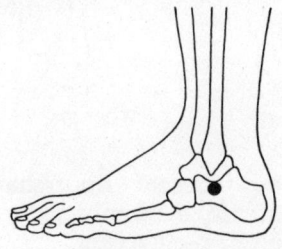

Wirkung: Gegen Kopfschmerzen, Schwindel und Drehschwindel, Lenden-, Bein- und Sprunggelenkschmerzen sowie gegen Schwäche der Beine.

4. Der Punkt B 63 „Goldtor" (Yin Men)

Lokalisation: Vor und unterhalb des äußeren Knöchels, in einer Vertiefung zwischen dem äußeren Fußwurzel- und Mittelfußknochen. Mittelfest massieren.

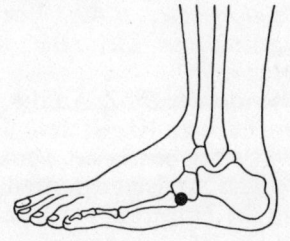

Wirkung: Gegen krampfartige Kopfschmerzen, Lenden-, Bein- und Sprunggelenkschmerzen.

5. Der Punkt B 64 „Hauptknochen" (Jing Gu)

Lokalisation: Am äußeren Fußrand, in einer Vertiefung vor dem Vorsprung, den der äußere Mittelfußknochen an seiner Wurzel bildet. Mittelstark massieren.

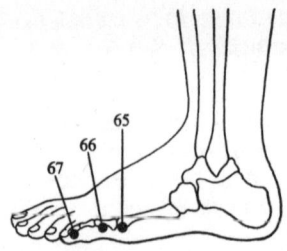

Wirkung der Punkte: Gegen Kopf- und Nackenschmerzen, Augenflimmern. B 65 gegen Lenden- und Beinschmerzen, B 66 gegen Nasenbluten und B 67 zur Geburtserleichterung. Die Punkte B 62, 63, 64 und 65 werden in der Akupunktur auch gegen allgemeine Krampfzustände und Epilepsie gestochen.

Die Handpunkte

Hier unterscheiden wir zwei Typen: die Punkte an den Nagelfalzwinkeln und die Punkte an den Mittelgelenken der Finger sowie am Handrücken.

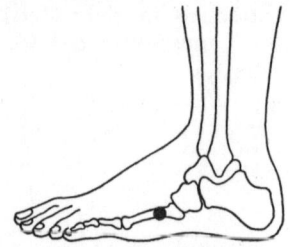

Wirkung: Gegen Kopfschmerzen, Nackensteife, Augenflimmern, Lenden- und Beinschmerzen.

6. Die Punkte B 65 „Knochenverbindung" (Su Gu), B 66 „Talpassage" (Tong Lu) und B 67 „Erreichung des Yin" (Zhi Yin)

Die drei Endpunkte des Blasenmeridians entfalten einander ähnliche Wirkungen mit nur kleinen Unterschieden, deshalb können sie gemeinsam besprochen werden.
Lokalisation des B 65: Hinter dem Kleinzehengrundgelenk, noch über dem Endteil des Schaftes des äußeren Mittelfußknochens.
Lokalisation des B 66: Vor dem Grundgelenk der Kleinzehe, an der Außenseite.
Lokalisation des B 67: An der Kleinzehe, im äußeren Nagelfalzwinkel. Er muß vorsichtig bearbeitet werden, da die Gegend verletzungsanfällig ist. Nur mit der Fingerkuppe massieren!

1. Die Punkte an den Nagelfalzwinkeln

Sie müssen sanft massiert werden, da das Gewebe hier empfindlich ist, am besten mit der Fingerkuppe oder dem

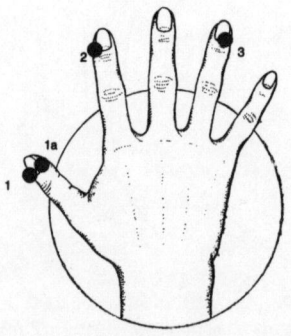

Punkte an den Nagelfalzwinkeln:
1 und 1 a — Halswehpunkte
2 — Zahnwehpunkt
3 — allgemeiner Kopfschmerzpunkt

verkehrten Ende eines Bleistiftes. Doch gehören diese Punkte zu jenen mit der promptesten Wirkung.

Die Punkte 1 und 1a entsprechen dem 11. Punkt des Lungenmeridians „Geringer Handel" (Shao Shang) bzw. einem ähnlich wirksamen Punkt am inneren Nagelfalzwinkel.
Lokalisation: Äußerer und innerer Nagelfalzwinkel des Daumens.
Wirkung: Gegen Halsschmerzen, Rachenschmerzen, Husten und dadurch bedingte Kopfschmerzen.

Der Punkt 2 entspricht dem 1. Punkt des Dickdarmmeridians „Berater des Yang" (Shang Yang).
Lokalisation: Daumennaher Nagelfalzwinkel des Zeigefingers.
Wirkung: Gegen Zahn-, Hals- und Rachenschmerzen und dadurch verursachte Kopfschmerzen.

Der Punkt 3 entspricht dem 1. Punkt des Meridians des dreifachen Erwärmers „Grenzangriffspunkt" (Guan Chong).
Lokalisation: Dem Kleinfinger zugewandter Nagelfalzwinkel des Ringfingers.
Wirkung: Gegen Kopfschmerzen, Arm- und Ellbogenschmerzen.

2. Die Punkte an den Mittelgelenken der Finger und am Handrücken

Diese Punkte werden relativ kräftig mit der Fingerkuppe, verstärkt auch durch den Druck eines kurzen Fingernagels, massiert. Man hält dabei den Finger in einem Winkel von 60° zur Haut, mit dem Nagel nach oben. Sie wirken vorwiegend gegen spezielle Formen von Kopfschmerz.

Der Punkt 1 entspricht dem Handpunkt 6 „Vorderkopfpunkt" (Qian Tou Dian).
Lokalisation: An der Daumenseite des Zeigefingermittelgelenkes.
Wirkung: Gegen Stirnkopfschmerz; außerdem gegen Magen- und Darmkrämpfe, Zehen- und Kniegelenkschmerzen.

Der Punkt 2 entspricht dem Handpunkt 7 „Scheitelpunkt" (Tou Ding Dian).
Lokalisation: An der Daumenseite des Mittelfingergelenkes.
Wirkung: Gegen neuralgische Schädeldachschmerzen.

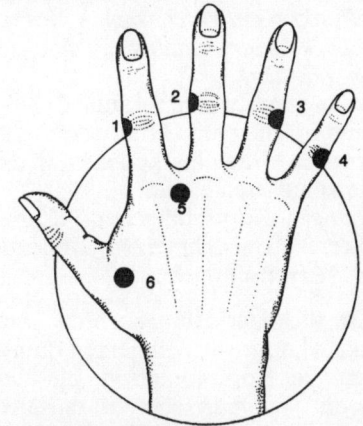

Punkte an den Fingermittelgelenken und am Handrücken:
1 — Stirnkopfschmerzpunkt
2 — Schädeldachschmerzpunkt
3 — Halbseitenkopfschmerzpunkt
4 — Hinterkopfschmerzpunkt
5 — Nackenschmerzpunkt
6 — Kopf- und Zahnschmerzpunkt

Der Punkt 3 entspricht dem Handpunkt 8 „Halbseitenkopfschmerzpunkt" (Pian Tou Dian).
Lokalisation: An der Kleinfingerseite des Ringfingermittelgelenkes.
Wirkung: Gegen Halbseitenkopfschmerz, Migräne; außerdem gegen Brustkorbschmerzen sowie Gallenblasenbeschwerden.

Der Punkt 4 entspricht dem Handpunkt 10 „Hinterkopfpunkt" (Hou Tou Dian).
Lokalisation: An der Außenseite des Kleinfingermittelgelenkes.

Wirkung: Gegen Hinterkopfschmerzen, Wangenschmerzen; außerdem gegen Aufstoßen.

Der Punkt 5 entspricht dem Handpunkt 14 „Hals- und Nackenpunkt" (Jing Xiang Dian).
Lokalisation: Zwischen 2. und 3. Fingergrundgelenk am Handrücken, näher dem 2. Fingergrundgelenk.
Wirkung: Gegen Nackenschmerzen und Verrenkungsschmerz im Halswirbelbereich.

Der Punkt 6 entspricht dem 4. Punkt des Dickdarmmeridians „Talbegegnung" (He Du).
Lokalisation: Zwischen 1. und 2. Mittelhandknochen am Handrücken, näher zum 2. Mittelhandknochen, in der Höhe von dessen Mitte.
Wirkung: Kopfschmerzen, Zahnschmerzen, Halsschmerzen, rinnende Nase, Nervenschwäche.

Ein wichtiger Hinweis: Man kann mit Akupressur Schmerzen dämpfen. Bei Kopfschmerzen, die man kennt, weil man schon oft darunter gelitten hat, ist das nicht von Nachteil. Bei Zahnschmerzen wird man jedoch trotz erfolgreicher Akupressur den Zahnarzt aufsuchen.

Die Fußreflexzonen

Die Fußreflexzonen für Kopf und Nacken befinden sich im Bereich der Zehen, sowohl an der Fußsohle als auch am Fußrücken. Hier sind auch alle Organe vertreten, die sich im Kopf- und Halsbereich befinden (Gehirn, Hirnanhangdrüse, Augen, Ohren, Mandeln, Zähne usw.). Manche Flächen sind sehr klein: Das Hirnanhangdrüsenareal am Großzehenballen mißt nur einen halben Quadratzentimeter, das Schilddrüsenareal am Großzehenrücken ist kaum größer.

Die Reflexzonen für Kopf und Nacken an den Fußsohlen und Fußrücken:

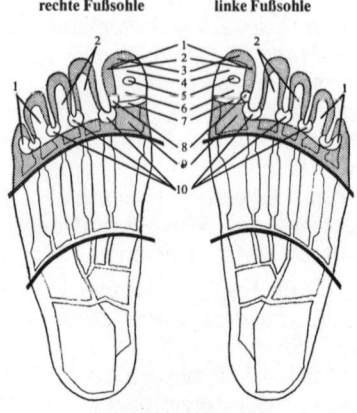

rechte Fußsohle   linke Fußsohle

1 Schläfen seitlich
2 Kiefergebiet
3 Schädeldach
4 Großhirn
5 Hypophyse
6 Kleinhirn
7 Schädelbasis
8 Proc. Mastoideus
9 Nacken
10 obere Lymphwege

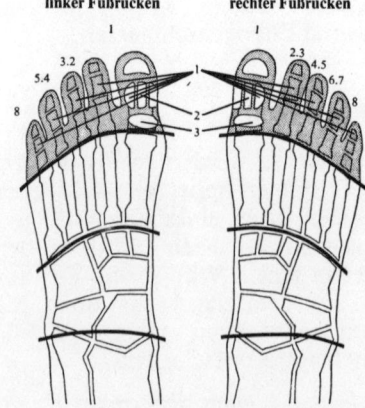

linker Fußrücken   rechter Fußrücken

1 Stirn-, Kieferhöhle, Zähne
2 Nasen-Rachenraum
3 Schilddrüse

Die Organe sind exakt nach ihrer Zonenzugehörigkeit aufgeteilt. Das ist besonders an den Zähnen gut zu beobachten. Wenn man dazu das *Körperzonenschema von Dr. Fitzgerald* betrachtet, erkennt man ein gewisses System dahinter:

Organe, die sich näher zur Mittellinie des Körpers befinden, sind näher der Zone 1 gelagert. Deshalb ist der Nacken an der Großzehenunterseite vertreten. In der Verlängerung in Richtung Ferse befindet sich als schmales Areal die Wirbelsäule.

Wie massiert man richtig?

Für einfache, selbst durchzuführende Massagen ist die *Großzehe* am besten geeignet. In ihr befinden sich die Areale für Schädeldach, Schläfe, Hinterkopf und Nacken (siehe Abbildung).

Körperzonen

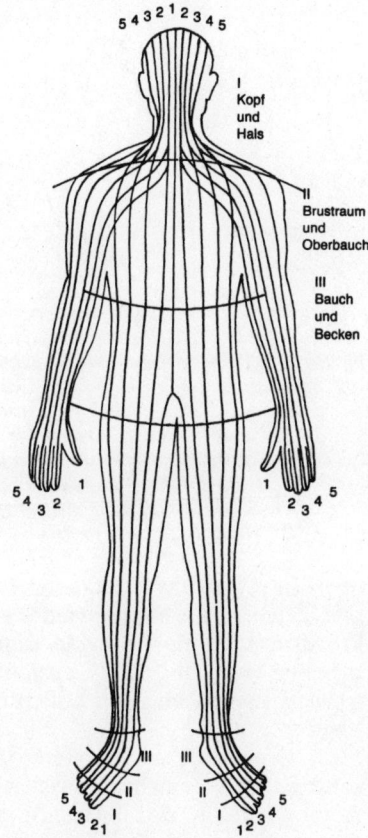

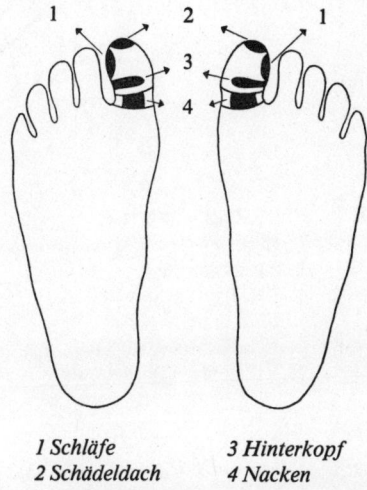

1 Schläfe   3 Hinterkopf
2 Schädeldach   4 Nacken

Je nach Schmerzart massiert man mit dem Daumen etwa zwei Minuten lang die richtige Stelle, erst am schmerznäheren, dann am schmerzferneren Fuß. Abschließend läßt man die Zehen sanft kreisen.
Die genaue Technik der Behandlung ist ab Seite 111 eingehend beschrieben.

Man kann die Fußreflexzonenmassage mit anderen Anwendungen gegen Kopfschmerzen kombinieren. Auch

Schneidezahn 1	— Zone 1	— Großzehe
Schneidezahn 2	— Zone 2	— 2. Zehe
Eckzahn 3	— Zone 2	— 2. Zehe
Backenzahn 4, 5	— Zone 3	— 3. Zehe
Backenzahn 6, 7	— Zone 4	— 4. Zehe
Weisheitszahn 8	— Zone 5	— 5. Zehe

als Vorbereitung für die chiropraktische oder osteopathische Behandlung ist sie, ebenso wie die Akupunktur, sehr gut geeignet.

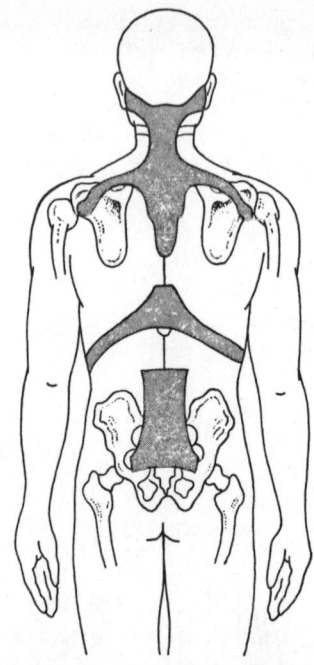

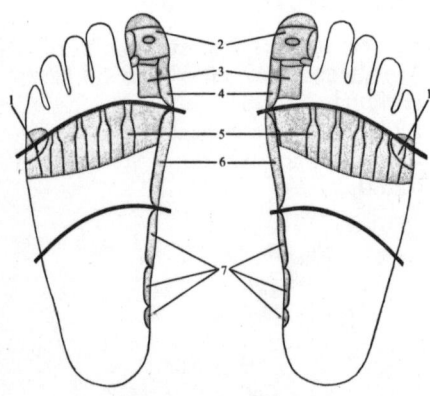

1 KRZ Schultergelenk
2 Kopf
3 KRZ Nacken
4 KRZ Halswirbelsäule
5 KRZ Schultergürtel
6 KRZ Brustwirbelsäule
7 KRZ untere Wirbelsäule

Die Rückenreflexzonen bei Kopfschmerzen befinden sich in der Kreuzbeingegend, in der Höhe des 12. Brustwirbels mit Ausläufern schräg nach unten und vom 6. Brustwirbel aufwärts bis an das Hinterhaupt mit Ausläufern in der Höhe des 1. Brustwirbels sowie des 3. und des 1. Halswirbels. Die Maximalpunkte, das sind die Stellen größter Verspannung und auch größter Schmerzempfindlichkeit, befinden sich in der Höhe des 2. Brustwirbels.

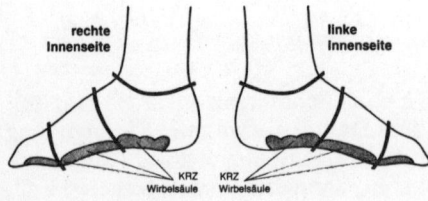

Die Rückenreflexzonen

Mit einer **Massagebürste** oder einer gewöhnlichen **Nylonborstenbürste** massiert man die Reflexzonen (siehe Abbildung) von unten nach oben in etwa fünf Zentimeter langen Strichen, die immer wieder von kreisförmigen Bewegungen unterbrochen werden. Die Ausläufer werden von innen nach außen behandelt.

Man kann trocken bürsten oder sanfter mit einem Massageöl. Auch Distelöl, das Samenöl mit dem größten Gehalt an mehrfach ungesättigten Fettsäuren, eignet sich erfahrungsgemäß sehr gut. Es ist möglich, daß die ungesättigten Fettsäuren, die beim zarten Bür-

sten unter Sauerstoffeinfluß zerfallen, eine zusätzliche heilsame Wirkung entfalten.
Bei vorbeugender Behandlung bürstet man am besten täglich vor dem morgendlichen Waschen.

Ab Seite 114 findet man eine ausführliche Beschreibung der Rückenreflexzonen und der von Elisabeth Dicke entwickelten Bindegewebsmassage.

Wasseranwendung

Die Behandlung eines Migräneanfalles nach Dr. Alfred Baumgarten

„Eine wohlthuende Einwirkung bei Migräne werden folgende Anwendungen haben:
● Bei dem Anfall ist zunächst absolute Ruhe notwendig,
● sodann mache man eine Oberkörperwaschung,
● nach einer Stunde eine zweite Oberkörperwaschung,
● zugleich Einwickelung der Waden mit kalt Wasser und Essig,
● auf den Leib das vierfache Tuch ebenfalls in kalt Wasser und Essig,
● und stündlich zehn Tropfen Baldriantinktur in einem Löffel voll heißem Wasser zu nehmen.
● Tritt Schlaf ein, so ist das sehr günstig, und man kann den Schlaf hervorzurufen suchen, indem man das Zimmer verdunkelt."
Central-Blatt für das Kneippsche Heilverfahren, 22. Mai 1896

Als Unterstützung und zur Ergänzung moderner Migränemittel (meist in Form von Tabletten oder Zäpfchen)

ist die Durchführung dieses Behandlungsplans noch heute durchaus sinnvoll. Er trägt wirkungsvoll zum rascheren Abklingen des Anfalls bei.

Die Oberkörperwaschung

Für Waschungen eignen sich grobleinene Tücher oder grobe Handtücher (50 × 50 cm) am besten. Man taucht das Tuch in kaltes Wasser, dem man pro Liter ein Glas Weinessig zusetzen kann.

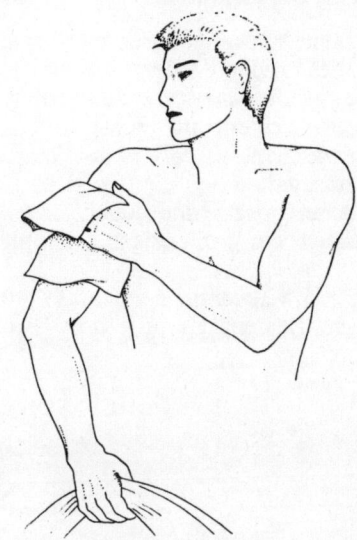

Bei der Oberkörperwaschung wird zuerst der rechte Arm mit mehreren zügigen Strichen gewaschen, dann der Hals und der Nacken, dann Brust und Bauch bis zur Nabelhöhe, anschließend der linke Arm und zuletzt der Rücken bis zur Höhe des Beckenkammes.

Gewöhnlich muß man während der Waschung, die nicht länger als eine Minute dauern soll, das Tuch frisch eintauchen oder ein neues Tuch verwenden.
Arme und Oberkörper sollen mit einem geschlossenen Wasserfilm überzogen sein, überstehende Tropfen

kann man mit der Handkante abstreichen.

Ohne abzutrocknen legt sich der Migränepatient in sein noch warmes oder vorgewärmtes Bett zurück, deckt sich bis an den Hals gut zu (so daß im Bett eine Art Oberkörperdunst entsteht) und verhält sich bis zur nächsten Anwendung — neuerliche Oberkörperwaschung, Wadenwickel und Leibwickel — möglichst ruhig.

Waden- und Leibwickel

Zu einem Wickel gehören mindestens drei, besser vier Tücher:

1. Das nasse Innentuch aus grobmaschigem Leinen, möglichst alt und ausgewaschen, so daß es das Wasser gut ansaugt. Hier eignen sich alte Bettlaken oder Handtücher, es gibt aber auch ein großporiges Kneippleinen.

2. Das Zwischentuch ebenfalls aus grobem Leinen. Es hilft den Dunst besser zu halten und schützt zugleich das meist teure Abschlußtuch vor Verschmutzungen. Es soll das nasse Innentuch an allen Seiten um einige Zentimeter überragen.

3. Das Abschlußtuch aus Wolle oder Flanell. Damit werden die gewickelten Stellen regelrecht eingepackt. Das Abschlußtuch soll auch luftdurchlässig sein, denn ein Wickel soll atmen können.

Es gibt feuchtkalte, warme und heiße Wickel. Für unsere Migränebehandlung verwenden wir nur den feuchtkalten Wickel.

Richtig durchgeführt, entzieht er dem Körper zunächst Wärme. Es kommt zur Verengung der Hautgefäße, zugleich aber zu einer Erweiterung der tiefer gelegenen Blutgefäße, so daß erste Stoffwechselschlacken gelöst werden können. Nach etwa 15 Minuten erweitern sich die Hautgefäße. Jetzt können die Schlackenstoffe transportiert und von der Niere ausgeschieden

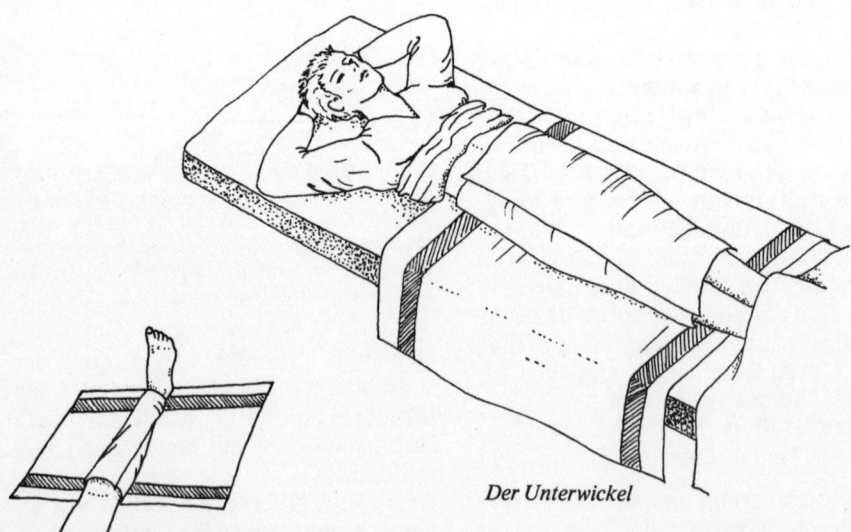

Der Unterwickel

Der Fuß-Waden-Wickel

186

werden. Übelriechender Harn ist ein Zeichen dafür, daß er gut angelegt und wirksam war. Schließlich wird, nach längerer Dauer des Wickels, der Entgiftungsmechanismus der Haut stark angeregt. Man hat gemessen, daß die Hautatmung während des Wickels um das Zehnfache ansteigt. Nach der Abnahme riechen ursprünglich saubere Tücher übel und sind oft regelrecht schmutzig.

> Jeder Wickel hat eine erweichende, ausscheidungsfördernde, also allgemein entgiftende und zusätzlich eine lokal entgiftende Wirkung.
> **Durchschnittliche Dauer:** 30 bis 40 Minuten (bei größeren Wickeln auch länger).
> **Maße des Innentuches:** Wadenwickel 80 × 40 cm; Leibwickel 80 × 180 cm.

Wie legt man einen feuchtkalten Wickel an?

1. Bevor man das Innentuch naß macht, legt man das Abschlußtuch und darüber das Zwischentuch im Bett zurecht (siehe Abbildung). Es sind drei Wickel vorgesehen: zwei Waden- und ein Leibwickel. Das Bett selbst muß vorgewärmt oder noch körperwarm sein. Etwa zehn Sicherheitsnadeln oder Bandagenklemmen sollten bereitliegen.
2. Nun legt sich der Patient in das Bett, und man beginnt, falls es notwendig ist, jene Stellen, die umwickelt werden sollen, zu erwärmen. Das Innentuch taucht man ins Wasser (Leitungstemperatur, also 14 bis 20° Celsius), dem man ein Glas Weinessig pro Liter zugesetzt hat. Gut durchnässen und auswringen, es soll nicht abtropfen.
3. Das feuchtkalte Innentuch wird möglichst schnell faltenfrei angelegt

und an die Haut angestrichen. Sobald es gut sitzt, wird das etwas größere Zwischentuch glatt, aber nicht zu fest darüber gelegt. Es soll das Innentuch an allen Rändern überlappen. Anschließend wird das Abschlußtuch mit den vorbereiteten Sicherheitsnadeln oder Bandagenklemmen fixiert. Besonders beim größeren Leibwickel sind zwei Abschlußtücher von Vorteil, da der Dunst dadurch länger gehalten wird. Schließlich deckt man den Patienten mit einer nicht zu schweren Bettdecke zu.

> Der **Wadenwickel** reicht von den Knöcheln bis zur Kniekehle, der **Leibwickel** (auch Lendenwickel genannt) vom Nabel bis zur Mitte der Oberschenkel. Er wird in mittlerer Atemstellung angelegt, weder zu locker noch zu fest.

Die Baldriantinktur

Der Baldrian

187

Die Baldriantinktur (Tinctura Valerianae), ein Gesamtauszug der Baldrianwurzel, zählt wahrscheinlich zu den meistverwendeten Tinkturen überhaupt.

Die übliche Einzeldosis ist relativ groß: 1/2 bis 2 Teelöffel. In unserem Fall genügen 10 Tropfen stündlich.

Der Baldrian (Valeriana officinalis) ist hauptsächlich als *Nervenberuhigungsmittel* bekannt. Zu diesem Zweck wird er gerne mit anderen Pflanzen gemischt, z. B. mit der Melisse gegen nervöse Erregungszustände oder mit dem Hopfen gegen Schlafstörungen. Aber auch die Wirksamkeit bei Migräne wurde schon in alten pflanzenheilkundlichen Schriften erwähnt, ebenso wie ihre blähungswidrige Wirkung, die, wie es heißt, Seitenstechen beseitigt und den Kopf freimacht. Außer Kneipp und Dr. Baumgarten haben auch die berühmten Ärzte Christoph Wilhelm Hufeland und Johann Gottfried Rademacher die Baldriantinktur gegen Migräne eingesetzt.

Hilf Dir selbst bei Schlafstörungen, Streß und Nervosität

Wirksame Akupressurpunkte bei nervösen Störungen

Aktuell wirksame Punkte sollen aufkeimende Beklemmungen schon im Keim ersticken können. Man kann sie deshalb auch **Bedarfspunkte** nennen, denn man verwendet sie dann, wenn der Bedarf gegeben ist: bei unvermittelt auftretendem nervlichen und psychischen Unbehagen, bei Verspannungszuständen, bei Phasen geistiger Leistungsschwäche, aber auch vor belastenden Situationen, welche eine erhöhte nervliche und psychische Spannkraft erfordern, etwa vor Prüfungen und wichtigen Besprechungen. Die unterschiedlichen Formen psychischer und nervöser Störungen kann man aus der Eigenempfindung oft gar nicht so leicht voneinander trennen, denn sie sind nicht, wie viele körperliche Schmerzen, auf bestimmte Stellen oder Organe beschränkt. Der psychisch-nervöse Schmerz erfaßt den ganzen Menschen und ist immer durch allgemeines Unbehagen gekennzeichnet. Das kann von der leichten hemmenden Verspannung bis zum tiefsten Angstgefühl gehen; vom aktivierenden Lampenfieber bis zur völligen Reaktionsstarre.

Im folgenden sind einige empfehlenswerte Punkte mit guter Wirkung gegen nervöse und psychische Störungen besprochen. Um dem Leser die Wahl des richtigen Punktes bei gegebenem Bedarf zu erleichtern, sind die Unterschiede in der Wirkung möglichst exakt beschrieben.

Die richtige Durchführung der Massage ist ab Seite 111 eingehend erläutert.

I. Die Punkte an der Unterarm-Innenseite.

Sie wirken vornehmlich gegen Müdigkeit, Schwäche und Lustlosigkeit. Auch das nervöse Herz wird durch sie oft gebessert.

1. Der Punkt Lu 5 „Ellbogenteich"

Lokalisation: In der Ellbogenfalte, außerhalb der bei gebeugtem Arm gut tastbaren Bizepssehne.
Die Wirkung: Nervöse Schwäche, die

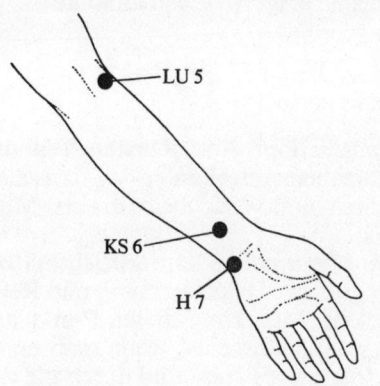

sich auf die Atmung schlägt – wenn man das Gefühl hat, daß der Hals zu eng ist, oder daß man nicht richtig durchatmen kann. Auch nervöses Hüsteln kann dieser Punkt dämpfen, und wenn es einem die Sprache verschlägt, wie beim Räusperzwang am Beginn einer Rede.

Die weiteren Wirkungen dieses Punktes richten sich gegen Husten, Bronchialasthma, Rachenentzündung und gegen Schmerzen im Ellbogenbereich.

2. Der Punkt KS 6 „Innengrenze"

Lokalisation: Am Unterarm, innen, 5 cm oberhalb der mittleren Handgelenksfalte.
Die Wirkung: Allgemeine Unruhe mit dem Gefühl zu versagen, durchzudrehen; Würgegefühl mit Übelkeit und Erbrechen; nervöses Herzklopfen. Der Punkt ist einer der „Hysteriepunkte", ein echter Notfallspunkt, den man verwenden kann, bevor man durchdreht.

Da er auch gegen Schmerzen im seitlichen Brustkorbbereich wirkt, wurde er bereits bei den rheumatisch wirksamen Punkten erwähnt.

3. Der Punkt H 7 „Göttliches Tor"

Lokalisation: An der mittleren Handgelenksfalte unter dem Kleinfingerballen.
Die Wirkung: Allgemeine Unruhe, Streßempfindlichkeit, Überreizbarkeit; Schlaflosigkeit und das Gefühl, durchzudrehen; nervöses Herzklopfen. Auch dieser Punkt zählt zu den „Hysteriepunkten", die eine relativ prompte Wirkung entfalten.

„Schlafstörungen, Streß und Nervorsität" heißt auch ein Buch aus der Reihe „Hilf Dir selbst", in der Sie eine Reihe weiterer wichtiger Informationen zum Thema erhalten.

II. Punkte am Unterarm und Handrücken

Die im folgenden beschriebenen drei Punkte entfalten ihre Wirkung im nervösen und psychischen Bereich, und zusätzlich fördern sie das Denkvermögen und das Gedächtnis. Ihr körperliches Bezugsorgan ist der Kopf. Vor allem der Punkt Di 4 gilt als einer der besten Schmerzpunkte.

1. Der Punkt Di 4 „Talbegegnung"

Lokalisation: Am Handrücken zwischen Daumen und Zeigefinger, an der Mitte der dem Daumen zugewandten Seite des Mittelhandknochens. Oder: Wenn man den Daumen und den Zeigefinger gestreckt aneinanderpreßt, entsteht ein Muskelbauch. An dessen höchster Stelle befindet sich der Punkt.
Die Wirkung: Allgemeine Nervenschwäche mit Denkhemmung. Wenn man das Gefühl hat, daß Psyche und vegetatives Nervensystem nicht stabil genug sind.
Weiters gegen Schmerzen im Bereich der oberen Körperhälfte und gegen rinnende Nase. Deshalb spielt dieser Punkt auch bei Erkältungskrankheiten eine wichtige Rolle.

2. Der Punkt Dü 5 „Sonnental"

Lokalisation: An der Kleinfingerseite

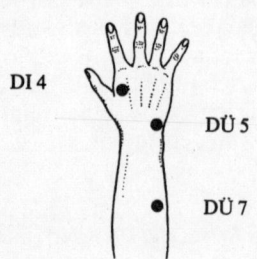

des Handgelenkes, in einer Vertiefung.
Die Wirkung: Ein Punkt mit breitem Einsatzgebiet gegen die verschiedenen Formen von psychischem Unbehagen, besonders gegen Erschöpfungszustände. Wirkt auch gegen Gleichgewichtsstörungen und Ohrensausen. Ferner gegen Hals- und Kieferschmerzen.

3. Der Punkt Dü 7 „Richtiges Glied"

Lokalisation: In der Mitte zwischen Handgelenk und Ellbogen, seitlich am Ellenbein.
Die Wirkung: Allgemeiner Leistungsabfall bei psychischer Erschöpfung. Weiters gegen Kopf- und Nackenschmerzen, wie sie oft auch durch psychische Überlastung ausgelöst werden.

III. Punkte am Unterschenkel

Hier stechen zwei besonders wirksame Punkte hervor: Der Punkt M 36 mit seiner ausgeprägten Wirkung gegen Prüfungsangst und der Punkt MP 6, welcher gegen Reizbarkeit und innere Unruhe eingesetzt werden kann.

1. Der Punkt M 36 „Drei Entfernungen"

Lokalisation: Am obersten Teil der Schienbeinaußenkante, zwischen Schien- und Wadenbein, in einer Mulde.
Die Wirkung: Bei Lampenfieber, Prüfungsangst, Denkhemmung und Reizbarkeit. Man kann diesen Punkt immer dann einsetzen, wenn man unter Erfolgszwang steht und durch die damit verbundene nervöse Spannung im entscheidenden Augenblick nicht aus sich heraustreten kann. Er wirkt auch, wenn sich die Nervosität auf den Ma-

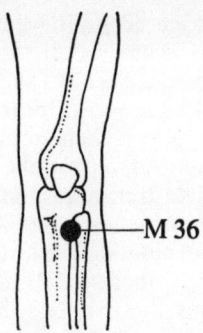

M 36

gen schlägt und wenn man das Gefühl hat, daß die Beine versagen bzw. daß die Knie „schlottern". Sein Beiname „Göttliche Gleichmut" ist dementsprechend gut gewählt.

2. Der Punkt MP 6 „Treffpunkt der drei Yin"

Lokalisation: 5 cm oberhalb des inneren Knöchels, an der Schienbeinhinterkante.

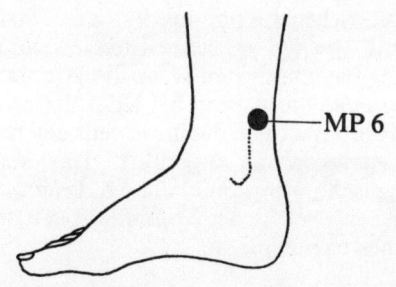

MP 6

Die Wirkung: Bei allgemeiner Nervenschwäche, Reizbarkeit und innerer Unruhe. Auch bei der schmerzhaften Monatsblutung schafft er oft Erleichterung und beseitigt auch das damit verbundene psychische Unbehagen.

IV. Punkte an der Fußsohle

Hier sind drei Punkte von besonderer Wirkung gegen nervöse Störungen: Der anregende N 1, der schlaffördernde PaM 134 und der Punkt PaM 135, der beim nervösen Kopfschmerz Erleichterung bringen kann.

1. Der Punkt N 1 „Sprudelnde Quelle"

Lokalisation: An der Fußsohle in einer Vertiefung, die entsteht, wenn man die Zehen nach unten beugt.
Die Wirkung: Bei nervlicher und psychischer Erschöpfung, wenn man fürchtet, das Gleichgewicht zu verlieren oder sogar bewußtlos zu werden. Wenn einem die Luft wegbleibt — wenn Aufregungen zu echter Atemnot führen. Ferner bei Unentschlossenheit. Wie die Punkte KS 6 und H 7 an der Unterarminnenseite zählt auch der N 1 zu den „Hysteriepunkten".

2. Der Punkt PaM 134 „Schlaflosigkeit"

Lokalisation: Auf der Fersenmitte.
Die Wirkung: Gegen Schlaflosigkeit und nervöse Unruhe.

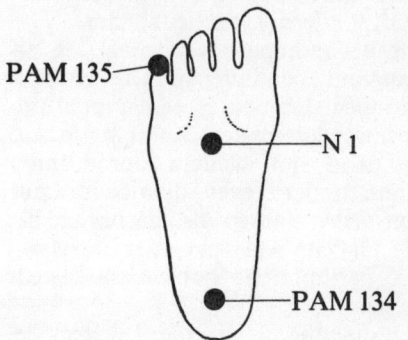

PAM 135

N 1

PAM 134

3. Der Punkt PaM 135
„Kleinzehenspitze"

Lokalisation: An der Spitze der Kleinzehe.
Die Wirkung: Gegen Schwindelgefühl und nervös bedingte Unsicherheit. Weiters gegen nervös bedingte Kopfschmerzen. Der Punkt dient auch zur Erleichterung des Geburtsvorganges.

Die Basisprogramme

Während die aktuell wirksamen Akupressurpunkte bei nervösen Störungen ein Instrument für den Notfall darstellen, mit dem man, wenn man sich erst einmal darauf eingespielt und die richtigen Punkte gefunden hat, die vielen möglichen alltäglichen nervlichen und psychischen Belastungen gut in den Griff bekommen kann, sollen die nun folgenden *Basisprogramme* kontinuierliche Aufbauarbeit leisten. Sie entsprechen schon viel mehr dem eigentlichen Wesen der Akupunktur, welche verschiedene Punkte, die einander harmonisch ergänzen und verstärken können, in einem Arbeitsgang zusammenfaßt. Hier werden nicht mehr allein typische Symptome erfaßt, sondern Krankheitsbilder.
Die Behandlungen verstehen sich als Langzeitbehandlungen. Die Kombinationen selbst entsprechen nicht unbedingt den besten Kombinationen, die man mit Nadeln durchführen kann, sondern jenen, die sich im Lauf von vielen Jahren als die besten für die tägliche Massage oder Bürstung mit bestimmten Ölen herausgestellt haben.
Hat man die für den persönlichen Be-

darf richtige Kombination gewählt, darf man damit rechnen, daß sich nach sieben bis zehn Tagen eine zumindest spürbare Besserung des Zustandes, der nervlichen und psychischen Situation, eingestellt hat.
Gewöhnlich führt man eine solche Behandlung, wenn sich der Anfangserfolg einmal eingestellt hat, über 2 Monate, aber unbedenklich auch länger durch. Das Ziel ist stets die Wiederherstellung der psychischen und nervlichen Widerstandskraft, die Beseitigung der Tagesnervosität, wobei der Erfolg meist relativ schnell eintritt, sowie das Wiedergewinnen der Fähigkeit, normal zu schlafen. Das dauert in der Regel etwas länger.
Jede der zwei Kombinationen entspricht einem bestimmten häufigen Beschwerdekomplex. In Schlagworten:

1. Verlust der Spannkraft,
2. Verspannung und Angstzustände.
Es ist aber auf Anhieb gar nicht so einfach, sich mit seinen Beschwerden auf Grund dieser Begriffe in die richtige Kombination einzuordnen.
Die richtige Kombination aber wirkt mit Abstand am schnellsten und auch am nachhaltigsten. Um die Auswahl zu erleichtern, sind bei jeder der zwei Kombinationen die ihr jeweils eigenen *Leitsymptome* angeführt. Das sind typische Symptome, die die *Anleitung* geben, welche der Kombinationen am ehesten entspricht.

Die Technik der Anwendung:
Grundsätzlich werden beide Kombinationen in gleicher Weise behandelt:
● Morgens, nach dem Waschen, trägt man auf die Punkte und ihre nähere Umgebung *Johanniskrautöl* auf. 1 Minute einwirken lassen. Dann mit einer Zahnbürste (am

Rücken mit einer Badebürste) etwa ½ Minute lang sanft bürsten.
● Vor dem Schlafengehen macht man das gleiche, jedoch mit *Distelöl*. Das Öl auftragen, 1 Minute einwirken lassen, dann etwa ½ Minute lang sanft bürsten.

Die Punkte gewöhnen sich schnell an die verschiedenen Öle und legen die Informationen richtig aus. Johanniskrautöl: für den Tag aufbereitend, Distelöl: für die Nacht aufbereitend.
Das Johanniskrautöl kann man selbst zubereiten. Es ist aber immer besser, wenn man es in der Apotheke oder Drogerie besorgt. Der Hypericingehalt, auf den es ankommt, ist in der käuflichen Ware viel verläßlicher und sicherer.
Distelöl ist ein Salatöl. Man erhält es im Nahrungsmittelgeschäft, in Reformhäusern, auch in Apotheken.

I. Verlust der Spannkraft

Hier empfiehlt sich eine Kombination, die aus folgenden Punkten besteht:
1. KG 6 „Meer der Energie"
Lokalisation: 2 bis 3 cm* unterhalb des Nabels.
2. PaM 41 „Energiezentrum"
Lokalisation: 2 bis 3 cm* links und rechts vom KG 6.
3. PaM 40 „Querfalte"
Lokalisation: 8 bis 10 cm* links und rechts vom Nabel.
4. B 20 „Zustimmungspunkt des Milz-Pankreas (Meridians)"
Lokalisation: Am Rücken, unterhalb des 11. Brustwirbeldornfortsatzes, 2 bis 3 cm* links und rechts der Mittellinie.

---

* *Je nach Körpergröße: Bei sehr großem Leibesumfang sind auch die Entfernungen entsprechend größer.*

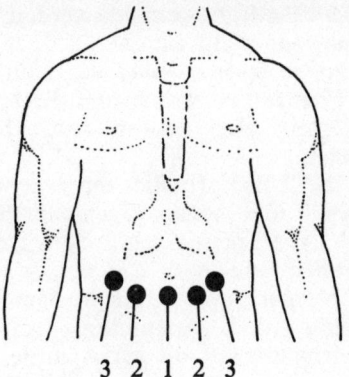

3 2 1 2 3

PAM 40, 41   KG 6

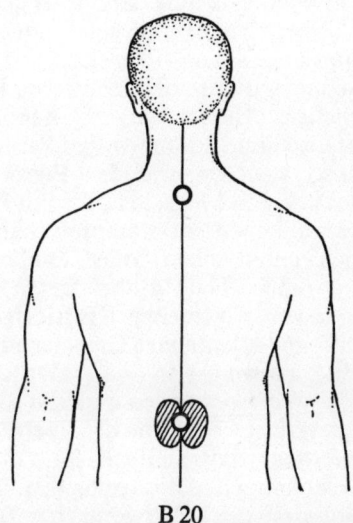

B 20

Zum Teil sagen schon die Namen der Punkte aus, für wen diese Kombination gedacht ist: Für den, der das Gefühl hat, keine Energie mehr zu besitzen. Psychische − und auch körperliche − Anstrengungen erfordern dann große Selbstüberwindung. Man tut sich schwer, eine Arbeit in Angriff zu nehmen und ermüdet bei deren Durchführung rasch. Das Leben selbst, scheint es, hat an Farbe verloren, man wird teilnahmslos und möchte in Ruhe gelassen werden. Oft kann man nicht einmal ein Buch mit Interesse lesen, wobei der spürbare Konzentrationsverlust und die Merkschwäche eine deprimierende Rolle spielen.

Es tritt Unempfindlichkeit gegenüber Reizen und sogar gegenüber Streß auf. Alle Speisen schmecken gleich, nämlich fad.

Im Vordergrund stehen weniger Nervosität und Spannung, sondern Gleichgültigkeit bis zur Apathie, vor allem aber auch die allgemeine Kraftlosigkeit. Die Ursachen für diesen Zustand können in lang dauernder geistiger Überarbeitung liegen, oder es kann sich um eine – an sich vorübergehende – Phase nach schweren körperlichen Erkrankungen handeln. Enttäuschungen können den Zustand ebenso auslösen wie der Pensionsschock. Auch Menschen, die mit Entzugsproblemen zu kämpfen haben, leiden unter diesen oder ähnlichen Symptomen. Häufig aber treten Zustände von allgemeiner Kraftlosigkeit auch ohne erkennbare Ursache auf:

In Fällen von unerklärlichen Schwächezuständen und von Energieverlust darf nicht übersehen werden, daß vielfach innere Erkrankungen dahinterstecken. Zumindest die Leberwerte, der Blutzucker, das Blutbild und die Lunge müssen zur Abklärung untersucht werden!

Die Leitsymptome für die Kombination I

– Allgemeine Kraftlosigkeit
– Initiativverlust, Interesselosigkeit
– Tagesmüdigkeit und rasche Ermüdbarkeit
– Erschöpfender oder unergiebiger Schlaf

– Nervenschwäche mit Neigung zu Schweißausbrüchen
ferner:
– Entzugsprobleme. (Siehe auch ab Seite 264 Hafer und Passionsblume.)

In körperlicher Hinsicht wirken diese Punkte vorwiegend auf Störungen im Bereich des Verdauungsapparates: Sie erleichtern die Arbeit von Leber und Bauchspeicheldrüse, wirken dämpfend auf entzündliche Vorgänge: auf Magen- und Darmschleimhautentzündungen, auch gegen Blähungen und Darmverspannungen (Koliken). Der Punkt KG 6, das „Meer der Energie", hat eine besondere Wirkung gegen bestimmte Kopfschmerzen; solche, die dann auftreten, wenn man mit den Augen nach oben schaut (Ermüdungskopfschmerz).

Der Punkt PaM 40, „Querfalte", ist einer der besten gegen Schwitzen und Schweißausbrüche, gleich welcher Ursache.

Die Behandlung der Punkte erfolgt am zielführendsten in der oben angegebenen Reihenfolge.

II. Innere Verspannung mit Krampfneigung, Angstzustände

Diese Kombination, die sich vor allem durch den schnellen Wirkungseintritt auszeichnet, besteht aus folgenden Punkten:

1. KG 15 „Taubenschwanz"
Lokalisation: An der unteren Spitze des Brustbeines.
2. G 24 „Sonne-Mond"
Lokalisation: Am Rippenbogen, senkrecht unter der Brustwarze.
3. LG 10 „Göttlicher Weg"
Lokalisation: Am Rücken, unter dem Dornfortsatz des 5. Brustwirbels, in der Mittellinie.

Diese Kombination eignet sich, wenn innere Verspannungen, krampfhafte Unruhe und Nervosität im Vordergrund stehen. Dieser Zustand ist tagein, tagaus vorhanden, scheint zur Persönlichkeit zu gehören und läßt sich üblicherweise nur durch Medikamente oder Alkohol unterbrechen. Deshalb findet man bei dem Typ, auf den diese Kombination paßt, viele, die entweder ständig dämpfende Tabletten mit sich führen, oder aber − zur Entspannung − den Schluck zwischendurch bevorzugen.

Gelegentlich artet diese Dauerverspannung in regelrechten Krampfspitzen aus − mit Zwang zum tiefen Luftholen, dem Gefühl der Beklemmung und vor allem der Angst.

Wenn man bei solchen Anfällen die drei Punkte am Rippenbogen gut massiert, am besten mit Pfefferminzöl*, kann man das unangenehme Geschehen oft schlagartig beheben.

Die Kombination hat eine gute Wirkung auch bei Wechselbeschwerden, vor allem auf Angst und Beklemmungen, aber auch bei Menschen, die nicht in engen Räumen leben können. Auch hier können regelrechte Angstzustände auftreten. Die Patienten haben dann das Gefühl, nicht allein sein zu können, denn es könnte etwas passieren, wo man Hilfe braucht.

Die Leitsymptome für die Kombination II

− Innere Verspannung
− Das Gefühl, ständig getrieben und zugleich gehemmt zu sein
− Oft unvermittelt auftretende Angstzustände, mit Beklemmung und Atemnot
− Dabei das Gefühl, nicht sich selbst überlassen sein zu können

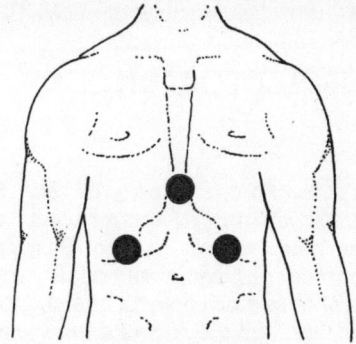

KG 15 + G 24

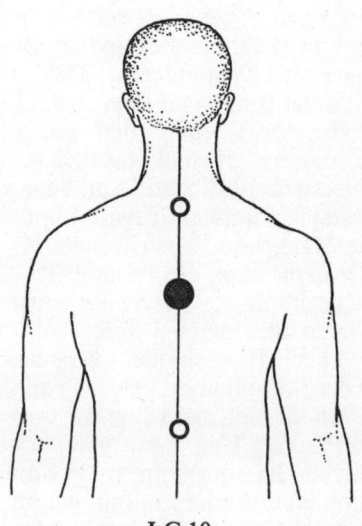

LG 10

− Klaustrophobie (Angst vor engen Räumen, Fahrstuhlangst)
− Wechselbeschwerden

Die Punkte haben auch eine Wirkung auf körperliche Geschehen, und zwar sowohl gegen Störungen der Oberbauchorgane (Leber, Galle, Bauchspeicheldrüse, Magen) als auch gegen Beschwerden im Brustraum. Es gibt Menschen, die immer wieder an lästigem Aufstoßen (Singultus) leiden. Auch hier kann ein Versuch mit dieser Kombination zum Erfolg führen.

---

* Für den Akutfall eignet sich Pfefferminzöl besser als Johanniskrautöl.

195

Die Zusatzprogramme

Die Zusatzprogramme sind auf bestimmte Störungen ausgerichtet, die zwar meist schon in den Basisprogrammen allgemein miterfaßt sind, häufig aber eine so vordringliche Rolle spielen, daß die Anwendung spezifischer Punkte „zusätzlich" angebracht ist.

Man kann jedes der beschriebenen Zusatzprogramme mit jedem Basisprogramm kombinieren. Das wird man dann tun, wenn man sowohl die Leitsymptome eines der Basisprogramme besitzt und zusätzlich, als hervorstechendes Symptom, eines der Zusatzprogramme. Etwa Impotenz oder Mangel an Lebensfreude.

Man kann aber die Punkte der Zusatzprogramme, wenn die entsprechenden Störungen isoliert vorkommen, auch für sich allein verwenden. Bei der Kombination beider Programme erhöht sich natürlich die Anzahl der Punkte. Und zwar bei Verwendung von Basisprogramm I in Kombination mit Zusatzprogramm „Impotenz" auf 13. (1 unpaariger Punkt und 6 paarig angeordnete Punkte). Das ist die höchstmögliche Zahl und stellt einen Ausnahmefall dar. Immerhin ist es eine Kombination, die gelegentlich vorkommt und schon einiges an Erfolgen gebracht hat.

Die Behandlung der Punkte des Zusatzprogrammes erfolgt in gleicher Weise wie die der Basisprogramme (siehe Seite 192). Gelegentliche Abweichungen sind eigens angeführt.

Viele der Punkte aber kann man auch zu den aktuell wirksamen zählen, wie „Lebensfreude", „Schwermut", „Frigidität der Frau". Hier wird man selbst erproben, ob man mit der einfachen Massage auskommt oder doch besser eine Dauerbehandlung mit den Ölen durchführt.

Folgende Zusatzprogramme werden hier behandelt:

1. Leistungsschwäche des Gehirns,
2. Unausgeglichenheit, Unerfülltheit, Mangel an Lebensfreude,
3. Schwermut,
4. Impotenz des Mannes,
5. Frigidität der Frau.

Leistungsschwäche des Gehirns

Dieser Punkt beschleunigt die Geschwindigkeit des Denkvermögens, die Reaktionsschnelle und das Merkvermögen immer dann, wenn diese, wie man das bei Schulkindern beobachten kann, unerwartet oder unvermittelt beeinträchtigt sind. Das kann nun unter besonderen Belastungen auftreten. Während man vorher das gefragte Thema noch beherrscht, scheint es während der Prüfung oder Schularbeit wie aus dem Gehirn entschwunden. Nun gibt es zwei Möglichkeiten: Die Belastung des Erfolgszwanges ist schuld und die damit verbundene nervöse Spannung. In solchen Fällen ist der in diesem Buch auf Seite 190 beschriebene Punkt richtig (unterhalb des Knies). Oder, und dafür ist dieser hier beschriebene Punkt zuständig, es kommt infolge von sogenannter quantitativer Hemmung zur Unmöglichkeit, das Erlernte im entscheidenden Moment vor dem Prüfer oder dem leeren Blatt des Schularbeitenheftes zu produzieren. *„Quantitative Hemmung"* bedeutet, daß das Gehirn übervoll ist mit Informationen, die man sich zusammengelernt hat, daß sich aber die richtige, die man im Moment benötigt, nicht herausschälen läßt. Man hat dabei das Gefühl des wirren Kopfes. Ein erfahrener und geduldiger Prüfer merkt das und holt aus dem Prüfling immer noch das heraus, was in dessen Gehirn verankert ist, eventuell durch Gabe von Stichwörtern. Das leere Blatt des Schularbeitenheftes holt nichts heraus.

Dieser Punkt fördert auch den Lernprozeß selbst. Vielen Schulkindern (und auch manchen Erwachsenen) macht die Eingliederung der Daten beim Lernen bereits Schwierigkeiten. Davon merkt man nichts, und doch ist die Geschicklichkeit in dieser Phase ein Teil dessen, was wir gemeinhin als Intelligenz bezeichnen. Und hier entfaltet dieser Punkt am Rücken seine verläßlichste Wirkung. Er steigert die

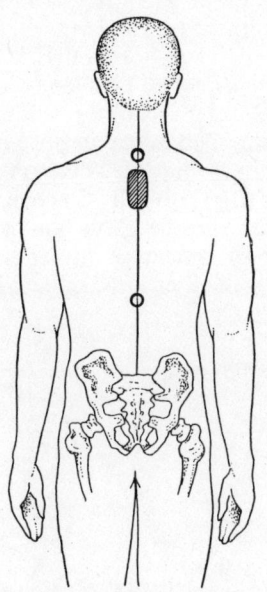

Leistungsschwäche des Gehirns (Computerpunkt)

Geschicklichkeit beim Einordnen, so daß Einzeldaten, wie bei einer gut geordneten Kartei, jederzeit abrufbar sind. So hat dieser Punkt weniger eine psychische oder nervliche Wirkung, sondern mehr eine auf jene Funktion unseres Gehirns, die einem Computer ähnelt. Man könnte den Punkt „Computer-Punkt" nennen. Das darf man nicht abwertend verstehen, denn als geborener Homo sapiens brauchen wir auch diese Eigenschaft unseres Gehirns: programmiertes Gedächtnis – Speicher – Reproduktion. Alles soll klaglos ablaufen, auch wenn es nicht akut lebensnotwendig ist.

Lokalisation des Punktes:

Gewöhnlich am Dornfortsatz des 3. Brustwirbels. Dann würde er dem *LG 11*, „Körpersäule", entsprechen. Manchmal liegt er etwas höher, im Bereich des 2. Brustwirbels. Das wäre der Punkt *PaM 55*, „Wolke des Lebens". Manchmal wieder tiefer, unter dem Dornfortsatz des 4. Brustwirbels. Dort liegt der Punkt *PaM 57*, „Riesentorturm-Zustimmungspunkt". Alle diese Punkte können wir als Punkte gegen Hirnleistungsschwäche bezeichnen.

Man kann sie in einem Behandlungsgang zusammenfassen.

Technik der Anwendung siehe Seite 192.

Unausgeglichenheit, Unerfülltheit, Mangel an Lebensfreude

Dieser Punkt eignet sich hervorragend zur Dauerbehandlung eines Zustandes, den man am besten als „chronische Freudlosigkeit" bezeichnen kann. Solche Phasen kann es im Leben eines jeden Menschen geben; es handelt sich auch nicht um einen eigentlichen nervlichen oder psychischen Schaden, sondern um einen Tonusverlust. Es geht einem wie dem Prediger des Alten Testamentes, der

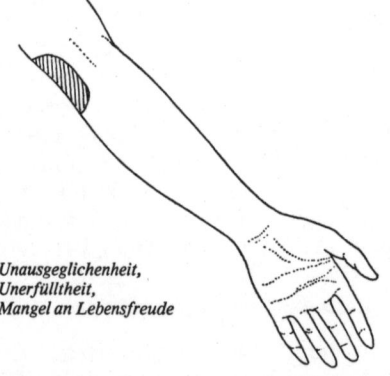

Unausgeglichenheit, Unerfülltheit, Mangel an Lebensfreude

im Vollbewußtsein seiner Kräfte auszog, um die Glückseligkeit zu suchen und zum Schluß als alter Herr feststellte, daß es „nichts Neues unter der Sonne" gäbe. Resignation, fehlende Anteilnahme, Initiativlosigkeit und Gleichgültigkeit sind die Leitsymptome dieses Zustandes. Das kann ein Mitglied des Jet-sets ebenso betreffend, wie den Beamten: Das Gefühl, daß das Leben nichts mehr bieten kann. Natürlich ist das ein Irrtum: Das Leben bietet immer etwas, und die Witze von heute sind genausogut wie die von gestern, nur man selbst kann nicht mehr voll herauslachen.
Der Punkt, der die Freude auch in kleinen Dingen des Lebens wieder vermitteln kann, hat den chinesischen Namen Shao Hai, das heißt „geringes Meer". Damit ist vielleicht gemeint, daß der Mensch, der diesen Punkt braucht, nur wenige Reserven hat, um aus sich selbst zu schöpfen. Und daß diese Reserven, wenn man ihn bearbeitet, vermehrt werden. Es kommt zu

Vermehrung von Initiative und Interesse, jenes Anteiles, den man selbst mitbringen muß, um sich wieder freuen zu können.
Treffend auch die Beinamen dieses Punktes: „Die Lebensfreude" und „Psychischer Tonisierungspunkt".
H 3 „Geringes Meer"
Lokalisation: Ellbogeninnenseite. Es empfiehlt sich, mit den Ölen ein etwas größeres Areal zu behandeln.

Schwermut, bedrückende Erinnerung

Dieser Punkt, der sich am Ansatz des linken Ohrläppchens am Kieferwinkel befindet, hat die eigenartige Fähigkeit, bedrückende Erinnerungen und eine damit verbundene Schwermut regelrecht zu verscheuchen. So ist er einer der Punkte, die am tiefsten in ein psychisch belastendes Geschehen eingreifen. Seine Wirkung ist häufig genug frappierend: Ein Mensch, der sich – um hier zur besseren Erläuterung ein Fallbeispiel zu bringen – am Tod seiner Mutter schuldig fühlt, geriet stets beim Gedanken an die Mutter in tiefe Schwermut mit hemmungslosem Weinkrampf. Nach Stechen dieses Punktes war die Situation plötzlich anders: Er war zwar immer noch der Meinung, daß er am Tod seiner Mut-

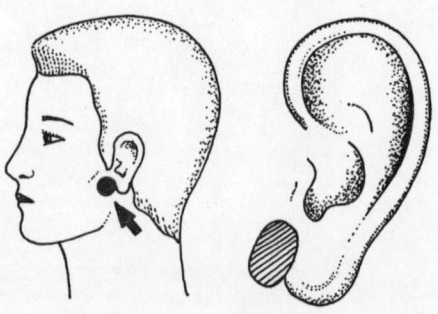

ter schuldig sei, daran änderte sich nichts; aber die (sinnlose) Schwermut und die (ebenso sinnlose) vegetative Begleiterscheinung, der Weinkrampf, waren völlig beseitigt.

Lokalisation: Am Kieferwinkel, dort, wo das linke Ohrläppchen ansetzt.
Wegen der empfindlicheren Haut sollte man an dieser Stelle nicht bürsten, sondern nur mit den auf der Fingerkuppe aufgetragenen Ölen massieren. Der Punkt entspricht keinem beschriebenen chinesischen Originalpunkt, am ehesten noch dem *G 2,* „Gehörpunkt", der sich etwas oberhalb davon befindet.

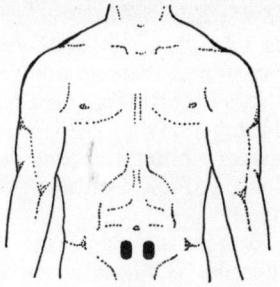

PAM 45

Impotenz des Mannes

Impotenz ist die Unfähigkeit, den Geschlechtsverkehr zu vollziehen. Dabei gibt es verschiedene Formen: Es kann von vornherein das notwendige Verlangen fehlen: die Libido; es kann der Verkehr, trotz ausreichenden Verlangens, durch mangelhafte Versteifung des Glieds (Erektion) nicht möglich sein, und schließlich kann ein vorzeitiger Samenerguß (Ejaculatio praecox) den eigentlichen Verkehr verhindern. Man ist allgemein der Meinung, daß es sich in vielen Fällen um eine psychische Störung handelt. In jedem Fall schafft das Bewußtsein eigener Impotenz psychische Probleme. Es kommt zum Erfolgszwang und dem Gefühl des Versagthabens. Daraus resultiert Erwartungsangst. Deshalb wird es in vielen Fällen von Vorteil sein, unabhängig von der jetzt beschriebenen Behandlung, die das Impotenzproblem direkt angreift (auch von der organischen Seite her), zusätzlich den Punkt gegen Erwartungsangst, den M 36 unterhalb des Knies (siehe Seite 190), zu nutzen.

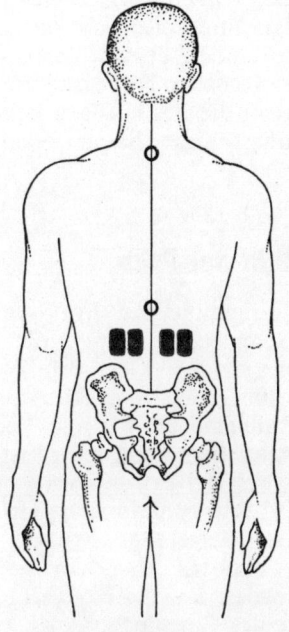

B 23, 47

Die hier beschriebenen Punkte sind:
1. B 23 „Zustimmungspunkt der Niere"
Lokalisation: Zwischen 2. und 3. Lendenwirbel, 2 Querfinger seitlich der Mittellinie.
2. B 47 „Sitz des Willens"
Lokalisation: In gleicher Höhe wie der B 23, 3 bis 4 Querfinger seitlich der Mittellinie.

199

3. PaM 45 „Samenfluß"

Lokalisation: Am Unterbauch, in der Mitte zwischen Nabel und Schambein, 1½ Querfinger seitlich der Mittellinie.

Gemeinsam richtet sich die Wirkung der Punkte auf alle hier beschriebenen Störungen:

Der B 23 mehr auf das Entstehen der Erektion, der B 47 mehr auf die Erhaltung der Erektion, und der PaM 45 hat zusätzlich seine Wirkung gegen den vorzeitigen Samenerguß.

Man darf Impotenz nicht mit Sterilität des Mannes, dessen Unfruchtbarkeit, verwechseln. Diese ist dann gegeben, wenn die Keimdrüsen keine befruchtungsfähigen Samenzellen produzieren.

Frigidität der Frau

Unter Frigidität der Frau versteht man Geschlechts-„Kälte", die meist auf mangelndem Geschlechtsverlangen beruht. Auch hier gelten psychische Probleme als häufige Verursacher. Allerdings weniger Erwartungsängste, weil der Erfolgszwang bei der Frau aus rein funktionellen Gründen nicht so ausgeprägt ist wie beim Mann, sondern eher ein gewisses ablehnendes, also ein Ekelgefühl zum Vollzug des Geschlechtsaktes. In diesem Fall wäre jede Kombination, bei welcher der Punkt KG 15, an der unteren Spitze des Brustbeines, beteiligt ist, hilfreich. Das ist in diesem Buch die Kombination II (Innere Verspannung mit Krampfneigung, Angstzustände), welche ab Seite 194 beschrieben ist.

Häufig aber dürfte es genügen, den Punkt KG 15 für sich allein zu behandeln, denn er ist unter anderem der Punkt gegen ekelige Vorstellungen, Würgegefühl, das Gefühl, sich übergeben zu müssen; Gefühle, die Frauen am ehelichen Verkehr hindern können.

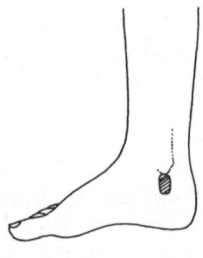

PAM 140, N 3

Die eigentlichen Punkte gegen die Frigidität als solche sind:

1. PaM 140 „Erreger des großen Yin"
Lokalisation: An der untersten Stelle des inneren Knöchels in einer kleinen Vertiefung.

2. N 3 „Großbecher"
Lokalisation: Unterhalb des inneren Knöchels, knapp unter dem PaM 140. Beide Punkte werden in einem Arbeitsgang behandelt.

Technik siehe Seite 111.

Der Name des PaM 140 „Erreger des großen Yin" (Tai Yin Qiao) ist sicher einer der treffendsten der gesamten Akupunktur, denn Yin bedeutet unter anderem „Frau".

Mentales Training

In diesem Kapitel sind drei Techniken zur Bewußtheitsbildung nebeneinander gestellt: die bewußte Autosuggestion nach Emil Coué, das autogene Training nach Johannes H. Schultz und Yoga. Jede hat schon sehr vielen Menschen geholfen. Man erkennt beim Lesen meist instinktiv, welche der Techniken im persönlichen Fall am ehesten geeignet ist. Diese wirkt am besten, zu der man ein wirkliches Nahverhältnis empfindet.

Die bewußte Autosuggestion

Das theoretische Konzept nach Emile Coué

Die Methode wurde von dem französischen Apotheker Emile Coué entwickelt und von ihm selbst in einer Klinik in Nancy praktiziert. Vor allem vor dem Ersten Weltkrieg war Coué sehr populär: Pro Jahr suchten ihn durchschnittlich nicht weniger als 40.000 Patienten auf, und das Verfahren selbst wurde nach ihm benannt *(Couéismus)*.

Coué ging davon aus, daß im Menschen eine Kraft steckt, die in der Lage ist, eine ebenso heilsame wie auch krankmachende Wirkung zu entfalten: das *„unbewußte Ich"*. Es ist mit einem „untrüglichen Gedächtnis" ausgestattet, beeinflußt „über das Gehirn die Funktionen aller unserer Organe" und bestimmt auch „den Ablauf aller unserer Handlungen, welcher Art sie auch immer sein mögen".

Die Technik, dieses unbewußte Ich eines Menschen zu beeinflussen, nennt man Suggestion; *Fremdsuggestion,* wenn die Beeinflussung von außen erfolgt, *Autosuggestion,* wenn man sie an sich selbst vornimmt. Eine solche Autosuggestion kann sowohl bewußt als auch unbewußt erfolgen. Letzteres zum Beispiel aus einer charakterlichen Grundtönung heraus: Der notorische Zweifler und Schwarzseher suggeriert sich ständig Negatives, der Optimist dagegen verstärkt durch unbewußte Autosuggestion sein positives Denken.

Bei der *bewußten Autosuggestion* ermöglicht das Zusammenspiel zwischen unserem unbewußten und dem bewußten Ich, das Verstand und Urteilskraft besitzt, Vorstellungen bewußt zu erzeugen und in das unbewußte Ich zu transferieren. Dieses wiederum steuert nach unseren Vorstellungen alle von unserem Bewußtsein unabhängigen Vorgänge im Körper, so zum Beispiel Wachstums- und Ausheilungsprozesse.

Allerdings sind auch der Kraft des unbewußten Ich Grenzen gesetzt. Nach Coué: „Jeder Gedanke, jede Vorstellung, die wir uns zu eigen machen, verwirklicht sich im Bereich der Möglichkeit." Die Heilung vieler Krankheiten, wie etwa der Zuckerkrankheit, liegt außerhalb dieses Bereiches. Durchaus zu beeinflussen sind jedoch unter anderem viele Arten von Schmerzen wie Kopfschmerz: der muskuläre Spannungskopfschmerz, der Gefäßnervenkopfschmerz, der psychogene Kopfschmerz und andere Kopfschmerzformen, bei denen eine Fehlregulation durch eine entsprechende Gegenregulation behoben werden kann. Auf diese Weise lassen sich auch viele nervöse Störungen beeinflussen. Hier ist die bewußte Autosuggestion durchaus imstande, Hilfe zu bringen. Das wichtigste dabei ist die *Vorstellungskraft.* Coué vergleicht sie mit einem Wildbach, dessen mitreißende Stärke man in positive Energie umsetzen kann.

Bewußte Autosuggestion muß *ohne Einmischung des Willens* erfolgen. Das ist für Coué ein sehr wichtiger Punkt: „Wenn man etwa denkt, ich will, daß dieses oder jenes eintrete, dann wird man nicht nur das Erstrebte nicht erlangen, sondern es tritt das genaue Gegenteil ein." Das entspricht dem psychologischen Gesetz des ge-

genteiligen Effektes: Ein Ziel an und in sich selbst ist um so schwerer zu erreichen, je mehr man sich darum bemüht, je mehr man die Willenskraft einsetzt. Im Hinblick auf Heilvorgänge oder Umstimmungen, die sich im eigenen Körper oder am eigenen Verhalten vollziehen sollen, spricht der Arzt Erich Rauch sogar vom *„Kardinalfehler der Willensanspannung“*. Erfolg bringen nur willensfreie Vorstellungen.

Alle Vorstellungen sind nach Coué ihrem Wesen nach auch Feststellungen. Die zentrale Formel der bewußten Autosuggestion lautet daher: *„Es geht mir mit jedem Tag in jeder Hinsicht immer besser und besser.“* Der Satz wird vom bewußten Ich formuliert und dem unbewußten Ich als Vorstellung angeboten. Das unbewußte Ich beginnt ihn zu verwirklichen wie einen Auftrag, dessen Inhalt es zu erfüllen hat.

Die praktische Anwendung

Der Vorteil dieser Methode liegt darin, daß sie sehr einfach durchzuführen und im Unterschied zum autogenen Training und manchen Formen des Yoga absolut ungefährlich ist. Mit einer Einschränkung: Man darf nicht den Fehler begehen, sich auf ihre alleinige Wirkung zu verlassen. In vielen Fällen sind zusätzliche ärztliche Maßnahmen unerläßlich. Die Übung soll „ohne jede Anstrengung“, auf möglichst „schlichte, kindliche, mechanische Art“ durchgeführt werden.

> Bei geschlossenen Augen spricht man morgens und abends, am besten im Bett liegend, die Formel so, daß man sie selbst hören kann. Nur dann nimmt (nach Coué) das unbewußte Ich die Worte auf: *„Es geht mir mit jedem Tag in jeder Hin-*

sicht immer besser und besser.“

> Man wiederholt sie etwa 20mal, ohne besondere Betonung und ohne daß man sich bemüht, „seine Aufmerksamkeit bei dem festzuhalten, was man sagt“. Um das Mitzählen zu erleichtern, empfiehlt Coué eine Schnur, die mit zwanzig Knoten versehen ist. Insgesamt dauert die Übung etwa 1 Minute.

Neben der von Coué als ausreichend empfundenen allgemeinen Formel hat sich eine Reihe von Standardformeln für bestimmte Leiden entwickelt. Zum Beispiel: „Mein Nacken ist angenehm warm“ oder „Der Kopf ist klar und frei“. Es gibt auch Formeln in Gedichtform wie „Durst ist mir wurst“ oder „Ohne Rauch geht’s auch“. Sie muten sehr simpel, geradezu kindlich an. Da sie allerdings nicht für unser kritisch abwägendes, sondern das unbewußte Ich bestimmt sind, wären komplexe, den Intellekt fordernde Formeln für dieses Programm denkbar ungeeignet.

Wenn nun trotzdem Kopfschmerzen (oder eine andere Störung) im Anzug sind, empfiehlt Coué zusätzlich zur zweimal täglich gesprochenen Formel folgende Maßnahme: Man solle „möglichst Einsamkeit“ aufsuchen, mit der Hand über den schmerzenden Körperteil streichen und dann „ungemein schnell“ wiederholen: „Es geht weg, weg … weg … weg.“ „Bei ein wenig Übung“, schreibt Coué, „bringt man den Schmerz nach 20 bis 25 Sekunden zum Schwinden.“

Das autogene Training

Theoretische Grundlagen nach J. H. Schultz

Der deutsche Nervenarzt *Johannes Heinrich Schultz* entwickelte diese

Methode in der Zeit um den Ersten Weltkrieg. Sie wurde erst in einer Reihe von Fachzeitschriften vorgestellt und schließlich im Jahr 1932 in einem Sammelwerk *„Das autogene Training – Konzentrative Selbstentspannung"* der Ärzteschaft und der Allgemeinheit vorgestellt. Bis heute erreicht das autogene Training eine beachtenswerte Verbreitung und hat sich inzwischen vor allem an psychosomatischen Abteilungen als Standardtherapie etabliert.

Diese Erfolge bestätigen, daß ein Versuch mit autogenem Training auch bei Kopfschmerzen empfehlenswert erscheint.

Das Charakteristikum des autogenen Trainings ist das **stufenweise Erlernen** bestimmter Übungen mit dem Zweck, die Körperfunktionen unter Kontrolle zu bringen und eine psycho-vegetative Entspannung herbeizuführen, eine Umstimmung vom angespannten Arbeitstonus zum regenerierenden Ruhetonus.

Zwei grundlegende Beobachtungen führten zur Entwicklung des autogenen Trainings:

1. Die Feststellung des Hirnphysiologen Oskar Vogt, daß sich ein Mensch, der in der Lage ist, durch Autosuggestion hypnotische Zustände am eigenen Körper hervorzurufen, auf diese Weise weitgehende Ruhigstellung und Erholung verschaffen kann. Dabei ist es eines der Übungsziele, den Übergang zum Ruhetonus möglichst unvermittelt „von einem Augenblick zum anderen" zu schaffen. Wie schnell dies tatsächlich möglich ist, zeigen die beiden folgenden Tabellen: Ziel der Übung war es, die Stirntemperatur durch Selbstbeeinflussung rasch zu vermindern. Einem seit 10 Jahren trainierenden Arzt gelang es zum Beispiel, wie aus der Tabelle ersichtlich ist, binnen 5 Minuten seine Stirntemperatur von 29° auf 27° zu senken.

Übungen wie diese spielen beim Einsatz des autogenen Trainings gegen Kopfschmerzen eine große Rolle, verlangen allerdings viel Zeit und Ausdauer.

2. Die Beobachtung, daß Verhalten und Gefühle des Patienten während einer Hypnose stets gleich bleiben:
– Der Patient entspannt sich
– er schließt die Augen
– allgemeine Ruhetönung
– seine Glieder werden schwer
– angenehme Wärmegefühle durch-

Zeit	Temperatur Wert	Einstellung	Zeit	Temperatur Wert	Einstellung
19. 8. 1925:	23.00 23,7°	unbeeinflußt	20. 8. 1925:	8.00 29,0°	unbeeinflußt
	23.01 23,7°	unbeeinflußt		8.01 29,0°	unbeeinflußt
	23.02 23,7°	unbeeinflußt		8.02 29,0°	unbeeinflußt
	23.03 23,7°	unbeeinflußt		8.03 29,0°	unbeeinflußt
	23.05 23,7°	unbeeinflußt		8.05 29,0°	„Stirnkühle"
	23.06 23,6°	„Stirnkühle"		8.06 27,5°	„Stirnkühle"
	23.07 23,6°	„Stirnkühle"		8.07 27,3°	„Stirnkühle"
	23.08 23,6°	„Stirnkühle"		8.08 27,3°	„Stirnkühle"
	23.09 23,5°	„Stirnkühle"		8.10 27,0°	„Stirnkühle"
	23.10 23,5°	„Stirnkühle"			
40jähriger Ingenieur, 5 Jahre trainiert.			40jähriger Arzt, 10 Jahre trainiert.		

fluten den ganzen Körper, die Stirne kann dabei kühl sein, der Kopf ist klar – er fällt in einen hypnotischen Schlaf.
Dieser letzte Punkt muß nicht unbedingt eintreten. Was Schultz besonders hervorhob, war der *immer gleiche Ablauf,* „das konstante Auftreten bestimmter und charakteristischer Veränderungen des Körpergefühls".

Beim autogenen Training ist es wichtig, den **richtigen Übungsablauf** sorgsam einzuhalten. Von noch größerer Bedeutung ist allerdings das *„richtige Zurücknehmen",* also der Abschluß der Übung. Eine falsche oder unvollständige Durchführung kann dazu führen, daß man die Kontrolle über die hypnotisierten Körperteile verliert und unangenehme Sperrungen auftreten.

Wie erlernt man autogenes Training?

Die Ausbildung erfolgt in regelmäßigen Sitzungen, in Abständen von ein bis zwei Wochen. Dabei ist es notwendig, das Erlernte zu Hause weiterzuüben, wenn möglich zwei- bis dreimal täglich in nicht zu ausgedehnten Sitzungen. Das Ziel der ersten Sitzung besteht im Erlernen des Schwereerlebnisses und des richtigen Zurücknehmens. Nach etwa zwei Wochen sind diese Übungen ausreichend generalisiert, das heißt in Fleisch und Blut übergegangen, so daß man die nächste Stufe in Angriff nehmen kann: das Wärme- und Herzerlebnis, die Beeinflussung der Atmung, des Nervensystems, der Temperaturregulation. Jede neue Übung baut auf dem bisher Erlernten auf, setzt die vergangene Stufe voraus. Die Reihenfolge Ruhe – Schwere – Wärme – Herz – At-

mung – Nerven ist daher unbedingt einzuhalten.

Man sollte autogenes Training nur unter **Anleitung eines Fachmannes** erlernen. Ohne eine fundierte Grundausbildung auf eigene Faust herumzuexperimentieren, ist gefährlich. Erfolg setzt konsequentes Üben, Geduld und die Einhaltung der richtigen Reihenfolge beim Erlernen der einzelnen Übungen voraus.

Der Aufbau einer Sitzung

Die richtige Haltung

Beengende Kleidungsstücke wie Kragen, Krawatten, Gürtel, drückende Schuhe müssen entfernt oder geöffnet werden, da sie den Ablauf der konzentrativen Selbstentspannung stören können. Erst dann nimmt man die richtige Haltung ein. Dabei sollen alle Unbequemlichkeiten und Spannungsmomente vermieden werden. Der Körper soll in sich selbst ruhen, so daß möglichst keine Muskelkraft nötig ist, um ihn in seiner Stellung zu unterstützen. Drei Haltungen sind zu empfehlen:

1. Die passive Sitzhaltung

Dazu eignet sich ein Lehnstuhl am besten. Die Armlehnen sollten gerade so hoch sein, daß man die Unterarme bei nicht zu stark gebeugten Ellbogen darauflegen kann. Die Hände liegen locker am Ende der Armlehnen, die Sitzfläche soll der Oberschenkellänge entsprechen, die Rückenlehne so konstruiert sein, daß man sowohl das Kreuz als auch Nacken und Kopf bequem anlehnen kann.

2. Die „Droschkenkutscherhaltung"

Sie wurde aus der Beobachtung von

Droschkenkutschern entwickelt, die in dieser für ihren Berufsstand typischen Haltung lange Zeit ruhig und spannungslos verharren konnten.

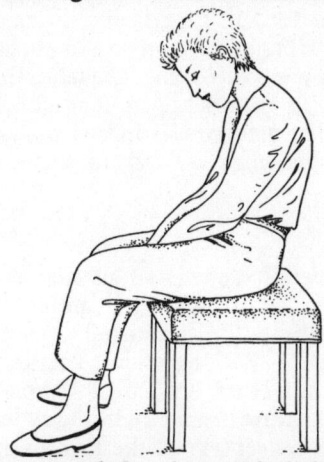

Es genügt dafür ein gewöhnlicher Sessel von körperangepaßter Höhe mit nicht zu weicher Sitzfläche. Man läßt das Gewicht in das Becken fallen. Das Kreuz ist geradegestreckt, während der obere Rücken einen lockeren Katzenbuckel bildet. Nicht zu weit vorbeugen! Der entspannt vorgeneigte Kopf soll senkrecht über dem Becken sein und nicht über den Oberschenkeln. Die Arme liegen locker auf den etwas gespreizten Oberschenkeln, so als würde man Zügel halten, die Hände fallen nach innen. Die völlige Entspannung der Handgelenke ist ein Maßstab dafür, ob man wirklich richtig sitzt.

3. Die Liegehaltung

Man liegt am Rücken, den Kopf etwas erhöht, Unterschenkel und Füße sollen nicht gekreuzt sein. Wenn die Füße leicht nach außen fallen, ist ein guter Grad an Muskelentspannung erreicht. Die Arme liegen seitlich mit leicht angewinkelten Ellbogen. Bei

Menschen mit gewölbtem Brustkorb müssen die Schultern mit einer Decke unterlegt werden, sonst treten durch Zug am Brustmuskel Beklemmungen auf.

Der Lidschluß (Augenschluß)

Erst wenn die richtige Körperhaltung eingenommen ist, werden die Augen geschlossen. Der Lidschluß hat den Sinn, optische Reize auszuschalten. Auch die Augen sind völlig entspannt, der Blick ist nicht krampfhaft nach oben oder unten gerichtet.

Die Ruhetönung

„Ich bin ganz ruhig." Einprägung und Umsetzung dieser allgemeinen Stimmungsformel sind von Mensch zu Mensch verschieden. Der optische Typ sieht den Satz wie ein Schriftbild im dunklen Raum vor den geschlossenen Augen; der akustische Typ empfindet ihn als Klangbild; der motorische Typ spürt ihn wie einen Morsecode, jedenfalls rhythmisch; und der abstrakte Typ vergegenwärtigt sich die Formel in einer für andere Menschen unanschaulichen Form. Allerdings sind die meisten Menschen (60%) Mischtypen. Diese Unterschiede spielen insofern eine Rolle, als ein erfahrener Versuchsleiter daraus Rückschlüsse ziehen und den Übenden entsprechend beraten kann. Für den späteren Erfolg ist eine möglichst sichere individuelle Handhabung dieser Stimmungsformel von großer Bedeutung.

> Der Satz „Ich bin ganz ruhig" soll nicht geübt, also nicht (wie bei der bewußten Autosuggestion nach Emile Coué) mehrmals wiederholt, sonder als *einmaliger Impuls* gesetzt werden.

Der Schwereversuch

Grundformel: „Der Arm ist ganz schwer." Der Schwereversuch ist eine echte Übungsaufgabe, und zwar die erste im Verlauf des gesamten autogenen Trainings. Dabei konzentriert man sich zuerst auf den „ichnäheren Arm", jenen, den man im Alltag am häufigsten gebraucht. Bei Rechtshändern wird das generell der rechte, bei Linkshändern der linke Arm sein.

> Nach 5- bis 6maliger Wiederholung der Schwereformel kann, wenn notwendig, als einmaliger Impuls die Ruheformel zwischengeschaltet werden. Für Anfänger genügt eine Übungsdauer von je einer Viertelstunde 2- bis 3mal täglich.

Der Übende soll das Gefühl haben, daß sein Arm wirklich schwer auf der Unterlage ruht, die Muskulatur ist dabei jedoch völlig weich und entspannt. Allgemeines Wohlbefinden und Zufriedenheit stellen sich ein. Schultz: „Der Ausfall des Bedürfnisses nach Lageveränderung ist eines der ersten Kennzeichen echter konzentrierter Umstellung (Entspannung)."
Bei fortschreitendem Training werden laufend neue Formeln eingeführt, das Grundprinzip bleibt jedoch immer gleich. Während sich diese erste Übung mit der Beeinflussung des „Ichnächsten", der willkürlichen Muskulatur, beschäftigt, dringt man im weiteren Verlauf in „ichfernere" Körpersysteme vor.

Das richtige Zurücknehmen

Zurückgenommen wird in *drei Etappen:*
1. Der Versuchsarm wird mehrfach mit schnellem Ruck gebeugt und gestreckt.
2. Betont tief durchatmen.

3. Jetzt erst werden die Augen geöffnet.
Das Zurücknehmen muß konzentriert, exakt und gewissenhaft durchgeführt werden. Es gehört zum kompletten Übungsvorgang und ist ebenso wichtig wie das Vorangegangene. Erst mit Hilfe des richtigen Zurücknehmens tritt man wieder in den normalen körperlichen Wachzustand ein.

Yoga

Der Begriff Yoga stammt aus dem Sanskrit. „Yuj" bedeutet „unter das Joch nehmen", „anschirren", „disziplinieren". Wie man ein Pferdegespann mit Hilfe der Zügel sammelt, um alle Kräfte in eine Richtung zu lenken, so erstrebt Yoga die Konzentration des Geistes mit dem Ziel, ihn letztlich mit dem universellen Geist in Einklang zu bringen.

> Yoga ist nicht nur eine praktisch umsetzbare Lehre, sondern hat zugleich einen die Erfahrungswelt überschreitenden Charakter. Im Gegensatz zum autogenen Training und zur bewußten Autosuggestion, die sich innerhalb der naturwissenschaftlich denkbaren Grenze bewegen, beschäftigt sich Yoga mit Inhalten, die über unsere mit rationalem Denken erfaßbare Welt hinausgehen.

Es bestehen heute unterschiedliche Ansichten darüber, ob das Verständnis dieser transzendentalen Verankerung eine notwendige Voraussetzung für die sinnvolle Beschäftigung mit Yoga bildet. Die Philosophie des Yoga wurde aus dem Sankhya-System der Hindu übernommen und geht von der unleugbaren Tatsache des Leidens aus, welche folgendermaßen erklärt wird:

Alles Leiden entsteht, weil sich die unsterbliche Seele (Purusa) mit dem sterblichen Körper (Praktri) und mit dem Denken (Citta) verbindet. Das Denken, wozu auch die das Bewußtsein tönende Psyche gehört, ist nach dieser Vorstellung ebenfalls etwas Körperliches, gehört also zu Praktri, nur ist es von feinerer stofflicher Art. Das Endziel des Yoga ist, die Seele vom Körper und vom Denken zu lösen. Nicht erst durch den Tod, sondern bereits zu Lebzeiten.

Die Yoga-Sutren des Patanjali

Der Weg zur Erlösung ist in den Yoga-Sutren des Patanjali festgehalten. Diese Sutren (Leitfäden) wurden von dem im 4. Jahrhundert nach Christus in Indien lebenden Arzt nach älteren Schriften systematisch zusammengestellt.
Das System des Patanjali ist der *achtgliedrige Astahnga Yoga*. Die Glieder entsprechen den stufenweise zu praktizierenden Grundübungen.

1. YAMA, die äußere Disziplin

Diese erste Stufe umfaßt die fünf äußeren Gebote, die eigentlich jeder, der den Weg des Yoga beschreiten will, von vornherein beachten sollte: nicht töten, nicht lügen, nicht stehlen, nicht unkeusch sein, nicht nach Besitz streben.
Nach dem Gesetz von Ursache und Wirkung, dem Karma, ist dabei ebenso schuldig, wer zwar nicht selbst tötet, aber töten läßt. Deshalb sollte die Ernährung des angehenden Yogi ovolaktovegetabil sein; eine reine Milch-Pflanzen-Kost ergänzt durch unbefruchtete Eier. Alkohol, Tabak und berauschende Drogen widersprechen dem Yama. Ebenso werden überzogene Fastenkuren, die die Gesundheit

schwächen könnten, abgelehnt. Denn die Erhaltung bestmöglicher Gesundheit ist ebenfalls ein Gebot des Yama.

2. NIYAMA, die innere Disziplin

Dieses Glied umfaßt die fünf inneren Gebote: Reinigungsvorschriften, Genügsamkeit, Bescheidenheit, Aufsagen reinigender Sprüche und Gottergebenheit. Mit der praktizierten Gottergebenheit erst ist man *Munih,* „Transzendentalist", und daher auch im spirituellen Sinn für den weiteren Weg geeignet.

3. ASANA, die Haltung, in der man verbleibt

Es sind im ursprünglichen Sinn bestimmte Positionen gemeint, die für die Meditation besonders geeignet sind. Am bekanntesten ist der Lotussitz, der *Padmasana*. Es haben sich in der Folge auch therapeutisch wirksame Asanas entwickelt. Hier unterscheidet man in dem im Westen seit einigen Jahrzehnten verbreiteten *Hatha-Yoga* (körperlicher Yoga), Asanas mit korrigierender Wirksamkeit auf Wirbelsäule, Muskulatur, Gelenke und innere Organe, sowie eine andere Gruppe von Asanas, die mehr der Entspannung dienen.
Das Hauptwort „*Asana*" bedeutet „Stellung, Haltung", als Eigenschaftswort ist es jedoch gleichzusetzen mit den Begriffen „leicht, locker, angenehm". In der 46. Sutre des Patanjali steht: „Die Körperhaltung beim Asana soll fest und angenehm sein." Zwang und Verkrampfungen sind bei den Übungen also zu vermeiden. Zu Mißdeutungen führte dabei der Begriff „Hatha" (Kraft). „Hatha-Yoga" wurde demnach mit „gewaltsamer Yoga" übersetzt. In der Übungspraxis soll jedoch jeder Schüler von

seinem Asana-Lehrer dazu angehalten werden, die Haltung so einzunehmen, wie sie ihm auf angenehme und lockere Art gelingt. Ganz allmählich und ohne Zwang nähert man sich dann dem Ideal des Asana.

Eine der bekanntesten Übungen des Asana ist der *Kopfstand*. Er gehört zu den vier „umgekehrten" Asanas (neben Halbkerze, Kerze, Kerzenüberschlag). Fachleute sind der Meinung, daß man erst die Kerzen in dieser Reihenfolge beherrschen muß, bevor man sich an den Kopfstand wagt. Und auch ihn selbst sollte man in Etappen erlernen.

> **Vorsicht:** Sicher ist der Yoga-Kopfstand eine stark umstimmende Übung, doch für viele Menschen nicht so ohne weiteres praktizierbar. Bei Neigung zu Bluthochdruck und bestehenden Wirbelschäden ist er sogar gefährlich. Auch älteren Menschen muß man davon abraten.

Zwar werden immer wieder Siebzig- und sogar Achtzigjährige vorgeführt, die den Yoga-Kopfstand beherrschen und angeben, sich nachher wie neugeboren zu fühlen; doch sind das meist alte Routiniers, die Yoga seit langem regelmäßig durchführen. Nicht jeder ältere Mensch besitzt jedoch eine so überdurchschnittliche gute gesundheitliche Konstitution.

Eine positive Auswirkung auf verschiedene Beschwerden ist tatsächlich oft zu bemerken, wobei der Yoga-Kopfstand mehr bei Venenleiden, Beschwerden der Bauchorgane und bei hormonell-vegetativen Störungen Erleichterung bringt.

Die Technik darf keinesfalls ohne die Anleitung eines Fachmannes erlernt werden. Wer die Übung von Anfang an als unangenehm oder zu schwer empfindet, sollte andere Stellungen vorziehen.

Man geht am besten in folgenden Etappen vor:

1. Eine gefaltete Wolldecke wird dicht vor eine Wand gebreitet. Man kniet vor der Decke nieder und legt den Kopf in die gefalteten Hände, die Kleinfingerkanten weiter nach unten. Der Hinterkopf wird so von den Händen umschlossen.

2. Nun hebt man das Gesäß in die Höhe, stellt sich auf die Zehenspitzen und streckt die Knie durch. Mit kleinen Schritten wandert man immer näher zum Körper, wobei die Knie gebeugt werden und der Rücken mehr und mehr gestreckt wird.

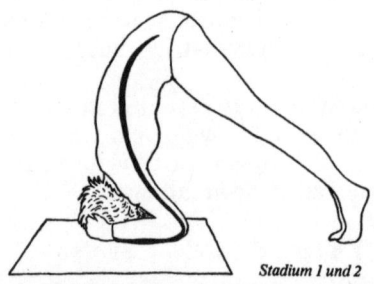

Stadium 1 und 2

3. Man hebt die Zehen schwungartig vom Boden ab. Die Knie bleiben fest geschlossen. Das Gewicht des Körpers liegt jetzt auf den Ellbogen und auf dem Scheitel.

Stadium 3

4. Das Kreuzbein soll Wandkontakt haben. Nun richtet man sich langsam auf, indem man die Beine vorsichtig streckt. Die Knie sollen dabei immer beisammen bleiben. Bis zur völligen Streckung hat man Wandkontakt. Erst wenn man sich sicher fühlt, kann man vorsichtig versuchen, frei auf dem Kopf zu stehen. Wenige Sekunden genügen am Anfang. Dann geht man betont langsam wieder herunter und kniet schließlich wie bei der Ausgangsstellung. Einige Zeit verharren und dann, wieder betont langsam, aufrichten.

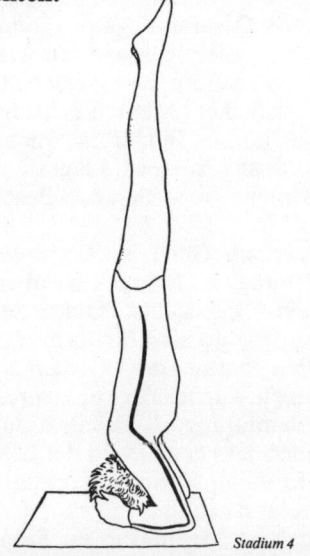

Stadium 4

Üblicherweise dauert es Monate, bis man die Übung völlig locker beherrscht. Die Dauer des Kopfstandes steigert man in dieser Zeit auf etwa 5 Minuten, die ideale Übungsdauer.

Zwei einfachere Stellungen sollen wegen ihrer besonderen Wirksamkeit auf nervöse Störungen hervorgehoben werden. Sie haben den Vorteil, daß sie ohne Verrenkungen durchführbar sind.

1. Die Totenlage (Totstellung)

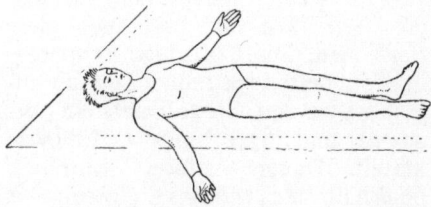

„In dieser Lage genießt der Mensch das Höchstmaß an Ruhe" (F. Riemkasten).

Die Lage wird auf dem flachen Fußboden ausgeführt, auf dem man lediglich eine Wolldecke ausbreitet. Darauf legt man sich „wie ein Toter": flach auf den Rücken, den Kopf so gerichtet, daß man mit den Augen senkrecht nach oben sehen würde. Die Schultern liegen spannungsfrei auf und sind leicht abgewinkelt, die Hände sollen mit dem Handrücken locker in den Boden fallen, die Handflächen sehen nach oben. Auch die Zunge soll gelockert sein, was bei der richtigen Kopfhaltung automatisch gelingt.

Oft verbleibt da und dort ein Muskel verspannt. Nun stellt man sich regelrecht vor, man sei wirklich tot, „besonders" an der verkrampften Stelle. Überraschenderweise lockert sich dann der Muskel. Das entspricht nun durchaus dem Gedankengang Coués, daß man durch eine gezielte Vorstellung bestimmte Körperpartien entsprechend beeinflussen kann.*

Üblicherweise beginnt man mit der entspannenden „Totstellung" am Brustkorb, bis die Atmung frei und locker ist. Anschließend wird das Augenmerk auf die Bauchmuskulatur ge-

---

* Die Vorstellung „tot zu sein", ist keine negative Vorstellung. Negativ wäre die Vorstellung vom Bestehen einer Krankheit, die zum Tode führt.

legt. Erst wenn auch hier ein angenehmens, wärmedurchflutendes Gefühl aufgetreten ist, widmet man sich seinen Gedanken und läßt auch diese „tot" sein. Die Totenlage kann täglich, am besten zur selben Zeit, durchgeführt werden. Sie soll stets ein „bequemes und angenehmes" Gefühl vermitteln. Dauer: Anfang 3 Minuten, innerhalb eines Monats Steigerung bis auf 15 Minuten. Die Wirkung ist ausgeprägt gegen nervöse Störungen und vor allem sehr erfrischend.

2. Die kosmische Stellung

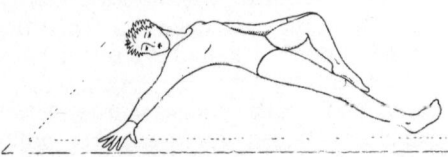

Diese hat eine gute antidepressive Wirkung und ist gegen Phasen von Arbeitsunlust und bei Initiativverlust als Regenerationsübung geeignet.
Man geht bei der Durchführung von der Totenlage aus. Nur wird der Kopf auf eine Wange gelegt, etwa nach rechts, und derselbe Arm wird in der Schulter so ausgestreckt, daß die Hand möglichst weit weg vom Körper ist, also rechtwinkelig. Dabei liegt die Handfläche am Boden auf (zum Unterschied von der Totenlage, wo die Handflächen nach oben gerichtet sind). Das Gegenbein − hier also das linke − wird in Hüfte und Knie leicht gebeugt, so daß der Fuß in die Kniekehle des rechten Beines gelegt werden kann. Die linke Hand ruht auf dem etwas gebeugten Knie. Ein Unterschied zur Totenlage ist es auch, daß der Rist des gestreckten Beines, des rechten in unserem Beispiel, nach *innen* gedreht wird (bei der Totenlage fallen beide

Füße nach außen). Dauer der Durchführung: Man beginnt mit 3 Minuten und steigert allmählich auf 10 Minuten.

Die weiteren Stufen im Yoga sind das *Pranayama,* die Atemregulierung. Wörtlich: den Zügel nun auch an der Atmung ansetzen. Als fünftes Glied folgt *Pratyahara,* wobei das „Zurückziehen der Sinne von den Sinnesobjekten" geübt wird.
Bis hierher geht der „Praktische Yoga". Er stellt, im Vergleich mit dem autogenen Training, eine Art Unterstufe des Gesamt-Yoga dar, und man hört im Osten gelegentlich die Ansicht, daß ein im Berufsleben stehender „westlicher" Mensch es bis hierher bringen könne. Immerhin, wer an dieser Stufe angelangt ist, klagt sicherlich nicht mehr über nervöse Beschwerden.
Das sechste Glied ist *Dharana,* Beherrschung und Einsicht über das Denken. Das ist der Punkt, der von Sri Aurobindo als Erkenntnis der materiellen Natur der Gedanken beschrieben wurde. Dharana wird auch als „Sammlung, Konzentration" bezeichnet. Das erste Glied der Oberstufe, „Kontemplation" = (vorausahnende) Gesamtsicht des folgenden: *Dhyana,* das ist Meditation im Sinne der reinen inneren Schau, des Bewußtwerdens der Bewußtheit als solcher, mit anderen Worten der Seele, des wahren, ungetrübten Ich. An dieser Stelle hat der Mensch sich selbst gefunden. Das letzte Glied ist *Samadhi.* Man kann das nur mehr *wörtlich* als: „Vereinigung, Erfüllung, Vollendung" übersetzen. An dieser Stelle hat der Mensch Gott gefunden, als Freund, der ER ist.

Hilf Dir selbst bei Wetterfühligkeit

Wie man aus Meinungsumfragen weiß, spüren fast zwei Drittel aller Menschen in irgendeiner Weise „das Wetter": Dabei können in Zusammenhang mit einer bestimmten Wetterphase verschiedenartige Beschwerden auftreten. Oder man fühlt sich besonders wohl, wenn das Klima subjektiv gerade günstig und unsere psychische und körperliche Verfassung stabilisiert ist.

Nicht alle nehmen bestimmte Wetterphasen in gleicher Weise auf als bedrückend oder gar als Beschwerden verursachend. Deshalb unterscheidet man in der Medizinmeteorologie (die Wissenschaft, die sich mit der Beeinflussung von Lebensvorgängen unseres Organismus durch das Wetter beschäftigt) drei Typen von Menschen; je nachdem, wie intensiv Körper und Psyche auf einen Wetterreiz antworten.

1. Der auf das Wetter reagierende Mensch

Wir alle reagieren auf das Wetter. Aber ein völlig gesunder Mensch fängt den Wetterreiz mit Hilfe seiner ausgleichenden Regelsysteme weitgehend ab und fühlt sich nicht oder nur wenig beeinträchtigt. Doch auch an ihm ist der Einfluß des Wetters meßbar. So ist die Reflexzeit während bestimmter Wetterphasen bei jedem Menschen verlängert, ob er es spürt oder nicht. Übersteigertes Schönwetter und aufkommender Wetterumschlag verzögern die Brems-, Lenk- und Schaltreaktionen bei jedermann.

Das spielt im Straßenverkehr natürlich eine Rolle.

2. Der wetterfühlige Mensch

Er spricht auf Änderungen des Wetters und auf bestimmte Wetterphasen vermehrt an. Sein vegetatives Nervensystem hat eine niedrigere Reizschwelle als der auf das Wetter nur reagierende Mensch. Bestimmte Wetterphasen lösen bereits deutliche Symptome aus: Kopfdruck, Müdigkeit, Benommenheit, Konzentrationsschwäche, Lustlosigkeit, Muskelschwäche, Appetitlosigkeit und Schlafstörungen. In jedem Fall empfindet der wetterfühlige Mensch einen sogenannten Leidensdruck — im Unterschied zum auf das Wetter nur reagierenden Menschen. Dieser registriert das Wetter bestenfalls, leidet aber nicht darunter.

3. Der wetterempfindliche Mensch

Wetterempfindlich wird man gewöhnlich erst im Laufe des Lebens, wenn der Körper durch chronische Krankheiten oder durch schwere Verletzungen die wechselnden Wettereinflüsse nicht mehr voll verkraften kann und mit ausgeprägten gesundheitlichen Störungen reagiert. Der Leidensdruck ist hier deutlich höher als beim nur wetterfühligen Menschen. Beispiele sind der durch den Wetterumschlag ausgelöste Migräneanfall, der wetterbedingte Asthmaanfall oder der intensive Phantomschmerz nach Beinamputationen. Die Wetterempfindlichkeit hat Krankheitswert. Allerdings muß man in irgendeiner Form bereits vorgeschädigt sein – ein sonst gesunder Mensch reagiert nicht wetterempfindlich, sondern allenfalls wetterfühlig. Der Unterschied ist manchmal bei der rechtlichen Beurteilung von Beschwerden von Bedeutung – zum Beispiel bei der Wertung von Folgeschäden nach Verkehrsunfällen.

Die Wetterphasen

Wenn man an einem bestimmten Ort lebt, kann man beobachten, wie einzelne Wetterphasen mit einer gewissen Regelmäßigkeit aufeinander folgen. Für unseren mitteleuropäischen Raum benutzt man am besten das von den Wissenschaftern H. Ungeheuer und H. Brezowsky entwickelte Schema. Es enthält im Prinzip sechs Wetterphasen.

1 – Mittleres Schönwetter

Hochdruckgebiet, anfangs Restbewölkung, später wolkenlos. Windstill und dunstige Fernsicht.
Im Sommer: Tagsüber mild bis frisch, nachts angenehm kühl.
Im Winter: Tag und Nacht kalt.

2 – Gesteigertes Schönwetter

Hochdruckgebiet; morgens wolkenlos, nachmittags Quellwolkenbildung und gelegentlich Wärmegewitter. Schwacher Wind und klare Fernsicht.
Im Sommer: Tagsüber mild und warm, nachts kühl.
Im Winter: Tagsüber eher warm, in der Nacht sehr kalt.

3 – Übersteigertes Schönwetter

Hochdruckgebiet. Je nach geographischer Lage gibt es bei dieser Wetterphase zwei Varianten:

3_A – In der Ebene, zum Beispiel in Mittel- und Norddeutschland. Hier entsteht das übersteigerte Schönwetter durch „Abgleiten" erwärmter höherer Luftschichten in den Bodenbereich. Deshalb das „A" unter der 3.
3_F – Im Bereich der Alpen, zum Beispiel in Süddeutschland, in Österreich, Norditalien und in der Schweiz entsteht das übersteigerte Schönwetter durch den Fallwind hinter den Bergketten, meist von den Nordabhängen in die Täler. Das ist der Föhn, und deshalb das „F" unter der 3.
Aufkommender Wind (3_A) oder warmer Fallwind (3_F); weite Fernsicht.
Im Sommer: Tagsüber warm und trocken, nachts nur geringe oder keine Abkühlung.
Im Winter: Tagsüber warm; nachts in den Ebenen kühl, in Alpennähe warm (Föhnluftschwaden).

4 – Aufkommender Wetterumschlag

Tiefdruckgebiet. Aufziehende Wolkentürme, warme Winde. Beginnender Niederschlag und abnehmende Fernsicht.
Im Sommer: Schwül und zunehmend feucht.
Im Winter: Einsetzen von Tauwetter.

5 – Wetterumschlag

Tiefdruckgebiet: Dichte Wolkendecke, böige Winde. Regen oder Schnee, Fernsicht aufgehoben.
Im Sommer: Abkühlung.
Im Winter: Naßkalt.

6 – Wetterberuhigung

Tiefdruckgebiet. Wolken lösen sich auf, Winde nur mehr schwach. Fernsicht zunehmend gut.
Im Sommer: Angenehm frisch.
Im Winter: Kalt.
Als Vorbote der Wetterberuhigung

kann sich die Wetterphase 6_Z ein-schieben – Z für Zyklon. Sie ist un-behaglich, mit böigen Winden.

Diese Wetterphasen treten häufig, aber durchaus nicht immer in der an-gegebenen Reihenfolge auf. Die Schönwetterphasen 1 und 2 sind oft von langer Dauer, die Wetterum-schlagphasen 4 und 5 dagegen sehr kurz. Sehr lange kann die Wetterpha-se 6_Z anhalten – wenn über Mitteleu-ropa eine Tiefdruckrinne liegt und ta-gelang kalte Meeresluft vom Norden nach Süden strömen läßt.

Ganz allgemein **günstig für unser Wohlbefinden** sind die Wetterphasen
1 – mittleres Schönwetter
2 – gesteigertes Schönwetter
6 – Wetterberuhigung
Ganz allgemein **ungünstig für unser Wohlbefinden** sind die Wetterphasen
3_A – übersteigertes Schönwetter durch Abgleiten
3_F – übersteigertes Schönwetter durch Föhn
4 – aufkommender Wetterumschlag
5 – Wetterumschlag
6_Z – sich vollziehender Wetterum-schlag

Sehr deutlich sieht man das während der Wetterphasen bei der gestörten Lernleistung und bei der Arbeitsun-fallshäufigkeit.

1. Störung der Lernleistung durch Wetterphasen:

Während der Wetterphasen 1 und 2 ist die Lernleistung von Schülern un-gestört; durch die Wetterphasen 3 und 4 deutlich, durch die Wetterpha-sen 5 und 6 weniger deutlich gestört. Ähnlich ist es mit der Prüfungslei-stung, wobei man bedenken muß, daß auch der prüfende Lehrer von den Wetterphasen 3 bis 6_Z nervöse Stö-rungen haben kann.

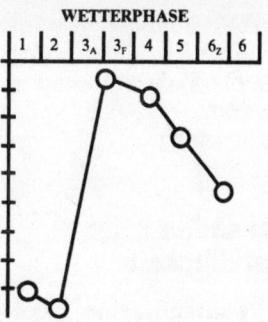

2. Häufigkeit von Arbeitsunfällen während Wetterphasen:

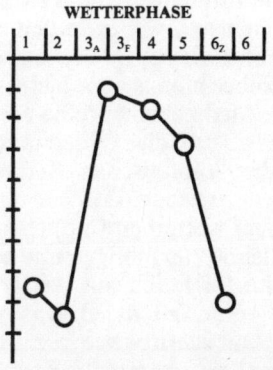

Die Arbeitsunfallshäufigkeit ist wäh-rend der Wetterphasen 1, 2 und 6 am niedrigsten, während der Phasen 3, 4 und 5 dagegen merkbar erhöht. Wäh-rend dieser Phasen sollte man im Be-trieb oder am Bau keine riskanten Un-ternehmen durchführen bzw. beson-ders sorgfältig umgehen.

Auch verschiedene Beschwerden tre-ten während bestimmter Wetterpha-sen gehäuft auf:
● Gelenksbeschwerden während der Wetterphase 4 – aufkommender Wetterumschlag; ebenso Migräne und Bronchialasthma.

213

● Herzbeklemmungen während der Wetterphase 5 – Wetterumschlag.
● Gallenkoliken während der Wetterphase 6z – sich vollziehender Wetterumschlag.

Die Behandlung der Wetterfühligkeit

Wenn während einer belastenden Wetterphase Beschwerden bereits aufgetreten sind, dann wird man nicht umhin können, das im Vordergrund stehende Symptom zu behandeln – den Kopfschmerz, die Schlaflosigkeit, die Bronchitis, die Verdauungsschwäche usw., wie es in den speziellen Kapiteln dieses Buches empfohlen ist. Darüber hinaus aber bietet die naturnahe Medizin eine Reihe von Möglichkeiten, um die Widerstandskraft gegenüber klimatischen Reizen ganz allgemein zu heben. Das Ziel dabei ist, aus einem wetterempfindlichen Menschen den wetterfühligen und aus diesem schließlich den nur wetterreagierenden werden zu lassen. Das geht natürlich nur schrittweise vor sich und erfordert ein systematisches Vorgehen, ähnlich wie beim Aufbau der allgemeinen Widerstandskraft. Auch hier stehen die abhärtenden Maßnahmen im Vordergrund: Gezielte Wasseranwendungen, vorwiegend mit kaltem Wasser; Bewegungsübungen, wobei besonders die sogenannten Terrainkuren wertvoll sind. Gute Wirksamkeit hat auch die Behandlung über Akupunkturpunkte – es gibt eigene Wetterpunkte. Und schließlich kann man Heilpflanzen sinnvoll einsetzen: Kurmäßig zur Steigerung der Abwehrkräfte, aber auch um eine drohende Unpäßlichkeit durch eine bevorstehende Wetterphase abzufangen.

I. Abhärtende Wasseranwendungen

Sie sollen langfristig durchgeführt werden. Deshalb ist es von praktischem Vorteil, wenn man sich auf insgesamt vier Anwendungen am Tag beschränkt; je zwei aufeinanderfolgende Anwendungen morgens und abends.

> **Morgens:** Ganzwaschung (plus ev. Nachdunsten) .... 2 (plus 10) Minuten
> anschließend Trockenbürsten .... 3 Minuten
> **Abends:** Armbad ..... 3 Minuten
> anschließend Wassertreten ......
> 2 Minuten

Alles zusammen nimmt also nicht mehr als 10 Minuten pro Tag in Anspruch – allenfalls weitere 10 Minuten für das Nachdunsten nach der Ganzwaschung. Die genannten Anwendungen werden ausführlich beschrieben, und zwar:
● Die Ganzwaschung Seite 221
● Das Trockenbürsten Seite 221
● Das Armbad Seite 224
● Das Wassertreten Seite 225
Als besondere Abhärtungsmaßnahme empfiehlt Pfarrer Kneipp das „Tautreten", das **Barfußgehen im nassen Gras,** auf nassen Steinen, im neugefallenen Schnee oder im kalten Wasser. Was das Gehen im nassen Gras anbetrifft, schreibt Kneipp, „ist es gleichgültig, ob dieses durch Tau, Regen oder Wasseraufguß genäßt ist".
Die Durchführung: 5 – 15 – 45 Minuten barfuß im nassen Gras gehen. Anschließend wischt man anhaftende Schmutzteile wie Laub, Gras und Sand rasch ab, zieht völlig trockene (Woll-)Strümpfe an und wandert mit Schuhen auf trockenem Boden noch einige Zeit nach, maximal eine viertel Stunde. Die Beine sollen zum Schluß ganz warm sein.

II. Terrainkuren

Terrainkuren werden auf geeigneten Strecken im freien Gelände durchgeführt. Dazu braucht man ein geeignetes Wanderwegenetz mit abwechselnd schattigen und sonnigen bzw. ebenen, ansteigenden und abfallenden Wegabschnitten. Der Organismus soll auf wechselnde Bedingungen trainiert werden. Eigens dafür eingerichtete Strecken findet man in vielen Kurorten. Oft sind auch Anlagen für Wassertreten und Armbad im Verlauf des Wanderweges vorhanden. Man findet aber auch am Rand der Städte und oft schon im Vorortbereich brauchbare Wegenetze. Wenn keine Steigungen vorhanden sind, unterbricht man das Gehen durch dosiertes Laufen. Eine Wanderung im Sinne einer Terrainkur sollte man zumindest einmal in der Woche durchführen – von dreißig Minuten bis zwei (und auch mehr) Stunden Dauer.

III. Die Akupressurpunkte

Die alten Chinesen vor einigen tausend Jahren unterschieden ebenso zwischen verschiedenen wetterbedingten Umweltfaktoren (Wai Su), welche als Krankheitsursachen oder als Auslöser bzw. Verstärker von Krankheiten auftreten können:
1. Zugluft, Wind (Feng), gefährlich vor allem im Frühjahr
2. Hitze (Re-Huo), gefährlich im Sommer
3. Feuchtigkeit (Shi), gefährlich im Spätsommer = Frühherbst
4. Trockenheit (Cao), gefährlich im Herbst
5. Kälte (Han), gefährlich im Winter
Dabei stellte man sich vor, daß es bestimmte, besonders empfindliche Punkte an der Hautoberfläche gibt, über die diese belastenden Energien der Umwelt, wie Wind oder Kälte, in das Körperinnere eindringen können, um dort Schaden anzurichten.
Regelmäßiges Stechen oder sonstige Bearbeitung dieser Punkte blockt diese „Durchlässigkeit" ab.
Die wichtigsten befinden sich am Nacken-Schulterbereich, dort, wo die meisten drohende Wetterveränderungen ohnedies vor allem verspüren.

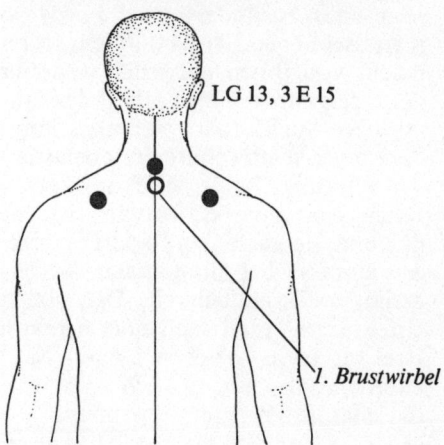

LG 13, 3 E 15

1. Brustwirbel

LG 13 „Großer Wirbel"

Lokalisation: In der Mitte zwischen 7. Halswirbel und erstem Brustwirbeldornfortsatz. Gewöhnlich ist der 7. Halswirbel der am meisten vorstehende Knochen (Vertebra prominens). Der Punkt hat auch den Beinamen „Die Spinne", da er, wie mit spinnenartigen Ausläufern, Querverbindungen zu fast allen Meridianen besitzt. Man kann sich wohl vorstellen, daß hier die Wind- = Zugluftenergie gut „eindringen" kann.

3E15 „Himmelsgrube"

Lokalisation: Am Rücken-Schulterbereich, etwa in der Mitte. Der Punkt ist bei Wetterfühligen stets ausgeprägt druckschmerzhaft. Wenn man ihn zu fest massiert, kann man Kopfschmerzen auslösen.

Die Behandlung dieser Punkte erfolgt am besten kurmäßig durch Bürsten mit Öl. Die Technik der Anwendung ist ab Seite 192 ausführlich beschrieben.

IV. Heilpflanzen

Hier sind besonders zwei bewährte Kurmischungen zu erwähnen. Man macht von ihnen entweder während der Übergangszeit im Verlauf des Jahres Gebrauch oder während langdauernder Wetterphasen mit belastender Wirkung. Beide Mischungen entfalten eine gute Sofortwirkung, so daß man sie auch „bei Bedarf" einsetzen kann – bei momentaner wetterbedingter Unpäßlichkeit. Den vollen Effekt erzielt man nach einer Kur von zwei bis sechs Wochen Dauer. Man kann die Mischungen auch kombinieren oder im Wechsel verwenden.

Die Melisse

1. Wenn Niedergeschlagenheit und nervöse Erschöpfung die Leitsymptome der Wetterfühligkeit sind:

Melissenblätter (Folia Melissae)
Rosmarinblätter (Folia Rosmarini)
Mistelkraut (Herba Visci albi)
Johanniskraut (Herba Hyperici)
zu gleichen Teilen

Die Zubereitung: 3 Teelöffel des Gemisches mit einem drittel Liter siedendem Wasser überbrühen. 15 Minuten gedeckt ziehen lassen, abseihen. Auf 2 bis 3 Tagesdosen verteilen. Man führt eine Kur von etwa 6 Wochen durch. Am besten zweimal jährlich, im Frühjahr und im Herbst.

Die Wirkung der beteiligten Heilpflanzen:

Der Rosmarin

216

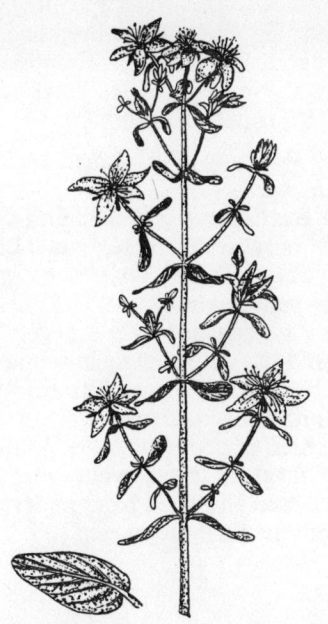

Das Johanniskraut

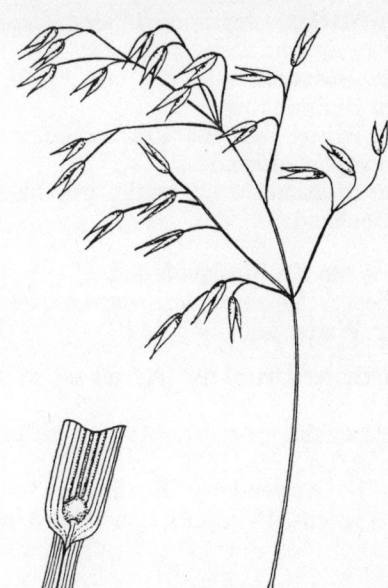

Der Hafer

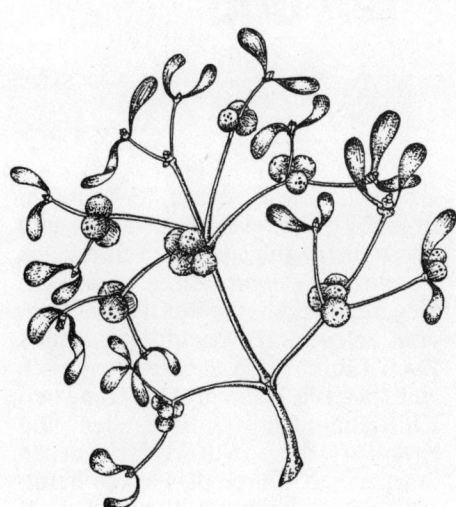

Die Mistel

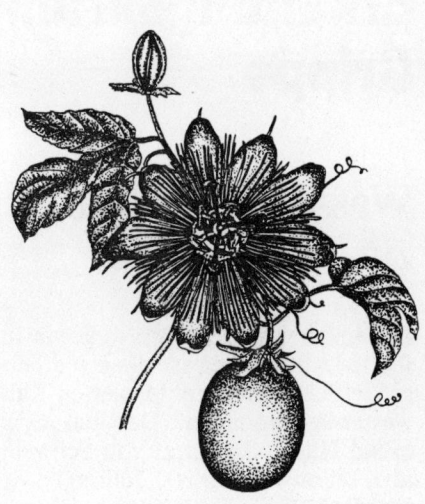

Die Passionsblume

217

Die Melisse schirmt die inneren Organe gegen den Wetterstreß ab.
Der Rosmarin erfrischt und kräftigt den Kreislauf.
Die Mistel beseitigt Reizbarkeit und Schwindelzustände.
Das Johanniskraut wirkt psychisch aufhellend.

2. Wenn Kraftlosigkeit und Gliederschmerzen die Leitsymptome der Wetterfühligkeit sind:

Saathafer Urtinktur (Avena sativa ϕ) 30,0
Passionsblumen Urtinktur (Passiflora ϕ) 30,0
Die Anwendung: Kurmäßig 3mal täglich 10 Tropfen, pur oder in etwas Flüssigkeit. Während der belastenden Wetterphase empfiehlt es sich, auf 5- bis 7mal täglich 10 Tropfen zu erhöhen.

Die Wirkung der beteiligten Heilpflanzen:
Der Saathafer stabilisiert und verhindert nervöse Exzesse, zum Beispiel den übertriebenen Griff zur Zigarette oder zum Alkohol.
Die Passionsblume wirkt gegen Unruhe und hat eine allgemein schmerzstillende Wirkung, besonders auf die verspannte Muskulatur.
Die hier empfohlene homöopathische Urtinktur ist zwar nicht billig, aber bei diesen Pflanzen jeder anderen Anwendungsform überlegen.

Hilf Dir selbst bei Erkältungskrankheiten und Grippe

Wasseranwendungen zur Vorbeugung

Die Abhärtung des Körpers gegen Infektionsanfälligkeit ist die eigentliche große Stärke der wohldosierten Kaltwasseranwendungen. Das hat Siegmund Hahn, Stadtarzt von Schweidnitz, schon vor fast 300 Jahren bewiesen: Er hielt die Schweidnitzer Bürger zu täglichen Kaltwasserwaschungen an, und die Krankheitsfälle wegen Grippe, Halsschmerzen, Schnupfen, Bronchitis, Kreislaufschwäche und dergleichen gingen drastisch zurück – worüber er und sein Sohn Johann Siegmund Hahn, der ihm als Stadtarzt von Schweidnitz nachfolgte, genau Buch führten. Sie entwickelten auch eine spezielle „Kur zur Abhärtung und Kräftigung für den Gesunden und Kranken", die es in drei verschiedenen Stärken gab. Durch die genaue Befolgung der Anleitungen in einer Schrift des jüngeren Hahn wurde, mehr als hundert Jahre später, der Theologiestudent Sebastian Kneipp von schwerer Krankheit geheilt. Und dazu veranlaßt, selbst Wassertherapie zu betreiben. Kneipp hat die Wasserheilkunde perfektioniert und zu Ruhm und Ansehen gebracht. Die richtige Art, wie man mit Hilfe von kaltem Wasser die körperliche Widerstandskraft aufbaut, haben schon die beiden Schweidnitzer Ärzte beschrieben:

● Langsamer Beginn der (ungewohnten) Kaltwasseranwendungen und allmähliche Steigerung.

● Auf Regelmäßigkeit achten, die Anwendungen auch in der kalten Jahreszeit fortsetzen.

● Die Wassertemperatur dem „Heilgefühl" anpassen – kälter wirkt zwar besser, doch wenn es dem Gesundheitsinstinkt eher entspricht, soll man das Wasser lau verwenden.

● Auch innerlich ausreichend Wasser zuführen: Gutes Quellwasser, Rübensaft, Obst usw. reichlich gebrauchen – „von Gurken, Melonen usw. sind dergleichen (Heil)Exempel mehr als vom westfälischen Schinken bekannt".

● „Luftiges Verhalten" – möglichst viel Bewegung im Freien oder bei geöffnetem Fenster.

Die Wasseranwendungen sind nun tatsächlich auch für sich alleine eines der stärksten Mittel gegen Infektanfälligkeit. Daß richtige Ernährung hier ebenfalls von grundsätzlicher Bedeutung ist, wurde in eigenen Kapiteln dieses Buches ausführlich beschrieben (ab Seite 13 und 45).

Viele aber vergessen auf die regelmäßige und sinnvoll durchgeführte Bewegung. Dabei ist auch sie von großer Wichtigkeit. Denn richtige Bewegungsausübung fördert die Bildung jener kleinen Blutgefäße, auf die es bei der Versorgung unserer Muskelzellen – ob in Beinen, Armen oder Herz – besonders ankommt. Wer sich zuwenig bewegt, bei dem verkümmern sie.

Aufbauende Bewegungsübungen

Nach dem deutschen Arzt Herbert Mensen gibt es ein „tägliches Soll", Bewegungsübungen, die man wahlweise oder kombiniert unbedingt durchführen sollte:

● Eine Stunde spazierengehen
● Eine halbe Stunde bergwandern
● Eine halbe Stunde radfahren in der Ebene
● Eine Stunde intensive Hausarbeit
● Sechs Minuten „Intervalltraining"

Ein sonst gesunder Mensch kann und soll diese Übungen bis in das höhere Alter durchführen.

Eine besondere Form ist das Intervalltraining. Man kann es im Zimmer durchführen, möglichst bei geöffnetem Fenster:
1 Minute auf der Stelle laufen oder hüpfen
1 Minute Pause
1 Minute auf der Stelle laufen oder hüpfen
1 Minute Pause
1 Minute auf der Stelle laufen oder hüpfen
1 Minute Pause

Das Laufen oder Hüpfen führt man dann intensiv genug durch, wenn der

Das Buch „Husten, Schnupfen, Heiserkeit" von Dr. med. Ulf Böhmig zeigt eine Reihe von natürlichen Therapien in diesem Bereich auf (Verlag Orac).

Puls um 30 Schläge (oder mehr) über den Ruhewert ansteigt.

> Dabei gibt es eine Faustregel für die Ermittlung der oberen Grenze der Pulsbeschleunigung:
> 180 pro Minute weniger Alter

Ein Sechzigjähriger also sollte nicht unbedingt mehr als 120 Pulsschläge erreichen wollen − außer er ist überdurchschnittlich trainiert.

Die besondere Stärke des Intervalltrainings ist die Neubildung von Umgehungsblutgefäßen. Deshalb wird es auch Patienten, die bereits Gefäßschäden haben, gerne verschrieben. In dem Fall muß man die Intensität natürlich der jeweils persönlichen Leistungsgrenze anpassen. Auch dafür gibt es eine Faustregel:

Zwei Drittel der möglichen Höchstleistung, dann Pause.

Im Beispiel eines Patienten mit Beindurchblutungsstörungen würde das bedeuten:
− Schmerzfreie ebene Gehstrecke 300 Meter − daher Übungsstrecke 200 Meter.
− Dauer der Pause: Bis wieder Ruhebedingungen eingetreten sind.

Wochenplan für vorbeugende Wasseranwendungen

Die einfachste und für jeden Berufstätigen praktizierbare Form ist die **morgendliche Ganzwaschung** und das **abendliche Wassertreten**. Daran sollte man sich wirklich gewöhnen, denn es bringt durch regelmäßige Anwendung ein nicht zu unterschätzendes Maß an Widerstandskraft. Zumindest fallweise aber empfiehlt sich ein richtiger Aufbau mit vorwiegend kalten und einigen warmen Anwendungen. Zu Ganzwaschung und Wassertreten kommen die Trockenbürstung, der Armguß, der Knieguß und jeden zweiten Tag ein warmes Bad mit Kräuterzusätzen. Der Berufstätige wählt dafür eine Urlaubswoche.

In den Wochenplan setzt man die gebräuchlichen Abkürzungen ein.

Gw = Ganzwaschung
Trb = Trockenbürstung
Kn = Knieguß
Ag = Armguß
Wtr = Wassertreten
RosBd = Rosmarinbad
MelBd = Melissenbad
HaBd = Haferstrohbad
ZiBd = Zinnkrautbad

Tag	Früh	vormittags	nachmittags	abends
Montag	Gw/Trb	Kn/RosBd	Ag	Wtr
Dienstag	Gw/Trb	Wtr	Kn	Wtr
Mittwoch	Gw/Trb	Kn/MelBd	Ag	Wtr
Donnerstag	Gw/Trb	Wtr	Kn	Wtr
Freitag	Gw/Trb	Kn/HaBd	Ag	Wtr
Sonnabend	Gw/Trb	Wtr	Kn	Wtr
Sonntag	Gw/Trb	Kn/ZiBd	Ag	Wtr

Praxis der Anwendungen

1. Die Ganzwaschung

Mit ihr eröffnet man den Tag.
Ihre Wirkung:
- allgemeine Abhärtung,
- Kräftigung,
- Entgiftung.

Auffallend gute Erfolge gibt es auch bei nervösen Leiden, Zuständen depressiver Verstimmung und Schlafstörungen.

Durch den kurzen Kältereiz wird die Blutgefäßregulation aktiv angeregt. Durch das folgende Verdunsten des Wassers von der Körperoberfläche kommt es zum Wärmefluß von innen nach außen. Diese ableitende Wirkung beseitigt oft überraschend schnell morgendliche Kopf- und Gliederschmerzen oder die sogenannte Morgensteife, unter der nicht wenige Menschen leiden.

Kneipp wußte genau, daß die Methode viel zu einfach klingt, als daß man ihr solche Wirkungen zutrauen möchte. Der Zweifler solle halt einmal „probieren", schreibt er, und: „Ich bin überzeugt, ich brauche ihn zum zweitenmal nicht aufmuntern."

Die Technik

Nach dem morgendlichen Aufstehen richtet man das Bett so, daß es die Wärme hält, denn nach der Ganzwaschung kann man im Bett nachdunsten. Die Waschung selbst geht so vor sich:
- Ein rauhes grobes Handtuch wird in kaltes Wasser getaucht. Mit diesem beginnt die Waschung, ohne Reiben, ohne frottieren, sondern in langen Strichen gleitend:
- am rechten Arm
- am linken Arm
- am Hals,
- auf der Brust,
- am Rumpf,
- die Beine,
- die Füße,
- schließlich noch der Rücken,
- zuletzt die Fußsohlen.

Ein mehrmaliges Befeuchten des Handtuches wird nötig sein.

Nach Beendigung der Waschung soll der ganze Körper gleichmäßig mit einer dünnen Wasserschicht bedeckt sein. **Der ganze Vorgang soll nach längstens zwei Minuten vollzogen sein.**

Kneipp: „Jede Waschung, die darüber währt, kann von Übel sein."

Nun wird, und das ist wichtig, nicht abgetrocknet, sondern:
- Man legt sich ins vorgewärmte oder noch warme Bett und verbleibt dort gut zugedeckt eine viertel Stunde lang; oder:
- Man zieht sich sofort, über die noch feuchte Haut, an und geht an eine erwärmende Arbeit oder betreibt Sport (Gymnastik, zügiges Spazierengehen, leichter Dauerlauf), zumindest bis man sich völlig trocken fühlt.

Die Ganzwaschung ist in diesem Buch auch ab Seite 131 im Kapitel „Die Wasseranwendungen bei rheumatischen Leiden" beschrieben.

2. Die Trockenbürstung

Sie ist die zweite Morgenanwendung und wird anschließend an die Ganzwaschung durchgeführt. Man verwendet eine Badebürste mit Naturborsten. Die Borstenstärke wählt man entsprechend der Empfindlichkeit und Reaktionsfähigkeit der Haut aus.

Die Technik

Merke: Bei bestehenden Krampfadern werden die Beine nicht gebürstet!

Sonst ist es die übliche Reihenfolge:
- Rechtes Bein,
- rechter Arm,
- linkes Bein,
- linker Arm,
- Rücken,
- Bauch,
- Brust und zum Abschluß
- die Flanken.

Man beginnt mit langen zügigen Strichen von den Zehen bzw. den Fingern in Richtung Hüfte bzw. Schulter zu bürsten. Die Striche werden immer wieder von kürzeren kreisenden Bewegungen unterbrochen.

Der Rücken wird von den Schultern zum Gesäß gebürstet, Bauch und Brust mit kreisrunden Bewegungen um Nabel bzw. um die Brustwarzen. Den Abschluß bildet die Behandlung der Flanken von der Hüfte bis zur Achsel.

Die Wirkung der Trockenbürstung liegt in ihrer Anregung der Durchblutung mit Erweiterung der an der Körperoberfläche liegenden Blutgefäße. Der Kreislauf wird entlastet, die Herzarbeit rationalisiert. Anschließend an die Trockenbürstung wird die morgendliche Reinigung durchgeführt.

Die Güsse

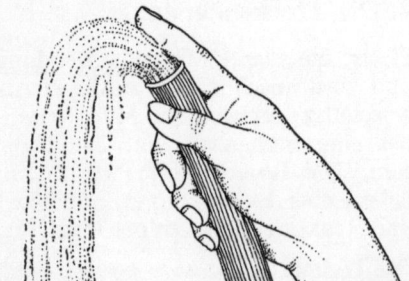

Beim Guß sollte das Wasser aus dem Schlauch nur herausquellen, auf keinen Fall unter Druck spritzen.

Für einen Guß benötigt man einen Schlauch, der an die Wasserleitung angeschlossen werden kann. Der Schlauch soll mindestens zwei Meter lang sein und eine Öffnung von zirka zwei Zentimetern haben ($3/4$ Zoll lichte Weite).

Vor jedem kalten Guß (überhaupt vor jeder Kaltwasseranwendung) sollte die nötige Körperwärme vorhanden sein. Sonst muß man mit warmen Kompressen oder durch Vorgießen mit warmem Wasser den Körperteil, an dem man den Guß anbringen will, anwärmen.

1. Der Knieguß

Unter den insgesamt zwölf verschiedenen Güssen (die selbst wieder variiert werden können in Kalt-, Heiß-, Wechsel- und manchmal Blitzgüsse) nimmt der kalte Knieguß eine Sonderstellung ein: Er ist leicht durchführbar, man braucht sich nicht auszuziehen (nur die Beinkleider hochschieben), und die Wirkung ist außergewöhnlich breit gefächert.

Nicht weniger als 12 Einsatzgebiete werden für den kalten Knieguß angegeben:

1. Zur Verbesserung der örtlichen Durchblutung von Haut und Muskulatur des Unterschenkels,
2. zur Kräftigung des Knochensystems,
3. zur Behandlung von Organstörungen im kleinen Becken,
4. zur Behandlung von Innervationsstörungen im kleinen Becken (z. B. Neurogene Reizblase, Bettnässen),
5. von Erkrankungen der Nieren,
6. von Erkrankungen des Dickdarms,
7. von Erkrankungen der Leber, des Magens,
8. von Lungenstörungen und Bronchialerkrankungen,

9. von vielen Formen von Kopfschmerzen,

10. von katarrhalischen Erkrankungen im Hals- und Kopfbereich (Nebenhöhlenentzündungen, Schnupfen usw.),

11. von Wallungen im Wechsel,

12. von Schlaflosigkeit und nervösen Störungen ebenso, wie um eine generelle Abhärtung einzuleiten.

Die Technik

Man beginnt mit dem rechten Bein: Von der kleinen Zehe über Außenrist und Ferse zieht man den Strahl über die Wadenaußenseite zur Kniekehle. Dort verweilt man ein bis zwei Sekunden und zieht dann den Strahl die Wadeninnenseite entlang der Ferse, wo der erste Guß *(die erste Schleife)* endet.

Das gleiche führt man spiegelbildlich am linken Bein durch *(zweite Schleife)*.

Dann wieder das rechte Bein, diesmal an der Vorderseite: An der Fersenaußenkante beginnend, zieht man den Strahl entlang des Wadenbeins zum Knie, verweilt dort ein bis zwei Sekunden (oder führt eine zusätzliche Schleife

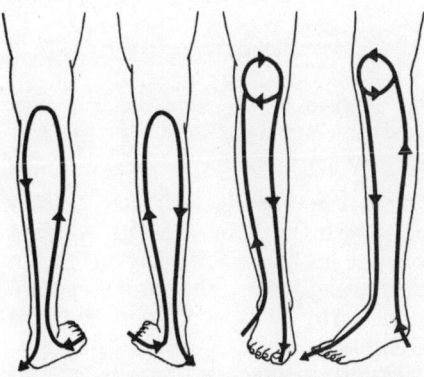

1. Schleife   2. Schleife   3. Schleife   4. Schleife

durch). Dann leitet man den Strahl das Schienbein entlang zur großen Zehe *(dritte Schleife)*.

Zuletzt das gleiche — spiegelbildlich — am linken Bein.

Alles zusammen sind es also *vier Einzelgüsse, von denen keiner länger als 15 Sekunden dauern soll.* Nach dem Knieguß streift man das Wasser mit der Hand von den Beinen ab und bewegt sich einige Minuten, bis ein wohlig warmes Gefühl auftritt.

2. Der Armguß

Er wirkt ableitend auf den Brust- oder Kopfbereich und verbessert daher Stauungen und Schmerzzustände, die dort auftreten. Außerdem wirkt er bei rheumatischen Zuständen der Arme. Auch bei Schwindel hat sich der Armguß nicht selten bewährt.

Die Technik

Für den Armguß braucht man gewöhnlich eine Hilfsperson. Manche geschickte Kneippianer führen ihn allerdings selbst direkt unter einer Wasserleitung durch, indem sie den Arm kunstgerecht unter dem Strahl durchziehen. Üblicherweise aber benötigt man dazu eine Wanne und/oder ein Stützbrett.

Die **Strahlführung** selbst ist einfach: vom kleinen Finger über die Außenkante des Armes zur Schulter, um diese herum an die Innenkante des Armes und zurück zum Daumen; erst der rechte Arm, dann der linke.

Im zweiten Arbeitsgang werden die Arme umgedreht und nun die Innenseiten begossen: wieder vom kleinen Finger bis über die Schulter zurück zum Daumen; erst der rechte Arm, dann der linke.

An der Schulter verweilt man mit dem Strahl jeweils 1 bis 2 Sekunden, damit sich von dort aus ein Wassermantel um den ganzen Arm bilden kann.

Eine Anwendung an den Armen, die einfacher durchzuführen ist als der Armguß, ist das **Armbad.** Man kann es ersatzweise durchführen.

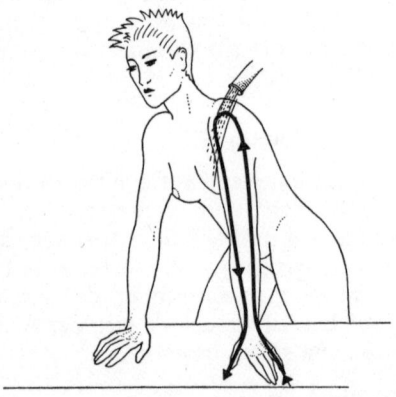

a) Arm Rücken   b) Arm Vorderfläche

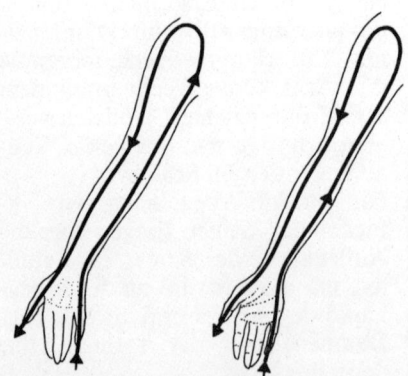

Der Armguß beginnt stets am Kleinfinger und zieht über die Schulter zurück zum Daumen.
1. Armrücken rechter Arm
2. Armrücken linker Arm
3. Arm-Innenfläche rechter Arm
4. Arm-Innenfläche linker Arm

Das Armbad

Die Anwendung ist denkbar einfach: Man läßt soviel kaltes Wasser ein, daß die Oberarme bei abgewinkelten Ellbogen bis zur Hälfte eingetaucht sind. Bei einer speziellen Armbadewanne benötigt man dazu 10 bis 15 Liter. Die Dauer des Eintauchens ist wie bei den anderen Bädern — je kälter, je kürzer — zwischen 6 und 20 Sekunden. Wie beim kalten Sitzbad kann man das Armbad nach Pausen von jeweils einer halben Minute mehrmals hintereinander durchführen. In der Pause atmet man bewußt gut durch. Es ist zu empfehlen, anschließend als Ergänzung auch das Gesicht kalt zu waschen.

Für die Durchführung des Armbades benötigt man ein Waschbecken, einen Waschtrog oder eine eigene Armbadewanne.

Durch die Verringerung der Durchblutungsmenge in beiden Armen kommt es zu einer ausgleichenden Vertiefung des Blutumlaufes im Brustkorb, was sich auch auf die Durchblutung des Kopfes positiv auswirkt. Kopfschmerzen lassen bei kalten Armbädern besonders schnell nach. Nachgewiesen ist aber auch, daß sich durch den Kältereiz in den Muskelzellen der Arme besondere Stoffe bilden, die, mit dem Blut in den Kopf weitergeleitet, eine schmerzstillende Wirkung entfalten.

Das Wassertreten

Kneipp hat diese Anwendung in erster Linie zur Ableitung von Störungen aus dem Kopf- und Brustbereich eingesetzt, insbesondere zur Linderung von Kopfschmerzen. Davon abgesehen *„bringt das Wassertreten Ruhe und guten Schlaf"*, ist deshalb besonders abends zu empfehlen.

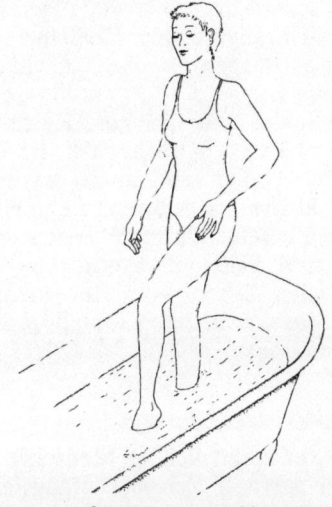

Wassertreten kann man sowohl in der freien Natur als auch zu Hause in einem Schaff oder in der Badewanne. Das Wasser reicht bis zur mittleren Wadenhöhe.

Die Wassertemperatur sollte im Idealfall nicht über 18° Celsius liegen. Wer jedoch zu Blasenentzündungen neigt, kann bei etwa 22° Celsius beginnen und die Temperatur bei merklicher Zunahme der allgemeinen Widerstandskraft schrittweise senken.

Dauer der Anwendung: 15 bis 60 Sekunden.

Man sollte darauf achten, die Beine bei jedem Schritt so weit wie möglich aus dem Wasser zu heben (Storchengang). So wird die Blutzirkulation am besten gefördert, der Venenfluß mit Hilfe der Muskelpumpe verstärkt und die arteriellen Hautgefäße durch den Kältereiz gerade richtig aktiviert.

Um in der Badewanne nicht auszugleiten, ist es empfehlenswert, eine Gummimatte mit Noppen unterzulegen, die zusätzlich auch die Reflexzonen der Fußsohlen anregt.

Nach Beendigung des Wassertretens wird das Wasser mit der Hand von den Beinen abgestreift. Danach trockene, wollene Strümpfe anziehen und einige Minuten schnell gehen, bis sich ein allgemeines angenehmes Wärmegefühl einstellt.

Bäder mit Pflanzenzusätzen

Auch sie spielen bei der Kneippbehandlung eine große Rolle. In unserem Wochenprogramm sind vier Vollbäder eingetragen – mehr als üblich. Auf diese Weise aber kann man die Wirkung der verschiedenen Pflanzen kennenlernen und, weil die Bäder kurz aufeinander folgen, die besten Vergleiche ziehen. Dann hat man bald den für die eigenen Bedürfnisse richtigen Zusatz gefunden.

Wichtig ist es, die allgemeinen Baderegeln zu beachten:

1. Die Badetemperatur liegt bei einem warmen Bad zwischen 32 und 38° Celsius und sollte nicht darüber hinausgehen. Sonst kommt zur Überwärmung und zum Wärmestau die zusätzliche Belastung des angeregten Zellstoffwechsels. Überwärmungsbäder, auch Schlenzbäder genannt (nach der Tiro-

lerin Maria Schlenz), sollten nur auf Anordnung oder nach Zustimmung des Arztes durchgeführt werden.

2. Die Badedauer sollte 20 Minuten nicht überschreiten. Die erwünschte Wirkung ist nach dieser Zeit bereits erreicht. Überlange Kräuterbäder, wie sie Sebastian Kneipp vornehmen ließ, erfordern ein entsprechendes Mehr an Erholungszeit nach dem Bad. Das kann in einem Kurhaus durchaus in das Programm passen. Bei hausgemachten Bädern ist davon abzuraten.

3. Nach dem warmen Bad, bei dem man die gewählte Temperatur durch Nachfüllen von Wasser gehalten hat, sollte grundsätzlich eine kurze kalte Nachwaschung erfolgen. Kurzes Abduschen oder Befeuchten des ganzen Körpers mit einem in kaltes Wasser getauchten Frottiertuch. 10 bis 20 Sekunden sind richtig. Diese kalte Nachanwendung dient dazu, die durch das warme Wasser passiv erweiterten Gefäße anzuregen, sich zu schließen. Kurz darauf wollen sich die Gefäße aktiv erweitern – das ist das angestrebte Ziel. Die Abkühlung darf aber eben nur ganz kurz sein, sonst verharren die Gefäße im verengten Zustand.

4. Die Ruhepause nach dem Bad sollte mindestens 30 Minuten, besser eine Stunde dauern. Man braucht sie, damit die durch das Kräuterbad eingeleiteten Regulationsmechanismen ungestört auslaufen können. Die Ruhepause sollte in einem vorgewärmten Bett oder zumindest auf einer bequemen Liege verbracht werden.

Als Badezusätze verwendete Pflanzenextrakte

Man kann sich den Heilpflanzenextrakt selbst herstellen, erzielt damit aber nicht unbedingt bessere Ergebnisse, da während des Kochvorganges ein guter Teil der flüchtigen Aromastoffe verloren geht. Bei der Herstellung guter Handelsware wird in geschlossenen Systemen destilliert. Hier treten keine Verluste auf. Deshalb sind qualitätsvolle käufliche Badezusätze eher zu empfehlen als die oft umständliche eigenhändige Herstellung.

1. Badezusatz Rosmarin

Er enthält den Rosmarinkampfer, der besonders **bei erschöpften Menschen, die zum Blutunterdruck neigen,** beachtlich wirkt. Kreislauf und Nerven werden gekräftigt. Einen günstigen Einfluß hat das Rosmarinbad auch für die Muskulatur. **Muskelrheumatische Schmerzen** sowie die Folgen nach Überanstrengung oder **Prellungen** und **Verstauchungen** werden nachhaltig gebessert.

Im Handel sind sehr gute Rosmarinvollextrakte erhältlich. Wer die Blätter verwenden will, nimmt davon 50 bis 100 Gramm und setzt sie in einem halben bis einem Liter Wasser kalt an. Bis zum Siedepunkt erhitzen, kurz aufwallen lassen, vom Herd nehmen und etwa zwanzig Minuten gedeckt ziehen lassen.

2. Badezusatz Melisse

Er wirkt vorzüglich bei Menschen, die unter **nervöser Reizüberflutung** leiden und bei denen sich die Beschwerden auf die Organe schlagen – Herz, Magen, Darm, Kehle usw. Auch **psychische Erschöpfung** mit Einschlafstörungen durch allgemeine Unruhe und bestimmte Angstzustände sind ein Anwendungsgebiet für die Melisse. Man verwendet am besten den gebrauchsfertigen Vollextrakt. Oder man setzt das reine Melissenöl (Oleum Melissae) in einer Menge von 1 bis 2 Eßlöffeln dem Badewasser zu.

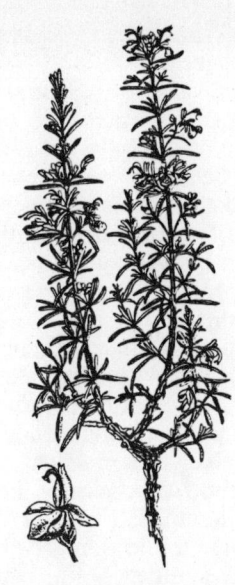

Das Rosmarin

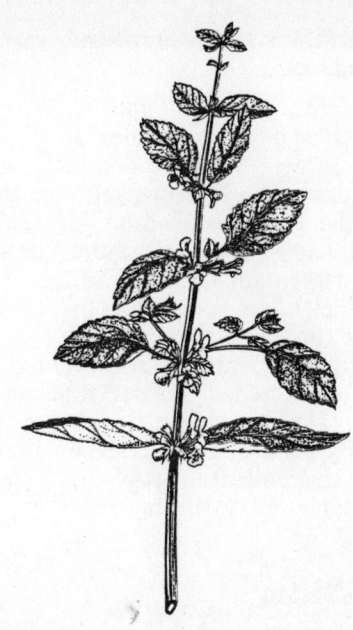

Die Melisse

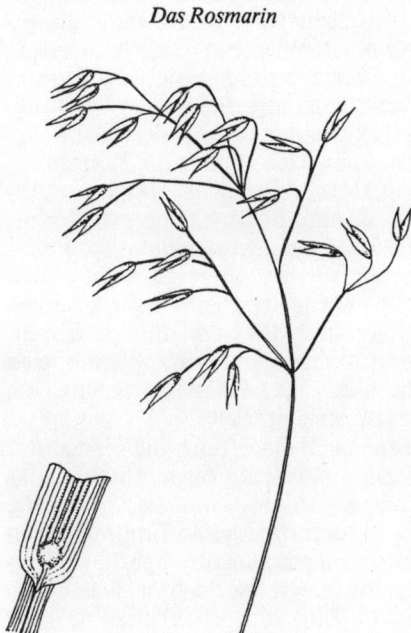

Der Hafer

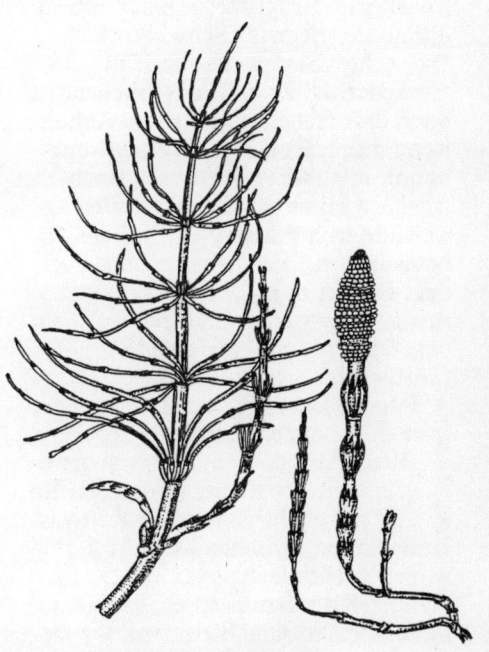

Das Zinnkraut

3. Badezusatz Haferstroh und Zinnkraut

Während Rosmarin und Melisse zu den aromatischen Kräuterbädern mit anregender, beruhigender oder harmonisierender Wirkung gehören, zählen das Haferstrohbad und das Zinnkrautbad zu den Kieselsäurebädern. Sie wirken auf Grund ihres Gehaltes an Kieselsäure vorwiegend lokal anregend, im Sinne einer besseren Durchblutung der Haut. Man verwendet sie bei chronischen **Hauterkrankungen,** bei **Gefäßstörungen,** insbesondere durch **Frostschäden.** Daneben ist ihnen eine antirheumatische und allgemein gewebskräftigende Wirkung eigen.

Die Sauna

Das Wort Sauna kommt aus dem Finnischen und bedeutete ursprünglich soviel wie Erdgrube. Später wurde daraus der Begriff „Schwitzstube".
Die echte Sauna bestand nur aus trockener Hitze mit anschließenden oder dazwischengeschalteten Kaltanwendungen. Es gibt auch eine Kombinationsmethode. Hier wechselt trockene Hitze mit Dampfstößen ab, welche durch Wassergüsse auf die glühend heißen Ofensteine erzeugt werden. Das ist dann der Übergang zum russisch-türkischen Bad, bei welchem der Wasserdampf gleichmäßig zugeführt wird.

> Für heilsame Zwecke verwendet man in erster Linie die trockene Hitze. Aufgüsse sind nur selten angebracht. Wohl aber ist der gezielte und richtig durchgeführte Kaltwassereinsatz zwischendurch von großer Wichtigkeit.

Hauptziel der Sauna ist es, bestimmte Regulationsmechanismen zu trainieren. So wird man abgehärtet gegen Erkältungskrankheiten, kreislauf- und nervenstark.

Ein weiteres Ziel der Sauna ist die Entgiftung des Körpers. Sie geht auf zweifache Weise vor sich. Einerseits sind im Schweiß auszuscheidende Stoffe gelöst, anderseits aber kommt es durch Erhöhung der Temperatur der inneren Gebiete des Körpers (der „Kerntemperatur") zur gesteigerten Ausscheidung durch die Nieren und auch durch die Lungen. Diese zweite Form ist die effektvollere. Durch die Erhöhung der Kerntemperatur nämlich werden auch Schlackendeponien wie Muskelgelosen erweicht, aufgelöst und zur Ausscheidung bereitgestellt. In diesem Fall aber erfolgt sie über die Nieren und weniger über den Schweiß. Bei einer richtig durchgeführten Sauna verliert der Körper bis zu einem Liter Schweiß und etwa einen halben Liter Harn mehr als gewöhnlich. Während des Schwitzens in der Sauna verändert sich die Zusammensetzung des Schweißes. Anfänglich ist er stark konzentriert, bei weiterem Schwitzen nimmt die Konzentration ab, und der Schweiß wird wäßriger. Bestimmte Ionen aber, wie Chlor, werden bei zunehmendem Schwitzen immer stärker ausgeschieden, sodaß es zu Mangelerscheinungen kommen kann. Auch das ist wichtig zu wissen, denn daraus kann man ableiten, welche Art von Flüssigkeitsersatz am günstigsten ist (Seite ...).
Wenn auch die Erreichung vermehrter Widerstandskraft gegen Infekte, das Kreislauftraining und die Entgiftung die vordergründigeren Empfehlungen für die regelmäßig durchgeführte Sauna sind, so gibt es doch noch eine Reihe von Einsatzmöglichkeiten darüber hinaus, teilweise echt therapeutische. Die wichtigsten:
1. Die **Erzielung einer Trainingsvago-**

tonie. Verlangsamung des Pulses, auch unter Belastung, dabei Verbesserung der Sauerstoffversorgung des Herzmuskels. Aus diesem Grund ist der regelmäßige Saunabesuch auch in das Trainingsprogramm der Leistungssportler eingebaut. Empfohlen sind je 2 – 3 Saunagänge zu 15 Minuten Dauer. Der angepeilte Effekt: schnellere Ausbildung des bessere Leistungen ermöglichenden Vagustonus = Erholungskraft.

2. Die **chronische Bronchitis,** auch die **Steinstaublunge** (Silikose) sind Krankheiten, für die eine regelmäßige, anfangs betont sanft durchgeführte und in der Intensität nur allmählich gesteigerte Sauna sehr empfehlenswert erscheint.

1 – 2 x wöchentlicher Saunabesuch mit vorsichtigem Beginn; 5 – 7 Minuten auf der untersten Stufe sitzend – in Kopfhöhe herrschen hier 50 – 60° Celsius –, kein Aufguß, nur milde Duschen zwischen und nach den Gängen. Anfangs werden 2 Gänge empfohlen.

Sehr achten muß der chronische Bronchitiker, daß er sich nicht im Anschluß an einen Saunabesuch erkältet. Entsprechende Kleidung ist Voraussetzung. Auch, daß er nicht austrocknet. Er wird daher besonders um sinnvollen Wiederersatz der Flüssigkeit sorgen.

Nach vorsichtigem Beginn kann man allmählich steigern: bis 3 oder 4 Gänge auf der zweiten oder dritten Stufe zu je 8 – 12 Minuten Dauer, ev. mit milden Aufgüssen (Thymian, Sonnentau u. a.) und auch mit gezielten Kaltanwendungen.

All das und auch die erfreuliche Erfolgsquote sind gut untersucht. Ebenso die Kombination der Sauna mit passenden Kneippgüssen Allerdings: Nicht selbst experimentieren! Man sollte sich in solchen zwar erfolgversprechenden, aber diffizilen Einsatzmöglichkeiten der Sauna der Führung und Kontrolle eines Arztes anvertrauen. Jedenfalls ist festgehalten, daß bei gekonntem regelmäßigen Saunabesuch „Bronchitiker lange Zeit Rezidive vermeiden und wesentlich weniger Medikamente verbrauchen" als ohne Sauna (H. Schlüter). Am besten erlernt man Sauna für solche Zwecke zunächst in einem Kurhaus, dessen Ärzte unter anderem auf Sauna als Therapie spezialisiert sind. Man erhält dort auch die Anleitungen, wie man es zu Hause weiterverfolgt.

3. **Rheumatische Erkrankungen,** insbesondere Weichteilrheumatismus. Hier wird die Sauna als hervorragendes ergänzendes Mittel eingesetzt – neben sonstigen physikalischen oder medikamentösen Maßnahmen. Abgeraten wird von einer Sauna nur bei rheumatischen Erkrankungen mit stark erhöhter Blutsenkung bzw. bei rheumatisch bedingten Organveränderungen, die Saunauntauglichkeit bewirken, wie höhergradige Herzklappenfehler. Ansonsten aber kann die Sauna sowohl zur Vorbeugung als auch zur Auflockerung von zunehmenden Versteifungen im Wirbel- oder Gelenksbereich sehr dienlich sein. So wird auch die nicht seltene Bechterew'sche Erkrankung (Spondylitis ankylosans) als eine gute Anzeige für regelmäßige Saunabesuche angesehen. Weiters ist die Sauna bei entzündlichen Veränderungen und zur Vorbereitung der bei dieser Erkrankung besonders wichtigen Bewegungsübungen angebracht. Ein bis in den Kern gut durchwärmter Körper bewegt sich leichter. Ebenso sind die **Spondylose** (mit dem Alter zunehmende Veränderungen der Wirbelsäule) und die **Arthrose** (das gleiche an den

Gelenken) bewährte Anzeichen für die Sauna.

Schließlich die häufigen „nichtentzündlichen Formen von Weichteilrheumatismus". Darunter versteht man die meist degenerativen Erkrankungen des Binde- und des Unterhautgewebes außerhalb der Gelenke. Es gibt in den zivilisierten Ländern wenige Menschen jenseits der dreißig, welche davon völlig frei sind.

Bei rheumatischen Erkrankungen wird die einmal in der Woche durchgeführte Sauna empfohlen. Wenn keine einschränkenden Bedingungen vorliegen, sollte man die volle Distanz ausschöpfen — 3 oder 4 Saunagänge zu je 10 bis 20 Minuten Dauer. Bei einer sonst richtigen Saunatechnik nämlich erreicht die Körperinnentemperatur erst nach dem 3. oder 4. Gang $38,5° - 39°C$ — und die Temperatur der Haut ist dann sogar um $10°C$ höher als normal. Das Temperaturgefälle geht also von außen nach innen. Das Unterhautgewebe erreicht über $41°C$ und die darunterliegenden bindegewebigen und muskulären Schichten an die $40°C$. Deshalb wirkt ja eine voll durchgezogene Sauna gerade bei den bindegewebsrheumatischen Erkrankungen und beim Vorhandensein von Muskelgelosen und -verspannungen so gut.

Gegenanzeigen für eine Saunaanwendung

Selbstverständlich gibt es auch Gegenanzeigen: Das sind körperliche, manchmal auch psychische oder nervöse Umstände, bei denen man vom Gebrauch der Sauna zumindest vorläufig absehen sollte.

Dazu gehören:

a) **Alle zehrenden Erkrankungen** wie Tuberkulose, Morbus Basedow oder offenbarer Krebs[*]);

b) **Akute Erkrankungen,** ausgebrochene Infekte, fieberhafte Zustände, stark erhöhte Blutsenkung;

c) **Anfallserkrankungen** (Epilepsie, sonstige Krampfzustände, auch psychischer Ursache);

d) **Herz- und Herzkranzgefäßerkrankungen,** Herzfehler und der Zustand nach Herzinfarkt sind ebenfalls mehr oder weniger ausgeprägte Gegenanzeigen für die Sauna. Allerdings: es gibt hier große Unterschiede. Es kann eine gekonnt und mild durchgeführte Sauna hier sogar eine erste therapeutische Adresse sein. Das entscheidet der Arzt.

e) **Ausgeprägte Kreislaufschwäche.** In solchen Fällen wird man den Kreislauf meist mit sanfteren Methoden so lange trainieren, bis man saunareif geworden ist.

Es gibt noch andere mehr oder weniger häufig vorkommende Gegenanzeigen. Gerade in Anbetracht der Tatsache, daß die wirkliche, durch Meßdaten eruierte Belastung während einer Sauna geringer ist, als man (wenn man drinnen sitzt) annehmen möchte, sollte sich jedermann ab 40 auf Saunatauglichkeit hin untersuchen lassen. Wenn der Arzt grünes Licht gibt, dann sollte man dieses wertvolle Instrument auch nutzen, denn es gibt nicht viel an naturnahen Anwendungen, welche den Körper so gut und so regelmäßig aufheizen und gleichzeitig entlasten können.

Die Belastung während eines Saunaganges wurde gemessen, wobei sich folgendes Bild ergab (G. Stein, 1976):

---

*) Bei Krebs werden in jüngerer Zeit Überwärmungstherapien mit Erhöhung der Körperkerntemperatur bis 41°C praktiziert. Das aber wird in diesem Fall mit geeigneten Durchflutungsapparaten besser erreicht als mit der Sauna.

Tätigkeit	Belastung in Watt
Gehen auf ebener Strecke (80 Schritte pro Minute)	25
Wassertreten 1 Meter kniehoch Wassertemperatur 12°C	50
Sauna 80—90 °C, relative Luftfeuchtigkeit 10 %, 12 Minuten Dauer	50
Treppensteigen (80 Schritte pro Minute, 2 Stockwerke je 19 Stufen, Stufenhöhe 17 cm)	75
Geschlechtsverkehr	75
Rückenschwimmen (25—30 Meter pro Minute)	100
Brustschwimmen (25—30 Meter pro Minute)	125

Das mag auch manchen Fachmann überraschen. Gemessen wurde jeweils am Ende der Tätigkeit im Sitzen. Die untersuchten Personen waren solche, die bereits einen Herzinfarkt durchgemacht hatten. Ein Saunagang in der dritten Stufe (das entspricht den 90°C) war nicht anstrengender als Wassertreten und weniger als Treppensteigen. Aufguß allerdings wurde bei diesem Vergleichsexperiment offenbar nicht durchgeführt. Ein solcher hätte wahrscheinlich auf 70 bis 80 Watt erhöht, wobei man hinzufügen sollte, daß man beim Aufguß jederzeit den Saunaraum verlassen können muß, ebenso wie man beim Treppensteigen jederzeit stehenbleiben kann, wenn man sich beklemmt fühlt. **Eine besondere Gegenanzeige bezieht sich auf die Kaltwasseranwendung zwischen den Saunagängen:** der Bluthochdruck mit oder ohne Nierenbeteiligung. Während die trockene Hitze in der Kabine hier selten Beschwerden verursacht, sollte man das schnelle Eintauchen in das kalte Becken meiden. Es kann zu übertriebener Gefäßregulation führen, die das Herz zu sehr belastet. Auch beim Schwitzen sollte der Saunabesucher mit erhöhtem Bluthochdruck vorsichtig sein: er ist anfälliger gegenüber plötzlichen Veränderungen seines Wasser- und Mineralienhaushaltes. Ansonsten aber, mit Wissen, Können und Umsicht, holt auch der Bluthochdruckkranke oft genug aus der Sauna Vorteile. Auf eigene Faust, ohne ärztlichen Freund und Berater allerdings, sollte man nicht zu viel riskieren. Auch hier eignet sich am besten ein Kuraufenthalt, während dem man das im persönlichen Fall richtige Saunieren einmal prinzipiell lernt.

Die richtige Durchführung eines Saunabesuchs

Ein wirklich gut genutzter Saunabesuch dauert etwa zwei Stunden. Diese Zeit sollte man sich für das Vorhaben reservieren.

Man sollte nicht mit vollem Magen in die Sauna gehen, aber auch nicht ausgehungert. Richtig ist ein kleiner Imbiß mit betonter basischer Komponente.

Der richtige Ablauf eines Saunabesuches (nach M. Mensen bzw. der Empfehlungen des Deutschen Saunabundes)

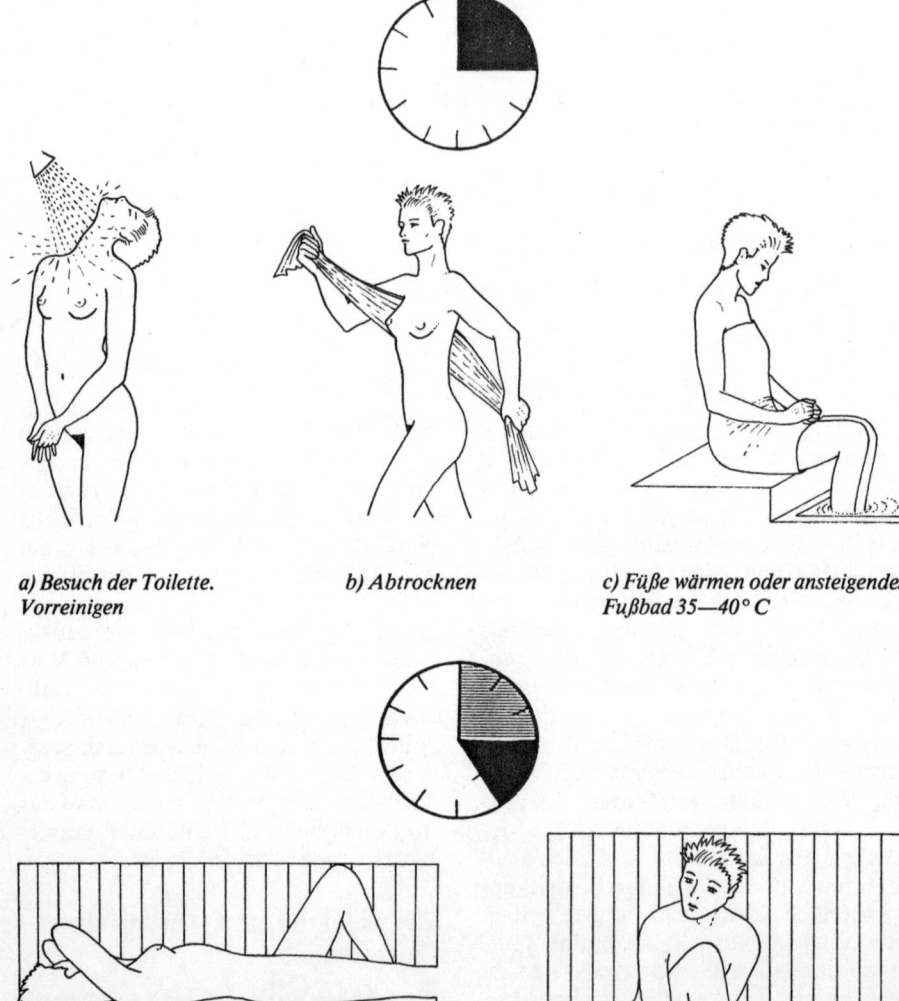

*a) Besuch der Toilette.
Vorreinigen*

b) Abtrocknen

*c) Füße wärmen oder ansteigendes
Fußbad 35—40° C*

*d) Liegen, zuerst auf unterer Stufe bei Blutnie-
derdruck Beine hoch oder anziehen.*

Die letzten 2 Min. aufsetzen.

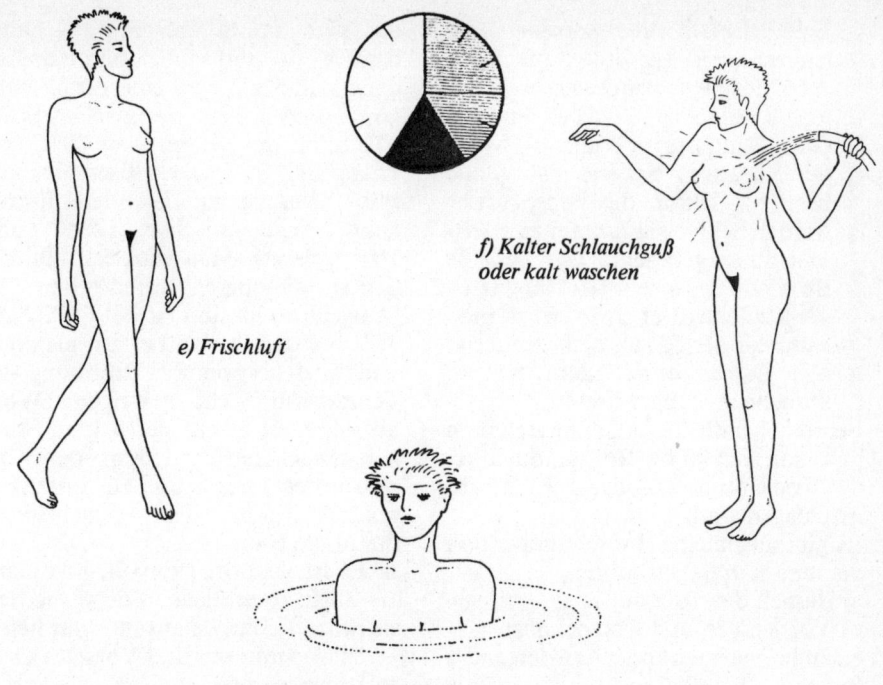

e) Frischluft

*f) Kalter Schlauchguß
oder kalt waschen*

*g) Kaltes Eintauchbad nur bei trainierten Natu-
ren und nicht bei Bluthochdruck*

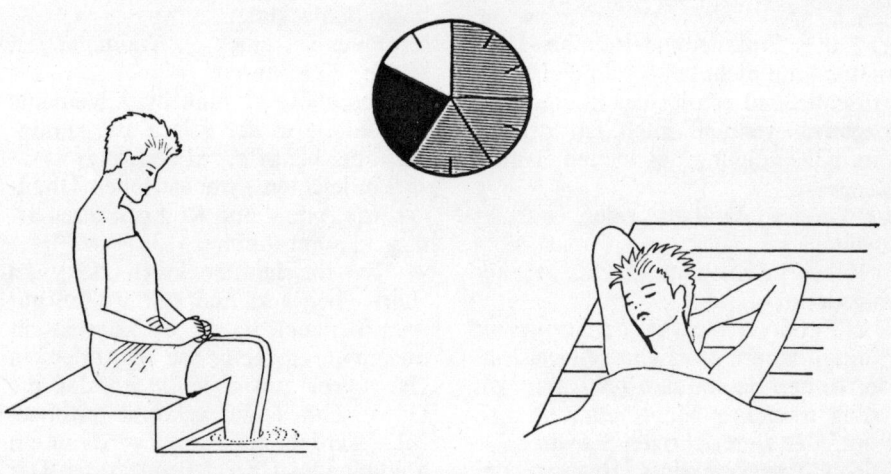

h) Warmes Fußbad oder Guß

i) Ruhen 10—15 min. locker zugedeckt

Ein Beispiel: Eine Scheibe Brot (sauer) mit etwas Butter (neutral), verschiedenen Gemüsen wie Tomaten, Radieschen, Zwiebel, und ein Glas Gemüsesaft (Tomaten, Möhren/Karotten, Sellerie usw., alle basisch). Durch die Basenzufuhr werden Schlacken leichter zur Ausscheidung gebracht. Die Scheibe Brot bringt konzentriert langkettige Kohlenhydrate. So wird man während der Sauna nicht hungrig. Die Butter bringt dem Körper schnell verfügbare Fette.

Beim eigentlichen Saunaverhalten hält man sich an die Regeln, die in jeder Gemeinschaftssauna sichtbar angeschlagen sind.

Es gibt allgemeine Empfehlungen, an die man sich halten sollte:

a) Besuch der Toilette.
b) Vorreinigen und Abtrocknen.
c) Füße wärmen oder ansteigendes Fußbad (35 – 40°C).
d) Liegen in der Sauna, zuerst auf unterer Stufe, die letzten zwei Minuten aufsetzen.
e) Gehen in Frischluft.
f) Kalter Schlauchguß oder kalt waschen.
g) Kaltes Eintauchbad (nur bei Trainierten und nicht bei Bluthochdruck). Anschließend erfolgt der zweite Saunagang, eventuell auch ein dritter. Nach Beendigung des letzten Saunaganges:
h) Warmes Fußbad oder warmer Beinguß.
i) Ruhen in entspannter Lage, locker zugedeckt.

Die Punkte a – c (Vorbereitung zur Sauna) dauern etwa eine Viertelstunde. In den Saunaraum geht man mit völlig trockener Haut, denn nur so kommt es zum richtigen Schwitzen.

Die Hitzeentwicklung ist von der Raumhöhe abhängig. Üblicherweise hat eine Sauna drei Stufen. Dann herrscht in Kopfhöhe, wenn man auf der ersten Stufe sitzt, eine Temperatur von ca. 50°C, auf der zweiten Stufe 65°C, auf der dritten über 80°C (bis knapp 100°C. – Die kritische Temperatur, welche zu Bränden führen kann, liegt zwischen 120°C und 160° Celsius). Man wird erst allmählich auf die oberen Stufen gehen. Die Schweißproduktion ist bei 65°C, auf der zweiten Stufe, bereits maximal und wird bei weiterer Erhöhung der Temperatur nicht gesteigert. Wohl aber kommt es auf der dritten Stufe zur schnelleren Anhebung der Körperkerntemperatur und zur intensiveren Anregung der Ausscheidung durch die Nieren.

● Es ist also oft sinnvoll, pro Gang die Stufe zu erhöhen. Zuerst die tiefste Stufe – und da anfangs nur liegen – zum Anpassen und Vorschwitzen.

● Dann im zweiten Gang die zweite Stufe – zum Gewöhnen und Hauptschwitzen.

● Schließlich im dritten Gang die dritte (oberste Stufe), zum Lösen und Ausscheiden tiefer im Körper befindlicher Schlacken.

Dauer eines Saunaganges: 10 – 20 Minuten.

● Anschließend zunächst allgemeine Abkühlung in der Frischluft, zumindest aber bei offenem Fenster.

● Bei leichten gymnastischen Übungen wie Arme- und Rumpfkreisen atmet man gut durch.

● Nun duscht man kalt, oder man führt einen gezielten kalten Guß mit dem Schlauch durch. Es können ein oder mehrere Teilgüsse sein oder ein Ganzkörperguß. Wichtig ist, daß die Güsse schnell und gekonnt durchgeführt werden, denn sonst wird nur ein abkühlendes Übergießen daraus. Der Sinn eines Gusses aber ist es, die von der vorhergegangenen Hitze weit gestellten Blutgefäße (passive Erweiterung) kurz zu verengen. Bevor aber die Gefäße in der Verengung verharren, hat man den Guß an dieser Stelle bereits beendet. Somit lösen die Gefäße die Verengung von sich aus und erweitern sich wieder (aktive Erweiterung). Selbst ein ausgedehnter Ganzkörperguß, dessen verschlungene Strichführung 25 Meter lang sein kann, dauert nicht länger als knapp über eine Minute.

Im gleichen Sinn ist, wenn überhaupt, das kalte Tauchbecken*) zu benutzen. Man begibt sich langsam hinein — bis an den Hals, atmet einmal durch und verläßt es wieder. Es kommt zu kurzem reflektorischen Verengen der Blutgefäße und, da man den Kältereiz rechtzeitig beendet, zur (re)aktiven Erweiterung. Diese ist angestrebt, denn das ist das eigentliche Gefäßtraining, eines der Hauptziele jeder Sauna.

Bevor man sich in den nächsten Gang begibt bzw. am Ende der Sauna vor der Ruhepause empfiehlt sich stets das Erwärmen der Füße im Fußbad oder mit der warmen Dusche. Stets gut abtrocknen.

Der Aufguß

Der Aufguß ist zwar ursprünglicher Bestandteil der finnischen Sauna, dürfte aber teilweise aus der Schwierigkeit entstanden sein, für richtiges Schwitzen genügend hohe trockene Temperaturen zu erzeugen. Man mußte mit Dampf nachhelfen.

Heute erreicht man mit elektrischen Öfen beliebig hohe Temperaturen

*) 12 – 14 °C, im Unterschied zu einem Schwimmbecken, welches auf 20 – 23 °C temperiert ist.

— der Aufguß mit dem Dampfstoß erübrigt sich eigentlich —, doch ist er sehr beliebt. In vielen Saunarunden gehört er zum Zeremoniell. Obwohl man durch den Hitzestoß eines Aufgusses sehr beeindruckt sein kann, ist sein echter Wert eher fragwürdig. Häufiger erschlägt er Regulationen des Körpers, welche sich eben aufgebaut haben, als daß er sie fördert. Das Schwitzen wird nur auf den Stufen mit Temperaturen unter 65 °C verstärkt. Hier hätte der Aufguß sogar eine regulationsverstärkende Wirkung. Ansonsten aber ist er eher eine Belastung. Daß ein Saunagast auf der dritten Stufe glaubt, daß er nach dem Aufguß mehr schwitzt, ist ein Trugschluß. Die Verdunstung ist durch die hohe Luftfeuchtigkeit gehemmt, und da die Schweißdrüsen im gleichen Strom weiterproduzieren, hat man den Eindruck, als ob man mehr schwitze, weil am Körper „mehr herunterrinnt". Von wenigen Ausnahmen abgesehen, bringt der Aufguß auch keinen therapeutischen Vorteil. Der sehr milde Aufguß beim Bronchitisleidenden ist eventuell von Vorteil. Da aber die Sauna auch eine gesellschaftliche Funktion hat, wird der Aufguß wohl seinen Platz behalten. Ist auch völlig in Ordnung, wenn er sich auf Saunarunden mit trainierten Mitgliedern beschränkt. Anfängern und älteren Leuten sollte man ihn aber nicht aufdrängen.

Die Häufigkeit des Saunabesuches

Die Sauna für einmalige Zwecke oder bei Bedarf anzuwenden, bringt zwar auch etwas. Den großen Nutzen aber hat man erst beim regelmäßigen Besuch. Allgemein werden 1 – 2 Besuche wöchentlich empfohlen. Da durch die

Sauna jedesmal ein Reiz gesetzt wird, kann man die Zirkaseptanperiodik (das ist die Sieben-Tage-Schwingung unseres Körpers) ausnutzen. Sie ist ein reaktiver Vorgang, der auf einen gesetzten Reiz hin auftritt.

Eine Nachschwingung also, die man nutzen kann. Wenn man den Saunabesuch stets auf den oder die selben Wochentage legt, erhält man sich diese Nachschwingung laufend weiter. Das aber bedeutet einen Zustand auf einem höheren Niveau der Widerstandskraft.

Der Ersatz der Flüssigkeit in und nach der Sauna:

Es hat wenig Sinn, sich über den Gewichtsverlust durch weggeschwitzte Flüssigkeit zu freuen. Früher oder später holt man ihn ohnedies auf, und da ist besser, es gleich zu machen – zumindest soviel zu trinken, daß die in Gang gekommenen Nieren weiterarbeiten können. Man trinkt meist Mineralwasser, Gemüsesäfte, Obstsäfte, auch Molke oder Buttermilch. Alle entweder für sich allein oder im Gemisch. Alkoholische Getränke, wie Bier und Apfelwein, die als „Saunagetränke" empfohlen werden, sollte man meiden. Sie regen zwar auf der einen Seite die Ausscheidung an, auf der anderen aber dämpft der Alkohol den durch die Sauna erworbenen Ablauf von Regulationen wieder ab. Der Schaden ist dann größer als der Nutzen. Manche Gemüsesäfte, wie Selleriesaft, wirken überdies stärker wassertreibend als Bier. Und wenn man 1 – 2 Eßlöffel Brennessel-Frischpflanzensaft hinzugibt, wird man sicher zufrieden sein. Es gibt auch Elektrolytgemische für den Flüssigkeitsersatz.

Meist mit Chlor, Natrium, Kalium, Magnesium und auch organischen Salzen wie Zitrat und Laktat, um einer Azidose entgegenzuwirken.

Hilf Dir selbst bei Pollenallergie

Das Wort Pollen kommt aus dem Lateinischen und bedeutet Staubmehl, auch: sehr feines Mehl. Heute heißt es so viel wie: Blütenstaub. Das ist die aus mehr oder weniger winzigen Körnchen bestehende Masse, welche sich in den Staubbeuteln der Blütenpflanzen befindet. Die Größe der Körnchen liegt zwischen zwei tausendstel und zwei zehntel Millimeter. Jedes Pollenkörnchen ist eine männliche Geschlechtszelle und muß auf irgendeine Weise ihren Partner finden. Unsere ganze blühende Natur entsteht Jahr für Jahr von neuem, um dieses Spiel der Selbsterhaltung fortzuführen.

Die Pollen vieler Blumen oder farbenprächtiger Baumblüten – wie Apfel, Kirsche oder Pfirsich – werden von Insekten transportiert. Schönheit und Duft der Blütenstände ziehen etwa Bienen, Hummeln und Schmetterlinge an, laben sie und übergeben ihnen zugleich ihre Pollen zur Beförderung. Die Blüten solcher Pflanzen nennt man auch Insektenblüten. Ihre Pollen haben an der Oberfläche oft Haken und Stacheln, mit denen sie an den Beinen der Insekten hängenbleiben. So sieht die Polle des Eibisch wie ein kugelrundes Stacheltier aus. Sie ist wirklich auf Bienen angewiesen, denn fliegen kann diese Polle nicht sehr gut, sie würde sogar beim besten Wind abstürzen. Deshalb ist die Polle des Eibisch kein großer Heuschnupfen- oder Asthma-Auslöser. Die Pollen von Insektenblüten fliegen nicht dichtgedrängt durch die Luft und geraten daher auch nicht massiv genug auf die Schleimhäute unserer Atemwege, um eine allergische Reaktion auszulösen. Zwar gibt es auch durch sie Heuschnupfen und Asthma bei speziell empfindlichen Menschen, durch die Primel zum Beispiel, doch da sind es meist andere Substanzen, welche die Allergie bedingen – Duftstoffe etwa, und weniger die Pollen.

Je farbenprächtiger, schöner und bunter die Blüte also, desto seltener ist sie für allergische Erkrankungen verantwortlich. Pflanzen mit nicht „attraktiven" Blüten aber locken keine Insekten an. Sie müssen den Wind zu ihrer Vermehrung ausnutzen. Man nennt sie auch windblütige Pflanzen oder Windbestäuber. Ihre Pollen haben eine glatte Oberfläche, welche ihnen bessere Flugeigenschaften verleiht. Manche besitzen sogar eigene Luftsäcke als besondere Flugkörper. Pollen von solchen Pflanzen trägt der Wind auch über 100 Kilometer und mehr. So kann es vorkommen, daß der Heuschnupfenleidende auch im Gebirge, wo er während der Blütezeit seiner speziellen Pflanze Zuflucht genommen hat, plötzlich seinen Anfall erleidet. Wenn der Wind und die

Kleinheit der Pollen es erlauben, ist das möglich. Manche Pollen sind besonders klein und treten zugleich in großen Massen auf: Roggen zum Beispiel baut der Mensch in großen Feldern an. Eine Roggenähre liefert um 4 Millionen Pollenkörner. Da kann ein einziger ordentlicher Windstoß im Mai oder Juni, der Blütezeit des Roggens, auch die Nasenschleimhäute von Menschen, welche weitab von den großen Roggenfeldern leben, noch regelrecht überschwemmen.

Heuschnupfen wird am häufigsten durch die Pollen blühender Gräser hervorgerufen. Auch für allergisches Asthma sind diese Pollen eine häufige Ursache. Es gibt den Ausdruck „Heufieber" – *Catarrhus aestivus* (Sommerkatarrh) – für den kombinierten Ablauf von Bindehautentzündung, dann Nasenschleimhautentzündung mit starkem Nießreiz, dem die Rachenentzündung und schließlich die Asthmabronchitis folgt. Alles zur Zeit der Heuernte.

Es gibt auch eine ganze Reihe von anderen windblütigen Pflanzen, die als Auslöser in Frage kommen – Bäume und Kräuter. In der Häufigkeit der durch sie verursachten Krankheitsfälle stehen sie hinter den Gräsern und Getreiden weit zurück:

– Gräser und Getreide: 59,4% Ursache von Heuschnupfen und Pollen-Asthma
– Bäume: 4,1%
– Kräuter: 1,2%

Das gilt aber nur für jene Pollenleidenden, die nur gegen eine einzige Sorte oder Gruppe von Pollen empfindlich sind.

Der Rest auf 100% ist „polyvalent allergisch", das heißt, er reagiert zugleich oder hintereinander auf mehrere Sorten von Pollen:

– Kombination von Gräser-, Baum-

Pollenflugkalender

	Feb.	März	April	Mai	Juni	Juli	Aug.	Sept.
Erle	■	■						
Haselnuß	■	■						
Pappel		■	■					
Weide		■	■					
Ulme		■	■					
Ruchgras				■	■	■	▒	
Birke			▒■	■				
Buche			▒■	■				
Esche			▒■	■				
Löwenzahn				■	■			
Roggen				■	■			
Robinie od. „Falsche Akazie"				■	■			
Wiesenrispengras				■	■	■	▒	
Knäuelgras				■	■	■	▒	
Gelber Wiesen- od. Goldhafer				■	■	■	▒	▒
Wiesenfuchsschwanz				■	■	■	▒	
Schwingel				■	■	■	▒	
Spitzwegerich				■	■	■	■	
Eiche				▒	■	■	▒	
Lolch				■	■	■	▒	
Lieschgras				▒	■	■	▒	
Gerste					■	■		
Weizen					■	■		
Falscher Jasmin					■	■		
Holunder					■	■		
Glatthafer					■	■		
Honiggras					■	■	▒	
Straußgras					■	■		
Linde					■	■		
Kammgras					■	■	▒	
Hafer					▒	■	▒	
Mais						■	■	
Beifuß						■	▒	
Goldrute						■	■	

■ = Hauptblüte   ▒ = Vor- und Nachblüte

Der Pollenflugkalender soll einen groben Anhaltspunkt über die in Mitteleuropa üblichen Pollenflugzeiten geben. Genaue Tagesinformationen erhält der Erkrankte über den Rundfunk oder über den Pollenwarndienst des Telefonnetzes.

und Kräuterpollen: 35,3%
Über ein Drittel aller gegen Pollen empfindlichen Menschen reagieren also mehrfach.

Es gibt das ganze Jahr über stets irgendeine windblütige Pflanze, die Pollen aussendet und auf die man anfällig sein kann. Im Dezember und Januar zum Beispiel die Zeder. Zum Glück für die potentiellen Zedernpollen-Empfindlichen gibt es in Zentraleuropa zu wenig Zedernhaine. Daher kommt es nie zur krankheitsauslösenden Pollendichte. So sind die Monate November, Dezember und Januar in unseren Breiten die freien Monate. In dieser Zeit gibt es kaum einen gefährlichen Pollenflug.

Von Februar aber bis in den Oktober ist immer „irgend etwas" unterwegs. Es gibt, zur Orientierung, sogenannte Pollenflug-Kalender. Im allgemeinen gelten für mitteleuropäische Breiten die Daten, wie sie am folgenden Diagramm angegeben sind. Allerdings können sich, je nach den klimatischen Verhältnissen eines Jahres, gewisse Verschiebungen ergeben.

Die bedeutendste Rolle spielen die Pflanzen aus der Familie der Süßgräser, auch „echte Gräser" genannt*). Außer den Körnern Roggen, Weizen, Gerste, Mais und Hafer mit seinen Unterarten Glatthafer und Goldhafer (eine Wiesenpflanze, welche feinstes

---

*) Süßgräser oder „echte Gräser" sind Begriffe aus der Landwirtschaft. Grasarten, die auf kultivierten Wiesen und Weiden gedeihen, nennt der Bauer Süßgräser, sie sind als Nahrungsmittel für Mensch oder Haustier verwertbar. Gräser, die auf sumpfigem Boden gedeihen, nennt er dagegen Sauergräser. Dazu gehören die Riedgräser, welche für die tierische Ernährung wertlos sind. Im Unterschied zu den Süßgräsern treten die Sauergräser als Pollenallergie-Verursacher kaum in Erscheinung — die großen Sümpfe in Mitteleuropa sind bereits trockengelegt.

Heu gibt) findet man auf dem Pollenflug-Kalender noch weitere zehn Süßgräsergattungen, von denen jede eine mehr oder minder große Anzahl von Arten besitzt. Sie alle sind weit verbreitet, zum Teil aber wenig bekannt. Deshalb sollen sie, in der jahreszeitlichen Reihenfolge des Pollenflugkalenders, kurz vorgestellt werden:

Das **Ruchgras** *(Anthoxantum)* ist in 20 Arten verbreitet. Die bekannteste einheimische Art ist das gemeine oder wohlriechende Ruchgras (Anthoxanthum odoratum). Es kommt in Waldlichtungen, auf Wiesen und Weiden vor. Wenn es nach dem Mähen der Wiesen verwelkt, gibt es den Geruchsstoff Cumarin ab. Dieser vermittelt den typischen Heugeruch. Wenn auch das Cumarin selbst den Heuschnupfen nicht verursacht — spätestens, wenn er es riecht —, weiß der Anfällige, daß die Heuschnupfensaison eröffnet ist. Spätestens jetzt gibt's die ersten Pollen von windblütigen Süßgräsern. Das ist ab April, wenn das Ruchgras den Reigen im Pollenjahr eröffnet.

Das **Wiesenrispengras** *(Poa pratensis)* gehört zu den rund 300 Poa-Arten. Rispengräser haben kleine, zu einer Rispe locker verteilte Ährchen, wie man es vom Hafer kennt. Beim Wiesenrispengras sind diese Ährchen grün bis dunkelviolett. Da es eine dichte Grasnarbe bildet, ist es als Rasenpflanze sehr beliebt. Darüber hinaus aber ist es auch eine der besten Futterpflanzen.

Das **Knäuelgras** *(Dactylis)* gibt es in sechs Arten. Zwei davon kommen in Mitteleuropa vor. Das häufigere und daher für Pollenerkrankungen verantwortlichere ist das Wiesenknäuelgras (Dactylis glomerata). Es ist ein ausdauerndes Wiesengras, dessen Ähr-

Ruchgras

Wiesen-Rispengras

Knäuelgras

Wiesenfuchsschwanz

Wiesen-Schwingel

Lolch (Raigras)

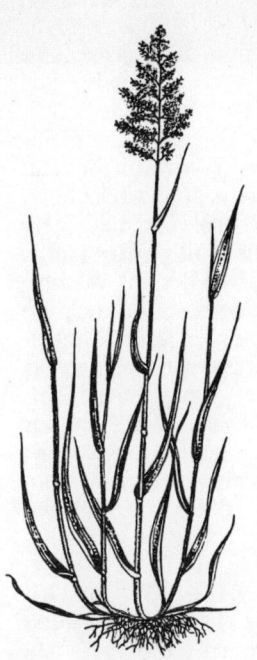

Honiggras

Wiesen-Kammgras

Straußgras

Goldhafer

Glatthafer

241

chenmassen knäuelartig geformt sind. Auffallend seine Blütezeit: Im Mai und Juni ist in mitteleuropäischen Breiten die Hauptblüte, dann ist ein Monat Pause, und im August gibt es eine zweite Blüte, die Nachblüte.

Der **Wiesenfuchsschwanz** *(Alopecurus pratensis)*, auch Kornschmiele genannt, zählt zu den Ährenrispengräsern. Die Blütenstände erscheinen wie Ähren. Biegt man sie aber genügend ab, dann sieht man, daß sie eigentlich Rispen sind, denn sie tragen die Ährchen auf verästelten Stielen. Er gilt als gutes Wiesengras von mittlerem Nährwert für das weidende Vieh. Der Name Fuchsschwanz kommt vom zottigen Aussehen der Hüllspelzen.

Der **Schwingel** *(Festuca)* ist ein Rispengras mit einem Blütenstand wie beim Hafer. Weltweit gibt es 200 Arten. Bei uns kommen etwa 20 vor. Es gibt ihn in mannigfachen Formen, als Riesenschwingel, als Rohrschwingel, als Rotschwingel oder als Schafschwingel, eine Gartenzierpflanze. Der größte Pollenlieferant von ihnen ist der Wiesenschwingel (Festuca elatior), der als wichtiges Futtergras gilt.

Der **Lolch** *(Lolium)* zählt zu den Ährengräsern: Gräser, bei denen die Ährchen eine zusammengesetzte Ähre bilden – wie beim Roggen. Andere Namen für den Lolch sind „Raigras" oder „Weidelgras". Verbreitet ist das „Englische" Raigras (Lolium perenne). Von ihm kommen die meisten Pollen. Da es dichte Rasen bildet, verwendet man es gerne zur Anlage von Zierflächen.

Das **Lieschgras** *(Phleum)* wieder gehört zu den Ährenrispengräsern, wie das Ruchgras und der Wiesenfuchsschwanz, welcher letzterem ähnlich sieht. Das Wiesenlieschgras (Phleum prätense), auch Timotheegras genannt, gilt als eines der nahrhaftesten Weidegräser. Von den insgesamt 12 Lieschgrasarten kommt es bei uns am häufigsten vor.

Das **Honiggras** *(Holcus)* ist ein Rispengras. Es kommt weltweit in zehn verschiedenen Arten vor, zwei davon gibt es auch bei uns. Die häufigere von beiden ist das wollige Honiggras (Holcus lanatus), welches auf Wiesen- und Waldlichtungen in dichtem Wachstum vorkommen kann. Die Rispen des Honiggrases sind rötlich bis violett, manchmal graugrün gefärbt, ähnlich dem Ruchgras. Während der Blütezeit duftet es nach Honig – ist aber trotzdem nicht insekten-, sondern windblütig und damit ein für den Empfindlichen gefährlicher Pollenlieferant.

Das **Straußgras** *(Agrostis)*, ein Rispengras, hat sehr kleine, meist violett scheinende Ährchen, die wie ein Strauß angeordnet sind. Es gibt 200 Arten, von denen bei uns sechs vorkommen. Das Rote und das Weiße Straußgras sind etwa gleich häufig. Auch in den Hochgebirgen gibt es eine Art, das Alpen-Straußgras (Agrostis alpina). Als Rasengras wird das bis zu 1,5 Meter hohe „Fioringras" oder Großes Straußgras (Agrostis gigantea) verwendet. Alle diese Arten können Pollenflug verursachen.

Das **Kammgras** *(Cynosurus)* ist ein Ährenrispengras, welches in acht europäischen Arten vorkommt. Man erkennt diese an ihren Ährchen mit den steilen, kammartigen Ähren. Das häufigste ist das Wiesenkammgras (Cynosurus cristatus). Es schließt den Süßgräserpollenflug des Jahres im September ab – zusammen mit dem Goldhafer, dem Schwingel und dem Lieschgras, welche mit ihrer Nachblüte ebensoweit reichen.

Die anderen im Pollenflugkalender vorkommenden Pflanzen sind allgemein gut bekannt. Als alleinige Heuschnupfen- oder Asthmaverursacher kommen sie seltener in Betracht. Wenn allerdings eine der Arten auf engem Gebiet häufiger vorkommt, wie die Pappel in der Lombardei, dann gibt es dort auch gehäufte Heuschnupfen- und Asthmaerkrankungen während der entsprechenden Flugmonate der Pollen jener Art.

Auch einige Heilpflanzen sind dabei – Löwenzahn, Spitzwegerich, Holunder, Linde, Beifuß und Goldrute. Das bedeutet aber nicht, daß jemand, der gegen Löwenzahnpollen mit Heuschnupfen reagiert, auch gegen Löwenzahntee aus den Wurzeln und dem Kraut oder gegen den Löwenzahnblättersalat allergisch ist. Das eine hat mit dem anderen wenig zu tun. Auch kann jemand, der im Juni gegen die Pollen des Weizens – oder des Roggens – empfindlich ist, durchaus Weizen- oder Roggenbrot essen. Im selben Juni und in jedem anderen Monat, ohne daß es ihm schaden muß.

Unter „**Falschem Jasmin**" ist der bis drei Meter hohe **„Blasse Pfeifenstrauch"** *(Philadelphus coronarius)* gemeint. Manche kennen den Namen „Zimtröschen" besser. Er kommt in Mitteleuropa verwildert vor, als Pollenflugableger von Züchtungen. Solche werden vorgenommen, weil der Falsche Jasmin ein schöner Zierstrauch ist. Aber auch in Südfrankreich zieht man ihn aus kommerziellen Gründen, um die Blüten zur Herstellung einer preisgünstigen „Orangenblütenessenz" zu verwerten. Dort wird es auch, im Juni, besonders häufig allergische Störungen seinetwegen geben.

Nicht jedermann, der Pollen auf seine Schleimhäute bekommt, reagiert darauf allergisch. 90% aller Menschen können Jahr für Jahr Milliarden von verschiedensten Pollen in die Augen, in die Nase bekommen oder einatmen, ohne daß sie an Bindehautentzündung, Heuschnupfen oder allergischem Asthma erkranken. Der Rest aber ist empfindlich. Man schätzt, daß es in Mitteleuropa etwa 10 – 12% sind, welche gegen irgend etwas allergisch reagieren. 5 – 7% sind gegen Pollen allergisch. Bei ihnen genügen vergleichsweise kleine Mengen vom Pollenstoff, der krankmachend wirkt. Diesen Pollenstoff nennt man das *Antigen,* jenen Fremdkörper, der bei seinem Eindringen in den Organismus die Allergie auslöst. Es ist ja nicht die ganze Polle, welche die Störung verursacht – dazu sind selbst die kleinsten Pollen viel zu groß. Es sind kleine, aber typische Eiweißmoleküle, welche die Schleimhaut durchdringen und dann auf ein vom Organismus selbst gebildetes Molekül treffen, auf den *Antikörper,* der ebenfalls ein Eiweißstoff ist. Bei Allergien wie vom Pollentyp ist dieser Antikörper das Immunglobulin E, abgekürzt IgE.

Die Auseinandersetzung zwischen den beiden, dem von außen kommenden Antigen und dem von uns selbst dagegen gebildeten Antikörper, bewirkt die allergische Reaktion.

Die **Diagnose** kann durch eine Reihe von Tests bis in das Detail durchgeführt werden. Viel hilft bereits die Erhebung der Vorgeschichte. Man stellt die jahreszeitliche Abhängigkeit der Störung fest, schließt bestimmte Pollengruppen ein, scheidet andere aus. Natürlich muß auch an andere Verursacher der allergischen Störung gedacht werden.

Die verdächtigen Stoffe werden dann auf oder in die Haut gebracht. Dafür gibt es eigene Extrakte.

Beim **Scratch-Test** wird die Haut angeritzt und der Testextrakt über der geritzten Stelle aufgetragen.

Beim **Prick-Test** wird der Extrakt aufgetropft und dann die Haut mit einer Nadel oberflächlich durchbohrt – durch den Tropfen.

Beim **Intracutan-Test** wird eine entsprechend schwächere Lösung direkt in die Haut gespritzt. Nach 15 – 20 Minuten jeweils kann man das Ergebnis ablesen. Als positiv gilt, wenn eine Quaddel von ca. 1 cm Durchmesser entsteht, die von einer Rötung umgeben ist. Damit man auch Vergleichswerte hat, werden Gegenproben durchgeführt: An eine Stelle der Haut setzt man die „Null-Quaddel" mit 0,9% steriler Kochsalzlösung. Diese Stelle wird normalerweise nie größer als 1 – 2 mm. An einer anderen Stelle der Haut setzt man die „Maximal-Quaddel" mit einer Histamin-Lösunng 1:10.000. Das ergibt (bei jedermann) einen Quaddeldurchmesser von etwa 1 1/2 cm.

Diese Hauttests sind besonders bei der Pollenallergie aussagekräftig, schon weil die Zahl der in Frage kommenden Substanzen nicht unbegrenzt ist.

Weitere Tests sind der **Augentest,** wobei ein Tropfen der verdächtigen Lösung in das Auge gegeben wird und das Ergebnis nach 10 – 15 Minuten beurteilt wird. Rötung, Brennen und Schnupfen zeigen den positiven Ausgang an.

Schließlich kann man auch mit Hilfe einer **Blutprobe** im Labor Klarheit erlangen; wobei die Menge des Immunglobulin E gemessen wird und auch, auf was die Antikörper spezifisch empfindlich sind. Teilweise werden zur Auswertung bereits Computer eingesetzt.

Behandlung des pollenallergischen Asthmas

Es gibt mehrere Ansatzpunkte:

1. Die an der Ursache angreifende Therapie:
a) Die Ausschaltung der auslösenden Allergene = sich fernhalten von den schuldigen Pollen.
b) Die spezifische De- oder Hyposensibilisierung = sich unempfindlich machen gegen die schuldigen Pollen.

2. Die symptomatische Therapie
Hierher gehören die anfallsverhindernden und anfallbehandelnden Medikamente der akademischen Medizin mit ihren verschiedenen Angriffspunkten. Ferner einige natürlich wachsende Pflanzen mit unterstützender Wirkung. Wirkmechanismus und Nebenwirkungen sind jeweils gut bekannt.

3. Andere Therapieformen
Akupunktur bzw. der Akupunktur entlehnte Anwendungen, Homöopathie, Reflexmassagen, Wasseranwendungen und ähnliche Maßnahmen. Hier ist der Wirkmechanismus nicht so gut bekannt, doch gibt es ebenso zweifelsfreie wie erfreuliche Erfolge. Die Nebenwirkungsgefahr ist gering.

Je nach Schwere der Erkrankung wird man von der ganzen Palette der Möglichkeiten – oder aber von einzelnen Therapieformen – bevorzugten Gebrauch machen. Die Auswahl ist nicht immer leicht und erfordert große Fachkenntnis. Ob etwa Cortison spätschädenverhindernd ist oder spätschädenbereitend – beide Möglichkeiten gibt es –, solche Fragen kann wirklich nur ein Arzt lösen.

Die Pollen meiden

Wenn man weiß, welche Pollen die asthmatische Reaktion verursachen, geht man ihnen bestmöglich aus dem Weg. Das gelingt um so eher, je geringer die Zahl der Pollenarten ist, auf die man krankhaft reagiert. Wenn man gegen Baumpollen allergisch ist, wird man sich bei der Planung eines allfälligen Wohnungswechsels genau über den Baumbestand seiner neuen Umgebung informieren. Es kommt ja auch nicht selten vor, daß Asthmaleidende bewußt den Ortswechsel suchen. Dabei kann es vorkommen, daß man sich ausgerechnet in der Großstadt am besten fühlt.

Wer einen Garten besitzt, wird dafür sorgen, daß die gefährlichen Pollen nicht vom eigenen Grund und Boden kommen. Der Rasen sollte immer kurz gehalten sein.

Die stärkste Pollenausschüttung erfolgt in den frühen Morgenstunden. Viele Anfällige wachen daher mit anfallsartigen Beschwerden auf, wenn die Fenster über Nacht geöffnet waren. In der für den Zimmerbewohner jeweils gefährlichen Jahreszeit sollten die Fenster daher über Nacht geschlossen bleiben. Frischluft beschafft man sich durch offene Türen innerhalb der Wohnung oder durch luftdurchlässige, aber die Pollen abfilternde Einrichtungen. Es gibt auch spezielle Klimaanlagen. Wenn jemand eine genau bekannte und zugleich kurze Beschwerdeperiode im Jahr hat, dann kann er sich bei der Wahl der Urlaubszeit entsprechend einrichten und den Urlaub an Orten mit geringer Pollenbelastung verbringen.

Die spezifische Desensibilisierung

Desensibilisieren heißt „unempfindlich machen"; hyposensibilisieren, der zweite Ausdruck, welcher in diesem Zusammenhang gebraucht wird, heißt „unterempfindlich, weniger empfindlich machen".

Das Prinzip der Methode: Der das Asthma (oder den Heuschnupfen) auslösende Pollenstoff — das Antigen — wird in regelmäßigen Abständen zuerst in kleinen, dann in immer höheren Dosen eingespritzt. Man verabreicht die Injektion üblicherweise an der Oberarm-Außenseite, damit man die Reaktion gut beobachten kann. Das Auftreten einer kleinen Rötung ist normal. Bei Rötungen und Schwellungen von mehr als 2 cm Durchmesser war die Dosis möglicherweise bereits zu groß, und wenn durch die Injektion ein Asthma-Anfall ausgelöst wurde, war die Dosis auf jeden Fall zu hoch — über der Verträglichkeitsschwelle. An diese „Verträglichkeitsschwelle" tastet sich der Arzt heran, versucht immer knapp unterhalb von ihr zu bleiben, sie zugleich aber stets nach oben zu versetzen. Er schiebt sie von Injektion zu Injektion behutsam vor sich her, steigert dadurch allmählich die Widerstandskraft seines Patienten gegen dessen gefährliche Pollen, bis ein möglichst hoher Grad von Unempfindlichkeit erreicht ist.

Wenn alles richtig funktioniert, bilden sich im Organismus die Moleküle des Immunglobulin G (IgG), welche man auch „blockierende" Antikörper nennt. Diese fangen die Pollenstoffe, wenn sie wieder daherkommen, ab und neutralisieren sie. Dadurch kommen jene mit Immunglobulin E (IgE) gar nicht erst in Kontakt, und der Anfall unterbleibt. Das durch die klug ansteigende Desensibilisierungsbehandlung neugebildete IgG schiebt sich gewissermaßen zwischen den Pollenstoff und das IgE — jenen bei Allergie-Kranken so überzählig vorhandenen Wächter.

Eine Desensibilisierungsbehandlung dieser Art, eine „spezifische", kann man freilich erst nach erfolgtem „Antigennachweis" durchführen. Das heißt, die schuldigen Pollen müssen präzise eruiert werden. Wenn nicht zu viele verschiedene Pollen (oder zusätzliche andere Stoffe) an der Allergie beteiligt sind, dann bestehen günstige Erfolgsaussichten. Man spricht von einer bis 80%igen Chance, wobei einige Umstände eine zusätzliche Rolle spielen.

Heilerfolge mit Hilfe der Desensibilisierungsbehandlung sind um so eher zu erwarten,
1. je kleiner die Anzahl der allergieauslösenden Stoffe (kleines Antigenspektrum),
2. je kürzer die Krankheitsdauer,
3. je weniger allergische Erkrankungen in der Familie registriert sind (desto geringer die zu erwartende Erbmasse),
4. je jünger der Patient ist.

Durch Pollen bedingte Allergien gehören zu den Formen mit den größeren Erfolgsaussichten, da die meisten der in Frage kommenden Pollenstoffe gut bekannt sind und da es ausreichend lange beschwerdefreie Zeiten innerhalb eines Jahres gibt. In diese beschwerdefreie Zeit legt man die Behandlung durch die spezifische Desensibilisierung. Der Abstand zwischen den Injektionen beträgt ein bis zwei Wochen, die Gesamtbehandlung erstreckt sich über zwei bis drei Jahre.

Bei der spezifischen Desensibilisierung werden mögliche Regulationsmechanismen unseres Körpers genützt bzw. kultiviert.

Die symptomatische Therapie

Während die Desensibilisierung die Erkrankung in deren Ursachenbereich bekämpft, wirken die in diesem Abschnitt genannten Mittel symptomatisch. Sie sollen eines der quälenden Symptome des asthmatischen Zustandes beseitigen. Solche Mittel bewirken keine Ausheilung der Erkrankung, aber sie können das tägliche Leben der Erkrankten sehr erleichtern.

Zu den Mitteln, welche die Verkrampfung der Bronchien im Anfall lösen können, zählen in einer besonderen Darreichungsform auch die **Dosier-Aerosole** (Tascheninhalatoren). Sie wirken auf verschiedene Weise zum gleichen Zweck: daß man wieder frei durchatmen kann. Oft genügt nur ein einziger Atemzug aus dem Dosier-Aerosol, um eine Bronchialverkrampfung zu durchbrechen. Bezüglich der schnellen Einsatzmöglichkeit und der Promptheit des Wirkungseintrittes sind sie konkurrenzlos. Bei Erkrankungen wie Asthma, welche immer unerwartet auftreten − einfach plötzlich da sind −, ist das von Wert. Die Nebenwirkungen von Dosier-Aerosolen sind, wenn man sie richtig handhabt, gering und stehen in keinem Verhältnis zu den Vorteilen, die sie bringen: prompte Erleichterung und auch Verhinderung von Spätschäden durch rechtzeitige Lösung des Krampfes: Dem nachteiligen Sauerstoffmangel, der Bildung allzu zähen Schleimes und der Lungenblähung wird vorgebeugt. Die Dosier-Aerosole lösen den Krampf der Bronchien entweder durch Dämpfung des Nervus vagus oder durch Reizung des Nervus sympathicus. Weiters gibt es Dosier-Aerosole mit Cortison, welche wieder anders wirken: weniger anfallsverhindernd als die Allergiebereitschaft herabsetzend. Hier nimmt man drei- bis viermal täglich seinen Inhalations-stoß. Welche Art von Aerosol oder welche Kombinationsmöglichkeit im persönlichen Fall richtig ist, entscheidet ausschließlich der Arzt.

Bei den anderen Darreichungsformen – Tabletten, Zäpfchen, Injektionslösungen usw. – teilt man ebenfalls sinnvoll ein in Mittel, welche

● die Verkrampfung der Bronchien lösen,

● antiallergisch wirken,

● auswurffördernd wirken.

Zu den Mitteln gegen die *Verkrampfung* gehören dieselben **Spezialitäten in Tablettenform,** wie sie bei den Dosier-Aerosolen vorhanden sind, insbesondere in jenen, welche den Nervus sympathicus reizen. Sie werden gewöhnlich an Stelle der Aerosole verordnet, gelegentlich, um eine Basiswirkung zu erreichen, welche dann den selteneren Einsatz der Aerosole ermöglicht. Man muß bei solchen Kombinationen über die erlaubten Tageshöchstdosen der einzelnen Mittel Bescheid wissen bzw. sich genau an die Anweisungen des Arztes halten.

Eine besondere Gruppe von bronchialerweiternden Mitteln sind die **Theophyllin-Präparate.** Das Theophyllin ist dem Koffein sehr nahe verwandt. Es zeichnet sich vor allem durch seine krampflösende Wirkung aus, die oft auch vorhanden ist, wenn die Erkrankten auf sympathicusreizende Mittel weniger gut ansprechen. Tabletten auf Theophyllinbasis kombiniert der Arzt mit Aerosolen dann, wenn letztere für sich allein zu schwach sind.

Bei den **antiallergischen Mitteln** ist eine besondere Art die Cromoglycinsäure, welche es in Form ihres Dinatriumsalzes als Pulver in Kapseln gibt. Es verhindert die Freisetzung von Histamin, welches als Letztauslöser von allergischem Asthma oder Heuschnupfen wirkt. Das Pulver aus der Kapsel wird eingeatmet, damit es sich auf die Schleimhäute legen kann. Das macht man *vor* dem zu erwartenden Anfall, eventuell nach Maßgabe des Pollenwarndienstes. Wenn die Pollen da sind, verbinden sich ihre Antigene zwar mit dem Immunglobulin E, die Mastzellen aber geben kein Histamin ab. Auch als Aerosol ist das Mittel im Handel: besonders wirksam bei Kindern mit allergischem Asthma, weniger oft bei Erwachsenen.

Die eigentlichen Antihistaminika verhindern die Wirkung des freigesetzten Histamins. Die Antihistaminika sind in ihrem Grundgerüst dem Histamin sehr ähnlich. Darauf beruht der Effekt: die Stellen, an denen sich das Histamin anlagern könnte, werden durch das Antihistaminikum besetzt.

Antiallergisch wirkt auch das **Cortison,** ein Vertreter des Glucocorticoide – körpereigene Nebennierenrinden-Hormone und Medikamente zugleich. Es gibt mehrere einander sehr verwandte Formen, für die im Sprachgebrauch verallgemeinernd der Name eines von ihnen, nämlich des Cortison, verwendet wird. Obwohl dieses selbst kaum Verwendung findet. Das Cortison wird als „stärkste Waffe der Asthmatherapie" bezeichnet und auch dementsprechend eingesetzt: wenn man mit den übrigen Mitteln nicht auskommt. Unter „übrigen Mitteln" sind aber nicht nur die bisher aufgezählten Medikamentengruppen der akademischen Medizin zu verstehen, sondern auch Techniken wie Akupunktur, welche letztere oft sehr wohl imstande ist, Cortison zu ersparen. Manchmal freilich geht es nicht, oder es fehlt die Zeit für Methoden, die nur langsam wirken: beim bedrohlichen asthmatischen Daueranfall etwa. Hier kann die Cortisongabe nicht nur lebensrettend sein, sie ist auch beim Abwägen der jeweiligen Spätschäden oft der günstigere Weg – wenn das Nichtdurchbrechen des Anfalles schwerwiegendere Folgen hat als das Medikament; körperliche und psychische Folgen. Das sind Fragen, mit denen sich der Arzt konfrontiert sieht. Wenn es keine andere Wahl geben sollte, dann kann man mit kluger Dosierung auf das wirklich nur Nötigste hinarbeiten, sodaß die Nebenwirkungen in Grenzen gehalten werden.

Auswurffördernde Mittel braucht man dann, wenn man Schwierigkeiten hat, das zu zähe Sekret abzuhusten. Das ist beim allergischen Pollenasthma nicht immer der Fall. Häufig aber (besonders, wenn die Jahreszeit dazu paßt, in der die Pollen, gegen welche man empfindlich ist, fliegen) schlägt sich zum Asthma ein Bronchialinfekt. Dann sind auswurffördernde Mittel angebracht. Man kann dann auch auf die Heilpflanzen zurückgreifen, die ab Seite 318 beschrieben sind.

Heilpflanzen zur Behandlung asthmatischer Zustände

Wenn man grundsätzlich den Stellenwert von Heilpflanzen bei der Behandlung von pollenallergischem Asthma festhält, so geht man auch hier am besten nach den Wirkrichtungen vor und untersucht, ob es da und dort eine Pflanze gibt, welche den modernen, meist synthetisch hergestellten Mitteln der akademischen Medizin in der Wertigkeit der Wirkung entspricht:

a) Wirkrichtung: Lösung der Verkrampfung der Bronchien

Hier muß festgehalten werden, daß das **Theophyllin** ohnedies aus dem

Pflanzenreich kommt und früher aus Teeblättern gewonnen wurde. Heute stellt man es halb- oder vollsynthetisch her. Man konnte das Angebot der Natur sogar verbessern: wasserfreies synthetisches Theophyllin wird im Darm zu 100 Prozent aufgenommen, so daß man sicher sein kann: Was man eingenommen hat, kommt auch zur Wirkung. Bei wasserlöslichem Theophyllin, wie bei einer Teezubereitung, wird die Substanz im Darm ungleichmäßig aufgenommen und ist daher schwer berechenbar. Die synthetische Form ist also vorzuziehen.

Auch für die den Nervus Sympathicus reizenden Mittel gibt es einen bekannten pflanzlichen Vertreter. Das ist das **Ephedrin,** welches ursprünglich aus dem Meerträubel, einem in Südeuropa und in der Schweiz vorkommenden Ephedra-Strauch gewonnen wurde. Heute wird auch das Ephedrin synthetisch hergestellt. Es ist in einigen Asthmapräparaten mitenthalten. Allerdings weist es zum Teil stärkere Nebenwirkungen auf als die modernen chemisch-synthetischen sympathicusreizenden Mittel der „neuen (verbesserten) Generation", wie man sagt*). Herzklopfen, Herzrhythmusstörungen, Erregungszustände und Störungen beim Wasserlassen kommen beim Ephedrin häufiger vor als bei diesen. Also auch hier hat die chemisch-pharmazeutische Entwicklung das Angebot der Natur vorteilhaft entschärft, unter gleichzeitiger Verbesserung der erwünschten Wirkung.

Die vagusdämpfenden Mittel der freien Natur sind vom Typ **Tollkirsche**

---

*) Salbutamol, Terbutalin, Fenoterol, Cyrbuterol, Clenbuterol, Reproterol und Hexoprenalin sind ihre Substanzbezeichnungen. Unter verschiedenen Namen im Handel.

und **Stechapfel.** Atropin und Papaverin gibt es in einer Reihe von Asthmaspezialitäten, natürlich exakt dosiert, was bei diesen hochgiftigen Substanzen notwendig ist. Die Stechapfelblätter wurden zu Asthmazigaretten verarbeitet. Sie sind die Vorläufer der Dosier-Aerosole — in diesem Fall des vagusdämpfenden Ipratropium. Diese chemische Substanz gilt als nebenwirkungsarm. Günstiger jedenfalls als die Stechapfelzigaretten, welche das Bronchialsekret stärker austrocknen und auch traumartige Erregungszustände verursachen können.

Nun bleiben aber doch einige Pflanzen, welche man zu Recht unterstützend bei asthmatischen Zuständen einsetzen kann, da sie eine gute Wirkung gegen die Verkrampfung der Bronchien besitzen:

1. Der echte **Thymian** (Thymus vulgaris L.)

2. Der **Sonnentau** (Drosera rotundifolia L.)

Ihre Wirksamkeit beruht auf ihrem ätherischen Öl, anders als die bisher beschriebenen Medikamente, welche hauptsächlich über Erregung oder Dämpfung von Nervenzellen angreifen. Dadurch ist es aber auch möglich, Thymian und/oder Sonnentau zusätzlich einzusetzen, ohne eine unliebsame Wirkverstärkung befürchten zu müssen. Außerdem haben beide einen das Bronchialsekret lösenden Effekt. Das ist natürlich sehr erwünscht. Meist wird man die auf Seite 321 erwähnte Kombination von 3 Teilen Thymian + 1 Teil Sonnentau verwenden, vor allem als Abendtee. Bei leichteren Asthmaanfällen hat er sich auch als alleinige Gabe bewährt und dem Erkrankten eine ruhige Nacht ermöglicht.

b) Wirkrichtung: antiallergisch

Hier ist das **Bischofskraut** *(Ammi visnaga Lam.)* zu erwähnen. Besser bekannt ist es unter dem orientalischen Namen Khella. Ein Doldenblütler, den es auch vereinzelt hierzulande gibt, der sonst hauptsächlich im Mittelmeerraum wächst. Das Bischofskraut ist deshalb interessant, weil sein Wirkstoff Khellin die Basis für die Cromoglycinsäure (siehe unten) darstellt. Dabei wurde das aus drei Ringen bestehende Khellin-Molekül zuerst vereinfacht und dann in Paarform aneinandergekoppelt. Auf diese Weise konnte man die antiallergische Wirkung deutlich verbessern.

Anderseits ging die bronchialkrampflösende Wirkung des Khellins verloren. Im Handel gibt es heute beide, sodaß die Situation wie folgt aussieht:

1. **Khellin** („Keldrin" u. a.) mittlere antiallergische Wirkung; mittlerer, aber anhaltender bronchialkrampflösender Effekt. Gibt es als Kapseln, Dragees oder Zäpfchen, auch Injektionsform. Die Wirkung ist gut, doch treten bei Überdosierung auch Nebenwirkungen auf: Übelkeit, Schwindel, Kollaps. Die Anweisungen des verordnenden Arztes beachten! Das Bischofskraut selbst — die Früchte — verwendet man heute kaum noch — eben wegen dieser Nebenwirkungsgefahr.

2. **Cromoglycinsäure** („Intal"): Stärkere antiallergische Wirkung. Kein bronchialkrampflösender Effekt. Gibt es als Pulver und als Dosier-Aerosol. Nur geringe Nebenwirkungen. Wichtig ist zu wissen, daß beide, das Khellin ebenso wie die Cromoglycinsäure, *vorbeugend* genommen werden — im anfallsfreien Intervall. Während des Anfalles nützen sie nichts.

3. Eine eigentliche Antihistaminwir-

kung gibt es bei Pflanzen auch. Sie wird durch die **Bioflavonoide,** einer spezifischen Wirkmolekülgruppe, vermittelt. Über die bioflavonoidhältigen Heilpflanzen ist ab Seite 314 berichtet. Allerdings darf man sich nicht zuviel erwarten. Es erweisen sich ja auch die synthetisch-chemischen Antihistaminika in vielen Fällen als zu schwach.

Für das Cortison gibt es im Pflanzenreich keine effizienten Pendants.

c) Wirkrichtung: Auswurffördernd

Hier stehen viele Pflanzen durchaus gleichberechtigt den modernen synthetischen Mitteln gegenüber, wenn nicht in manchen Belangen sogar überlegen: Schlüsselblume, wohlriechendes Veilchen, Alant und andere. Sie sind ab Seite 318 beschrieben.

Andere Therapieformen

Die **Akupunktur** kennt eine Reihe von wirksamen Punkten zur Behandlung des allergischen Asthma. Bevorzugte Stellen kann man auch mit Akupressur behandeln. Ebenfalls am Rücken (und am Schultergürtel) befinden sich die Areale für die **Rückenreflexzonenmassage.**

In der gemeinsamen Abbildung sieht man diese schraffiert. Es sind „reflektorische Zonen im Bindegewebe", über welche man Organe positiv beeinflussen kann – in diesem Fall Lunge und Bronchien. Die Massagen sind technisch nicht einfach und sollten dem in Bindegewebsmassage ausgebildeten Praktiker überlassen bleiben.

Bei der Selbstbehandlung empfiehlt sich das Bürsten der Fläche: Von unten nach oben wird ein Öl sanft „zerbürstet" – 2 x täglich je

1 – 2 Minuten. Sehr gut eignet sich Distelöl, da es auf Grund seines hohen Polyensäuregehaltes von 75% viel Energie abgeben kann, wenn es mit Sauerstoff in Kontakt kommt. Die Borsten der Bürste haben in erster Linie die Aufgabe, das Öl zu zerteilen und es mit dem Sauerstoff überall in Kontakt zu bringen. Zu festes Bürsten bringt keine Vorteile.

Im Bereich des Längsstriches zwischen dem 1. und 12. Brustwirbel (helle Kreise) befinden sich die Akupressur-Punkte. Sie sind durch Pfeile dargestellt. Es sind, von oben gerechnet, der 12., 13., 15. und 17. Punkt des Blasenmeridians: bewährte Asthmapunkte der Akupunktur, aber auch gut geeignet für die Akupressur.

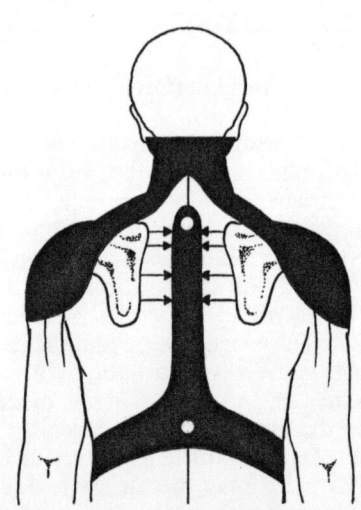

Flächen und Punkte gegen allergisches Asthma: Die schraffierten Flächen entsprechen den Rückenreflexzonen für Lunge und Bronchien. Man kann sie auch mit Öl bürsten. Die Pfeile entsprechen den Akupressurpunkten. Die Pfeilspitze entspricht der Lokalisation. Es sind, von oben nach unten, der 12., 13., 15. und 17. Punkt des Blasenmeridians.

Die genaue Lokalisation der
Punkte:

B 12, „Windtor", 3 cm links und
rechts der Mittellinie. Höhe: Unterhalb des Dornfortsatzes des 2. Brustwirbels.
B 13, „Zustimmungspunkt der Lunge", 3 cm links und rechts der Mittellinie. Höhe: Unterhalb des Dornfortsatzes des 3. Brustwirbels.
B 15, „Zustimmungspunkt des Herzens". 3 cm links und rechts der Mittellinie, Höhe: Unterhalb des Dornfortsatzes des 5. Brustwirbels.
B 17, „Zwerchfellpunkt", 3 cm links
und rechts der Mittellinie. Höhe: Unterhalb des Dornfortsatzes des
7. Brustwirbels. Dieser Punkt findet
auch beim Nesselausschlag Anwendung, was seine engen Beziehungen zu
Allergien unterstreicht.

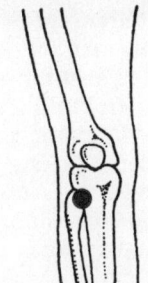

Als ergänzender Punkt mit besonderer Wir-
kung gegen Verkrampfungen empfiehlt sich
der 36. Punkt des Magenmeridians. Stets beid-
seits massieren, am besten im Sitzen.

Die Technik: Mittelfestes Massieren mit der Fingerkuppe, ca. 1 Minute lang. Einen Punkt nach dem
anderen, von oben nach unten
(dem Meridianverlauf entsprechend).

Zu diesen Rückenpunkten empfiehlt
sich die Massage des 36. Punktes des
Magenmeridians unterhalb des Knies.
Eine seiner Hauptwirkungen ist die
Lösung allgemeiner Spannungszustände, wie sie etwa vor Prüfungen
auftreten können. In ähnlicher Spannung befindet sich der Asthmaleidende in Erwartung eines möglichen Anfalles.
Die genaue Lokalisation des Punktes:
M 36, „Drei Entfernungen", am obersten Abschnitt von Schien- und Wadenbein, in einer Mulde.
Man kann diese Punkte (am Rücken
und unterhalb des Knies) auch kurmäßig einsetzen. Morgens und abends
werden alle durchmassiert, wobei
man zweckmäßig schon sechs Wo-

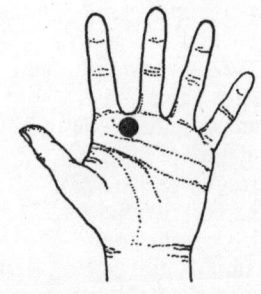

Der „Husten und Asthmapunkt" befindet sich
auf der Hand zwischen den Grundgelenken des
2. und 3. Fingers. Bei Bedarf wird er an beiden
Händen fest gedrückt.

chen *vor* dem zu erwartenden Pollenflug beginnt.
Es gibt auch einen aktuellen Asthmapunkt an der Hand. Ihn verwendet
man, um momentane Beengung weg-
zubekommen; weniger, um ihn kurmäßig einzusetzen. Es ist der 16. sogenannte „Handpunkt", ein Punkt, der
auf keinem Meridian liegt, der aber
dennoch oft erfreulich prompte Wirkung zeigt. Von den Chinesen wurde
dieser Punkt erst vor 20 Jahren entdeckt. Die europäische Volksmedizin
kennt ihn schon lange. In alten Re-
zeptbüchern findet man folgende Anweisung: Man solle in den Wald ge-

hen, einen Föhrenzapfen so in die Hand nehmen, daß er auf diesem Punkt liegt, die Faust fest ballen. Solcherart durch den Wald wandern.

Wenn man nicht gerade gegen Waldluft-Pollen allergisch ist, kann man das nachvollziehen. Ansonsten bei Bedarf (Atembeklemmung) beidseits gut und nicht zu schwach massieren.

Die genaue Lokalisation:

Hand 16, „Husten- und Asthmapunkt", zwischen Zeigefinger- und Mittelfingergrundgelenk, näher zum Zeigefinger.

Von den Wasseranwendungen eignen sich in erster Linie:

1. die Ganzwaschung (Seite 221),
2. der Kniguß (Seite 222),
3. der Armguß (Seite 223).

Sie werden von den Seiten 221 bis 224 ausführlich beschrieben.

Darüber hinaus gibt es eine Reihe von Empfehlungen, die durch neuere wissenschaftliche Forschungsergebnisse in ihrer Wirksamkeit bestätigt wurden: **temperaturansteigende Fußbäder, warme oder ansteigende Armbäder.** Ansteigende **Halbbäder** (Sitzbäder) mit anfangs Temperaturansteigungen von 34° auf 38° Celsius, später von 36° auf 39° und auch von 37° auf 40° haben eine „tiefgreifende" Wirkung, wie beschrieben wird. Doch sollte man solche Techniken erst im Kurhaus durchexerzieren, bevor man sie als Asthmaleidender zuhause selbsttätig praktiziert. Dasselbe gilt für die Sauna (Seite 228), welche in der kurmäßigen Asthmabehandlung durchaus eingesetzt wird: zuerst unter fachkundiger Anleitung, dann erst selbsttätig durchführen. Eine Asthmabehandlung im Kurhaus dauert vier Wochen, mit gewöhnlich drei Wasseran-

wendungen täglich, an sechs Tagen der Woche, darunter je 1 x wöchentlich ein am *Vormittag* eingesetzter Saunabesuch von 2x10 Minuten.

Auch **atemgymnastische Übungen** gehören in ein Kurprogramm. Man lernt das richtige Atmen fehlerfrei nur unter gekonnter Anleitung. Dem Asthmaanfälligen sollte man raten, erst einige Trainingsstunden zu nehmen und dann auch selbst weiterzuüben. Es gibt zu viele individuelle Unterschiede, auf die eingegangen werden will. Es wird in der Literatur sogar festgehalten, daß es „am Fehlen einer entsprechenden Spezialkraft (für Atemgymnastik) liegt, daß nicht jeder Kneippkurort – abgesehen vom Klima – für Asthmatiker geeignet erscheint" (H. Schlüter). Das betont, wie wichtig Atemübungen und Atemtechnik für den Asthmakranken sind. Nur braucht man für's erste einen fähigen Lehrer, der es einem beibringt.

Die **Homöopathie** kennt eine Reihe von Spezialitäten gegen das pollenallergische Asthma – von Allium cepa (Zwiebel) bis Wyethia helenoides (eine nordamerikanische Blume). Die richtige Auswahl kann nur ein in der Homöopathie erfahrener Fachmann treffen.

Die Behandlung des Heuschnupfens

Von der Ursache her sind das pollenallergische Asthma und der pollenallergische Heuschnupfen ein und dieselbe Erkrankung, die sich, wie man gerne sagt, lediglich auf verschiedenen Etagen abspielt. Es kommt gelegentlich auch zum „Etagenwechsel", das heißt, die Krankheit verlagert ihren Hauptsitz: vom Heuschnupfen zum Asthma.

So verwundert es nicht, daß die Grundprinzipien der Behandlung beider Erkrankungen gleich bzw. ähnlich sind. Vor allem die an der Ursache angreifenden Therapien sind dieselben wie beim pollenallergischen Asthma.
a) Die Ausschaltung der auslösenden Allergie = sich fernhalten von den schuldigen Pollen (Seite 245).
b) Die spezifische De- oder Hyposensibilisierung = sich unempfindlich machen gegen die schuldigen Pollen (Seite 245).
Unterschiedlich ist die symptomatische Behandlung, aber auch nicht in allen Belangen. Die antiallergisch wirkenden Mittel der akademischen Medizin sind dieselben:
a) Die Cromoglycinsäure als Verhinderer der Histaminfreisetzung. Nur wird das Pulver bzw. der Spray („Intal") nicht in die Lungen eingeatmet, sondern es werden die Nasenschleimhäute damit bestäubt. Wie beim pollenallergischen Asthma nur zur Vorbeugung von Anfällen — entweder nach Maßgabe des Pollenwarndienstes, der über Telefon oder Rundfunk den zu erwartenden Pollenflug schon vorher ankündigt, oder überhaupt viermal täglich, damit es zum Ausbruch des Heuschnupfens nicht kommen kann, denn nach jedmaligen Bestäuben der Schleimhäute hält die Wirkung einige Stunden an.
Das gleiche gilt für das Bischofskraut bzw. seinen Wirkstoff Khellin, aus dem die Cromoglycinsäure entwickelt wurde (Seite 249).
b) Auch Antihistaminika werden beim Heuschnupfen gleichermaßen eingesetzt wie beim allergischen Asthma. Die Gabe von Cortison dagegen ist zu Recht umstritten. Immerhin handelt es sich beim Heuschnupfen nur selten um eine bedrohliche Erkrankung.

c) Unterschiedlich zum allergischen Asthma sind die Medikamente, welche lokale Veränderungen hervorrufen sollen. Was beim Asthma die krampflösenden und sekreterweichenden Mittel sind, sind beim Heuschnupfen die schleimhautabschwellenden. Es gibt sie innerlich als Tabletten bzw. Kapseln und als Nasentropfen bzw. Nasensprays.
Nun kann es schon vorkommen, daß auf dem Höhepunkt eines Heuschnupfens die Nase samt den Augenlidern völlig verschwollen ist. Da ist der Einsatz solcher Mittel angebracht. Ansonsten aber ist — zumindest, was die Daueranwendung anbetrifft — zur Vorsicht zu raten. Schon nach wenigen Tagen der regelmäßigen Anwendung kann es zur gelegentlichen Reaktion kommen, zur besonderen Anschwellung der Schleimhaut. Das nennt man „medikamentösen Schnupfen".
Als Alternative zu den gefäßverengenden Tropfen kann man es mit ca. 1%iger Salzlösung versuchen (1 Gramm Salz in 100 g Wasser). Mehrmals täglich eintropfen. Es gibt auch homöopathische Nasentropfen, welche gar nicht so schlecht wirken.
Die *Akupunktur* kennt eine ganze Reihe Punkte — der 4. Punkt des Dickdarm-Meridians, welcher gegen Nasenrinnen oft prompt wirkt, und der Punkt „Hand Nr. 11", welcher gegen die verstopfte Nase wirkt.
Die genaue Lokalisation: Di 4, „Talbegegnung", am Handrücken zwischen Daumen und Zeigefinger. An der Mitte der Daumenseite des Zeigefinger-Mittelhandknochens.
Hand 11, „Wirbelsäulenpunkt", an der Außenseite des Kleinfingergrundgelenkes.

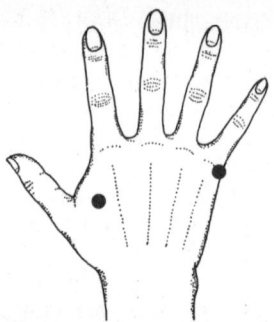

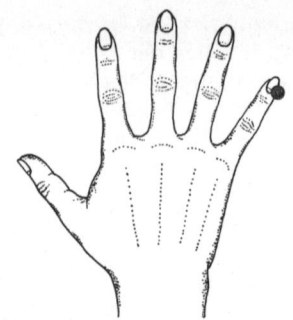

Sowohl für die rinnende Nase — zwischen Daumen und Zeigefinger am Handrücken — wie auch für die verstopfte Nase — an der Außenseite des Kleinfingergrundgelenkes — befinden sich gute Akupressurpunkte an den Händen. Bei Bedarf kräftig massieren.

Am äußeren Nagelfalzwinkel des kleinen Fingers befindet sich der Punkt gegen juckende und brennende Augen.

Je nachdem, an welcher Störung man leidet, schmerzt der eine oder andere Punkt auch deutlich. Man massiert relativ kräftig, etwa eine Minute lang. Ganz in der Nähe des Punktes Hand Nr. 11, nur wenige Millimeter näher zur Handwurzel, befindet sich der 3. Punkt des Dünndarm-Meridians mit dem Namen „Hintere Schlucht". Er wirkt oft beachtlich gegen Juckreiz, wie er bei allergischen Erkrankungen immer wieder auftritt – in der Nase löst er dann das Niesen aus. Gewöhnlich erfaßt man mit einer Akupressur beide Punkte, hat also beide Wirkungen in einem (mit der Nadel, welche viel feiner ist als eine Fingerkuppe, wären es zwei Stiche). Schließlich befindet sich an der Hand auch noch der erste Punkt des Dünndarm-Meridians. Er wirkt gegen juckende oder brennende Augen. Auch diese Beschwerden sind beim Heuschnupfen fast immer mit dabei.

Die genaue Lokalisation:

DÜ 1, „Geringer Teich", am äußeren Nagelfalzwinkel des kleinen Fingers. Nicht zu brutal massieren!

Als besondere **Massage** empfiehlt sich bei Heuschnupfen eine bestimmte Kopfmassage, welche auch gegen die oft den Schnupfen begleitenden Kopfschmerzen gut wirkt.

Wichtig ist, daß zügig in der richtigen Reihenfolge massiert wird: zuerst unpaarig in der Mitte, von der Nasenwurzel bis an den Hinterkopf. Als zweiten Strich die paarige Massage (links und rechts, zugleich oder hintereinander), von der Nasenwurzel über den Scheitel bis an den seitlichen Hinterkopf. Und schließlich, ebenfalls paarig, vom oberen vorderen Ohransatz schräg nach *vorne* oben und dann, in den zweiten Strich mündend, an den seitlichen Hinterkopf. Morgens und abends — mit dem Finger oder mit einer guten festen Bürste.

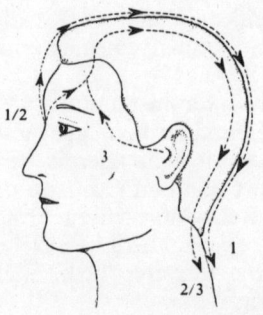

Die Kopfmassage in drei aufeinanderfolgenden Strichen begünstigt die Reinigung des Nasen-Augen-Nebenhöhlen-Raumes. Wirkt auch gut gegen Kopfschmerzen. Man muß zügig und kräftig massieren.

Man kann alle erwähnten Punkte bzw. die Kopfmassage auch vorbeugend anwenden. Dann setzt man mit der Behandlung ca. sechs Wochen vor der zu erwartenden Pollenflut ein. 2 x täglich akupressieren bzw. massieren. Ähnlich wie die akademische Medizin setzt auch die Homöopathie zur Behandlung des Heuschnupfens dieselben Mittel ein wie beim allergischen Pollenasthma. Es bedarf aber einer exakten homöopathischen Diagnostik, wie sie nur ein auf diesem Gebiet erfahrener Fachmann erstellen kann.

DIE NATÜRLICHE HAUSAPOTHKE

Der Aufbau einer natürlichen Hausapotheke

Für die **erste Hilfe bei Unfällen**, für kleinere und größere **Unpäßlichkeiten**, für die **Behandlung bei chronischen Leiden** und auch für die Überbrückung der Wartezeit bis zum Eintreffen des Arztes sollte man einige Hilfsmittel für Pflege und Behandlung vorrätig haben. Die Größe und Einrichtung der Hausapotheke ergibt sich aus besonderen Bedürfnissen:
● aus der Größe der Familie
● aus dem Alter der Familienmitglieder
● aus deren speziellen Anfälligkeiten.

Aber auch manches sonst spielt mit: Ist die stets erreichbare Apotheke gleich um die Ecke, oder wohnt man im Einschichthof? Gibt es „Pflegefälle" in der Familie, oder strotzen alle vor Gesundheit? Je nachdem benötigt man für seine „alternative Hausapotheke" ein kleines Kästchen oder einen großen Schrank.

Sind sie bereits von den Vorteilen vorbeugender Maßnahmen überzeugt, lieben Sie Kneippanwendungen, Heilbäder und Güsse, dann hat sich Ihre Hausapotheke auch auf das Badezimmer ausgedehnt.

Wer den feinen Geschmack und die gesunderhaltende Wirkung von Haus- und Familien-Kräutertees kennengelernt hat, der bezieht auch die Küche mit ein.

In jedem Fall aber müssen die eigentlichen Arzneien so sicher untergebracht sein, daß Kinder damit nicht spielen können. Das Kästchen oder der Schrank sollten gut versperrbar sein, denn selbst wenn man die Hausapotheke ausschließlich auf Naturmittel aufbaut — irgend etwas „Gefährliches" ist immer dabei.

Ausstattungsvorschlag für eine Hausapotheke:

I. Verbandmaterial für alle Fälle

In diesem Abteil der Hausapotheke befinden sich
● Mullbinden in verschiedener Breite,
● Heftpflaster und Schnellverband,
● Leukoplast in verschiedener Breite,
● elastische Binden (10 cm Breite),
● Verbandmull,
● Verbandwatte,
● Zellstoff,
● Brandbinden,
● Dreiecktücher.
● Dazu Verbandschere, normale Pinzette und Splitterpinzette, 1 Satz Sicherheitsnadeln, 1 Satz Bandagenhaften, 1 Satz Holzspatel, 1 Satz Stieltupfer.

II. Material für die Krankenpflege

- Fieberthermometer (2 Stück, damit man gleichzeitig die Achsel- und die Mastdarmtemperatur messen kann. Wichtig unter anderem bei Blinddarm-Verdacht),
- Badethermometer,
- Wickeltücher verschiedener Größe und Art – grobes Leinen, feines Leinen und Flanell,
- Gummiunterlagen,
- Irrigator für Einläufe und Spülungen,
- Wärmeflaschen,
- Eisbeutel,
- Schnabeltasse.
- Dazu Handwaschbürsten, Desinfektionslösung, Medizinalseifen, Waschalkohol, Franzbranntwein.

III. Arzneimittel zum Einnehmen

Hier unterteilt man exakt nach Wirkungsgebiet:
- Mittel gegen Schlafstörungen, Streß und Nervosität,
- Mittel für den Magen,
- Mittel gegen Blähungen,
- Mittel gegen Durchfallserkrankungen,
- Mittel gegen die Verstopfung,
- Mittel für die Leber, die Gallenwege und die Bauchspeicheldrüse,
- Mittel gegen Schmerzen,
- Mittel für die Harnwege und für die Vorsteherdrüse,
- Mittel gegen Erkältungskrankheiten und Grippe,
- Mittel für Herz und Kreislauf.

IV. Mittel für die äußerliche Anwendung

- Verschiedene *Salben* (Wundsalben, Hautsalben, Kühlsalben, Zugsalben, entzündungshemmende Salben).
- *Einreibungen* verschiedener Art, antirheumatische Pflaster. *Gurgelmittel.*
- Im weiteren Sinn gehören dazu: *Badezusätze, Heublumenkissen.* allenfalls auch Kneippbehelfe wie Kneippschlauch, Zuber für Wechselbäder, Einrichtungen für Sitzdämpfe usw.

Unter Punkt III finden wir das Herz der Hausapotheke. Die hier angegebene Reihenfolge entspricht den nächsten Kapiteln. Zu den Mitteln sollte man ein echtes Nahverhältnis entwickeln. Man sollte über ihre Wirkung ausreichend Bescheid wissen, ebenso über allfällige Nebenwirkungen, Gegenanzeigen, über die richtige Dosierung.

Wenn man sich bei den äußerlich anzuwendenden Mitteln einmal vergreift, hat man zwar den erwünschten therapeutischen Effekt nicht ganz erreicht, großen Schaden hat man sich meist nicht zugefügt. Bei den Arzneimitteln zum Einnehmen ist es schon ein gröberer Mißgriff, wenn man ein Mittel für die Leber mit einem gegen Erkältungskrankheiten verwechselt, und wenn man Stopf- und Abführmittel verwechselt, dann ist der Teufel los. **Deshalb sind genaue Ordnung und präzise Beschriftung so wichtig.**

Bei den Teesorten bedient man sich einer Etikette – bei nicht zu großer Handschrift genügt ein Format von 7×5 cm – und beschriftet von oben nach unten:

1. Die beteiligten Pflanzen mit Angabe des verwendeten Pflanzenteiles und das Verhältnis der Mischung, falls eine solche besteht.

2. Die Hauptwirkrichtung, eventuell ergänzt durch eine Neben- oder Zusatzwirkung, zum Beispiel Magenübelkeit (Pfefferminzblätter), Magenentzündungshemmend (Kamillenblüten) oder Magenübersäuerung/Bronchitis (isländisches Moos).

3. Die Dosis. Bei Einzelpflanzen gibt es eine Einzeldosis und eine Mischdosis. Ein Beispiel: Tausendguldenkraut – Einzeldosis: 2 Teelöffel; wenn man einen Tee allein aus dem Tausendguldenkraut zubereitet. Mischdosis: $^1/_2$ – 1 Teelöffel; wenn man das Tausendguldenkraut mit anderen Pflanzen mischen will. Bei fertigen Mischungen fällt diese Zusatzangabe meist aus.

4. Die Zubereitung. In den meisten Fällen durch Überbrühen mit siedendem Wasser = **Infus** oder **Aufguß.** Das ist in der Regel bei den zarten Pflanzenteilen richtig: Blüten, Blätter, Kraut, Samen (Früchte).

Es gibt Ausnahmen, zum Beispiel das Mistelkraut: es wird in kaltem Wasser ausgezogen = **Mazerat** oder **Kaltwasserauszug.** Diese Art der Zubereitung verwendet man ansonsten nur bei schleimhältigen Pflanzen und bei der Baldrianwurzel.

Oder das Erdrauchkraut: Dieses wird in kaltem Wasser angesetzt, zum Sieden erhitzt und nach kurzem Aufwallen vom Herd genommen. Das ist bereits ein **Dekokt** oder eine **Abkochung,** wie man sie sonst mit den harten Pflanzenteilen durchführt: mit Hölzern, Rinden und Wurzeln.

Bei **Gemischen** richtet man sich gewöhnlich nach dem zartesten Mitbestandteil – in den weitaus meisten Fällen also wird **überbrüht.** Man läßt gewöhnlich 10 Minuten lang ziehen. Eine Ausnahme ist der Weißdorn: 15 bis 20 Minuten – Untersuchungen haben ergeben, daß beim Weißdorntee erst nach dieser Zeit der ausreichende Gehalt erreicht ist.

Bei den kieselhältigen Pflanzen (Zinnkraut, Hohlzahn, Vogelknöterich)

läßt man etwas Honig oder Zucker mitziehen. Die Kieselsäure wird dann bedeutend besser abgegeben.

Üblicherweise werden die fertigen Teezubereitungen nicht gesüßt. Ausnahmen sind die Brusttees gegen Husten und Heiserkeit(= Species pectorales). Bei ihnen wird das Süßen mit Honig als wirkverstärkend meist eigens empfohlen.

Getrunken wird ein fertiger Tee „diätetisch", wie Sebastian Kneipp sagt: in kleinen Schlucken, bedachtsam, „vor allem in größtmöglicher körperlicher und seelischer Ruhe und einer inneren seelischen Verfassung, die ganz auf die Überwindung der Krankheit eingestellt ist." (R. F. Weiss).

Besondere Angaben wie „vor", „zu", „nach den Mahlzeiten" schließen die eigentliche Information auf der Etikette ab.

Bei Tinkturen und Tropfen ist die Vorgangsweise, dem Material entsprechend abgewandelt, im Prinzip dieselbe. Einzeldosis und Mischdosis werden als **Tropfenzahl** angegeben. Diese werden meist in Wasser oder in einem Tee genommen, wobei sich Fenchel, Minze und Melisse besonders eignen.

Schließlich führt man noch das **Ablaufdatum** an. Bei Teemischungen und offenen Tinkturen ist es das Verpackungsdatum, bei Originalflaschen (Pflanzentinkturen, homöopathische Dilutionen) das Datum des ersten Gebrauches. Wie lange hält sich die Ware? In verschlossener Originalflasche viele Jahre lang. Wenn die Flaschen einmal geöffnet sind, sollte man jährlich austauschen bzw. erneuern. Bei den Pflanzen für Tees und Teemischungen hängt es sehr von der Verpackung ab. Je intensiver eine Pflanze in getrocknetem Zustand riecht, um soviel mehr an Duftölen enthält sie und desto dichter verschlossen muß man sie aufbewahren. Hier sind Steingutbehälter oder gut verschließbare Blechdosen am besten. Ansonsten tun es auch starke Papiertüten. Sicher geht man in jedem Fall, wenn man auch hier das Material nicht länger als ein Jahr hortet.

Beispiele für Etiketten:

Kamillenblüten
Magen-entzündungshemmend
Einzeldosis: 2 Teelöffel
Mischdosis: 1/2 — 1 Teel.
Überbrühen/gedeckt ziehen.
Datum: . . . . . .

Enzian-Tinktur
Magenschwäche/Appetit
Einzeldosis: 20 Tropfen
Mischdosis: 10 Tropfen
in Wasser oder kühlem Tee vor
dem Essen/kleine Schlucke
Datum: . . . . . .

Manche der Einzelmittel — vor allem homöopathische — sind voretikettiert, zum Beispiel:
CEPA D 2, Dil. 50 ML
Solche Etiketten ergänzt man. Es ist auch meist absichtlich dafür freier Raum belassen. Im obigen Fall:
„Zwiebel D 2, Schnupfen/Widerstandskraft, 3×15 Tropfen, 1. 3. 1988.

Mittel gegen Schlafstörungen, Streß und Nervosität

Um Schlaf zu finden oder um nagende Nervosität zu verlieren, nehmen heute zu viele Menschen ein synthetisch-chemisches Mittel. Ein Benzodiazepin, ein Methaqualon, ein Barbiturat usw., wie man das chemische Grundgerüst der verschiedenen Typen eben nennt. Diese Mittel wirken meist sehr gut, das ist keine Frage. Mehr oder weniger intensiv aber bringen sie unerwünschte Nebenwirkungen mit. Und wenn man ihre Hilfe lange und regelmäßig genug in Anspruch genommen hat, dann ist man ganz bestürzt, wenn man plötzlich merkt, daß man vergessen hat, die Tabletten in das Reisegepäck zu geben — ein deutliches Zeichen, daß man abhängig geworden ist.
Die Tabletten haben ihre Berechtigung, auch das ist keine Frage. Der Arzt kann sie in ein Therapieprogramm einbauen — bei bestimmten echten Erkrankungen. Allzuoft aber werden sie nur als Sorgenbrecher eingesetzt oder um alltagsübliche Nervosität wegzudämpfen. Für diese Zwecke verschreibt sie kein Arzt auf die Dauer gerne, und die Patienten wissen das — deshalb ist auch so manchem der Weg zum Arzt, um ein solches Rezept zu erneuern, regelrecht peinlich. Hier ist der Ruf nach einer wirksamen Alternative geradezu notwendig. Dabei liegt es auf der Hand, daß man bei einem Mittel nur dann von einer echten Alternative zu den synthetisch-chemischen Medikamenten sprechen kann, wenn es den gewünschten Effekt auf die gesündere Weise bringt.

Was ein alternatives Mittel „können" soll:

1. Es darf **keinen Schaden** zufügen. Magen, Darm, Herz, Leber, Niere usw. sollen auch nach längerem Gebrauch nicht angegriffen werden.
2. Es soll unser **Entgiftungssystem wenig beanspruchen.** Schlafmittel z. B. sollen keinen „hang over"-Effekt mitbringen (Benommenheit und Müdigkeit am nächsten Tag) – durch verzögerten Abbau des Mittels. Auch nicht bei älteren Menschen.
3. Es soll eine **große therapeutische Breite** haben. Man versteht darunter den Abstand von der gerade schon wirksamen bis zur bereits giftigen Dosis eines Mittels. Je größer die therapeutische Breite, desto unproblematischer das Mittel. Überdosierungs- und Vergiftungsgefahr sind entsprechend gemindert. Das ist bei Hausmitteln schon an sich von Wert, bei Schlafmitteln aber von ganz besonderer Bedeutung.
4. Es soll **keine Abhängigkeit** entstehen. Auch nicht in der Form, daß nach Absetzen des Mittels die Beschwerden größer werden, als sie es waren, ehe bzw. weswegen man das Mittel genommen hat. Es ist dies ein häufiger Pferdefuß mancher chemischer Schlaf- und Beruhigungsmittel („das Mittel erfordert sich selbst").
5. Es soll zu **keiner unliebsamen Verstärkung der Wirkung** kommen, auch wenn man das alternative Mittel mit einem wirkungsgleichen synthetisch-chemischen zur selben Zeit einnimmt. Das ist sehr wichtig, denn die Praxis hat gezeigt, daß oft nur auf diese Weise

das allmähliche Umsteigen auf die gesündere Alternative möglich ist.

Alle diese Punkte werden von einer ganzen Reihe pflanzlicher Mittel – solche kommen ja in erster Linie als gesündere Alternative in Frage – vollinhaltlich erfüllt. Man faßt diese Pflanzen in der Gruppe der sogenannten „Mite-Phytotherapeutika" zusammen. Das heißt wörtlich: „milde" oder „sanfte" Pflanzenheilmittel und bedeutet, daß sie weitgehend nebenwirkungsfrei und auch ansonsten unbedenklich sind (im Unterschied zu den „Forte-Phytotherapeutika", den „starken" Mitteln, wie Fingerhut oder Tollkirsche). Ob ein Mite-Phytotherapeutikum auch wirkt, hängt in erster Linie von der Wahl der richtigen Pflanze ab. Sie muß zum Beschwerdemuster des Patienten passen.

Das Auffinden der im persönlichen Fall richtigen Pflanze oder des richtigen Pflanzengemisches ist recht einfach; man muß nur einige Zusammenhänge kennen. Wenn man zum Beispiel nicht einschlafen kann, weil man dauernd an den folgenden Tag denken muß, dann hilft Baldrian (nicht aber Hafer); kann man nicht einschlafen, weil der vergangene Tag zu aufregend war, dann hilft Hafer (aber nicht Baldrian). Wenn die Gedanken auf gemischte Weise nicht zur Ruhe kommen, wenn die vergangenen und die erwarteten Ereignisse gemeinsam den Schlaf rauben, dann hilft auch bei den Pflanzen das Gemisch – Baldrian + Hafer, 2:1, 1:1, 1:2 – was gerade im Vordergrund steht. Das ist das Prinzip; und dies ist tatsächlich fast das ganze Geheimnis des richtigen Umganges mit den milden Heilpflanzen.

Für das Fach **„Mittel gegen Schlaflosigkeit und nervöse Unruhe"** unserer alternativen Hausapotheke empfehlen wir in erster Linie fünf Pflanzen. Durch die Verschiedenartigkeit ihrer Hauptwirkrichtungen ergänzen sie sich ganz ausgezeichnet.

1. Baldrian – Erwartungsangst, Grübeln im vorhinein
2. Hafer – Erschöpfung, Grübeln im nachhinein
3. Melisse – grundlose Beklemmung, nervöser Typ
4. Passionsblume – körperliche Verspannung
5. Bittere Orange – seelische Verspannung

Aus diesen fünf Pflanzen wählt man gewöhnlich drei aus. Man trifft damit fast immer die richtige Mischung für die jeweilige persönliche Situation (welche sich ja auch einmal ändern kann). In der Praxis hat sich dabei gezeigt, daß Passionsblume und bittere Orange zweckmäßig von vornherein in die Mischung genommen werden, um den Komplex: körperliche/seelische Verspannung fürs erste abzufangen. Dieser ist ja an den meisten Formen von Schlaflosigkeit und Nervosität beteiligt. Und dazu mischt man dann Baldrian, Hafer oder Melisse – welches davon gerade am besten paßt.

Anwendungen

A. Man verwendet von allen Pflanzen deren **Tinkturen.** Diese Form ist die einfachste, nimmt am wenigsten Platz weg, und auch mit der Dosierung kommt man am besten zurecht. Hier gibt es:

1. Die Baldriantinktur = Tinctura Valerianae
Einzeldosis, d. h. wenn man Baldrian für sich allein nimmt: 40 Tropfen
Dosis beim Hinzumischen: 20 Tropfen

2. Die Hafer-Urtinktur = Avena sativa φ

Einzeldosis: 20 Tropfen
Dosis beim Hinzumischen: 10 Tropfen
Eine gewöhnliche Tinktur ist bei Hafer nicht üblich.

3. Die Melisse. Hier nimmt man den Klosterfrau Melissengeist = Spiritus Melissae.
Einzeldosis: 40 Tropfen
Dosis beim Hinzumischen: 20 Tropfen

4. Die Passionsblumen-Tinktur = Tinctura Passiflorae
Die Passionsblumen-Urtinktur = Passiflora φ
Die Dosis ist bei beiden gleich:
Einzeldosis: 40 Tropfen
Dosis beim Hinzumischen: 20 Tropfen
Die Urtinktur ist wesentlich teurer als die gewöhnliche. Dennoch wird sie sich oft auszahlen, da sie als die viel wirkungsvollere Form auch schwere Verspannungen und sogar leichte Schmerzzustände beseitigen kann.

5. Die Bittere Orangentinktur = Tinctura Aurantii amari
Einzeldosis: 20 Tropfen
Dosis beim Hinzumischen: 10 Tropfen
Alles weitere ist einfach. Meist wird man als Basis nehmen:
20 Tropfen **Passionsblumen-Tinktur** oder **Passionsblumen-Urtinktur** + 10 Tropfen **Bittere Orangentinktur.** Das löst die allgemeine Verspannung.
Und nun fügt man hinzu: 20 Tropfen **Baldriantinktur,** wenn man in ängstlicher Erwartung lebt, weil die Prüfung naht, weil sich das Finanzamt angesagt hat, weil man deshalb unruhig und gedankenflüchtig ist, sich am Tag nicht konzentrieren und in der Nacht nicht schlafen kann.
Oder: 10 Tropfen **Hafer-Urtinktur,** wenn man durch die Anstrengungen des vergangenen Tages erschöpft ist

und trotzdem nicht schlafen kann, weil das Abschalten Schwierigkeiten macht, oder weil es Probleme gibt, die einem zu schaffen machen. Wenn man sich tagsüber schwer tut, von einer Konzentration auf die nächste „umzusteigen", weil die Gedanken nachhängen. Wenn zuviel auf einmal auf einen einstürzt.

Oder: 20 Tropfen **Klosterfrau Melissengeist,** wenn man zu den Mimosen gehört (was ja manchmal vorkommen kann), wenn das Gefühl „es geht nichts mehr, ich kann nicht mehr" melancholische Verzagtheit bewirkt, wenn — sehr typisch für Melisse — sich die Nervosität auf die Organe schlägt: Herz, Magen, Darm, auch eingeschnürter Hals.

Natürlich könnte man die Tinkturen aller fünf Pflanzen in der angegebenen Hinzumisch-Dosis zusammenmischen. Das ist völlig unbedenklich, die hohe Schule der Pflanzenheilkunde aber ist es nicht. Meist auch nicht notwendig, dafür aber teurer. Viel häufiger wird geschehen, daß man seine persönliche Spezialmischung findet. Das ist dann jene, welche dem persönlichen Beschwerdemuster am ehesten entspricht. Dann kann man sich die Kombination in der Apotheke gebrauchsfertig mischen lassen und nur mehr ein Fläschchen mit auf die Reise nehmen. Die Anweisung für den Apotheker dabei ist einfach: Aus dem Tropfenverhältnis macht man das Gramm- bzw. Milliliterverhältnis, z. B.:

20 g Passionsblumen-(Ur)Tinktur
10 g Bittere Orangentinktur
20 g Baldriantinktur.

Die Gesamttropfenzahl ist jetzt 50, das entspricht gerade einem Kaffeelöffel. Bei diesen Mitteln mit großer therapeutischer Breite braucht man die Tropfen nicht überexakt zu zäh-

len. Und wenn, dann beim erstenmal, um das Maß kennenzulernen.

Man nimmt die Mischung in einem Glas warmen Wasser oder in einer Tasse Tee — sehr gut eignet sich Fencheltee — abends eine halbe Stunde vor dem Schlafengehen, tagsüber bei Bedarf, auch mehrmals täglich. Benommenheit oder Reaktionsverlust ist nicht zu befürchten. Diese Mittel erzwingen ja auch nicht den Schlaf wie ein Hypnotikum, sondern sie ermöglichen ihn durch Beseitigung von Hemmnissen.

B. Man kann sich aber auch die Form der **Teezubereitung** für seine Mischungen wählen. Diese Form ist im Geschmack abgerundet und in der Wirkung oft durchaus zufriedenstellend. Nur den Hafer gibt es als Tee nicht — im Bedarfsfall fügt man die 10 Tropfen Hafer-Urtinktur dem Teegemisch aus den übrigen Pflanzen bei. Auch beim Baldrian ist die Tinktur weitaus üblicher als der etwas umständliche Kaltauszug aus den Wurzeln. Die übrigen Pflanzen aber sind einfach und billig:

1. Melissenblätter = Folia Melissae
Einzeldosis: 2 Teelöffel/Tasse
Dosis beim Hinzumischen: 1 Teelöffel/Tasse

2. Passionsblumenkraut = Herba Passiflorae
Einzeldosis: 2 Teelöffel/Tasse
Dosis beim Hinzumischen: 1 Teelöffel/Tasse

3. Bittere Orangenblüte = Flores Aurantii amari
Einzeldosis: 2 Teelöffel/Tasse
Dosis beim Hinzumischen: 1 Teelöffel/Tasse

Auch die Schale der Bitteren Orange ist wirksam: Bittere Orangenschale = Pericarpium Aurantii amari
Einzeldosis: 2 Teelöffel/Tasse
Dosis beim Hinzumischen: 1 Teelöffel/Tasse

Die Zubereitung ist bei diesen drei Pflanzen stets die gleiche. Mit kochendem Wasser überbrühen, gut zugedeckt 10 Minuten ziehen lassen. In betont kleinen Schlucken trinken. Da bei diesen Pflanzen die ätherischen = flüchtigen Öle eine große Rolle spielen und ihre Wirkung bereits von der Mundhöhle aus entfalten, sollte man die Teemischungen nicht süßen. Sonst werden die Geschmackspapillen getäuscht, und es tritt Wirkungsverlust auf. Alle hier erwähnten Zubereitungen wirken auf nüchternen Magen besser. Doch sollte man nach dem Trunk ein kleines Stück Brot essen, insbesondere wenn die Bittere Orange mit in der Mischung ist – dann wird die Wirkung noch gesteigert.

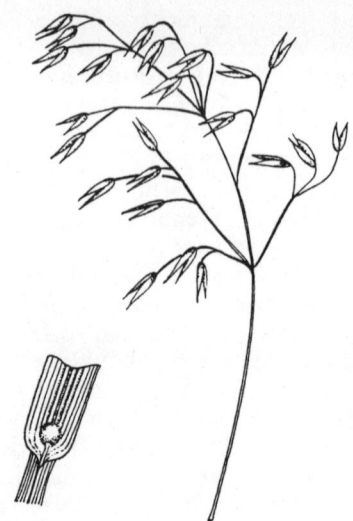

Der Hafer

Der Baldrian

Die Melisse

Die Passionsblume

Der Hopfen

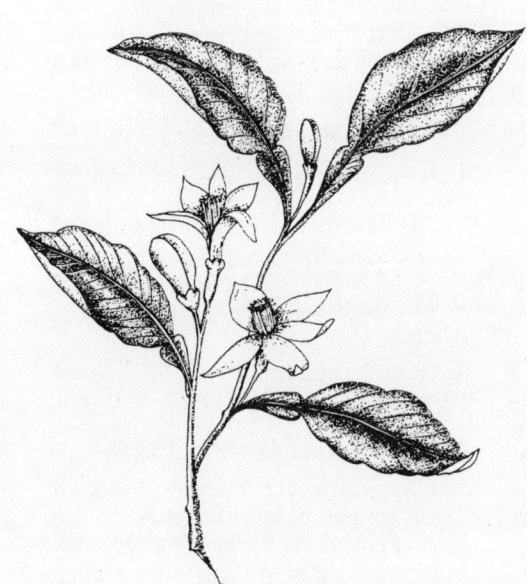

Die Bittere Orange

Der Rosmarin

267

Weitere bewährte Einschlafhilfen

1. Wenn Unruhezustände den Schlaf behindern, ist die Beimischung von Hopfenextrakt angezeigt. Folgendes Rezept wirkt auch bei Schlaflosigkeit infolge Wetterfühligkeit:

Hopfenextrakt = Extractum Lupuli 40,0

Baldriantinktur = Tinctura Valerianae 40,0

Bittere Orangentinktur = Tinctura Aurantii 20,0

Die Anwendung: Abends vor dem Schlafengehen nimmt man 30 Tropfen bis 1 Teelöffel voll. Tagsüber bei nervöser Belastung 20 Tropfen. Man gibt die Tropfen in etwas heißes Wasser oder Tee.

2. Bei älteren Menschen behindert nicht selten eine Mangeldurchblutung des Gehirns das Einschlafen. Dann wirkt oft eine kleine Dosis Rosmarintinktur (5 Tropfen auf ein Stück Zucker) oder das abendliche Glas Rosmarinwein, das vor allem von Pfarrer Kneipp sehr empfohlen wurde.

Mittel für den Magen

„In der Beschränkung auf wenige gute und wirklich erprobte Mittel zeigt sich der Meister auch in der Heilpflanzentherapie", sagt der Nestor und große Kenner der Pflanzenheilkunde, der deutsche Internist Rudolf Fritz Weiß. Im Hinblick auf eine Hausapotheke gilt dieser Satz in besonderem Maße. Man würde allzu schnell Ordnung und Übersicht verlieren, wollte man alles horten, was empfehlenswert erscheint (und es oft auch wirklich ist). Deshalb muß man bei der Gestaltung einer Hausapotheke ebenso Einkehr üben wie Auskehr. Einkehr, indem man grundsätzlich überdenkt, was man wirklich braucht. Im Haushalt eines Junggesellen, der gelegentlich an Magenübersäuerung leidet, wird sich ein Bitterstoffmittel wie Enzian oder Tausendguldenkraut erübrigen – es würde nur vermodern. Das Isländische Moos hingegen ist für den Junggesellen von Wert, das wird er fallweise brauchen. Und Auskehr übt man an seiner Hausapotheke selbst. Dabei fällt so manches Liebenswerte unter den Rost. Enzian *oder* Tausendguldenkraut heißt hier die Regel, nicht aber Enzian *und* Tausendguldenkraut. Man braucht nicht zwei vom selben Wirkmechanismus.

Wenn man nun in diesem Sinne an den etwa siebzig magenwirksamen Pflanzen eine Sichtung vornimmt, dann reduziert sich das wirklich notwendige Maß auf ganze fünf:

A. Für die momentane Unpäßlichkeit

1. Die Kamille – entzündungshemmend
2. Die Minze – Übelkeit beseitigend
3. Die Melisse – beruhigend

B. Für den kraft- und saftlosen Magen

4. Das Tausendguldenkraut – tonisierend und säurelockernd

C. Für den übersäuerten Magen

5. Das Isländische Moos – säurebindend, schleimhautschützend

Dazu kommt die Bittere Orange. Vom Standpunkt des Magens aus gesehen, könnten wir auf sie verzichten. Da sie bereits in unserem Schlaf- und Nervositätsprogramm enthalten ist, nutzen wir sie auch hier: als appetitanregendes Mittel, vor allem für Kinder. Auch die Melisse kennen wir bereits aus unserem Schlaf- und Nervositätsprogramm. Sie ist beidseits geradezu unverzichtbar und hat da wie dort ihren prominenten Platz. Bei Schlafstörungen ebenso wie bei Magenstörungen.

Anwendungen

Kamille – Minze – Melisse, diese drei Pflanzen der ersten Gruppe sind imstande, auch Sofortwirkung zu entfalten. Folgende Eigenschaften sind ihnen gemeinsam:
1. die schmerzstillende,
2. die krampflösende,
3. die beruhigende,
4. die blähungswidrige.
Daneben aber hat jede der Pflanzen noch ihre besonderen Eigenschaften: Die **Kamille** wirkt ausgesprochen entzündungshemmend, wobei einer ihrer Hauptstoffe, das Bisabolol, eine hervorragende Magenschleimhaut-Schutzwirkung gegen allfällige Belastungen ausübt. Dieser Stoff, den man erst seit 1972 genauer kennt, beugt Magengeschwüren effektvoll vor. Man verabreichte Ratten in entsprechender Dosierung das Indometacin, ein synthetisch-chemisches Anti-Rheumamittel. Daraufhin bekamen sie Magengeschwüre. Gab man aber vor der Indometacindosis das Bisabolol der Kamille oder einen Kamillengesamtextrakt (z. B. Kamillentee), dann blieben die Geschwüre aus. Die Lehre daraus ist einfach: Immer, wenn man ein Anti-Rheumamittel nehmen muß (oder sonst ein Mittel, welches Geschwüre verursachen kann), sollte man auch von der Kamille Gebrauch machen.

Der zweite Hauptstoff der Kamille heißt Cham-Azulen. Er verhilft zu Ausheilung bei bereits bestehenden Geschwüren. Ihn kennt man schon seit 1930 und lange glaubte man, daß er allein für die Wirkung der Kamille verantwortlich sei – bis man das Bisabolol fand. Die Gesamtwirkung der Kamille ist also vorbeugend ebenso wie heilend: vorbeugend durch das Bisabolol, heilend durch das Cham-Azulen. Bei der Kamille müssen wir aber auch eine Vorsichtsmaßnahme anführen: Überlange Kuren mit allzu großen Dosen täglich können Bindehautentzündung und Nervosität bewirken. Die Kamille ist kein Jahrein-jahraus-Tee.
Bei der **Minze (Pfefferminze)** sticht die Wirkung gegen Übelkeit und Gärungsprozesse hervor. Ihr Hauptwirkstoff, das Menthol, setzt die Empfindlichkeit der Magenschleimhaut gegen Übelkeit auslösende Reize herab. Außerdem hat es desinfizierende Eigenschaften und korrigiert einseitiges Bakterienwachstum, welches zu abnormen Zersetzungsprodukten im Magen führt. Dadurch kann Mundgeruch entstehen. Bei magenbedingtem Mundgeruch also wirkt die Minze nicht nur durch Übertönung des Duftes, sondern sie hilft auch, die Ursache zu beseitigen. Für diese Magenwirkung braucht man nicht die ganze Minze, das Menthol allein genügt, wie es in den verschiedenen Pfefferminzölen enthalten ist. Für die zweite große Wirkung der Pflanze aber muß man schon die ganzen Blätter verwenden. Denn hier spielen noch andere Stoffe mit: bei der Steigerung von Gallebildung und von Gallefluß. Die große Stärke der unzerteilten Pflanze (des Tees) ist also bei jenen Magenleiden zu suchen, hinter denen sich chronische Gallenwegserkrankungen ver-

bergen. Solche sind weniger durch ausgeprägte Schmerzhaftigkeit charakterisiert, mehr durch stumpfes Völlegefühl mit dem Empfinden, man habe einen Stein im Magen.

Bei der **Melisse** wieder steht die beruhigende und krampfstillende Wirkung im Vordergrund. Im Unterschied zur Kamille oder Pfefferminze, bei denen es besonders hervorstechende Wirkmoleküle gibt, sind es bei der Melisse mindestens fünf einander verwandte Stoffe, die nur in ihrer unzerteilten Gesamtheit die typische Melissenwirkung entfalten. Das sind die Duftöle Citronellal, Citral, Citronellol, Linalool und Geraniol. Die Namen deuten den zitronenartigen Geruch der Melisse an. Deshalb nennt man sie auch „Zitronenmelisse". Diese also ist genau das gleiche wie die Melisse und keine Unterart. Aber auch das hauptsächlich in Java kultivierte Zitronellgras enthält dieselben Duftöle wie die Melisse. Aus dem Zitronellgras wird der Karmelitergeist hergestellt: mit Zimt, Muskat und Nelke als Zusatz. In der Wirkung sind beide als gleichwertig anzusehen: der Klosterfrau-Melissengeist (Spiritus Melissae) und der Karmelitergeist (Spiritus Melissae compositus), auch wenn sie von verschiedenen Pflanzen kommen.

Die Wirkung von Melisse oder Zitronellgras ist sehr breit angelegt. Das liegt daran, daß sie an einer ganz bestimmten Stelle im Gehirn angreifen, dort, wo die vegetativen Funktionen des Körpers gesteuert werden und wo auch die Abschirmung gegen allzu starke Reize geregelt wird. Es gibt Menschen, bei denen diese Stelle – das sogenannte limbische System – perfekt arbeitet. Solche Menschen haben die berühmte Elefantenhaut und brauchen keine Melisse. Den vielen anderen aber, denen sich ein allzu

lautes Geräusch oder eine unglückliche Nachricht sehr auf den Magen (auf das Herz oder auf sonst ein Organ) schlägt, kann die Melisse eine echte Hilfe sein. Natürlich spielt dabei eine Rolle, daß es hier ebenso wie bei Zitronellgras praktisch keine Nebenwirkungen gibt.

Kamille, Minze und Melisse gehören zu jenen Pflanzen, bei denen die Hauptwirkstoffe im ätherischen Öl enthalten sind. Man übersetzt den Begriff am besten mit „Duftöl" (wörtlich wäre „himmlisches Öl"). Duftöle sind flüchtig und entweichen leicht. Deshalb muß man die Teezubereitungen gut gedeckt ziehen lassen. Auch die Aufbewahrung solcher Teesorten sollte unter Luftabschluß – in der Blechdose – erfolgen, damit es zu keinen Wirkstoffverlusten kommt.

1. Kamillenblüten = Flores Chamomillae
Einzeldosis: 2 Teelöffel/Tasse
Dosis beim Hinzumischen: $1/2$ bis 1 Teelöffel/Tasse

2. Pfefferminzblätter = Folia Menthae piperitae
Einzeldosis: 2 Teelöffel/Tasse
Dosis beim Hinzumischen: $1/2$ bis 1 Teelöffel/Tasse

3. Melissenblätter = Folia Melissae
Einzeldosis: 2 Teelöffel/Tasse
Dosis beim Hinzumischen: $1/2$ bis 1 Teelöffel/Tasse

Alle drei Pflanzen lassen sich untereinander und auch mit anderen Mitteln gut mischen. Am einfachsten und mit breiter Wirkung ist die Mischung zu gleichen Teilen, als allgemeiner Magentee, bei momentaner Unpäßlichkeit. Pro Tasse nimmt man zwei Teelöffel und trinkt gut warm in betont kleinen Schlucken.

Besonders mit der Kamille macht man auch Kuren. Sogenannte Rollkuren, die zwei bis drei Monate lang dauern.

Man wendet sie hauptsächlich bei der chronischen Gastritis an. Dabei trinkt man vier- bis sechsmal täglich je eine Tasse Kamillentee, morgens nüchtern und während man liegt. Während der Einnahme rollt man sich: vom Rücken auf die rechte Seite, dann auf die linke, schließlich auf den Bauch, daher „Rollkur". Solche Kuren aber macht man nur auf Anraten des Arztes. Auch wenn sie unbedenklich sind – auszahlen sollen sie sich schließlich doch, und ob dies entsprechend aussichtsreich ist, das kann nur der Arzt beurteilen.

Von allen drei Pflanzen gibt es spezielle Zubereitungsformen. Sehr praktisch der **Kamillen-Gesamtextrakt:** Extractum Chamomillae fluidum. Man nimmt 30 Tropfen auf ein Glas heißes Wasser. Der Trunk ist vollwertig und preisgünstig.

Pfefferminzöle bzw. Pfefferminztinkturen sind in mehreren Preislagen im Handel. Die Gebrauchsanweisung ist auf der Packung angegeben. Die Minze als solche ist praktisch ungiftig. Konzentriertes Menthol aber, wie es in Pfefferminzölen und -tinkturen vorhanden ist, sollte man Kleinkindern und Säuglingen niemals verabreichen: Im Gegensatz zu den Erwachsenen sind sie mentholempfindlich und können davon Erstickungsanfälle bekommen.

Bei der Melisse schließlich (bzw. beim Zitronellgras) empfehlen sich vor allem der Klosterfrau-Melissengeist und der Karmelitergeist. Sie kosten in etwa gleich viel.

Die zweite Gruppe der magenwirksamen Pflanzen ist die der sogenannten Amara tonica, das heißt „kräftigende Bittermittel". Es handelt sich dabei um Pflanzen mit Bitterstoffgehalt, die den chronisch schwachen Magen anregen. Sowohl was die Saftbildung an-

betrifft als auch im Hinblick auf die Beweglichkeit des Magens. Die kräftigende Wirkung beschränkt sich nicht nur auf den Magen – die beiden stärksten Amara tonica gelten als vorzügliches Mittel auch zur Behandlung von allgemeinen körperlichen und seelischen Schwächezuständen:

Der **Enzian** und das **Tausendguldenkraut.** Die Wirkstoffe sind bei beiden Pflanzen weitgehend dieselben – die Bitterstoffe Amarogentin und Gentiopikrin. Auch der Wirkmechanismus ist bei beiden praktisch gleich. Deshalb brauchen wir in Wirklichkeit nur eine der beiden Pflanzen in unserer Hausapotheke. Magen- und Darmgeschehen gehören nach wie vor zu den großen Domänen der Teezubereitungen. Deshalb werden die meisten dem Tausenguldenkraut den Vorzug geben. Sein Tee läßt sich – im Unterschied zum Enzian – durch einfaches Überbrühen herstellen.

Tausendguldenkraut = Herba Centaurii
Einzeldosis: 2 Teelöffel/Tasse
Dosis beim Hinzumischen: $1/2$ bis 1 Teelöffel/Tasse

Die besten Mischungen ergibt das Tausenguldenkraut mit Minze und/-oder Schafgarbe zu gleichen Teilen. Tausendguldenkrauttee wird nur kalt oder lauwarm und stets vor einer Mahlzeit in kleinen Schlucken getrunken. Je kleiner, desto besser. Denn die Magensaftproduktion wird über einen Reflex bereits von der Mundhöhle her ausgelöst. Beim Tausendguldenkraut gibt es aber auch eine „logische" Gegenanzeige: Wer ohnedies schon zuviel Magensäure hat, sollte den Tee nicht trinken, und schon gar nicht jemand, der unter magensäurebedingten Geschwüren leidet. Für ihn gibt es das Isländische Moos, in gewisser Hinsicht das Gegenmittel zum Tausendguldenkraut. Wenn jemand

Tinkturen bevorzugt, kann er den *Enzian* einsetzen, da vom Tausendguldenkraut Einzeltinkturen weniger gebräuchlich sind:

Enziantinktur = Tinctura Gentianae
Einzeldosis: 20 Tropfen (in Wasser oder Tee)
Dosis beim Hinzumischen: 10 Tropfen
Als Appetit- und Kräftigungsmittel vor dem Essen.

Wir haben jedoch in unserem Hausapothekenabteil für Schlaflosigkeit und Nervosität die Bittere Orangentinktur. Diese können wir zum selben Zweck einsetzen. Einzeldosis: 20 Tropfen. Hinzumischdosis: die Hälfte. Besonders wirksam bei Kindern, wenn diese gestreßt und appetitlos aus der Schule kommen. Die Bittere Orange wirkt ja auf beides — gegen Streß und für den Appetit.

Die dritte Gruppe von Heilpflanzen mit vorwiegender Wirkung auf den Magen ist unter den sogenannten Mucilaginosa zu suchen. Das sind Pflanzen, die sich durch einen außergewöhnlichen Schleimstoffgehalt auszeichnen. Der Schleim legt sich als feine Schutzschicht über die Mageninnenwand. Auf diese Weise können Entzündungen, auch Geschwüre, leichter abheilen. Außerdem wirkt der Schleim säurebindend und schützt daher den Magen vor den Folgen übertriebener Saftproduktion. In dieser Hinsicht also das Gegenteil von den Amara tonica wie Enzian oder Tausendguldenkraut.

Es gibt in der Heilpflanzenwelt eine ganze Reihe von hervorragenden Schleimstoffmitteln: Eibisch, Malve, Huflattich, Königskerze, Knabenkraut, Leinsamen — zum Teil werden sie im Rahmen unserer alternativen Hausapotheke noch eine Rolle spielen. Das prominenteste Schleimstoff-

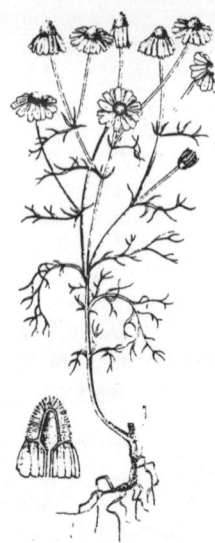

Die Kamille

Die Pfefferminze

272

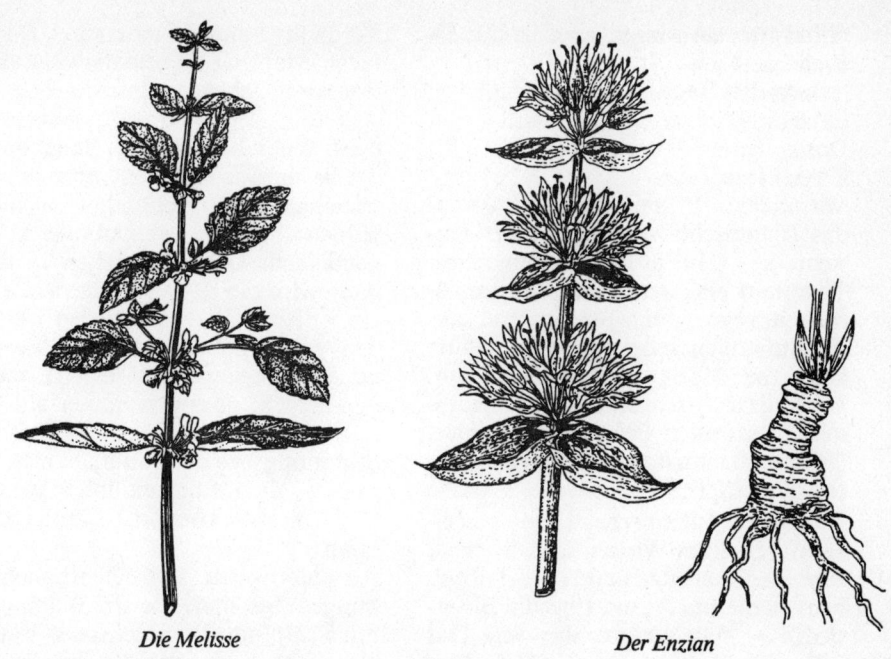

Die Melisse

Der Enzian

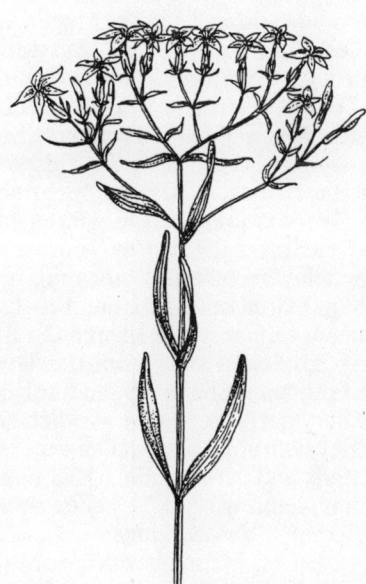

Das Tausendguldenkraut

Das Isländische Moos

mittel für den Magen aber ist das **Isländische Moos.**

Isländisches Moos = Lichen islandicus
Einzeldosis: 3 Teelöffel/Tasse
Dosis beim Hinzumischen: 1 bis 2 Teelöffel/Tasse
Mit anderen Pflanzen gemischt, wird das Isländische Moos gerne für Hustentees (Huflattich, Sonnentau, Thymian) eingesetzt. Für Magenstörungen, gegen Übersäuerung und saures Aufstoßen verwendet man das Isländische Moos gewöhnlich allein. Wichtig zu wissen ist, daß das Isländische Moos auch Bitterstoffe enthält. Diese muß man durch geeignete Zubereitung entfernen:
3 Teelöffel Isländisches Moos mit einem Viertelliter Wasser kalt ansetzen, zum Sieden erhitzen und sofort abseihen. In diesem Absud sind die Bitterstoffe – man schüttet ihn weg. Das gekochte Material vom Isländischen Moos wird nun mit lauwarmem Wasser wieder aufgefüllt; gut umrühren, damit sich die Schleimstoffe lösen. Abseihen und in kleinen Schlucken trinken. Man kann auch Kuren durchführen:
drei Monate lang täglich je drei Tassen vor den Mahlzeiten. Sehr bewährt auch bei Akne, die ja nicht selten vom Magen mitbedingt ist.

Mittel gegen Blähungen

Wie entstehen Blähungen? Ein wenig sollte man darüber wissen, wenn man mit blähungswidrigen Mitteln richtig umgehen können will. – Die direkten Verursacher von Blähungen sind Gasblasen. Solche treten während der Verdauung ununterbrochen auf, nach jeder Mahlzeit. Normalerweise aber werden sie, ebenso schnell, wie sie entstehen, zerlegt und aufgesaugt. Auf diese Weise hält sich der Bauchinnendruck immer in einem angenehmen Gleichgewicht. Wenn die Gasblasen jedoch überhand nehmen oder aus irgendeinem Grund bestehen bleiben, dann wird der Bauch aufgetrieben wie ein Luftballon: eine für den Leidenden meist außerordentliche Belästigung. Seltener gibt es besondere Schmerzen, aber fast immer ein sehr unangenehmes Gefühl, welches die Stimmung beeinträchtigt, den Schlaf rauben, Kurzatmigkeit und sogar echte Herzbeschwerden verursachen kann.

Am häufigsten sind Oberbauchblähungen. Sie sind, wie alle Blähungen, nur Symptom. Dahinter steckt irgendein mehr oder weniger ernstzunehmendes, auf alle Fälle aber behandlungswürdiges Krankheitsgeschehen. So ist ein aufgetriebener Magen mit Völlegefühl, Druck und Aufstoßen häufig das Symptom einer Gallenblasen- oder Gallenwegserkrankung. Die klassischen, schnell wirkenden Mittel wie Kümmel, Fenchel oder Anis können das Symptom bessern, nicht aber die Grundkrankheit: Sie wirken hier also symptomatisch. Ihr Einsatz ist dennoch gerechtfertigt, nur muß man sich im klaren sein, daß man bei chronischen, immer wiederkehrenden Blähungszuständen stets nach der Ursache fahnden muß. Das kann natürlich nur der Arzt. Falls dieser wirklich eine Betriebsstörung der Gallenwege als Hintergrund für die Blähungen eruiert, dann wird er – neben seinen sonstigen Verordnungen – als pflanzliches, blähungswidriges Mittel eher Haronga verschreiben und Kümmel, Fenchel oder Anis nur als Ergänzung empfehlen. Denn Haronga wirkt nicht nur direkt auf die blähende Gasblase, sondern auch auf die verursachenden Gallenwege – symptomatisch und ursächlich also.

Eine andere, nicht seltene Ursache für Blähungen kann beim älteren Menschen auch im Verlust der Elastizität der Darmwurzelgefäße liegen. In diesem Fall handelt es sich nicht so sehr um die Bildung, sondern um das mangelhafte Aufsaugen von Gasblasen. Auch hier ist der Einsatz der reinen blähungswidrigen Mittel durchaus angebracht. Kümmel, Fenchel und Anis (oder auch Haronga) beseitigen die Blähung – es kommt sogar, durch Verminderung des Bauchdruckes, zu einer Entlastung der Gefäße. Die echte Ursache aber, die Gefäßsklerose, wird durch diese Mittel nicht beeinflußt. Hier wird der Arzt nach erstellter Diagnose vielleicht zu einem anderen Typ blähungswidriger Pflanzen raten: Bärlauch oder Knoblauch in therapeutischer Verordnung, eventuell in einer schmackhaften und den Atem nicht belästigenden Form. Denn die Lauchgewächse wirken doch auch ein wenig auf die Gefäße – im Sinne von Altersvorsorge. Die anderen blähungswidrigen Pflanzen kann man dann immer noch zur Verstärkung nehmen.

Schließlich gibt es – neben dem chronischen Luftschlucken – eine dritte große Ursache von Blähungen: Gärungsvorgänge im Darm, auf Grund von chronischen Entzündungen der Darmschleimhaut. Obwohl unsere Hauptmittel gegen Blähungen – Kümmel, Fenchel und Anis – auch desinfizierende Eigenschaften haben (den Kampf des Körpers gegen unliebsame Bakterien also unterstützen), wird man ohne zusätzliche Maßnahmen selten auskommen. Häufig lei-

sten dabei andere Heilpflanzen aus dem Lager unserer Hausapotheke Hilfestellung, wobei naturgemäß diejenigen die besten sind, welche selbst – sozusagen nebenbei – blähungswidrige Eigenschaften besitzen. Eine klare Diagnose sollte aber auch hier vorliegen.

In der Medizin nennt man die blähungswidrigen Heilpflanzen Karminativa. Das kommt vom lateinischen carminare = reinigen. Zur besseren Übersicht innerhalb unserer Hausapotheke teilen wir die in Frage kommenden Pflanzen in vier Gruppen ein:

1. Die Doldenblütler *Kümmel, Fenchel, Anis* und *Koriander* als „Karminativa im engeren Sinn". Bei ihnen ist die blähungswidrige Wirkung die Hauptwirkung. Bei jeder unkomplizierten Blähung sind sie die erste Wahl – Blähungen durch Luftschlucken, durch Diätfehler –; bei andersbedingten Blähungen leisten sie wertvolle Unterstützung.

2. *Haronga,* als besonderes Mittel gegen Blähungen in Verbindung mit allgemeiner Schwäche der Verdauungsdrüsen.

3. Die Lauchgewächse *Knoblauch* und *Bärlauch,* welche auf Grund ihres Lauchöles wirken. Neben ihrer blähungswidrigen Wirkung besitzen sie auch einen gefäßerweiternden Effekt.

4. Die Gruppe der diversen Heilpflanzen, welche auf Grund ihres ätherischen Öles blähungswidrig wirken, als Zugabe zu ihrer Hauptwirksamkeit. Diese Gruppe ist groß und vielfältig. *Kamille, Minze* und *Melisse,* welche wir schon besprochen haben, gehören dazu, aber auch *Wermut, Mariendistel, Manna-Esche* und andere, auf die wir an anderer Stelle noch zurückkommen werden. Sie wirken besonders dann, wenn die Blähung in Zusammenhang mit jener Störung steht,

Der Kümmel

Der Anis

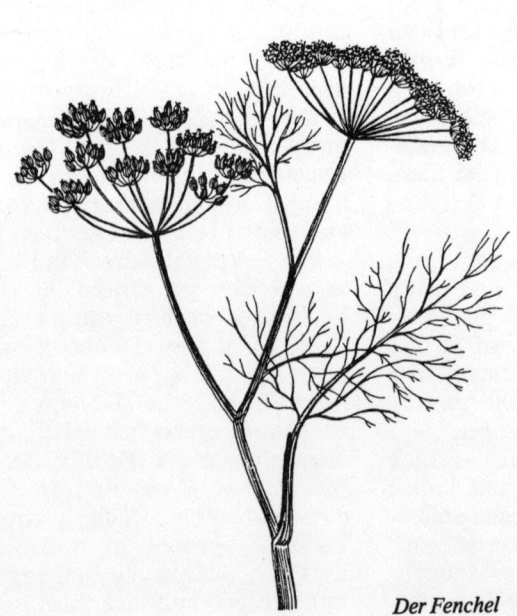

Der Fenchel

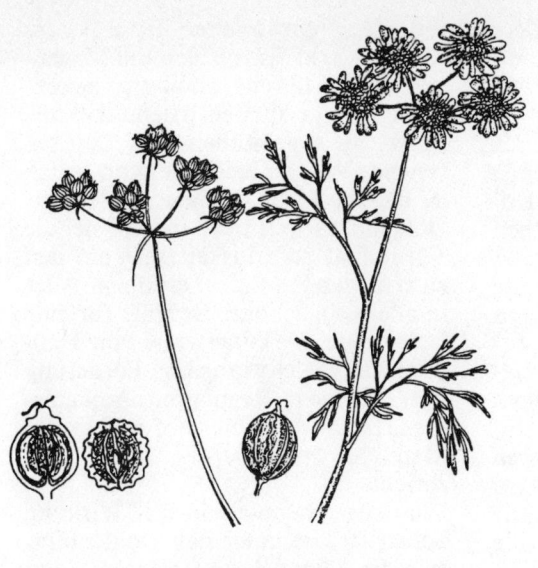

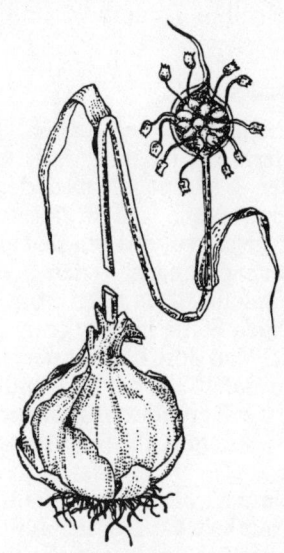

Der Koriander

Der Knoblauch

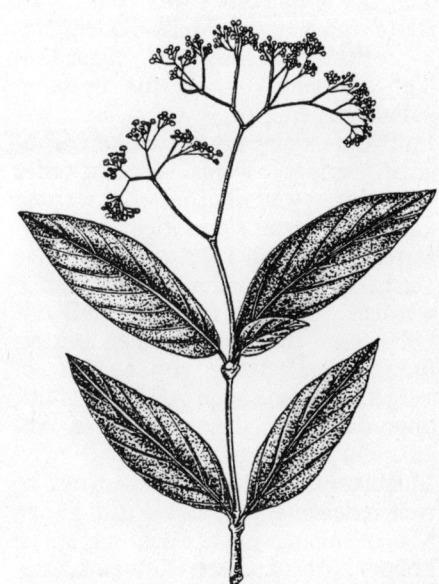

Der Bärlauch

Der Haronga

277

gegen welche die eine oder andere Pflanze ihre Hauptwirksamkeit entfaltet.

Anwendungen

Die Pflanzen der ersten Gruppe – Kümmel, Fenchel, Anis und Koriander – wirken alle nach demselben Prinzip: Wenn sie in Magen oder Darm gelangen, erregen sie bestimmte Nervenendigungen der dortigen Schleimhaut. Das wird von der zuständigen Stelle im Rückenmark registriert. Von dort kommt der postwendende Befehl an die Schleimhaut zurück, die Durchblutung zu vermehren und bestimmte Stoffe abzusondern. Diese Stoffe sind es dann, welche die Gasblasen auflösen. Deshalb ist die Wirksamkeit der Doldenblütler an eine einigermaßen intakte Schleimhaut gebunden. Wenn diese verkümmert ist, wie bei der (nicht sehr häufigen) atrophischen Gastritis, dann wirken die Doldenblütler nicht sehr gut. Dann sind Kamille, Melisse oder Minze, welche die Gasblasen „eigenständig" zerlegen können, die besseren Pflanzen.

Im Darm ist eine Gasblase dann genügend zerlegt, wenn sie entweder zwanglos weiterbefördert werden kann oder wenn sie in kleinste Zellen zerteilt ist. Dann kann die ehemalige Gasblase in das Blut aufgenommen werden. So ist es möglich, daß mit Hilfe eines blähungswidrigen Mittels (und normalerweise von selbst) ein aufgetriebener Bauch zusammenfällt, ohne daß man einen merkbaren Abgang der Blähungen verspürt.

Luftblasen im Magen müssen nur so weit zerlegt werden, daß sie durch den Mageneingang nach oben schlüpfen können. Es ist, nach Einnahme des Doldenblütlers, in wenigen Minuten so weit. Nun kommt, exakt zur richtigen Zeit, ein zweiter Befehl vom Rückenmark: Es soll sich die Magen- und Speiseröhrenmuskulatur zweckmäßig so zusammenziehen, daß die Luftblase ausgestoßen und der befreiende Rülpser erfolgen kann. Auch in diesem Mechanismus greifen die Doldenblütler ein – indem sie die Sensibilität der Muskelfasern auf den zu erwartenden Befehl erhöhen. Alles in allem ein schönes Beispiel für eine bevorzugte Wirkungsweise von Heilpflanzen: die Nutzung und Förderung körpereigener Regulationsmechanismen. Es läuft leichter ab, weil es der Methode des Körpers selbst entspricht.

Was die blähungswidrige Wirkung anbetrifft, ist es unter den Doldenblütlern der Kümmel am stärksten; dann folgen Fenchel, Anis und schließlich Koriander, welcher Teemischungen gewöhnlich nur beigemischt wird. Bei einer anderen Wirkung der Doldenblütler, der bronchialsekretlösenden, ist es zum Teil umgekehrt. Hier ist der Anis am stärksten, dann der Fenchel, zuletzt folgt Kümmel (der Koriander spielt hier keine Rolle).

Besonders der Kümmel gilt auch als hervorragendes Mittel gegen schmerzhafte Menstruationen, überhaupt wenn er mit der Melisse verstärkt wird: zum Beispiel Kümmeltee + 20 Tropfen Klosterfrau-Melissengeist, bei Bedarf 3 × täglich. Er hat überhaupt einen beachtlichen krampflösenden und schmerzstillenden Effekt bei Blähungen, die auch mit Koliken verbunden sind. Der etwas schwächere, aber in gleicher Weise wirkende Fenchel ist besonders in der Kinderpraxis beliebt. Man verwendet von den Doldenblütlern jeweils die Früchte (Samen) oder eine der vollwertigen Zubereitungsformen – beim Kümmel sind die Tropfen, beim Fenchel das Wasser und beim Anis der Geist am gebräuchlichsten. Beim Koriander sind nur die Früchte üblich.

Der Tee aus den Früchten wird folgendermaßen zubereitet: Ein gehäufter Teelöffel Früchte (Kümmel, Fenchel, Anis oder Koriander) wird, am besten in einem Mörser, zerstoßen und mit siedendem Wasser überbrüht. Gut gedeckt etwa 10 Minuten ziehen lassen. Nach dem Abseihen so warm als möglich und in kleinen Schlucken trinken. Bis 4 × täglich. Nicht süßen! Es gibt im Handel auch die bereits zerstoßenen Früchte.

1. Kümmelfrüchte = Fructus Carvi
Einzeldosis: 1 gehäufter Teelöffel
Dosis beim Hinzumischen: $1/2$ bis 1 glatter Teelöffel
Kümmeltropfen = Tinctura Carvi
Einzeldosis: 20 Tropfen (in Wasser oder Tee)
Dosis beim Hinzumischen: 10 Tropfen

2. Fenchelfrüchte = Fructus Foeniculi
Einzeldosis: 1 gehäufter Teelöffel
Dosis beim Hinzumischen: $1/2$ bis 1 glatter Teelöffel
Fenchelwasser = Aqua Foeniculi
Einzeldosis: 2 Eßlöffel (in Wasser oder Tee)
Dosis beim Hinzumischen: 1 Eßlöffel

3. Anisfrüchte = Fructus Anisi
Einzeldosis: 1 gehäufter Teelöffel
Dosis beim Hinzumischen: $1/2$ bis 1 glatter Teelöffel
Anisgeist = Spiritus Anisi
Einzeldosis: 20 Tropfen (in Wasser oder Tee)

Dosis beim Hinzumischen: 10 Tropfen

4. Koriander = Fructus Coriandri
Einzeldosis: 1 gehäufter Teelöffel
Dosis beim Hinzumischen: $1/2$ bis 1 glatter Teelöffel
Sehr beliebt ist die Mischung zu gleichen Teilen aus allen vier Früchten:
Fructus Carvi cont.
Fructus Foeniculi cont.
Fructus Anisi cont.
Fructus Coriandri cont.
anapartes = zu gleichen Teilen.
Das *cont.* bedeutet *contusa* = zerstoßen, zerquetscht. Es ist die Anweisung für den Apotheker, das Material in dieser Form auszufolgen. Gut verschlossen aufbewahren, damit die ätherischen Öle erhalten bleiben.
Als fünfter Doldenblütler mit blähungswidriger Wirkung ist die Dille mit ihren Früchten (Fructus Anethi) zu erwähnen. Im Geschmack ähnlich wie der Kümmel, könnte man von den Dillfrüchten in gleicher Weise Gebrauch machen. Das grüne Kraut der Dille jedoch ist ein hervorragendes Küchengewürz, auf das man nicht verzichten sollte.

Haronga, der Vertreter der **zweiten Gruppe** von Karminativa in unserer Hausapotheke, ist das Mittel gegen Blähungen, die dadurch bedingt sind, daß Leber, Gallenwege, Bauchspeicheldrüse oder Darmzellen nicht richtig arbeiten oder aber überfordert sind – durch zu üppiges Essen etwa. Das Mittel wird aus der Rinde und aus den Blättern des Harongastrauches gewonnen, ein in Ostafrika und Madagaskar wachsendes Hartholzgewächs. Die hauptwirksamen Stoffe sind in der Rinde. Für uns wurde der Strauch als Heilpflanze erst um 1960 entdeckt. Forschungsreisenden in Madagaskar fiel auf, daß die Eingeborenen vor Festlichkeiten fleißig die Rinde des

Strauches ernteten. Nach dem reichlichen und besonders fetten Festmahl kauten sie diese, und Blähungen wie Völlegefühl wurden beseitigt oder traten gar nicht erst auf. Die Nachprüfungen haben ergeben, daß durch Haronga tatsächlich eine beachtliche Steigerung der Saftleistung unserer Verdauungsorgane eintritt, auch solcher Säfte, welche Blähungen auflösen.

Man bedient sich am besten des fertigen *Harongaextraktes: Harongan.*

Einzeldosis: 5 – 10 – 20 Tropfen

Hinzumischdosis (zu Kümmeltee etwa): die Hälfte der Menge, die man persönlich für richtig gefunden hat. Einnahme normalerweise nach üppigen Mahlzeiten.

Die dritte Gruppe der blähungswidrigen Pflanzen sind die **Lauchgewächse.** Das sind die etwa 300 Alliumarten, von denen einige küchenüblich sind: Knoblauch, Bärlauch, Schnittlauch, Lauch (Porree), die verschiedenen Küchenzwiebeln und die Schalotte. Die blähungswidrige Wirkung verdanken sie ihrem Lauchöl, ein Duftöl mit Schwefelgehalt. Es bildet sich in der Pflanze erst, wenn diese geerntet ist. In allzu erntefrischen Produkten ist es noch nicht vorhanden. Solche wirken auch oft gegenteilig, nämlich blähungsfördernd. Erst nach ausreichender Lagerung kommen die therapeutisch wirksamen Stoffe zur Geltung. Das gilt vor allem für Knoblauch und Zwiebel.

Für unsere Hausapotheke eignen sich:

1. Bärlauchkraut = Herba Allii ursini

Einzeldosis: 2 Teelöffel

Dosis beim Hinzumischen: 1 Teelöffel

Der Tee wird durch Überbrühen hergestellt.

2. Knoblauchtinktur = Tinctura Allii sativi

Einzeldosis: 20 Tropfen

Dosis beim Hinzumischen: 10 Tropfen

Als geschmacksverbesserndes Mittel, welches zugleich die blähungswidrige Wirkung unterstützt, eignet sich für beide die Melisse. Man fügt dem Bärlauchtee oder den Knoblauchtropfen 20 Tropfen Melissengeist bei.

Die blähungswidrigen Pflanzen der **vierten Gruppe** sind solche, welche ein anderes Hauptanwendungsgebiet besitzen, während die Wirkung gegen Blähungen eine oft erwünschte und immer sinnvolle Zugabe darstellt. Diese Pflanzen werden, soweit sie für uns von Bedeutung sind, in ihrem jeweiligen „Abteil" der Hausapotheke besprochen. Die wichtigsten im Überblick, unter Angabe ihrer Hauptwirkrichtung:

Kamille – Magen, entzündungshemmend

Minze – Magen, Übelkeit beseitigend

Melisse – Magen, beruhigend

Mariendistel – Leber, zellschützend

Wermut – Magen/Galle, kräftigend

Erdrauch – Galle/Verstopfung, ausgleichend

Manna-Esche – Verstopfung, mild abführend

Blutwurz – Durchfall, entzündungshemmend

Mittel gegen Durchfallerkrankungen

Durchfallerkrankungen sind, weltweit gesehen, sehr häufig und durchaus nicht immer ungefährlich – immerhin sterben jährlich 5 Millionen Menschen daran; meist Kinder und alte Menschen in den Entwicklungsländern. Deshalb sollte man bei länger anhaltenden Durchfällen stets den Arzt zu Rate ziehen. Da man bei Durchfällen Flüssigkeit und Salze verliert, muß man für Ersatz sorgen, eigentlich als erste Maßnahme. Die Weltgesundheitsorganisation empfiehlt dazu folgende Mischung:

20 g = 1 gehäufter Eßlöffel **Zucker**
3,5 g = 1/2 Teelöffel **Salz**
2,5 g = 1/3 Teelöffel **Natriumhydrogenkarbonat** (Bikarbonat)
1,5 g = 1/4 Teelöffel **Kaliumchlorid**

Das wird in 1 Liter (abgekochtem) Wasser aufgelöst und dem an Durchfall Erkrankten verabreicht. Je mehr Durchfall, desto mehr Getränk ist nötig. Das Material dazu hält man in der Hausapotheke auf Vorrat. Es gibt aber auch fertige **„isotonische" Mischungen** in Pulverform oder in Dosen − sie erfüllen denselben Zweck.

Die eigentlichen Mittel gegen Durchfallerkrankungen nennt man Antidiarrhoika, das heißt „Mittel gegen Diarrhoe", gegen den Durchfall. Im Unterschied zu der von der WHO empfohlenen Mineralienmischung, welche einen durch den Durchfall entstandenen gefährlichen Schaden ausgleicht, wirken die Antidiarrhoika direkt auf das Geschehen der Krankheit. Sie sind imstande, den Durchfall zu stoppen und eventuell auch zu heilen. Für unsere Hausapotheke teilen wir sie, obwohl es vereinzelt Überschneidungen gibt, in zwei Gruppen ein:

1. Die Gruppe der **Adsorbentia.** Sie binden giftige Stoffe im Magen und Darm, indem sie diese an ihrer Oberfläche ansaugen. Adsorbentium heißt „Ansaugmittel". Der wichtigste Vertreter ist die Medizinalkohle (auch Aktivkohle, „Tierkohle"). Zum Teil ähnlich wirken die Pektine, das sind die Extrakte einer bestimmten Schicht von Äpfeln und von Zitrusfrüchten. Sie spielen in der Diätetik eine Rolle.

2. Die Gruppe der **Adstringentia,** das heißt der „zusammenziehenden" Mittel: Ihre hauptwirksamen Inhaltsstoffe sind Gerbsäuren. Sie binden Eiweißkörper der Schleimhäute von Magen und Darm und führen diese in eine unlösliche Form über. Auf diese Weise bilden sich Membrane, welche wie Wundhäutchen leicht abgestoßen werden können. Die dort angesiedelten Bakterien werden in diesen Membranen eingeschlossen und außer Gefecht gesetzt. Zugleich wird ihnen der Nährboden entzogen, denn sie können aus dem nunmehr verdickten Material die für sie notwendigen Stoffe nur mehr schwer herausziehen.

Außer den Gerbstoffen besitzen die verschiedenen Adstringentia noch weitere zweckdienliche Wirkstoffe:

a) Pektine und Schleimstoffe: der Kern des Johannisbrotbaumes.

b) Anthocyane, das sind besondere Farbstoffe, welche die Fähigkeit haben, in die Bakterienleiber einzudringen und sie in ihrer Vitalität zu hemmen. Wachstum, Vermehrung und damit Ausbreitung der Bakterien wird gebremst. Hierher gehören die Blutwurz und die Heidelbeere.

c) Noch nicht eindeutig geklärt sind die neben den Gerbstoffen ergänzenden Wirksubstanzen des Mäuseklees. Es fällt auf, daß dieser sogar in homöopathischer Verdünnung gegen Durchfälle wirkt − aber auch als Tee. Deshalb ist auch der Mäuseklee unter den Mitteln unserer Hausapotheke empfohlen.

Die Medizinalkohle wird aus pflanzlichem Material wie Holz, Torf oder Zellulose hergestellt. Sie wirkt auf

Grund ihres Bindungsvermögens von Giftstoffen, von Bakterientoxinen und auch von Gasblasen in Magen und Darm. Wirklich unwirksam ist sie eigentlich nur bei der Methylalkohol- und bei der Blausäurevergiftung. Entscheidend für ihre Wirkung ist die Summe der Oberflächen ihrer winzigen Stäubchen — man glaubt es kaum, aber diese beträgt bei guter Medizinalkohle pro Gramm nicht weniger als 1.500 m²! Daran lagern sich die Giftstoffe an. Medizinalkohle sollte in ausreichender Menge in jeder Hausapotheke vorhanden sein. In Notfällen, bei Tabletten- oder Nahrungsmittelvergiftungen, ist ihr Einsatz eine vielleicht lebensrettende Erstmaßnahme. Man gibt dann 5× soviel an Medizinalkohle wie das Gewicht der Tabletten ist, die der Patient (vermutlich) geschluckt hat. Bei giftigen Speisen 10× soviel. Das sind Faustregeln — am besten ist natürlich, wenn man umgehend einen Arzt zur Verfügung hat, der eine fachgemäße Magenspülung mit Medizinalkohle durchführt, und anschließend ein bestimmtes Abführmittel — 30 g Natriumsulfat — zusetzt, damit das restliche Gift schneller ausgeschieden wird. Auch die Telefonnummer der Vergiftungsinformationszentrale sollte man eigentlich auswendig kennen. In solchen Fällen aber ist man stets froh, genügend Medizinalkohle im Haus zu haben.
Bei Durchfällen gibt man die Medizinalkohle in der Menge von 2 bis 8 Tabletten oder als Granulat.
Medizinalkohle = Carbo medicinalis
Sehr praktisch das *Brausegranulat:* 1 Teelöffel bis 1 Beutel
Man sollte die Medizinalkohle nur für den wirklichen Bedarf einsetzen. Schließlich bindet sie ja auch die körpereigenen Verdauungsenzyme, die

Vitamine und die aufgeschlossenen Nahrungspartikelchen im Magen und im Darm. Jede Daueranwendung also ist Unsinn und kann auch Schaden zufügen.
Die Pektine wirken zum Teil ähnlich wie die Medizinalkohle. Sie binden Giftstoffe, aber nicht so stark wie diese. Eine besondere Wirkung ist, daß sie die Schleimhäute wie ein Schild gegen mechanische und chemische Einflüsse schützen. Auch hemmen sie die Ausbreitung einer abnormen Darmflora. Die Pektine kommen in der sogenannten Albedoschicht = weiße Schicht von Früchten und Gemüsen vor. Besonders reich an ihnen sind Äpfel. Darauf beruht zum Teil der Erfolg des von der Volksmedizin so gepriesenen täglichen Apfels (sehr fein gekaut, am besten am Abend; dann beseitigt er die Tagesgifte sozusagen über Nacht). Eine einfache Form auch, dem Körper Pektine zuzuführen, ist die Moro-Apfeldiät: 1 bis 1,5 kg rohe, geriebene Äpfel über den Tag verteilt essen.
Das Johannisbrot (Semen Ceratoniae) besteht aus den getrockneten Früchten des Johannisbrotbaumes, welcher im Nahen Osten und in den Mittelmeergebieten eigens gegen den Durchfall gezüchtet wird. Früher hat man die 10%ige Abkochung des Johannisbrotes verwendet, heute ist die getrocknete und gemahlene Frucht in praktischen Fertigpräparaten enthalten. Ein Beispiel: Arobonpulver gegen Durchfall.
Gewöhnlich werden 30 g in einem halben Liter Wasser, Tee oder Milch gelöst und über den Tag verteilt getrunken. Obwohl das Mittel vornehmlich in der Kinderheilkunde angewandt wird, ist es auch beim Erwachsenen durchaus wirksam.
Die Blutwurz, manchem besser als Tor-

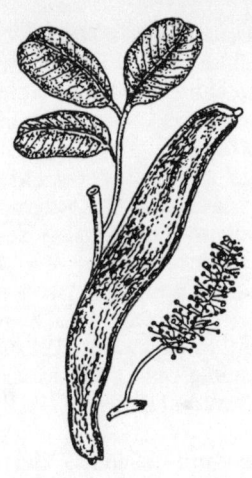

Das Johannisbrot

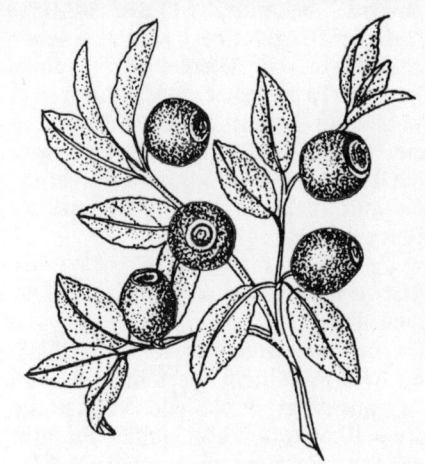

Die Heidelbeere

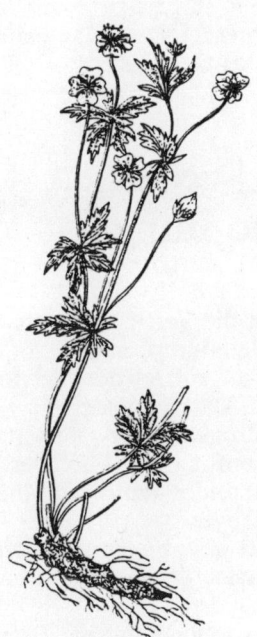

Die Blutwurz

Der Mäuseklee

mentille bekannt, ist der stärkste Gerbstoffträger überhaupt. Daneben besitzt sie das Tormentillrot, einen Farbstoff, welcher das Bakterienwachstum hemmt. Die Blutwurz ist ein verläßliches Anti-Durchfallsmittel, besonders bei Sommerdiarrhoen. Es gibt mehrere Möglichkeiten, die Blutwurz einzugliedern:

a) *der Tee*

Blutwurz-Wurzelstock = Rhizoma Tormentillae

Er wird als Absud zubereitet: 1 Eßlöffel wird mit einem Viertelliter Wasser kalt angesetzt, zum Sieden erhitzt und etwa 10 Minuten auf kleiner Flamme gekocht. Bei Sommerdurchfällen 3 bis 4 Tassen täglich, bewußt schluckweise getrunken. Die Blutwurz wird als Tee eher selten mit anderen Pflanzen gemischt. Wenn, dann mit der Kamille und/oder der Minze. An der Dosis ändert sich nichts, da diese bei Durchfällen ja quantitativ wirkt.

b) *Das Schachtelpulver* = Rhizoma Tormentillae subtilissimum pulvis, das heißt: allerfeinst pulverisierte Blutwurz. Da man es in eine Schachtel – ad scatolam – gibt, heißt es „Schachtelpulver".

Bei Durchfällen drei- bis viermal täglich eine Messerspitze in wenig Wasser.

c) *Die Tinktur* = Tinctura Tormentillae

Ihre Dosierung: drei- bis viermal täglich 30 bis 50 Tropfen in Wasser, Kamillen- oder Minzentee.

Die Heidelbeere ist eines der ältesten Hausmittel gegen Durchfall. Ihre Anwendung ist einfach: 50 bis 100 g der getrockneten Beeren gründlich kauen und schlucken. Oder in Wasser aufquellen lassen und trinken. Beliebt und besonders wirksam das Aufquellenlassen in einem Glas herben, gerbstoffhältigen Rotwein.

Heidelbeeren = Fructus Myrtilli

Der **Mäuseklee** (Trifolium arvense) ist eine interessante Pflanze, welche in der Volksmedizin schon lange als Anti-Durchfallmittel bekannt ist. Es scheint sich auf Grund verschiedener Beobachtungen eine Renaissance dieses einfachen Gewächses zu entwickeln. Jedenfalls wirkt der Absud von Mäuseklee auch dort, wo so manches andere Stopfmittel bei Sommerdurchfällen versagt. Zur Teezubereitung verwendet man das Kraut:

Mäusekleekraut = Herba Trifolii arvensi

2 Teelöffel mit einem Viertelliter Wasser kalt ansetzen, zum Sieden erhitzen, vom Herd nehmen und nur kurz (1 bis 2 Minuten) ziehen lassen. Bei Durchfällen 3 bis 4 Tassen über den Tag verteilt trinken.

Der Mäuseklee wird auch in der Homöopathie eingesetzt, meist in den Niederpotenzen D_1 bis D_3, bei Durchfall und bei Gastritis.

Mittel gegen Verstopfung

Man teilt die Verstopfung am besten in drei Hauptgruppen ein:

1. Die akut auftretende Verstopfung des bisher Darmgesunden.

2. Die chronische, gewohnheitsmäßige Verstopfung. Hier ist der Darm meist mehr oder weniger in Mitleidenschaft gezogen.

3. Die bei bestimmten Anlässen wiederkehrende Verstopfung des sonst Darmgesunden.

Diese Dreiteilung soll die Beantwortung einer wichtigen Frage im Umgang mit unserer Hausapotheke erleichtern: Wann ist welches Mittel richtig, wann ist es falsch? Gerade bei der Verstopfung ist der Griff zum falschen Mittel sehr verbreitet. Aus Unwissenheit, aber auch aus Unklugheit. Der Verstopfte neigt besonders dazu, seinen lästigen Zustand irgendwie und möglichst prompt durchbrechen zu wollen. Obwohl er um die Gefahr einer Spätschädigung durch bei Dauergebrauch bedenklichen Mittel oft durchaus weiß. Die Mittel sind leicht erhältlich, die Anwendung ist einfach, und so ist schon mancher in eine Gewöhnung an einen alles andere als harmlosen Abführtee geschlittert, mit bösen Darm- und Allgemeinschäden in der Folge.

1. Die akute Verstopfung des bisher Darmgesunden hat irgendein Geschehen dahinter. Dieses Geschehen muß eingehend abgeklärt werden. Es kann eine solche unerwartete, bisher „nie dagewesene" Verstopfung durch ein neues Medikament verursacht sein, es kann eine Verengung im Dickdarmbereich vorliegen, ein gutartiger Polyp kann sich verlagert haben. Schadstoffe gibt es, die dahinter stecken können, wie das des Blei. Die Liste ist groß — in jedem Fall gehört die akute, anhaltende Verstopfung des bisher Darmgesunden zum Arzt. Dessen Abklärung, für die heute hochpotente diagnostische Methoden zur Verfügung stehen, entscheidet über die beste Art der Behandlung. Für unsere Hausapotheke ist die unvermittelt akut auftretende Verstopfung jedenfalls nichts. Zumindest nicht fürs erste.

2. Die chronische, gewohnheitsmäßige Verstopfung. „Zu selten, zu wenig, zu hart", so äußert sich der Betroffene. Die chronische Darmträgheit ist sehr häufig. Man sieht sie allgemein als typische Zivilisationskrankheit an, wobei eine gewisse ererbte Anlage mit bestimmter Erziehung und mangelhafter Bewegung die Voraussetzung für das Entstehen der Störung bildet. Kommt noch der entsprechende Ernährungsfehler hinzu, dann ist die chronische, gewohnheitsmäßige Verstopfung perfekt. Darüber hinaus sind die Streßfaktoren des Alltags, hektische oder unregelmäßige Lebensweise und innere Unausgeglichenheit Umstände, welche die Beweglichkeit des Dickdarmes nachweislich hemmen. Durch sie wird das Entstehen der chronischen, gewohnheitsmäßigen Verstopfung zusätzlich begünstigt, Ausheilversuche werden gehemmt. Beim sogenannten Primitiven dagegen und beim freilebenden Tier gibt es diese Krankheit nicht. Das sagt eigentlich alles, und die Therapie sollte dementsprechend in erster Linie darauf ausgerichtet sein, die oben erwähnten zivilisationsbedingten Teilursachen möglichst *gleichzeitig* zu erfassen:

a) Körperliche Bewegung, Gymnastik und Sport.

Besonders empfohlen wird Rudern — wegen seiner kräftigenden Wirkung auf die Bauchmuskulatur (ev. Heimrudergerät). Auch Atemübungen, wie nach der Methode von Julius Parow, können beachtlichen Nutzen bringen.

b) Nachteilige Gewohnheiten ablegen, auch anerzogene.

Das ständige Unterdrücken des Abganges von Blähungen zum Beispiel gilt als eine der wichtigsten Ursachen der chronischen Verstopfung.

c) Sich üben in Streßbewältigung.

Die bewußte Autosuggestion nach Emil Coué, das autogene Training nach Johannes H. Schultz und ebenso Yoga bieten bewährte Übungsrahmen. Man läßt sich grundsätzlich informieren und wählt am besten nach dem instinktiven Sympathiegefühl, das man der einen oder der anderen Methode entgegenbringt.

d) Normalisierung des Lebensrhythmus.

Morgen- oder Abendtyp? Man erkennt es an der täglichen Körpertemperaturkurve: Beim Morgentyp fällt die Körpertemperatur zwischen 18 und 21 Uhr bereits ab, beim Abendtyp steigt sie noch an. Wer sich in der Lebensführung seinem Typ anpassen kann, hat schon viel gewonnen. Zeiten im Verlauf des Tages, welche sich für Entspannungspausen anbieten, aufspüren und kultivieren. Das gilt natürlich ganz besonders auch für die Mahlzeiten.

e) Die Ernährung. Sie hat die zentrale Bedeutung bei der Therapie der chronischen Verstopfung. Man stellt auf ballaststoffreiche Nahrungsmittel um: Vollkornprodukte, Gemüse aller Art, Rohsalate, Rohobst. Besondere Wirkung haben milchsäurehaltige Gärgemüse, wie es sie in vielen Sorten gibt: Frischkostsauerkraut, milchsäurevergorene Gurken, Kohlrüben, rote Bete (rote Rüben), Möhren (Karotten) usw. Sehr wichtig weil häufig vergessen, ist die ausreichende Flüssigkeitszufuhr. Im Laufe des Vormittags sollten es 4 bis 6 Glas Wasser sein, mit Gemüsesäften angereichert. Diese bringen am besten die dickdarmfreundlichen Spurenelemente und Mineralien. Gärgemüsesäfte wie Sauerkrautsaft sowie Naturmolke und Sauermilch wirken zusätzlich durch ihren Gehalt an Milchsäure. Der Wert des kalten Glases, morgens nüchtern, ist bekannt – Sauerkrautsaft, Naturmolke oder Gemüsesaft mit einem Eßlöffel Frischpflanzenpreßsaft von Petersilie, Schnittlauch, Kresse, Radieschen, Knoblauch oder Zwiebel. Gut gekühlt muß es sein, dann hilft es. Diese Mittel wirken wie echte Heilmittel und gehörten eigentlich in unsere Hausapotheke, wenn sie nicht in der Küche besser Platz hätten.

Aber auch bei den offiziellen Abführspezialisten sind zuerst die Nahrungsmittel zu beachten. In der Gruppe jener Abführmittel nämlich, welche das „Stuhlvolumen" vermehren, sind zwei Typen von Nahrungsmitteln registriert:

1. Die durch *Ansaugen* von Flüssigkeit wirkenden Füllmittel: Pflaumen, Feigen, Tamarinde.

2. Die durch *Quellung* wirkenden Füllmittel: Leinsamen, Weizenkleie. Grundsätzlich soll betont werden, daß diese auch als Nahrungsmittel möglichen Abführmittel bei der chronischen Darmträgheit stets die erste Wahl darstellen sollten — allenfalls noch unterstützt durch die harmloseren unter den Heilpflanzen, wie Hibiskus, Manna-Esche und Schlehdorn. Schon die salinischen Abführmittel (Bittersalz, Glaubersalz, Karlsbadersalz) sind zweite, nur gelegentlich und kurzfristig zu nutzende Wahl, da sie für eine längere Anwendungsdauer zumindest in den zum Abführen üblichen Dosen nicht empfohlen werden können.

Mittel für die chronische, gewohnheitsmäßige Verstopfung

1. Die durch Ansaugen von Flüssigkeit wirkenden Füllmittel

Die Gebräuchlichsten sind die Nahrungsmittel Pflaumen, Feigen und Tamarinde, die Hibiskusblüten als Tee und die Manna-Esche als Sirup. Sie wirken „osmotisch", wie der Fachausdruck heißt — sie saugen im Darm Flüssigkeit an und vermehren dadurch die Stuhlmenge. Die salinischen

Abführmittel folgen ebenfalls diesem Prinzip, gehören also, von der Wirkung her, in die gleiche Gruppe.

a) Pflaumen, Feigen und Tamarinde

Ihre Wirkung beruht in erster Linie auf dem Gehalt an Fruchtsäuren – Apfelsäure, Weinsäure, Zitronensäure –, wobei Zellulose, Pektine und Arabane, welche zusätzlich vorhanden sind und die Wirkung verstärken. Besonders Pflaumen und Feigen werden in der Form des Backobstes verwendet. Das geerntete Material wird dabei im Backofen solange gedarrt, bis es nur mehr 30% seines Wassergehaltes aufweist. Von Pflaumen könnte man sich das Mittel also selbst herstellen. Allerdings wirken nicht alle Pflaumen befriedigend, da die Gehalte an Fruchtsäuren sehr verschieden sind. Die beste Handelsware stammt von „kalifornischen" Sorten, die auch unreif gedarrt werden können, was besseren Gehalt bedingt. Man weicht eine kleine Handvoll Pflaumen und/oder Feigen abends in kaltem Wasser ein und ißt sie leicht angewärmt morgens auf nüchternen Magen, gegebenenfalls aber nach dem kalten Trunk. Andere gebrauchsfertige Erzeugnisse sind die Musformen. Verwendet wird die Pulpa (das Mark) der Früchte, welche in Wasser gelöst wird. Zur Wirkungsverstärkung wird das Material mit Fruchtsäuren oft noch angereichert.

Die üblichen Dosen für Pflaumen-, Feigen-, Tamarindenmus: Erwachsene 2 Eßlöffel, Kinder je nach Alter 1 bis 3 Teelöffel. Allenfalls auch mehrmals täglich – nachteilige Wirkungen sind ja nicht zu erwarten. Die aus Afrika stammende Tamarinde wird ebenso wie die Feige auch als Basis für sogenannte Fruchtwürfel verwendet. Allerdings haben diese meist auch einen Zusatz von Senna und sind daher für den Dauergebrauch nicht zu empfehlen. Ihre Berechtigung haben solche Fruchtwürfel trotzdem, aber mehr auf dem Gebiet der bei bestimmten Anlässen wiederkehrenden Verstopfung des sonst Darmgesunden. Darüber wird weiter unten berichtet.

b) Die Hibiskusblüten

Sie stammen von Hibiscus sabdariffa, der in Java, Ceylon und Ägypten heimischen „roten Malve". Auch sie wirken auf Grund von Fruchtsäuren. Mindestens 13,5% davon muß einwandfreie Handelsware enthalten, das ist vorgeschrieben. Man verwendet den sehr erfrischend schmeckenden Tee, für sich allein oder im Gemisch mit anderen Pflanzen. Hibiskus verleiht allen Mischungen eine schöne rote Farbe. Die stuhlfördernde Wirkung ist zwar nur gering, aber da keine nachteiligen Wirkungen bekannt sind, kann man bei Bedarf auch mehrere Tassen täglich trinken.

Hibiskusblüten = Flores Hibisci
Einzeldosis: 2 Teelöffel
Dosis beim Hinzumischen: 1 Teelöffel

c) Die Manna-Esche

Die Wirksubstanz ist das d-Mannit, welches aus dem Manna gewonnen werden kann. Dieses ist der ausgetrocknete Saft der Manna-Esche, einer in Sizilien und Südrußland vorkommenden Eschenart. Heute wird das d-Mannit auch teilsynthetisch aus dem Fruchtzucker gewonnen. Verwendet wird der Sirup:

Mannasirup = Sirupus Mannae
Dosis: 2 Eßlöffel für Erwachsene, 1 bis 3 Teelöffel für Kinder.

Wenn man die Dosen sehr stark überzieht, kann es durch übergroße Mengen wäßrigen Stuhles zu Flüssigkeits-

und Mineralienverlusten kommen. Die Dosen sollten also eingehalten werden. Das d-Mannit gibt es auch als Pulver. 1 Eßlöffel für Erwachsene, 1 Teelöffel für Kinder, bis zu dreimal täglich.

d) Die salinischen Abführmittel

Bittersalz = Magnesiumsulfat, Glaubersalz = Natriumsulfat und Karlsbadersalz = ein Gemisch aus Sulfaten, Natriumbikarbonat und Kochsalz wirken ebenfalls durch Ansaugen von Wasser und verflüssigen dadurch den Darminhalt. Für kurzfristige Anwendungen sind sie gut geeignet. Nach Einnahme von einem gestrichenen Teelöffel, gelöst in einem Viertelliter lauwarmen Wasser, tritt der Erfolg gewöhnlich nach eineinhalb Stunden auf. Die salinischen Abführmittel eignen sich besonders zum Vor- und Zwischenreinigen des Darmes bei Fastenkuren, Teilfastenkuren und speziellen Kuren gegen die chronische Verstopfung. Für einen begrenzten Zeitraum kann man sie auch täglich verabreichen, insbesondere das Karlsbadersalz, welches dem Salzmuster der Karlsbader „Sprudelquelle" nachempfunden ist. An der Sprudelquelle hat schon Goethe dreiwöchige Trinkkuren durchgeführt. Für Kuren am wenigsten geeignet ist das Bittersalz, da es die Magenschleimhaut stärker belastet. Für einmalige Anwendungen aber, zum Durchbrechen einer allzu lästigen Verstopfung, kann man auch das Bittersalz verwerten. Eine Daueranwendung aber kann bei jedem der salinischen Abführmittel Schaden bringen: das Mineraliengleichgewicht des Körpers wird früher oder später gestört.

2. Die durch Quellung wirkenden Füllmittel

a) Der Leinsamen

Verwendet werden die getrockneten, reifen Samen des Leins. Es gibt, wie bei den Pflaumen, Wirkungsunterschiede von Sorte zu Sorte. Für Heilzwecke bestimmte Handelsware stammt aus Spezialzuchten, was bestmöglichen Effekt garantiert. Der Leinsamen wirkt teils wegen seines guten Quellungsvermögens, teils wegen seines Öles, welches als Gleitmittel bei der Dickdarmentleerung hilft. Vorhandene Schleimstoffe schützen überdies Magen und Darm. Die Stuhlentleerung tritt nach erstmaliger Leinsameneinnahme meist nicht prompt auf. Manchmal muß man drei und mehr Tage warten. Oft genug aber spielt sich dann eine brauchbare Verdauung ein. Die Dosen müssen ausreichend sein: 1 bis 2 Eßlöffel morgens und abends, mit etwas Wasser. Wenn man von dem fertig verpackten zerquetschten Leinsamen (Semen Lini contusum, wirkt stärker) Gebrauch macht, muß man das Material, wenn die Packung einmal angerissen ist, binnen einer Woche verbrauchen, da das Leinöl sonst ranzig wird, wie übrigens jedes besonders hochwertige Öl. Zerquetschten Leinsamen rührt man am besten in Kompott oder Müsli ein. Leinsamen = Semen Lini
Dosierung: Zweimal täglich 1 bis 2 Eßlöffel mit etwas Wasser.

b) Die Weizenkleie

Weizenkleie ist das bei der Vermahlung des Weizens anfallende Restprodukt aus Frucht- und Samenschale des Weizens. Auch Teile der Aleuronschicht sind in der Kleie enthalten. Deshalb besteht diese nicht nur aus Ballaststoffen, welche für die Stuhl-

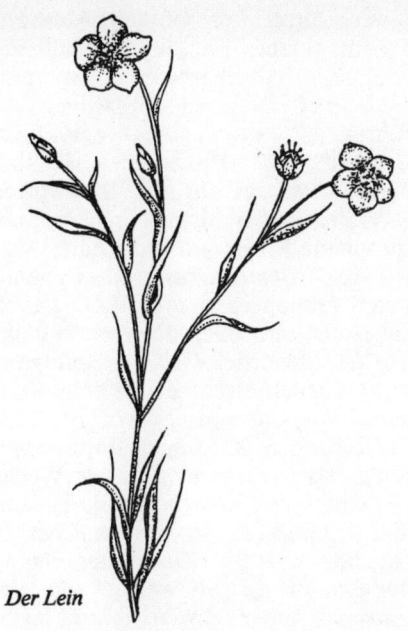

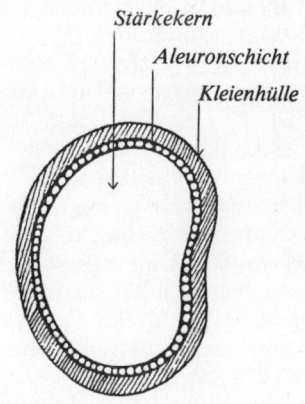

Stärkekern

Aleuronschicht

Kleienhülle

Das Weizenvollkorn mit Kleienhülle

Der Lein

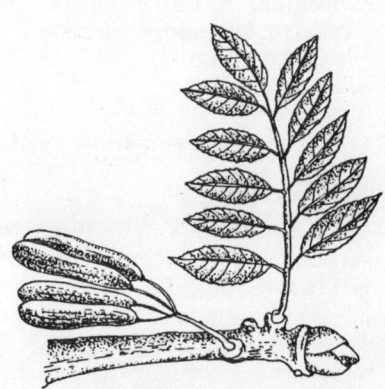

Die Manna-Esche

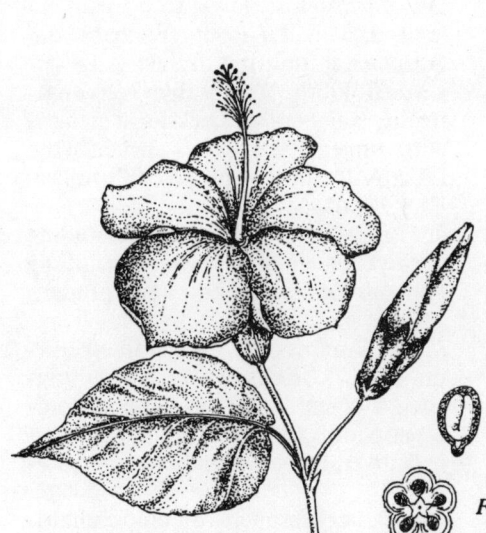

Samenlängsschnitt

Fruchtknotenquerschnitt

Die Hibiskusblüte

vermehrung sorgen. 15% Eiweiß, konzentrierter Gehalt an den Vitaminen B3 und B6 sowie an den Mineralien Magnesium und Phosphor machen die Weizenkleie zu einem hochwertigen Ergänzungsnahrungsmittel. Übliche Weizenkleie kann Schadstoffe enthalten, etwa Cadmium. An Diätkleie für Verdauungszwecke werden von Gesetzes wegen besondere Reinheitsanforderungen gestellt. Auch muß Diätkleie einen geringeren Wassergehalt haben als gewöhnliche Kleie und bestimmte Fermenthemmstoffe müssen inaktiviert sein. Es gibt sehr gute Produkte.

Die Dosierung ist dieselbe wie beim Leinsamen: 1 bis 2 Eßlöffel morgens und abends. Höhere Dosen bringen keinen Mehreffekt. Von großer Wichtigkeit ist die ausreichende Flüssigkeitszufuhr. Sonst erreicht man das Gegenteil und die Weizenkleie wirkt wie ein Stopfmittel.

Mittel für die situationsbedingte Verstopfung

Diese Form der Verstopfung ist weit verbreitet. Unter normalen Bedingungen funktioniert die Verdauung klaglos, da ist man „darmgesund". Bei bestimmten Anlässen aber ist man hoffnungslos verstopft. Man spricht von der situationsbedingten Verstopfung des sonst Darmgesunden, genaugenommen eine akute Verstopfung – allerdings eine, bei der man um den Verursacher aus Erfahrung Bescheid weiß. Meist sind es Reisen, Ortswechsel, Kostwechsel, längere erzwungene Bettruhe, welche das Geschehen auslösen. Das sind Umstände, bei denen eine einmalige oder kurzfristige Anwendung auch der stärkeren pflanzlichen Abführmittel angebracht ist:

Sennesblätter und -schoten, Aloesaft, Cascararinde, Faulbaumrinde und Medizinalrhabarberwurzel. Ihr Sammelbegriff ist „emodinhaltige Abführmittel" oder „Anthraglykosid-Drogen". Bei Dauergebrauch sind diese Mittel gefährlich. Sie wirken verläßlich, aber nicht wie bisher besprochene Mittel auf naturnahe Weise, sondern auf Grund eines chemischen Umlagerungsprozesses. Durch die Einnahme eines der emodinhaltigen Abführmittel wird der Stuhlgang nicht körpergerecht ermöglicht, sondern körperfremd provoziert. Die Entleerungen entstehen unphysiologisch, also auf nicht normale Weise. Dementsprechend ist auch die Zusammensetzung des Stuhles, welcher ja genauso wie die Zusammensetzung der Ernährung „vollwertig" sein soll (nur im umgekehrten Sinn), nicht mehr in Ordnung. Einseitige Verluste sind die Folge. Bei Dauergebrauch treten ganz bestimmte Schäden auf:

1. Es kommt zu Veränderungen am Dickdarm selbst. Diese sind so auffallend, daß sie der Röntgenarzt bei der Durchleuchtung mit freiem Auge erkennen kann. Auch das Nervengeflecht, welches den Dickdarm steuert, wird angegriffen. Man spricht vom Laxativ-Colon, vom „Abführmittel-Dickdarm".

2. Durch chronische Blutüberfüllung der Beckenvenen wird die Ausbildung von Hämorrhoiden und Krampfadern gefördert.

3. Es kommt zur Mineralienverarmung des Körpers, was sich in zahlreichen Folgen äußert – von chronischer Müdigkeit und Impotenz bis zu brüchigen Knochen und Nierenschwäche.

Der Dauergebrauch von emodinhaltigen Abführpflanzen oder von Mischungen, in denen sie vertreten sind,

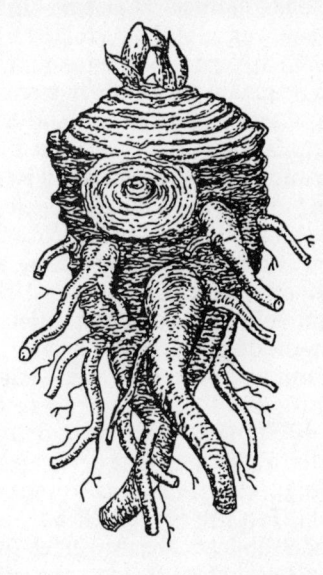

Der Schlehdorn   *Die Medizinalrhabarberwurzel*

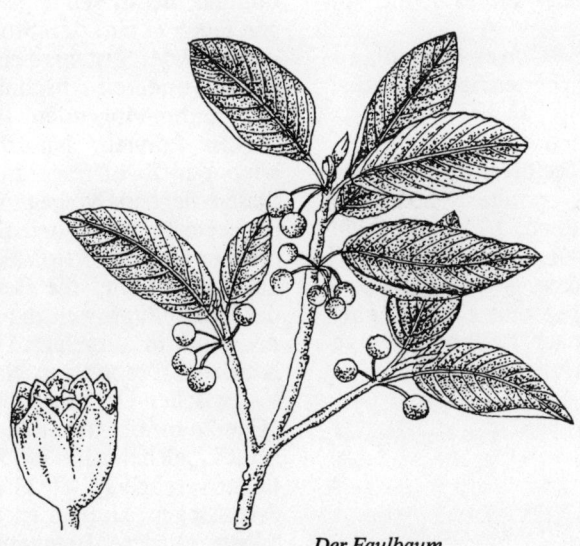

Der Faulbaum

291

ist also immer zugleich ein Mißbrauch. Es gibt Unterschiede in der
Gefährlichkeit. So könnte man sagen,
daß Senna und Aloe die härteren Drogen, Cascara, Faulbaum und Medizinalrhabarber die weicheren sind.
Harmlos bei Dauergebrauch ist keine.
Ganz anders die einmalige, gelegentliche Anwendung. Zur Durchbrechung
einer Reiseverstopfung etwa, die einem das erste Drittel des Urlaubes
sonst voll verleiden kann. Hier ist die
Anwendung gerechtfertigt. Hier
kommt auch die prompte Verläßlich-
keit dieser Mittel zum Tragen: 6 bis 8
bis 10 Stunden nach einer richtig do-
sierten Einnahme tritt der angestrebte
Erfolg, ein dick- bis dünnbreiiger
Stuhl, fast mit Sicherheit auf. Es gibt
handelsübliche Fruchtwürfel für diesen Zweck, auch gut abgestimmte
Teemischungen.
Eine einfache Mischung aus den leichteren der emodinhaltigen Abführpflanzen zusammen mit dem sehr
mild abführenden (emodinfreien)
Schlehdorn:
Schlehdornblüten = Flores Pruni spi-
nosae
Faulbaumrinde = Cortex Frangulae
Medizinalrhabarberwurzel = Rhizoma Rhei
zu gleichen Teilen.
Einzeldosis: 2 Teelöffel
Mit einem Viertelliter siedendem
Wasser überbrühen, 10 Minuten ziehen lassen, abseihen. Auf 2 Tagesdosen verteilt trinken. Sehr gut geeignet
zur Überwindung von Darmträgheit
während oder nach Reisen. Nicht geeignet für den Dauergebrauch.

Mittel für die Leber, die Gallenwege und die Bauchspeicheldrüse

Der Leber, den Gallengängen mit der
Gallenblase und der Bauchspeicheldrüse dürfen wir in unserer Hausapotheke ein gemeinsames Abteil reservieren. Immerhin stellen sie auch innerhalb unseres Körpers eine besondere Funktionseinheit dar: Leber und
Bauchspeicheldrüse bilden für die
Verdauung wichtige Stoffe, welche
von der einen Seite über die Leber-
Gallengänge und von der anderen Seite über die Bauchspeicheldrüsengänge
in einen gemeinsamen Kanal transportiert werden, der dann in den
Zwölffingerdarm mündet. Die Gallenblase ist mit diesem Kanalsystem
– am von der Leber herkommenden
Hauptgang – im Seitenschluß verbunden. Bei diesen engen Verbindungen leuchtet ein, daß Störungen in einem Teil des Systems sich unmittelbar
auf die anderen Abschnitte bzw. auf
die „daranhängenden" Organe aus-
wirken können. Natürlich gehören
auch der Zwölffingerdarm, der vor
diesem liegende Magen und der dahinter liegende Dünn- und Dickdarm zur
erweiterten Funktionseinheit. Sehr
anschaulich sind die Beziehungen in
der Vorstellungswelt der chinesischen
Akupunktur ausgelegt. Da gibt es, als
Ausdruck besonderen Nahverhältnis-
ses zwischen Organen, die sogenannte
„Ehemann/Ehefrau-Regel". Die
Bauchspeicheldrüse ist hier mit der
Leber verehelicht, die Gallenblase mit
dem Magen. Und so ist das gemeint:
Wenn es dem Ehemann gut geht,

dann muß auch die Ehefrau nicht darben; sie kann sich einiges leisten. Ist der Ehemann aber schwach und mittellos, dann kann auch seine Frau keine großen Sprünge machen. Schon eine kleine Anfechtung – in unserem Fall wäre das ein geringer Diätfehler – wirft sie um. Das, was man einen „guten Magen" im Sinne von robuster Verdauung nennt, ist jedenfalls nicht mehr vorhanden, wenn auch nur einer der Partner angeschlagen ist. Der Dünndarm übrigens ist mit dem Dickdarm verbunden, was auch einleuchtet: Wenn er dem Dickdarm schlecht verarbeitetes Material übergibt, dann ist auch dieser in Schwierigkeiten. Es gibt, in der chinesischen Darstellung, noch mehr Verflechtungen. So ist die Gallenblase nicht nur der Ehepartner des Magens, sondern zugleich auch die Mutter der Leber. Der Dickdarm ist die Mutter des Magens, und diese wiederum jene der Bauchspeicheldrüse. Das alles folgt einer zweiten Beziehung, der „Mutter/Sohn-Regel". Sie soll bestimmte energetische Verhältnisse der Organe bzw. ihrer Akupunkturmeridiane zueinander verdeutlichen. Das Studium dieser zu Anschauungszwecken gebildeten altchinesischen Regeln ist nicht nur amüsant, es vermittelt sogar ein durchaus nicht unbrauchbares Bild davon, wie es im Körper zugeht; welches Organ mit welchem besonders mitleiden muß, welches am besten Hilfestellung leisten kann. Eine steingefüllte und entzündete Gallenblase zum Beispiel schlägt sich nicht nur auf ihren Ehepartner, den Magen, wo man dann auch andauernden Druck und schweres Völlegefühl verspürt – schon nach dem kleinsten Diätfehler, der noch dazu gar nicht den Magen, sondern die Galle belastet; darüber hinaus gibt die Gallenblase auch sich ne-

gativ auswirkende Energie an ihren Sohn Leber ab – in Form von Rückstau. Dieser wieder teilt sein Leid mit seinem Ehepartner, der Bauchspeicheldrüse. Dort gibt es dann Entzündungen, meist in Schüben – ein sehr ernstzunehmendes Geschehen, das solange bestehen bleibt, bis der Verursacher ausgeschaltet ist. Bei einer entzündeten Stein-Gallenblase als Urheber der Bauchspeicheldrüsenentzündung wird man operieren, sonst gibt es keine Ruhe. Es leuchtet auch ein, daß man am Kern der Sache vorbeibehandelt, wenn man sich in einem solchen Fall therapeutisch auf die Bauchspeicheldrüse einschießt und das eigentliche Dahinter, nämlich die Gallenblase, ignoriert. Und auch das spürt man: Das ganze Rundherum um Leber, Gallengänge, Gallenblase und Bauchspeicheldrüse mit dem Magen und den verschiedenen Gedärmen ist genauso kompliziert, wie es diese inzuchtartig verflochtenen Familienverhältnisse der chinesischen Darstellung ausdrücken wollen. Die Erstellung sicherer Diagnosen ist schwierig, und ein Laie könnte arg danebentippen. Wenn also ungeklärte Beschwerden im Oberbauch auftreten, sollte man, bevor man von den in der Folge beschriebenen Mitteln unserer Hausapotheke systematischen Gebrauch macht, den Arzt zu Rate ziehen. Auch dieser wird oft genug moderne Untersuchungsmethoden zur Klärung heranziehen, eben weil die Materie diagnostisch schwierig ist. Die Mittel selbst nun teilt man in solche ein, die
a) vorwiegend auf die Leber wirken,
b) vorwiegend die Gallenwege mit der Gallenblase beeinflussen, und
c) vorwiegend auf die Bauchspeicheldrüse wirken.

Mittel, die vorwiegend auf die Leber wirken

Die Leber hat im Dienste unseres Körpers ein beachtliches und vielfältiges Arbeitspensum zu erfüllen. Neben ihrer Mitarbeit bei der Verdauung im Darm ist sie sowohl zentrales Stoffwechsel- als auch Entgiftungsorgan. Sie ist schadanfällig, hat aber ein ganz außergewöhnliches Selbstheilvermögen, welches Belastungen immer wieder gut macht – wenn man ihr nur die Möglichkeit dazu gibt. Die ersten Gebote für jeden also, der seine Leber gesund erhalten will: sie nicht sinnlos überfordern und ihr immer wieder besondere Ruhepausen zur Beseitigung allfälliger Schäden gönnen. Überfordert wird die Leber vorwiegend durch echte Gifte, durch Genußgifte und durch zu falsche, zu viel oder zu wenig Nahrung. Daß bei den echten Giften schon die Schadstoffbelastung unserer Umwelt den Anfang macht, weiß inzwischen jeder, der von in Reh- und Hasenlebern gespeicherten Schwermetallen gehört hat. Der Alkohol ist das prominenteste Genußgift. Regelmäßig überzogene Mengen schaden – langsam, aber sicher. Nicht nur, weil sie überzogen sind, sondern auch, weil die Pausen zur Wiederaufbereitung der Leber fehlen. Ein ordentlicher Festtag dagegen, bei dem man über die Schnur haut, schadet weniger, wenn die folgenden Tage von einem vernünftigen, bescheidenen und regelmäßigen Lebenswandel gekennzeichnet sind. Diese besondere Empfindlichkeit gegen *chronischen* Alkoholgenuß teilt die Leber mit der Bauchspeicheldrüse – schließlich sind ja die beiden Ehepartner „auf chinesisch".

In unseren Landen ist es weiters meist die Völlerei, welche der Leber schadet. Übergewicht und erhöhte Blutfette tun ihr auf die Dauer nicht gut. Wieder eine Empfindlichkeit, die sie mit der Bauchspeicheldrüse gemeinsam hat. In anderen Ländern ist der Hunger die Hauptursache für Leberschäden ... eine gut ausgewogene Kost jedenfalls ist immer richtig. Nicht zu viel Fleisch und Fisch, nicht zu wenig Gemüse, nicht die Milchprodukte vergessen. Nicht zu fett, nicht zu süß, nicht zu viel und nicht zu überzüchtet – das sind die wesentlichsten Punkte; hier werden bei uns die meisten Fehler gemacht.

Eine besondere Rolle spielt das **Vitamin E.** Es ist ein sogenannter Radikalfänger. Radikale sind Molekülteile, die den Beginn von chemischen Abläufen einleiten, an deren Ende dann die Leberzellschädigung steht. Zahlreiche Lebergifte wirken so. Mittel, welche Radikale „fangen" und neutralisieren können, schützen die Leber vor Giften. Das Vitamin E, welches auch dazu gehört, ist konzentriert enthalten in Kernen, Keimen und Nüssen bzw. den daraus gewonnenen Ölen. Man sollte auf sie nicht vergessen – kleine, regelmäßige Mengen schon bringen große Vorteile.

Weitere Nahrungsmittel mit wirksamen Leberschutzstoffen sind:

a) Die **Rote Bete** (Rote Rübe) und die Zuckerrübe mit ihrem Betain.

b) Die **Artischocke** mit ihrem Cynarin.

Die Rote Bete (Rote Rübe) nutzt man gewöhnlich in Form ihres Saftes. Ein großes Glas täglich, kurmäßig über mehrere Wochen. Die Zuckerrübe wird von der pharmazeutischen Industrie verwertet – das Betain wird zusammen mit dem Sorbit, einem Zuckeraustauschstoff aus der Vogelbeere, zu einem in Wasser oder Säften löslichen Granulat verarbeitet. Sehr interessant ist die Artischocke. Neben ihrer Leberschutzwirkung fördert sie auch den Gallenfluß. Darüber hinaus baut sie erhöhte Blutfette ab und greift positiv in den Cholesterinstoffwechsel ein. Außerdem enthält sie neben dem Cynarin auch den Bitterstoff Cynaropikrin. Das macht sie zusätzlich zu einem kräftigenden Bittermittel. Wegen dieser beachtlichen Breite und wegen ihrer sonstigen Unbedenklichkeit sollte die Artischocke zu einem bevorzugten Kurmittel besonders älterer Menschen werden. Eine einfache Anwendung erlaubt der Frischpflanzenpreßsaft, in Flaschen zu meist 160 ml erhältlich.

Dosierung: 1 bis 2 Eßlöffel, zwei- bis dreimal täglich, am besten vor den Mahlzeiten, um auch die Wirkung der Artischocke als Aperitif zu nutzen.

Artischockensäfte und -extrakte werden aus den großen grünen Blättern gewonnen, welche entweder knapp vor der Blüte oder während der Fruchtreife geerntet werden. Sie sind reich an Heilstoffen, für die Küche aber unbrauchbar, da viel zu bitter. Die als Feingemüse verwendeten Artischockenböden sind ebenfalls sehr gesund und werden oft als besonderes Diabetikergemüse empfohlen; ihr Heilstoffgehalt aber ist geringer. Artischockensaftkuren werden üblicherweise auf die Dauer von 4 bis 6 bis 8 Wochen empfohlen, einen echten Begrenzungsgrund gibt es aber nicht.

Die Mariendistel

Ähnlich wie bei der Artischocke erkannte man bei der Mariendistel – in manchen Ländern auch „wilde Artischocke" genannt – ihren Wert als Bittermittel schon von altersher. Daß ihr aber auch eine bedeutende Leberschutzwirkung eigen ist, bemerkte erstmals der zu Goethes Zeiten lebende deutsche Arzt Johann Gottfried Rademacher. Die von ihm entwickelte „Rademachersche Mariendisteltinktur" war dann eines der in den Hausapotheken des vorigen Jahrhunderts am häufigsten vertretenen Mittel. Leberschützend, gallenflußfördernd, krampflösend — das sind die Haupteigenschaften der Tinktur bzw. der Mariendistel. In unserem Jahrhundert aber wurde es still um die Pflanze. Sie wurde, wie die meisten Pflanzen, als vom Fortschritt überholt angesehen. Bis in ihr im Jahre 1968 eine noch unbekannt gewesene Stoffgruppe entdeckt wurde. Dieser gab man den Sammelnamen Silymarin, nach den Anfangssilben von Silybum marianum = Mariendistel. Das Silymarin hebt die Wirkung von Lebergiften auf; darüber wurden zahlreiche medizinische Arbeiten geschrieben.

Für die Anwendbarkeit stehen mehrere Möglichkeiten zur Verfügung:

a) Der aus den Früchten zubereitete Tee

Mariendistelfrüchte = Fructus Cardui Mariae

Einzeldosis: 1 Teelöffel

Dosis beim Hinzumischen: $1/2$ bis 1 Teelöffel

Überbrühen, 10 Minuten ziehen lassen. Dreimal täglich eine Tasse, eventuell eine vierte Tasse vor dem Schlafengehen.

b) Die **Mariendistel-Urtinktur** = Cardus marianus ϕ

Einzeldosis: Dreimal 10 Tropfen, auf Brot, pur oder in Flüssigkeit.

Die Liste ihrer Wirksamkeit ist breit gefächert: von Leberschutz, Gallewirkung und Bauchkrämpfen bis zu Rachenbrennen, rechtsseitigem Kopfschmerz, Schulterblattschmerz und Wundsein am After („Wolf"), was alles eben vom Leber-Gallesystem her verursacht sein kann.

Die Mariendistel

Die Rote Bete (Rübe), Zuckerrübe

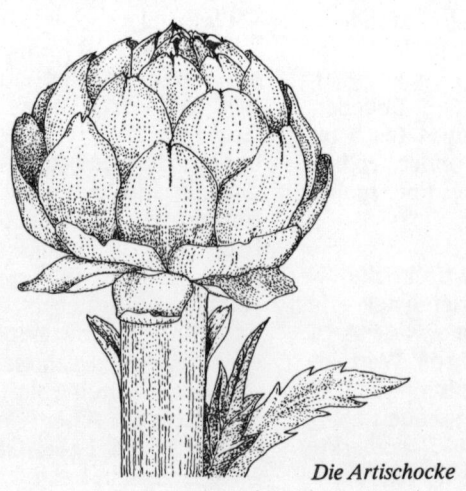

Die Artischocke

c) Es gibt Kapseln mit exakt berechnetem Silymaringehalt. Sie werden hauptsächlich bei bereits bestehenden Leberschäden verordnet. Gewöhnlich dreimal 2 Kapseln, nach den Mahlzeiten einzunehmen. *Legalon 70* und *Apihepar* sind Handelsnamen. Auch eine Infusionslösung, zur Anwendung bei der Knollenblätterpilzvergiftung, gibt es bereits. Daß das Silymarin der Mariendistel Knollenblätterpilzvergiftungen vorbeugt, war eine der ersten Beobachtungen in neuerer Zeit. Tatsächlich könnte man sagen: Zu Pilzgerichten vor der Mahlzeit auch die Mariendistel einnehmen. In Zweifelsfällen lebt man länger.

Mittel, die vorwiegend auf die Gallenwege wirken

Ihre Wirkung setzt mehrfach an:
1. Förderung der Produktion von Galle durch die Leber (cholagoge Wirkung)
2. Förderung des Abflusses der bereits gebildeten Galle (choleretische Wirkung)
3. Förderung der Gallenblasenentleerung (cholekinetische Wirkung)
Wenn man auf einer Arzneipackung also liest, daß ein Mittel ein Cholagogum, ein Choleretikum oder ein Cholekinetikum ist, dann weiß man, was damit gemeint ist. Sehr viele Pflanzen haben eine oder mehrere dieser Wirkungen. Das hat man zum Teil erst in jüngerer Zeit entdeckt, und zwar mit Hilfe einer in den Zwölffingerdarm eingeführten Beobachtungssonde. So ist die Minze nicht nur Magenmittel, sondern auch ein Cholagogum, ein die Bildung der Galle anregendes Mittel. Die oben beschriebene Artischocke ist ein hervorragendes Choleretikum und Cholekinetikum (neben der Leber-schutzwirkung), ebenso die Mariendistel.

Einige Pflanzen sind gewissermaßen Spezialisten, obwohl sie alle auch noch andere Wirkungen haben. So das *Schöllkraut*, der *Beifuß*, die *Schafgarbe*, der *Odermennig*, die *Curcumawurzel* und auch der *Rettich*. Besonders letzterer beugt, wenn man ihn oder seinen Saft regelmäßig anwendet, Gallenwegserkrankungen beachtlich vor, wie man aus Volksgruppenbeobachtungen weiß. Für unsere Hausapotheke wollen wir uns auf zwei solcher Spezialisten beschränken: auf den Wermut und auf den Erdrauch.

Der Wermut

Drei Wirkungen stehen im Vordergrund: das Ausschwemmen gestauter Galle, die Krampflösung und die des kräftigenden Bittermittels. Der Wermut wirkt also besonders bei Störungen des Gallenabflusses mit schmerzhaftem Druckgefühl im Oberbauch und mangelhafter Magenarbeit; man hat das Gefühl, einen Stein im Magen zu haben. Die Wirkung ist sehr verläßlich, deshalb erfreut sich der Wermuttee, obwohl er recht bitter schmeckt, bei den Menschen, die ihn brauchen, großer Beliebtheit.
Wermutkraut = Herba Absinthii
Einzeldosis: 2 Teelöffel
Dosis beim Hinzumischen: 1 Teelöffel
Herstellung durch Überbrühen. Gedeckt ziehen lassen, damit die für Krampflösung und Schmerzstillung verantwortlichen Duftöle nicht verloren gehen. Bei allgemeiner Galleempfindlichkeit genügt meist eine Tasse täglich – nach der Hauptmahlzeit. Kuren mit 3 Tassen täglich, nach den Mahlzeiten, werden auf 4 bis 6 Wochen beschränkt. Eine andere Anwen-

dungsform ist die Tinktur:
Wermuttinktur = Tinctura Absinthii
Einzeldosis: 30 Tropfen (in Wasser)
Dosis beim Hinzumischen: 20 Tropfen (in einen anderen Tee)
Die Tinktur ist sehr gut geeignet, um Diätfehler im nachhinein zu korrigieren. Es gibt auch einen Wermutsaft. Dosierung: 1 bis 2 Eßlöffel.
Will man die Galle beeinflussen, dann gibt man den Wermut, in welcher Form auch immer, stets nach den Mahlzeiten. Strebt man dagegen die appetitanregende Wirkung des Bitterstoffes an, nimmt man ihn vor der Mahlzeit, als Aperitif, etwa als hochwertigen Wermutwein (15% Alkohol), daher Einzeldosis: 50 ml = ein knappes Sechzehntel).

Der Erdrauch

Der Erdrauch, den die Volksmedizin immer schon als gutes „blutreinigendes" Mittel schätzte, weil sich bei ihm eine gering abführende mit einer gering ausschwemmenden Wirkung verbindet, erhielt im Jahre 1966 auf Grund von Untersuchungsergebnissen französischer Forscher eine besondere Stellung unter den Heilpflanzen. Auf eigenartige Weise nämlich reguliert er das Geschehen in den Gallenwegen: er steigert den Gallenfluß, wenn dieser zu schwach ist; er senkt den Gallenfluß, wenn dieser zu stark ist. Ist schließlich der Gallenfluß normal, dann wird er durch den Erdrauch überhaupt nicht beeinflußt. Wegen dieser merkwürdigen Eigenschaft hat man den Erdrauch als „Amphicholeretikum" bezeichnet, als Mittel, welches den Gallenfluß nach beiden Seiten korrigieren kann – was eben gerade mehr gefragt ist. Der Erdrauch hat auch eine gute Wirkung auf die Fernsymptome von Gallengeschehen, wie rechtsseitigen Kopfschmerz, Schulterblattschmerz und Hauterkrankungen, wenn sie von der Galle her kommen.
Für unsere Hausapotheke empfiehlt sich der Tee:
Erdrauchkraut = Herba Fumariae
Einzeldosis: 2 Teelöffel
Dosis beim Hinzumischen: 1 Teelöffel
Kalt ansetzen, zum Sieden erhitzen, vom Herd nehmen, 10 Minuten ziehen lassen. Dieser Tee wird vor den Mahlzeiten getrunken. Bei Bedarf 3 Tassen täglich, auch mehr. Bei Frühjahrs- und Herbstreinigungstees sollte man den Erdrauch stets beimischen. Er paßt überall dazu und ist eine echte Bereicherung. Es gibt auch Tabletten mit exaktem Erdrauchgehalt – 250 mg pro Tablette. Dosierung: 1 bis 2 Tabletten vor den Mahlzeiten (Oddibil).

Mittel, die vorwiegend auf die Bauchspeicheldrüse wirken

Störungen der Bauchspeicheldrüse sind oft genug Begleiterscheinungen anderer Leiden. Die schubweise akute und die chronische Bauchspeicheldrüsenentzündung haben meist ein Gallensteinleiden oder den allzu regelmäßig überzogenen Alkoholgenuß im Hintergrund.
Beim Gallensteinleiden wartet man, bis die akuten Bauchspeicheldrüsensymptome abgeklungen sind; dann bereinigt man die Situation, was am klaglosesten meist operativ geht. Ist der Alkoholkonsum der Verursacher, dann geht man einmal auf abstinent. Es ist beeindruckend, wie schnell dann Schmerzen und sonstige Beschwerden verschwinden (und wie schnell sie wieder da sind, wenn man wieder überzieht). Während also diese

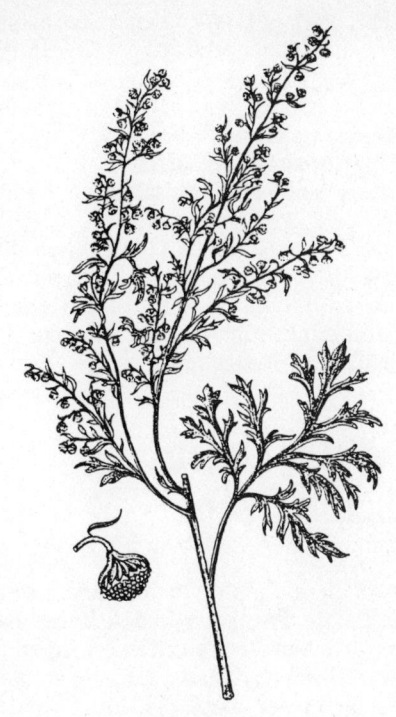

Der Wermut

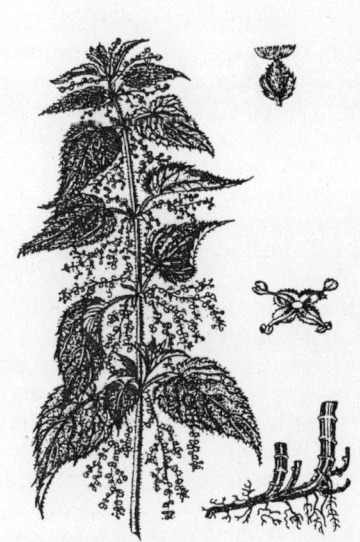

Der Erdrauch

Der Spinat

Die Brennessel

häufigsten Ursachen an ihrer eigenen Wurzel behandelt werden sollten, gibt es nun doch auch Mittel in unserer Hausapotheke für die Bauchspeicheldrüse. Sie sind vor allem dann angebracht, wenn die Schwäche des Organs, ausreichend Säfte für die Verdauung zu bilden, im Vordergrund steht. Pankreatoprive Maldigestion – auf die Bauchspeicheldrüse zurückzuführende Verdauungsschwäche – ist der Fachausdruck dafür. Hier wirken die *Enzymersatzmittel* wie Pankreon, Panzynorm und Pankreaplex, die alle in unserer Hausapotheke ihren Platz haben. Welches dieser Mittel im persönlichen Fall richtig ist, ob mit oder ohne Entschäumer, das sollte der Arzt beurteilen. Alle in diesem Kapitel bereits erwähnten Mittel für Leber und/oder Gallenwege unterstützen selbstverständlich auch die Bauchspeicheldrüse, wenn auch oft nicht direkt, sondern über den Umweg der Stärkung eines „verwandten" Organs. *Haronga,* dessen vordergründige Wirkung blähungswidrig ist, entlastet ebenfalls die Bauchspeicheldrüse. Sein besonderer Einsatz: nach überschweren Speisen. Manche Pflanzen erleichtern der Bauchspeicheldrüse ihre Arbeit durch eiweißaufspaltende Stoffe, die sie enthalten – die frische *Ananas* bzw. deren Saft durch das Bromelin, der Saft der unreifen Früchte des *Melonenbaumes* durch das Papain. Beide Stoffe gibt es auch in verdauungsaktiven Dragees. Zwei einfache Pflanzen wollen wir besonders erwähnen: den *Spinat* und die *Brennessel.* Sie wirken auf Grund ihres Gehaltes an Sekretin, ein die Bauchspeicheldrüse speziell aktivierender Stoff. Beim Spinat eignet sich am besten der Frischpflanzenpreßsaft (man kann nicht jeden Tag Spinat essen) – 2 Eßlöffel zu den Mahlzeiten.

Dasselbe gilt für den Brennessel-Frischpflanzenpreßsaft.

Mit der **Brennessel** kann man auch eine Teekur machen:

Brennesselblätter = Folia Urticae

Einzeldosis: 2 Teelöffel

Dosis beim Hinzumischen: 1 Teelöffel

Der Tee wird durch Überbrühen hergestellt. Wenn er die Bauchspeicheldrüsenaktivität beeinflussen soll, dann trinkt man ihn vor bzw. zu den größeren Mahlzeiten.

Mittel gegen Schmerzen

Auf dem Gebiet der Schmerzmittel zeigt die Praxis: Mit den harmlosen natürlichen Vertretern unter ihnen allein kommt man im Bedarfsfall – wenn der Kopf-, Zahn-, Glieder- oder Organschmerz einmal so richtig tobt – nicht immer aus. Die harmlosen natürlichen Schmerzmittel – wie Kümmel, Koriander, Passionsblume oder Silberweide – sind zwar zu mehr fähig, als man ihnen allgemein zutraut. Wenn man sie richtig einsetzt, gibt es sogar erstaunliche Resultate. Doch fehlt ihnen manchmal die Promptheit des Wirkungseintrittes, und auch der gewünschte Grad an Schmerzfreiheit wird nicht immer ganz erreicht. Hier ergänzen die halb- oder ganzsynthetischen Mittel gegen bestimmte Schmerzen oder gegen Schmerzen „aller Art", wie es sie in Fertigpackungen als Dragees, Tabletten, Brausetabletten, Zäpfchen oder Tropfen gibt, nun doch sehr gut. Deshalb haben sie auch in einer alternativen Hausapotheke ihren Platz, sozusagen als Nothelfer. Daß ihr Verbrauch und ihre Einzeldosen möglichst niedrig gehalten werden können, dafür sorgen die natürlich gewachsenen Mittel, welche man als Basis einsetzt. Die synthetischen Mittel ermöglichen den zufriedenstellenden Erfolg.

Schmerzen werden verschiedenartig erlebt. Was dem einen noch erträglich ist, tut dem anderen schon viel zu weh. Dabei spielen nicht nur psychische Faktoren eine Rolle, sondern auch andere Umstände, etwa die Verfassung der Schilddrüse. Was also als zufriedenstellende Schmerzfreiheit zu bezeichnen ist, das erfühlt jeder selbst. Dementsprechend wird auch die Wahl und die notwendige Kombination der Mittel zum Teil individuell erfolgen. Wenn man mit den synthetischen Schmerzmitteln zielvoll umgeht, sie zur Ergänzung und nur für den echten Bedarf benutzt, wenn man zusätzlich auf einige Ratschläge des Hausarztes eingeht, dann wird man sich wegen der drohenden Gefahr der Schädigung durch das Medikament keine allzu großen Sorgen machen müssen.

Die chemisch-synthetischen Schmerzmittel

Sie sind zur Durchbrechung gelegentlich auftretender Schmerzzustände bekannter Ursache gedacht – dann, wenn einfache Maßnahmen wie Wärme, Kälte, Massage, Akupressur, Wasseranwendungen, Packungen, Ruhe bzw. Homöopathika oder gewöhnliche Kräuter nicht ausreichen oder nicht einsetzbar sind. Oft deutet schon der Handelsname eines solchen Mittels darauf hin, daß es vordergründig zur Schmerzbekämpfung gedacht ist. Dolor und Alge sind die lateinische bzw. griechische Bezeichnung für Schmerz – Dolviran, Dolomo, Adolorin bzw. Inalgon, Nealgon und Novalgin sind die entsprechenden Handelsnamen. Einen therapeutischen Wert über die Schmerzbekämpfung hinaus haben diese Mittel nur in Ausnahmefällen. Ihre Wirkung ist gut bei vielen Formen von Kopf-, Zahn- und Gliederschmerzen, ferner bei Menstruationsbeschwerden. Weniger zufriedenstellend ist sie bei Schmerzzuständen der Bauchorgane. Bei Dauergebrauch können durch verschiedene ihrer Inhaltsstoffe ernsthafte Schäden auftreten. Dauergebrauch ist auch immer Mißbrauch, und dieser ist, wie die Verkaufsstatistiken zeigen, in jenen Staaten, die solche Mittel herstellen oder einkaufen können, weit verbreitet. Man glaubt es kaum: Allein im kleinen Österreich werden fast 300 Millionen Schmerztabletten oder -zäpfchen im Jahr verkauft und wahrscheinlich auch verbraucht. Nahezu 1 Million im Tag – Tropfen nicht gerechnet. In der Bundesrepublik Deutschland ist der Pro-Kopf-Verbrauch um 20% höher.

Da es viele Menschen gibt, die von diesen Mitteln kaum je Gebrauch machen, muß es doch etliche geben, die chronisch zuviel davon verwenden. Im allgemeinen werden für einen Tag drei Tabletten (oder Zäpfchen usw.) eines Schmerzmittels als Grenzdosis angegeben. Natürlich nicht Tag für Tag – das wäre bei vielen Schmerzmitteln höchst gefährlich –, sondern nur an jenen Tagen, an denen die besonderen Schmerzen aufgetreten sind. Sollte die Dosis nicht reichen oder sollte der Schmerzzustand trotz eines guten Mittels überdauern, dann liegt ganz bestimmt ein Übel vor, das an der Wurzel gefaßt werden will. Kann sein, daß man dann nur eine Änderung der Lebensgewohnheiten herbeiführen sollte, kann auch sein, daß ein Wirbel gerichtet oder ein Organ behandelt werden muß. Abklären und entscheiden jedenfalls kann das nur ein Arzt.

Man sollte seinen Hausarzt auch bei der Wahl der synthetisch-chemischen Schmerzmittel, welche man in seiner Hausapotheke vorsorglich hortet, befragen. Er kennt am besten die Anfälligkeit seiner Patienten und ebenso deren sonstige körperliche und seelische Verfassung. Jemandem, dessen Niere angeschlagen ist, wird er kein Mittel empfehlen, das den Stoff Phenazetin (oder Acetphetidin, das ist das gleiche) enthält. Und dem Patienten, von dem er weiß, daß er täglich *irgendeine* Tablette ißt, wird er kein Schmerzmittel mit Barbituratzusatz verschreiben, sondern eines mit geringerer Suchtgefahr. Viele der Mittel sind rezeptpflichtig, aber auch bei einer Reihe von in Deutschland oder Österreich frei erhältlichen schmerzstillenden Medikamenten ist Vorsicht am Platz. Gut wirksame, aber nicht ganz unbedenkliche Substanzen – wie Phenazetin – können auch in rezeptfreien Spezialitäten enthalten sein. Der Laie ist hier überfordert, da insbesondere auch die chemischen Bezeichnungen der Substanzen auf den Packungen nicht einheitlich sind. Auch bei rezeptfreien Spezialitäten also sollte man bei seinem Hausarzt rückfragen und keineswegs an eine prinzipielle Unbedenklichkeit des Mittels glauben.

Eine besondere Stellung nehmen jene synthetischen Schmerzmittel ein, die auf der Basis der Acetylsalicylsäure – kurz ASS – wirken. ASS-(+Firmenname), Aspirin, Aspirin-C, Alka-Seltzer-Brausetabletten, Aspro sind Handelsnamen von Spezialitäten, welche ASS allein oder zusammen mit Vitamin C bzw. Natriumbikarbonat enthalten. Vorstufen der ASS kommen in mehreren Pflanzen vor – als Populin in der Pappelrinde zum Beispiel oder als Salicin in der Weidenrinde. Von letzterer hat die Salicylsäure ihren Namen, denn Salix ist die lateinische Bezeichnung für Weide. Schon 1838 wurde die Substanz entdeckt, und seit 1860 kann man sie synthetisch herstellen. Zum Glück, denn sonst gäbe es keine Weiden mehr. Allein in den USA werden täglich 100 Millionen Tabletten ASS gegessen! Manche erwischen zuviel davon und erleiden die Zeichen der Überdosierung: Schwindel, Ohrensausen, Übelkeit und Erbrechen sind die ersten Zeichen. Überdosierung kann auch auftreten, wenn man die Tabletten in zu kurzen Abständen hintereinander nimmt, besonders wenn der Stoffwechsel übersäuert ist. Dann nämlich wird die ASS nur sehr langsam ausgeschieden, und die im Körper befindlichen Mengen können über das Maß ansteigen. Das Trinken von ausreichenden Mengen an Gemüsesäften als Basenträger empfiehlt sich, wenn man Schmerzmittel (nicht nur vom Typ ASS) nehmen muß, deshalb ganz besonders. Echte Überdosierungen an ASS gehören unverzüglich in das Krankenhaus, wo dann unter anderem Natriumbikarbonat als Base gezielt und genau berechnet eingespritzt wird. Man muß aber festhalten, daß Überdosierungszeichen beim Erwachsenen erst ab etwa zehn Tabletten ASS-haltiger Medikamente auftreten, lebensbedrohliche Zustände erst ab etwa 60 Tabletten. Immerhin ist alles schon vorgekommen. Kleinkinder sind gegenüber ASS besonders empfindlich – man behandelt sie, wenn sie Schmerzen haben, prinzipiell nicht mit Medikamenten der Hausapotheke, ohne zuvor beim Arzt rückzufragen.

Nun – die Gefahr der Überdosierung gibt es bei jedem Medikament. Ansonsten sind die ASS-Tabletten die problemlosesten der synthetischen Schmerzmittel. Deshalb werden sie für unsere Hausapotheke in den meisten Fällen die erste Wahl darstellen. Nebenerscheinungen sind bei normaler Dosierung selten. Magenunverträglichkeit kommt vor, läßt sich aber meist mit Kamillen/Minzetee, vorbeugend eingenommen, abfangen. Selten auch treten allergische Reaktionen auf ASS auf: Hautausschläge, heuschnupfenähnliche Erscheinungen, Asthma. Betroffen davon sind fast ausschließlich Menschen, die auch gegen andere Substanzen (Pollen, Hausstaub, Chemikalien) allergisch reagieren. Dann natürlich muß man auf ein Schmerzmittel mit anderer Zusammensetzung ausweichen.

Der Gehalt der Tabletten an ASS variiert: 0,32 g bei Aspro, 0,4 g bei den Aspirin-C-Brausetabletten, 0,5 g bei den Aspirintabletten und den meisten anderen ASS-Spezialitäten. Es gibt Kinderzäpfchen mit ASS (0,3 g), aber hier wollen wir es so halten: auf Vorrat eventuell ja, aber nicht ohne Einverständnis des Arztes anwenden. Die Einzeldosis für den Erwachsenen beträgt 1 bis 2 Tabletten, allenfalls bis dreimal täglich.

Die natürlichen Schmerzmittel

Man teilt sie am besten ein in solche, die im Rahmen einer anderen Hauptrichtung schmerzbekämpfend wirken, und in solche, bei denen die schmerzbekämpfende Wirkung zugleich eine Hauptwirkung ist. Mit diesen beiden Gruppen beschäftigen wir uns hier. Als dritte Gruppe kommen die äußerlich anzuwendenden Schmerzmittel hinzu.

1. Mittel, die im Rahmen einer anderen Hauptrichtung schmerzbekämpfend wirken

Ihre Anzahl ist gar nicht so gering. Sie befinden sich, entsprechend ihrer jeweiligen vordergründigen Wirkrichtung, in den verschiedenen Abteilungen unserer Hausapotheke.

Mittel gegen Schlafstörungen:

a) Die Passionsblumen-Urtinktur. Wirkt gegen nicht zu starke Schmerzen aller Art. Besonders wirksam bei schmerzhaften Muskelverspannungen wie beim sogenannten Spannungskopfschmerz; das ist eine durch umschriebene Verspannung kopfnaher Muskeln hervorgerufene häufige Kopfschmerzform – „Reifen um den Kopf", Nackenkopfschmerz sind typische Symptome. Bewährt ist die Passionsblumen-Urtinktur auch bei den Krampfschmerzen Querschnittgelähmter. Einzeldosis: 15 bis 40 Tropfen Passionsblumen-Urtinktur in heißem Wasser oder Tee. Die gewöhnliche Passionsblumentinktur und der Tee aus dem Kraut wirken auch, aber schwächer.

b) Die Bittere Orange – Tinktur, Blüte oder Schale. Wirkt besonders gegen Magen- und Darmkrämpfe überstreßter Schulkinder. Einzeldosis: 20 Tropfen Tinktur in heißem Wasser oder Tee bzw. 2 Teelöffel Blüte und/oder Schale überbrühen. Da die Bittere Orange auch ein kräftigendes Bittermittel ist, sollte man nach der Einnahme zumindest einen Bissen Brot essen.

Mittel für den Magen:

c) Die Kamille – Blüten oder Extrakt. Wirkt gegen Magenschmerzen, besonders wenn entzündliche Schleimhautveränderungen die Verursacher sind. Einzeldosis: 2 Teelöffel Blüten überbrühen bzw. 30 Tropfen Extrakt in heißem Wasser. Wirkt auf nüchternen Magen besser.

d) Die Minze – Blätter. Wirkt gegen Magenschmerzen, besonders wenn diese von Übelkeit begleitet sind und wenn sich hinter den Magenschmerzen chronische Gallenwegserkrankungen verbergen. Einzeldosis: 2 Teelöffel Blätter überbrühen.

e) Die Melisse – Blätter oder Geist. Wirkt gegen Magen- und Darmschmerzen, Herzbeschwerden, besonders wenn die Beschwerden nervös ausgelöst sind. Auch nervöse Kopfschmerzen sind ein Gebiet für Melisse. Einzeldosis: 2 Teelöffel Blätter überbrühen bzw. 40 Tropfen Melissengeist in Wasser oder Tee.

f) Das Isländische Moos. Wirkt gegen Magen- und Darmschmerzen, Harnblasenschmerzen, Brennen in Luftröhre und Bronchien, wenn die Beschwerden durch überreizte Schleimhaut bedingt sind. Es legt einen Schutzfilm über die Schleimhaut. Einzeldosis: 3 Teelöffel der Pflanze kalt ansetzen, kurz aufkochen lassen, das Wasser wegschütten. Mit lauwarmem Wasser wieder auffüllen, gut umrühren, dann erst abseihen.

Die blähungswidrigen Heilpflanzen:

g) Der Kümmel – Früchte oder Tropfen. Bauchbeschwerden, besonders wenn sie durch Blähungen verursacht sind. Herzbeschwerden durch Druck der Magenblase. Nabelkoliken der Kinder. Menstruationsbeschwerden besonders der Mädchen und jüngeren Frauen. Einzeldosis: 1 gehäufter Teelöffel zerstoßene Früchte überbrühen bzw. 20 Tropfen der Kümmeltinktur in Wasser oder Tee. Bei Kindern entsprechend kleinere Dosen. Oder: den ähnlich wirkenden, aber milderen Fenchel verwenden.

h) Der Koriander – Früchte. Allgemeines Schmerzmittel mit breiter Wirkung. Eignet sich gut als Basis, zum Einsparen chemisch-synthetischer Schmerzmittel. Einzeldosis: 1 gehäufter Teelöffel zerstoßene Früchte überbrühen.

Mittel für die Leber, für die Gallenwege und für die Bauchspeicheldrüse:

i) Der Wermut – Kraut oder Tinktur. Wirkt bei schmerzhaftem Druckgefühl im Oberbauch und „Stein im Magen", besonders wenn sie durch Störungen des Galleabflusses hervorgerufen sind. Einzeldosis: 2 Teelöffel Kraut überbrüht bzw. 30 Tropfen Tinktur in Wasser oder Tee. Nach den Mahlzeiten.

j) Der Erdrauch – Kraut oder Tabletten. Wirkt bei Schmerzen im rechten Oberbauch, bedingt durch Störungen des Galleabflusses (zu viel oder zu wenig). Gute Wirkung auch bei den gallebedingten, meist rechtsseitigen Kopfschmerzen und Schulterblattschmerzen. Einzeldosis: 2 Teelöffel Kraut überbrühen bzw. 2 Tabletten. Vor den Mahlzeiten.

Weitere schmerzbekämpfende Mittel werden in späteren Kapiteln eingehend besprochen. Es sind dies:

k) Der Holunder – Blüten, Blätter und Rinde. Wirkt bei Glieder- und Gelenksschmerzen, besonders wenn die Schmerzen in akuten Schüben auftreten. Ferner bei solchen Kopfschmerzen, die sich beim Bücken verschlimmern. Einzeldosis: 1 Eßlöffel Blüten plus je 1 Messerspitze Blätter und Rinde überbrühen. Wirkt schweißtreibend, wenn der Tee heiß getrunken wird. Vorsicht vor Erkältung!

l) Die Zwiebel (Allium cepa) – Urtinktur und D 2. Wirkt bei Nebenhöhlenschmerzen, Erkältungskopfschmerz sowie bei Gliederschmerzen, die sich durch Bewegung verbessern. Einzeldosis: 5 bis 20 Tropfen, auf Brot, gut kauen, dann schlucken.

m) Die Arnika – Blüten und Tinktur. Wirkt bei Beklemmungsschmerz im Brustkorb (Herzkranzgefäße erweiternd) sowie bei allgemeinem schmerzhaften Zerschlagenheitsgefühl, besonders wenn sich die Schmerzen durch Bewegung verschlimmern. Einzeldosis: 1 Teelöffel Blüten überbrühen, nach dem Ziehen gut filtern, nur lauwarm trinken bzw. 2 bis 4 Tropfen der Tinktur in lauwarmem Wasser. Bis dreimal täglich. Dosen nicht überziehen!

2. Mittel, bei denen die schmerzbekämpfende Wirkung zugleich eine Hauptwirkung ist

Das sind in erster Linie jene Pflanzen, die eine Salicylsäure-Vorstufe enthalten. Es stehen mehrere zur Auswahl: Silberweide, Schwarzpappel, Mädesüß, Espe, Ackerstiefmütterchen, Veilchen, Schlüsselblume, Ringelblume und Mais (Griffel). Wir beschränken uns hier auf die drei Erstgenannten, da bei ihnen der Wirkstoffgehalt am verläßlichsten ist. Aber auch die übrigen sind zum Teil hochwertige Heilpflanzen.

Die Silberweide. Sie wird auch als „das Aspirin der Volksmedizin" bezeichnet. Verwendet wird die im Frühjahr geerntete Rinde der mittelstarken Zweige. Sie enthält zu 7% den Hautwirkstoff Salicin. Dieses wird durch unsere Darmbakterien in Saligenin umgewandelt, und erst daraus entsteht in unserem Blut die Salicylsäure. Deren Wirkung ist ähnlich jener der synthetisch hergestellten Acetylsalicylsäure, einige Unterschiede aber gibt es doch: Der antirheumatische Effekt ist bei Salicylsäure ausgeprägter, der fieberdämpfende bei der Acetylsalicylsäure (ASS). Deshalb kann man den Tee aus der Weidenrinde (Schwarzpappel, Mädesüß) auch gut mit einer kleinen Dosis ASS-Tabletten (Aspirin usw.) kombinieren. Die Mittel werten einander auf.

Silberweidenrinde = Cortex Salicis
Einzeldosis: 1 gehäufter Teelöffel
Dosis zum Hinzumischen: 1 glatter Teelöffel
Kalt ansetzen, langsam zum Sieden erhitzen, vom Herd nehmen, 5 Minuten ziehen lassen, abseihen. Hinzugemischt wird die Weidenrinde gerne zu Holunder, Linde, Königskerze und Anis als Tee für Grippebronchitis mit Kopfschmerzen.

Die Schwarzpappel. Sie gehört zu den Weidengewächsen und entwickelt daher eine ähnliche Wirkung wie die Silberweide. Man kann bei ihr ebenso die Rinde der mitteldicken Äste verwenden, nur muß diese länger am Herd bleiben – 10 Minuten auf kleiner Flamme kochen, dann sofort abseihen. Üblicher jedoch ist der Tee aus den Blattknospen:

Pappel-Blattknospen = Gemmae Populi
Einzeldosis: 2 gehäufte Teelöffel
Dosis beim Hinzumischen: 1 gehäufter Teelöffel
Herstellung durch Überbrühen; gedeckt ziehen lassen, da die Pappel-Blattknospen auch ein wertvolles flüchtiges Öl enthalten. Dieser Tee wirkt besonders gut bei schmerzhafter allgemeiner Zerschlagenheit, in gewisser Hinsicht also ähnlich wie die Arnika. Und ebenso wie diese werden die

Pappel-Blattknospen auch in äußerlich anzuwendende Spezialitäten verarbeitet.

Das Mädesüß. Es hat seinen Namen nicht von süßen Mädchen, sondern vom „Metsüßen". Gebietsweise besser bekannte Bezeichnungen sind „Wiesengeißbart", „Wiesenkönigin" und „Ulmenspierstrauch". Das Wirkprinzip ist auch hier eine Salicylsäure-Vorstufe, das Gaultherin. Man verwendet beim Mädesüß das Kraut, die gehaltvollere Wurzel und sehr gerne die aus der Wurzel hergestellte homöopathische Urtinktur.

a) Mädesüßkraut = Herba Spiraeae ulmariae
Einzeldosis: 1 gehäufter Teelöffel
Dosis beim Hinzumischen: 1 glatter Teelöffel
Herstellung durch Überbrühen

b) Mädesüßwurzel = Radix Spiraeae ulmariae
Einzeldosis: 1 Eßlöffel
Zubereitung: Den Eßlöffel Wurzeln in einem Viertelliter kalten Wasser ansetzen, über Nacht ziehen lassen, morgens bis knapp zum Sieden erhitzen, sofort abseihen. Das Erhaltene nicht auf einmal trinken, sondern tagsüber verteilt in kleinen Schlucken.

c) Mädesüß-Urtinktur = Spiraea ulmaria φ
Einzeldosis: 20 Tropfen, in Wasser oder Tee.
Die Mädesüßzubereitungen sind besonders bei ziehenden und reißenden Schmerzen in Muskeln und Gelenken angebracht. Die Urtinktur wird auch bei Ischias empfohlen. Man soll das Mädesüß nie aufkochen, da sich sonst magenunverträgliche Substanzen bilden können. Auch die Silberweidenrinde und die Schwarzpappel-Blattknospen können Magenschmerzen verursachen — wenn man überdosiert. Weniger durch die Salicylsäure-

Vorstufe als vielmehr durch zugleich vorhandene Gerbstoffe. Die Gefahr einer Salicylsäure-Vergiftung durch die Pflanzen ist gering. Erst knapp 500 Gramm Silberweidenrinde würde von dieser Seite her soviel Nebenerscheinungen verursachen wie etwa 15 Tabletten Aspirin.

Schließlich muß noch ein Pflanze erwähnt werden, die früher als Schmerzmittel bestbekannt war:

Die Esche. In Frankreich ist sie heute noch sehr beliebt und wegen ihrer Wirksamkeit geschätzt. Verwendet werden die Blätter. Das Wirkprinzip beruht nicht auf einer Salicylsäure-Vorstufe, sondern auf einer Summe von Inhaltsstoffen, besonders von Flavonoiden und Cumarinen.

Eschenblätter = Folia Fraxini
Einzeldosis: 1 Eßlöffel
Dosis beim Hinzumischen: 1/2 Eßlöffel
Zubereitung: Mit einem Viertelliter Wasser kalt ansetzen, zum Sieden erhitzen, vom Herd nehmen und noch 5 Minuten ziehen lassen. Wirkt besonders bei Muskelschmerzen, auch bei Muskelkater nach Überbelastung.

Mittel für die Harnwege und die Vorsteherdrüse

Erkrankungen der Nieren, der ableitenden Harnwege und der männlichen Vorsteherdrüse (der Prostata) sollten stets vom Arzt kontrolliert und behandelt werden, da man durch falsch gesetzte Maßnahmen auch Verschlechterungen erzielen kann; vor allem, weil diese Krankheiten sehr leicht in ein chronisches Stadium übergehen, wenn man sie nicht zielführend behandelt. Ob eine Entzündung der Harnwege zum Beispiel eine leichte, auch von selbst ausheilende Erkrankung ist, oder ob sie den Beginn eines langen Krankheitsprozesses darstellt, der auf Nierenbecken und Nieren übergreifen kann, läßt sich vom Erkrankten selbst bzw. vom medizinischen Laien kaum beurteilen. Dasselbe gilt für die Vergrößerung der Vorsteherdrüse: In bestimmten Anfangsstadien läßt sie sich sehr gut mit einfachen pflanzlichen Mitteln beherrschen, ab einem gewissen Punkt aber ist ein Eingriff durch den Facharzt notwendig, denn sonst läßt sich das weitere Wachstum nicht mehr stoppen.

Trotzdem gibt es einige bewährte Heilpflanzen, die für sich allein oder im Gemisch auch bei urologischen Erkrankungen zumindest unterstützende Wirkung entfalten. Sie haben deshalb in unserer Hausapotheke durchaus ihren berechtigten Platz. Das sind die **Bärentraube,** die **Preiselbeere** und das **Heidekraut** als Mittel gegen den unkomplizierten Blasenkatarrh sowie der weichschalige **Kürbissamen** gegen die Anfangsstadien der gutartigen, altersbedingten Prostatavergrößerung. Dazu kommt noch das **Johanniskraut,** welches beim nervös bedingten Bettnässen eingesetzt werden kann.

Dagegen muß man vom unkontrollierten Gebrauch von Heilpflanzen, die in alten Hausapotheken oft Verwendung gefunden haben, eher abraten. Das gilt für die Goldrute (Solidago virgaurea), denn ihre Anregung der Nierenleistung ist nicht immer von Vorteil. Aus demselben Grund sind auch Kuren mit Wacholderbeeren (Juniperus communis) bedenklich – bei akuten Nierenerkrankungen können sie schaden.

Andere Pflanzen, wie der nordamerikanische Buschklee (Lespedeza capitata) oder die Zwergpalme Sabal serrulata spielen bei Nieren- und Blasenleiden durchaus eine Rolle. Es gibt sie als Fertigpräparate, die der Arzt verschreibt. Dann natürlich können sie auch in der Hausapotheke aufbewahrt werden.

Der unkomplizierte Blasenkatarrh

Er kommt bedeutend häufiger bei Frauen als bei Männern vor. Beim typischen Blasenkatarrh erkrankt man plötzlich an Blasenentleerungsstörungen mit dem charakteristischen häufigen Harndrang. Das Wort „unkompliziert" bedeutet, daß die Infektion durch Vermehrung von auch im Normalfall vorkommenden Bakterien hervorgerufen werden, meist von Colibakterien.

Wichtig ist eine ausreichende Flüssigkeitszufuhr, damit die Harnwege laufend durchgespült und die Bakterien ausgeschwemmt werden können. Am besten eignen sich Wasser und alkalische Mineralwässer, da der Harn, besonders wenn man von Bärentraubenblättertee Gebrauch machen will, alkalisch sein soll. Saure Fruchtsäfte sind dann weniger gut geeignet. Bestimmte Teegemische aber forcieren auf sanfte Art die Durchspülung. Es eignen sich am besten Gemische zur Entschlackung, mit Birkenblättern und Bohnenschalen etwa. Das Zinnkraut, welches solchen Mischungen gerne zugesetzt wird, hat außer seiner mild entwässernden Wirkung den Vorteil, daß es die Widerstandskraft des Bindegewebes anhebt. Eine besondere Ernährungsform ist beim unkomplizierten Blasenkatarrh nicht notwendig, doch gibt es bestimmte

schleimhautreizende Gewürze, auf die man während der Erkrankung verzichten sollte. Das sind:
Cayennepfeffer und Rosenpaprika, die den Reizstoff Capsicain enthalten. Der schwarze und der weiße Pfeffer, der Meerrettich und die Senfkörner enthalten den Stoff Piperin, welcher ebenfalls schleimhautreizend wirkt. Deshalb sollte man auch auf Mostrich und auf Mischgewürze, die Pfeffer mitenthalten (wie Curry), verzichten. Im edelsüßen Paprika ist das Capsicain entfernt, deshalb kann man ihn zum Würzen verwenden. Ebenso Gemüsepaprika, dem man allerdings die samentragenden Scheidewände entfernen sollte. Eine Einschränkung der übrigen Gewürze und des Kochsalzes ist beim unkomplizierten Blasenkatarrh nicht notwendig.

Die für unsere Hausapotheke geeigneten Heilpflanzen enthalten als wichtigsten Wirkstoff das Arbutin. Es ist in den Bärentraubenblättern stark vertreten, in den Preiselbeerblättern etwa halb so stark und im Heidekraut nur schwach. Umgekehrt ist die Verträglichkeit beim Heidekraut am besten, dann folgen die Preiselbeerblätter und mit den meisten Nebenerscheinungen die Bärentraubenblätter. Das liegt am zusätzlichen Gehalt an Gerbstoffen, die in den Bärentraubenblättern immerhin zu 15% enthalten sind. Dadurch wird der Tee, wenn man ihn, wie früher üblich, als Abkochung zubereitet, übelschmeckend und den Magen reizend. Besser ist deshalb der Kaltwasserauszug − das Arbutin wird herausgelöst, die Gerbstoffe aber nicht.

Die Bärentraubenblätter = Folia Uvae ursi
Einzeldosis: 2 Teelöffel
Herstellung durch Kaltwasserauszug.
6 Teelöffel Bärentraubenblätter werden mit dreiviertel Liter kaltem Wasser übergossen und 12 Stunden lang stehen gelassen. Gelegentlich umrühren. Abseihen und auf Trinktemperatur erwärmen. Auf drei Tagesdosen zu je einem viertel Liter verteilen.

Wenn nach spätestens einer Woche keine Besserung aufgetreten ist, dann ist die Weiterverwendung sinnlos. Der Blasenkatarrh ist dann offenbar durch andere Bakterien oder durch andere Umstände „kompliziert" und braucht eine gezielte antibakterielle Behandlung. Während einer Schwangerschaft sollte man bei Blasenkatarrhen in jedem Fall den Arzt aufsuchen. Bärentraubenblätter sind dann auch nicht angebracht, da sie wehenauslösend wirken können.

Die Preiselbeerblätter = Folia Vitis Idaei
Einzeldosis: 3 Teelöffel
Die Herstellung geschieht auf gleiche Weise wie bei den Bärentraubenblättern, nur braucht man größere Dosen, da ihr Arbutingehalt geringer ist. Länger als eine Woche sollte man auch die Preiselbeerblätter nicht verwenden.

Das Heidekraut = Calluna vulgaris
Einzeldosis: 2 Teelöffel
Herstellung durch Überbrühen.
6 Teelöffel werden mit dreiviertel Liter siedendem Wasser überbrüht. Gedeckt 10 Minuten ziehen lassen, abseihen. Auf drei oder (besser) mehr Tagesdosen verteilen.

Die gutartige Vergrößerung der Vorsteherdrüse

Die Vorsteherdrüse oder Prostata sitzt am Blasenausgang und umschließt die Harnröhre. Normal hat sie die Form und die Größe einer dicken Edelkastanie, doch kommt es in den männlichen Übergangsjahren oft zu einer gutartigen Neubildung,

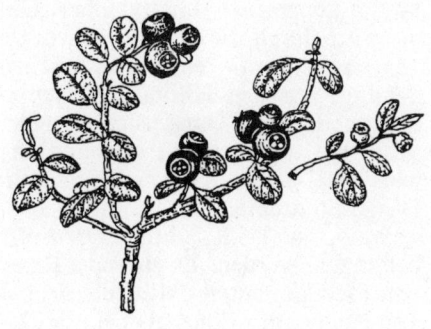

Die Preiselbeere

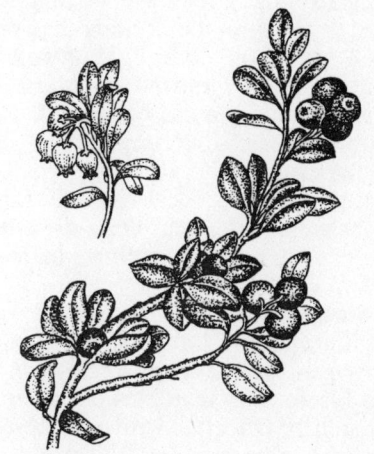

Die Bärentraube

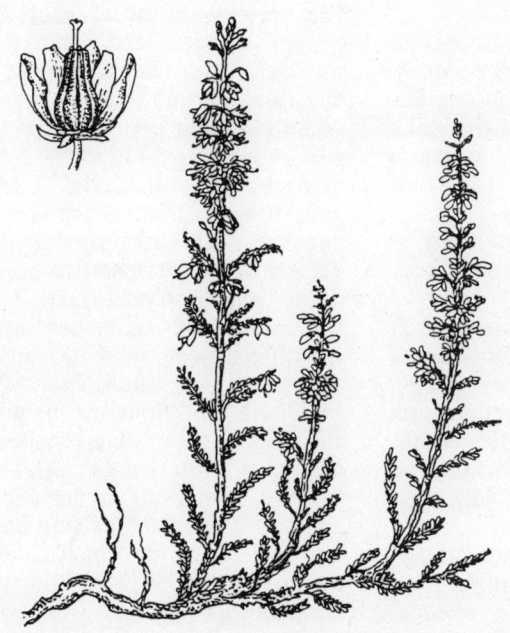

Das Heidekraut

309

der Prostatahyperplasie (Prostataadenom), welche jeden zweiten Mann über sechzig befällt. Die Prostata kann dann zur Größe einer Orange heranwachsen und bildet die häufigste Ursache der männlichen Blasenentleerungsstörung. Dieses Wachstum, welches meist um die fünfzig beginnt, muß vom Arzt ständig kontrolliert werden, denn von der fachlich richtigen Einteilung in das bestehende Stadium der Vergrößerung ist der Behandlungsplan abhängig. Die Symptome sind recht typisch (aber nicht ganz verläßlich, denn dieselben Beschwerden gibt es auch bei anderen Störungen).

1. Stadium: Man muß häufiger als früher harnlassen. Dabei ist der Beginn verzögert und der Strahl schwach. In der Nacht muß man ein- bis zweimal aufstehen. Die Blase wird nicht restlos entleert, allerdings muß die Blasenmuskulatur bereits Mehrarbeit leisten, was zur Verdickung der Muskelstränge führt.

2. Stadium: Man hat das Gefühl, als ob die Blase nicht mehr ganz leer würde. Jetzt stellt der Urologe auch das Bestehen von Restharn fest. Kurz nach der Entleerung spürt man erneuten Harndrang und kann auch (das zum Restharn Hinzugekommene) neuerlich entleeren. In diesem Stadium ist eine Nierenschädigung bereits möglich.

3. Stadium: Die Harnblasenkraft reicht für eine normale Entleerung nicht mehr aus. Es kommt zur „Überlaufblase" mit ständigem Abgang von kleineren Mengen Harn. Die Gefahr der Rückstauung zur Niere ist groß. Es kann zur schleichenden Harnvergiftung = Urämie kommen. Im 3. Stadium muß operiert, oder, falls die Operation nicht möglich ist, ein Verweilkatheder gesetzt werden.

Das 2. Stadium ist das Grenzstadium. Heute wird oft die sogenannte kleine Prostataoperation durchgeführt. Dabei wird durch die Harnröhre vorgegangen und mit einer elektrischen Schlinge das den Harnabfluß behindernde Gewebe ausgeschält. Aber auch die konservative Behandlung wird im 2. Stadium oft am Platz sein. Das 1. Stadium kann fast immer konservativ, das heißt „ohne Operation" beherrscht werden. Es gibt eine Reihe von Medikamenten dafür, ein großer Teil davon auf pflanzlicher Basis. Dazu ist jetzt auch offiziell der weichschalige Kürbiskern gekommen.

Kürbiskern = Cucurbita pepo
Einzeldosis: 1 bis 2 Eßlöffel
Morgens und abends zu essen.

Nicht jeder Kürbiskern allerdings ist wirksam gegen die Vergrößerung der Vorsteherdrüse. Die ursprünglichen Kürbisarten, der Gartenkürbis, der Riesenkürbis, der Moschuskürbis usw., haben alle hartschalige Kerne. Die Varietät „styriaca" aber, die steirische Variante des Gartenkürbisses, ist weichschalig. Die Kerne haben weiche, dunkelgrüne Schalen, die frei von verholzten Schichten sind und deshalb wie „schalenlos" aussehen. So nennt man sie auch häufig, obwohl das nicht ganz stimmt. Diese Kürbiskerne sind auf ihre Wirksamkeit bei der Vergrößerung der Vorsteherdrüse im Stadium 1 und 2 sowie bei der Reizblase wissenschaftlich untersucht. Ihr Anwendungsgebiet wird heute so beschrieben: „Zur unterstützenden Therapie von Funktionsstörungen im Bereich der Blase infolge von Beschwerden beim Wasserlassen". An sich aber ist die Erkenntnis nicht ganz neu, denn es wurde immer schon berichtet, daß am Balkan und in Kleinasien lebende Männer, die gewohnheitsmäßig Kürbiskerne essen, auffallend wenig

Probleme mit ihrer Vorsteherdrüse haben.

Die genaue botanische Bezeichnung des wirksamen Kürbiskernes: Cucurbita pepo convarietas citrullinina varietas styriaca. Es gibt Spezialitäten mit reinen Kürbiskernen und Granulate, zum Teil mit anderen Stoffen angereichert. Die Wirkung beruht auf einer Entstauung der Vorsteherdrüse, auf einer Verbesserung der Blasenmuskelkraft, auf der Entspannung des Blasenschließmuskels sowie auf einer Förderung der Blasennerven. Der Hauptwirkstoff ist das Cucurbitacin, welches in ausreichenden Mengen nur in dieser speziellen steirischen Kürbissorte vorkommt, nicht aber in jedem beliebigen Gartenkürbis. Durch den Pflanzenstoff Beta-Sitosterin und durch den Gehalt an Vitamin E wird die Wirkung verstärkt. Der Hauptwirkstoff Cucurbitacin ist in der Haut des Keimlings angereichert — deshalb ist auch das dunkle Kernöl von Wert.

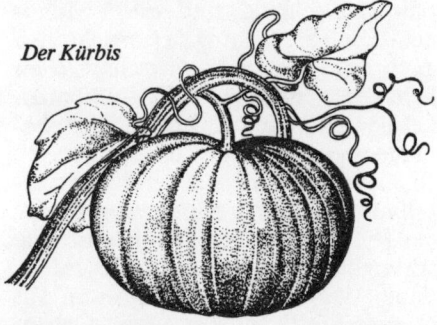

Der Kürbis

Das Bettnässen

Bis zum 4. Lebensjahr kann man das echte Bettnässen (Enuresis nocturna) schwer vom verspäteten Trockenwerden der Kinder unterscheiden. Ab dann allerdings wird es zu einem echten Problem für die betroffenen Kinder, ihre Eltern und nicht selten auch für den Arzt, denn die Suche nach den Ursachen ist oft gar nicht so einfach. Körperliche Ursachen sind zum Beispiel ein unterhalb der Blase in die Harnröhre mündender Harnleiter, was bei Doppelnieren gelegentlich vorkommt. Weiters Rückenmarkschäden und Entzündungen im Blasenbereich. Man muß solche Leiden zuerst ausschließen. Dann kann man nach einem psychischen Hintergrund fahnden. Oft bringt ein Gespräch von Kind und Eltern mit dem Psychologen in diesem Fall die Klärung. Die Behandlung besteht dann im Bereinigen der belastenden Situation sowie in einem gezielten Training der Blasenfunktion. Durch regelmäßiges Wasserlassen nach der Uhr soll das Gefühl für die gefüllte Blase erworben werden. Dieses dient in der Nacht als Weckreiz. Es gibt auch elektrische Weckapparate, die sich beim Auftreten des ersten Harntropfens von selbst einschalten. Auch auf diese Weise erzielt man mit der Zeit einen natürlichen Reflex, so daß der Weckapparat schließlich überflüssig wird. Auch das Einhalten einer Mittagsruhe (damit die Kinder in der Nacht nicht zu tief schlafen) hat sich bewährt.

Das Essen soll reizlos sein — man vermeidet die auf Seite 308 angeführten Gewürze. Wegen des Trinkens sind die Auffassungen nicht einheitlich: Manche Fachleute fordern eine strenge Trockenkost ab 16 Uhr (keine Getränke, Suppen, Soßen, wasserreiches Obst), andere aber halten diese Maßnahme für völlig falsch, da durch erzwungenes Dursten die psychische Belastung des Kindes nur noch verstärkt wird.

Von den Heilpflanzen ist das Johanniskraut zu erwähnen. Es wirkt antidepressiv und stärkt geschwächte Nervenbahnen.

Johanniskraut = Hypericum perforatum

Einzeldosis: 1 Teelöffel

Herstellung durch Überbrühen. Gedeckt 10 Minuten ziehen lassen, abseihen. 2 Tassen täglich, eine davon abends.

Es gibt auch fertige Johanniskrauttropfen (Hyperforat). Von ihnen gibt man zwei- bis dreimal täglich 20 bis 30 Tropfen. Johanniskraut erhöht die Empfindlichkeit der Haut gegen ultraviolettes Licht. Während der Kur sollten die Kinder deshalb nicht allzu intensiv sonnenbaden.

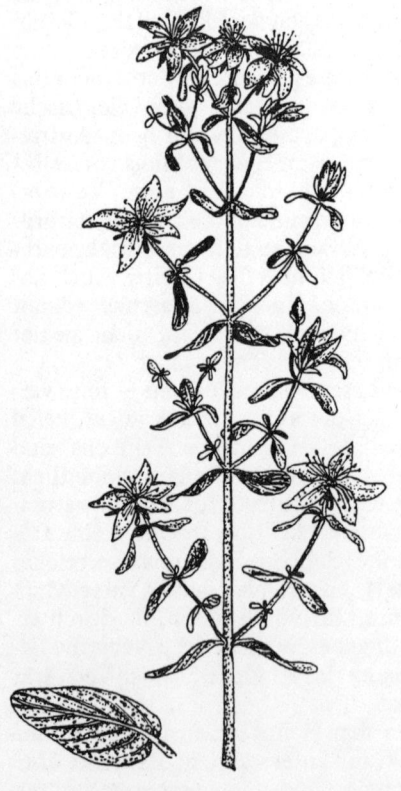

Das Johanniskraut

Mittel gegen Erkältungskrankheiten und Grippe

Die Erkältungskrankheiten – Infektionskrankheiten der oberen Luftwege – sind das häufigste akute Krankheitsgeschehen überhaupt. Kleinkinder können bis zwölfmal im Jahr an Schnupfen oder Bronchitis erkranken, größere Kinder halb so oft, und bei Erwachsenen treten die Infekte im Durchschnitt zwei- bis dreimal jährlich auf. Die Abnahme der Häufigkeit erklärt sich aus der Zunahme der Immunität gegen Keime, mit denen man bereits zu tun gehabt hat. Obwohl die Symptome oft gar nicht so lästig sind, daß man deshalb unbedingt seine Arbeit unterbrechen möchte, fallen in Österreich immer noch etwa 1 Million Arbeitstage im Jahr wegen „grippalem Infekt" aus. In der Bundesrepublik Deutschland sind es 11 Millionen. Die Erkrankung verursacht also auch großen volkswirtschaftlichen Schaden – nur die gelenks- und muskelrheumatischen Erkrankungen bedingen noch mehr Arbeitsausfälle.

In Gegenden mit stärkerer Luftverschmutzung durch Einatmungsschadstoffe steigen die Krankenstände sprunghaft an. Der grippale Infekt dauert länger und geht öfter in ein chronisches Geschehen über – chronische Bronchitis, Asthma, Lungenemphysem. Das weiß man aus Untersuchungen in den englischen Industriezentren. Aber auch aus unseren Gegenden kommen von da und dort alarmierende Meldungen. Die Forderung nach Reinheit der Luft steht also noch vor allen anderen Überlegungen, wenn man Schnupfen, Husten und

Heiserkeit entscheidend eindämmen will. Das gilt natürlich auch für die private Sphäre: Raucher erleiden im Verlauf von grippalen Infekten häufiger Komplikationen als Nichtraucher − je nach Anzahl der täglichen Zigaretten bis neunmal häufiger, wie amerikanische und Schweizer Studien gezeigt haben.

Die wichtigsten Symptome des grippalen Infektes sind neben Schnupfen, Husten, Heiserkeit − mehr oder weniger − ausgeprägte Hals- und Brustkorbschmerzen und verschiedene Zeichen des allgemeinen Krankseins: Kopf-, Augen-, Glieder-, Muskelschmerzen, Appetitlosigkeit, Abgeschlagenheit, Kreislaufschwäche. Je nach Art des Erregers kann auch Fieber auftreten: beim Schnupfenvirus eher selten, beim Rachenvirus dagegen in der Regel. So wird der „fieberhafte Katarrh" durch das Rachenvirus Typ 4 (auch 3, 7 oder 14) hervorgerufen. Und bei den häufigen fieberhaften Formen von sogenannten Frühjahrs-, Sommer- und Herbstgrippen ist es gewöhnlich das Coxsackievirus A 21, nach dem bei New York gelegenen Ort Coxsackie benannt. Die Anzahl der Erreger ist groß   allein vom Schnupfenvirus kennt man heute 75 Typen. Vor allem deshalb kann man auch mehrmals im Jahr erneut erkranken.

Neben diesen verschiedenen Arten des grippalen Infektes gibt es die *echte Grippe* (Influenza). Sie wird durch die Influenzaviren der Typen A, B und C hervorgerufen. Die Symptome der echten Grippe sind denen der gewöhnlichen grippalen Infekte sehr ähnlich. Allenfalls sind der plötzlichere Beginn und das höhere Fieber der echten Grippe ein Unterscheidungsmerkmal. Glücklicherweise verlaufen auch die meisten Fälle von echter Grippe relativ mild. Manchmal aber gibt es besonders ernste Epidemien, und bisweilen ist auch eine scheinbar harmlose echte Grippe heimtückisch: Am fünften Tag ist der Patient fieberfrei und glaubt sich ausgeheilt. Am siebenten Tag tritt plötzlich wieder hohes Fieber und mit Blut vermengter Auswurf auf. Das ist dann die früher so gefürchtete Grippe-Lungenentzündung. Heute fängt sie der Arzt mit Antibiotika rechtzeitig ab (wenn man ihn rechtzeitig aufsucht). Früher sind viele Menschen um den zwölften Tag der Erkrankung gestorben. 1918/19 war die große „spanische" Grippeepidemie, der allein in Europa 2,6 Millionen Menschen zum Opfer fielen (weltweit waren es 20 Millionen). Darunter ein hoher Prozentsatz an jungen Menschen, mit Geburtsdaten nach 1889. Damals nämlich war die letzte große Welle vor der spanischen die „russische" Grippe, welche ebenfalls viele Opfer forderte. Wer diese russische Grippe erlebt und glücklich überstanden hatte, der war der spanischen, ca. 30 Jahre später, nicht ganz so hilflos ausgeliefert. Deshalb gab es die meisten Opfer bei den unter 30jährigen − und bei den über 60jährigen, denn wenn man älter wird, kann man der bereits gehabten Immunität wieder verlustig werden.

Ebenso wie man durch eine durchgemachte echte Grippe einen gewissen Immunschutz erlangen kann, ist dies auch durch gezielte Impfung möglich. Es stehen mehrere Impfstoffe für die aktive Schutzimpfung zur Verfügung. Die Impfungen sollten noch vor Eintritt der Grippesaison − am besten in den Monaten September und Oktober − durchgeführt werden. Wenn auch der Impfstoff von neuen Virus-Untertypen gelegentlich „unterlaufen" wird, zahlt sich die Impfung, wie deutsche Untersuchungen gezeigt haben, dennoch aus: In Gegenden, wo mehr geimpft wurde, starben deutlich weniger Menschen im Verlauf der folgenden Epidemie. Heute steht man daher auf dem Standpunkt, daß sich besonders die gefährdeten Menschen impfen lassen sollten. Ältere Menschen mit verminderten Abwehrkräften, Menschen mit Vorschäden an Herz und Kreislauf, mit chronischer Bronchitis, Asthma oder Lungenblähung (Emphysem). Der beste Ratgeber ist hier der Hausarzt, der die Anfälligkeiten seiner Patienten am genauesten kennt. Natürlich darf man nicht enttäuscht sein, wenn dann trotzdem Schnupfen − Husten − Heiserkeit auftritt, denn die Schutzimpfung wirkt nur gegen die gefährlichere echte Grippe, nicht aber gegen die zuvor beschriebenen harmloseren „grippalen Infekte", welche ja von anderen Viren hervorgerufen werden.

Die Mittel

Wir unterteilen sie zweckmäßig in zwei Gruppen. In diese, welche vornehmlich die allgemeine Widerstandskraft gegen Infekte kräftigen, und in jene, die lindernd und auch heilend wirken, wenn der Infekt bereits ausgebrochen ist.

Mittel, welche die allgemeine Widerstandskraft gegen Infekte kräftigen

Dazu gehören alle abhärtenden Maßnahmen: regelmäßige kalte Waschungen; möglichst häufiger Aufenthalt in unverdorbener Luft; ein konstantes, nicht auf Spitzenleistungen, sondern auf allgemeine Leistungsfähigkeit ausgerichtetes körperliches Training; gesunde Ernährung; die Nutzung besonderer Hilfsmittel wie Sauna, Bäder, Kneippanstalten; eine den Rhythmen der Natur angepaßte Lebensführung und nicht zuletzt eine allgemein positiv-optimistische Grundeinstellung.

Es gibt aber auch Heilpflanzen, die den Körper zur Hebung seiner allgemeinen Widerstandskraft gegen Infekte anregen und die für unsere Hausapotheke gut geeignet sind. Sie wirken durch Verbesserung der Qualität unserer Regelsysteme; so wird unter anderem der Nutzeffekt von Vitamin C, welches man bei Grippe und Erkältungskrankheiten gerne vermehrt zuführt, wesentlich gesteigert, wenn zugleich eine dieser Heilpflanzen verordnet wird. Körperfreundliche Vorgänge werden solcherart gefördert, körperfeindliche gehemmt: zum Beispiel durch forcierte Bildung und Ausschüttung bestimmter Kampf- und Aufbauzellen unseres Körpers, die sich gegen Infekte richten oder ausheilbeschleunigend wirken. Das alles ist, vorwiegend in jüngerer Zeit, gut untersucht worden. Von den Inhaltsstoffen, die an der Hebung der körperlichen Widerstandskraft maßgeblichen Anteil haben, spielen die sogenannten (Bio-)Flavonoide eine bedeutsame Rolle. Es gibt mehrere Pflanzen mit tragbarem Gehalt an heilwirksamen Flavonoiden, einer bestimmten Art von pflanzlichen Farbstoffen: Birke, Mädesüß, Ringelblume, Roßkastanie, Vogelknöterich, Weiße Taubnessel, Weißdorn, Große Königskerze und Zinnkraut gehören dazu.

Zwei Heilpflanzen mit hohem Gehalt an Flavonoiden eignen sich zur Hebung der allgemeinen Widerstandskraft gegen Grippe und Erkältungskrankheiten ganz besonders. Das sind der **Holunder** und die **Linde,** und zwar speziell die Blüten beider Pflanzen.

Man verwendet sie am besten im Gemisch zu gleichen Teilen.

Holunderblüten = Flores Sambuci
Lindenblüten = Flores Tiliae
zu gleichen Teilen

Dieses in der Volksmedizin von altersher hochgeschätzte Gemisch verwendet man zweckmäßig auf zwei verschiedene Arten.

a) Als **Vorbeugungsmittel** in Form einer kurmäßigen Anwendung: 2 Eßlöffel werden mit ca. einem halben Liter siedendem Wasser überbrüht. 10 Minuten gedeckt ziehen lassen, abseihen. Nicht gleich trinken, sondern abkühlen lassen und auf 3 – 5 – 7 Dosen über den Tag verteilt trinken. Sinngemäß führt man eine solche Kur *vor* dem zu erwartenden Infekt durch. Im Februar etwa, dann im Juni und im Oktober – wie es die oft auch örtlich bestimmten Gegebenheiten erfordern. Bei dieser Art der Anwendung kommt die widerstandskraftanregende Wirkung des Gemisches zur Geltung. Nicht aber die schweißtreibende. Diese würde jetzt nur stören und die Erkältungsbereitschaft unter Umständen sogar erhöhen.

b) Bei den **ersten Anzeichen von Grippe** oder grippalem Infekt kann man die Eigenschaft der Pflanzen als Species sudoriforae = schweißtreibende Tees nutzen. Die Zubereitung ist dieselbe, nur wird jetzt jede Tasse extra zubereitet und der Tee betont heiß getrunken. Man nimmt zwei Teelöffel des Gemisches pro Tasse, bis drei Tassen täglich. Gute unterstützende Wirkung bringen ansteigende Fußbäder, von 34 Grad auf 41 Grad, 15 Minuten lang. Man schwitzt in gut temperierten Räumen oder in einem vorgewärmten Bett. Auch die Kneippsche Schwitzpackung – ein in kaltes Wasser getauchter und stark ausgewrungener Ganzkörperwickel – kann angelegt werden. Allzu starkes Schwitzen aber kann auch ungünstig sein, da es die Regulationskräfte des Körpers doch sehr beansprucht. Ältere Menschen und Menschen mit labilem Kreislauf oder mit Zeichen von Herzschwäche müssen den Rat des Arztes einholen, ob ihnen eine stärkere Schwitzkur auch zumutbar ist. Für Selbstsammler: Lindenblüten müssen sofort nach dem Aufblühen gesammelt werden. Ab dem dritten Tag der Blüte verliert sich der Wirkstoffgehalt. Gute Handelsware ist auch hier verläßlicher.

Neben den flavonoidhaltigen Pflanzen Holunder und Linde sind es zwei weitere Mittel mit widerstandskrafthebender Wirkung, die in unserer Hausapotheke einen gesicherten Platz haben sollten: Die *Propolistropfen* und eine homöopathische Niederpotenz von der Zwiebel *(Allium cepa)*.

Die Propolistropfen

Propolis wird von Bienen hergestellt. Diese sammeln das Harz von Bäumen und wandeln es mit Hilfe von Fermenten in ein für sie brauchbares Material um, eben die Propolis. Das Wort kommt aus dem Griechischen und heißt „Vorstadt". Deshalb, weil die Bienen alles Gefährliche vor ihrer Stadt liegende, oder auch Löcher im Stock, emsig damit überziehen oder auskleiden. Auf diese Weise schützen sie sich vor Viren, Bakterien und Schmarotzerpilzen. Die Propolis tötet die Keime bzw. Kleinstlebewesen ab. Sie wirkt also antibiotisch. Ähnlich wie Holunder und Linde enthält sie auch widerstandskraftanregende Flavonoide, und zwar in besonders hoher Konzentration. Weiters Cumarine mit entzündungshemmender Wirkung. Die Hauptwirkungen der Propolis sind daher:

1. Schutz gegen krankmachende Keime

2. Aufbereitung der Widerstandskraft

3. Spezielles Haut- und Schleimhautmittel mit besonderer Förderung der Wundheilung.

Unsere (obere) „Vorstadt" sind die Eintrittstellen Mund-, Nasen-, Rachenraum, Luftröhre und Bronchien; dazu die Nebenhöhlen und die Tuben, also die Verbindungsgänge von der Mundhöhle zum Mittelohr. Das alles will bei Bedarf – bei drohendem Infekt – ausgekleidet werden. Am besten eignen sich für diesen Zweck die Tropfen:

Propolistropfen

10 bis 20 Tropfen auf Brot, sehr gut kauen, damit sich alle Schleimhäute mit einem Propolisfilm belegen können, dann schlucken. Auch gutes Gurgeln – 20 Tropfen Propolis in ein Glas Wasser – ist zielführend.

Die Zwiebel (Allium cepa)

Die Zwiebel ist ein ganz beachtlich wirksames und natürlich auch völlig harmloses Mittel vor allem gegen die „rinnende Nase" und gegen den Schnupfen überhaupt, sogar gegen den allergischen Schnupfen. Darüber hinaus sprechen Nebenhöhlenentzündungen sowie Rachen- und Tubenkatarrhe gut auf Zwiebel an. Bemerkenswert ist der oft prompt feststellbare widerstandskraftaufbereitende Effekt bei Kindern, die immer wieder zu Infekten neigen, und bei älteren Menschen, die wiederholt an Bronchitis erkranken.

Man verwendet am besten die homöopathische 1:100-Potenz:

Allium cepa D 2 = Zwiebel 1:100

Bei akutem Nasenrinnen drei- bis fünfmal täglich 15 Tropfen auf Brot, gut kauen, dann schlucken.

Zur Aufbereitung der allgemeinen Widerstandskraft: dreimal täglich 5 bis 10 Tropfen, auf gleiche Weise einnehmen, in Form einer Kur über 4 bis 8 Wochen. Bei gutem Erfolg wird man eine solche Kur alljährlich wiederholen, insbesondere z. B. bei Heuschnupfen. Man wird dann die Kur in den Wochen vor dem zu erwartenden Ausbruch der Erkrankung durchführen.

Mittel, die den Heilverlauf fördern, wenn der Infekt bereits ausgebrochen ist

Hier spielen die sogenannten **Brusttees** = species pectorales eine große Rolle. Es gibt eine ganze Reihe von brauchbaren Fertigmischungen, doch sollte man sich darüber im klaren sein: Den besten Erfolg erzielt man, wenn man die für das jeweilige Stadium im Ablauf der Erkrankung richtigen Pflanzen in die Mischung gibt und sich nicht nur „irgendeinen" Brusttee zubereitet. Besser ist, man geht systematisch vor. Zunächst muß man wissen, daß es unter den brustwirksamen Pflanzen drei grundsätzliche Typen gibt. Sie entsprechen jeweils einer ganz bestimmten Störung der Bronchien bzw. einem ganz bestimmten Stadium der Erkrankung.

1. Die schleimhaltigen Brustmittel = Mucilaginosa

Hauptanwendungsgebiet: akute Bronchitis, Anfangsstadium der Grippebronchitis, akute Schübe im Verlauf einer chronischen Bronchitis.

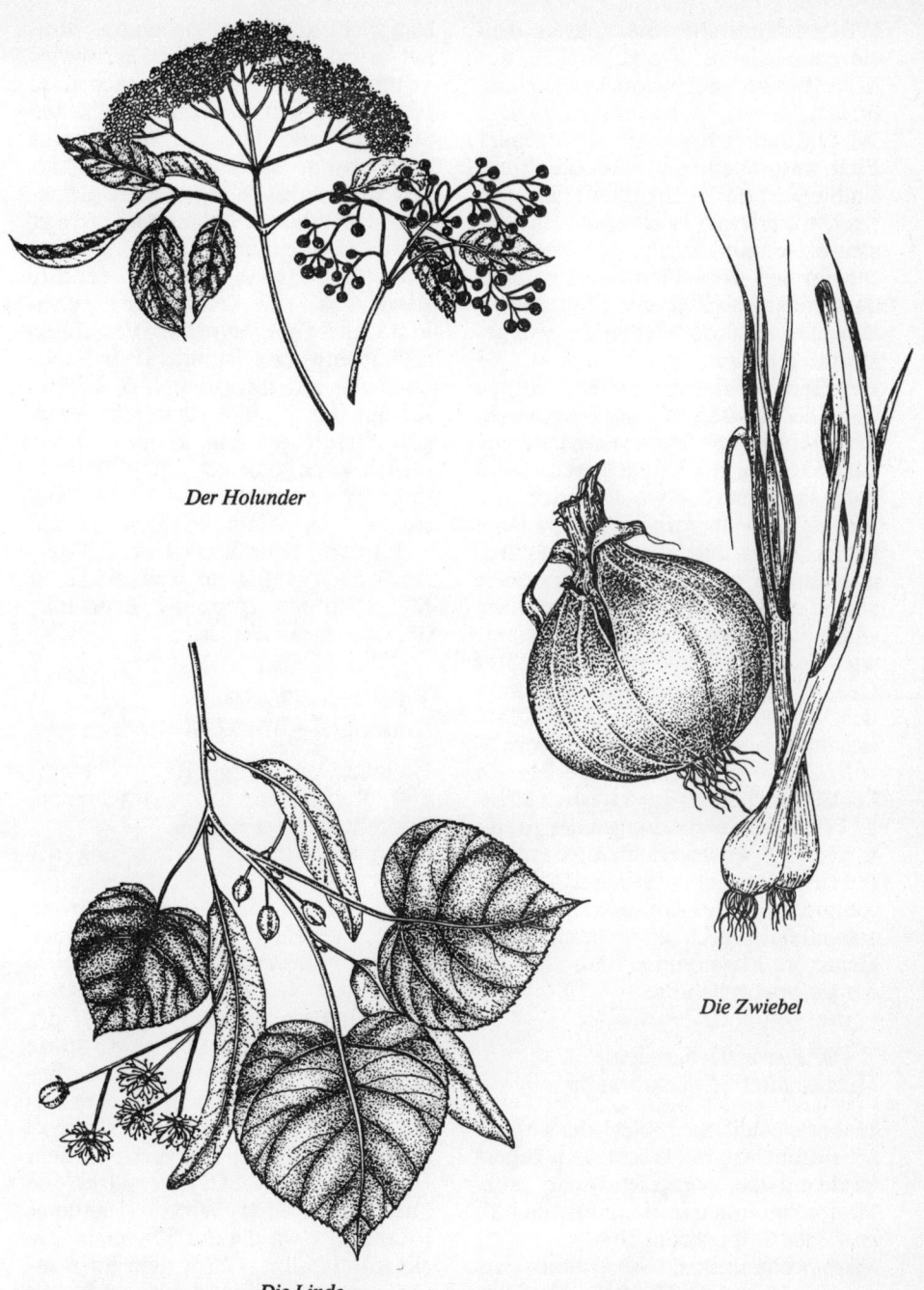

Der Holunder

Die Zwiebel

Die Linde

317

Wirkmechanismus: Sie führen dem Körper Schleimstoffe zu, welche auf dem Blutweg zur Bronchialschleimhaut gelangen, dort „ausgeschwitzt" werden und sich wie ein schützender Film ausbreiten. So wird die Empfindlichkeit der Schleimhaut herabgesetzt, die erhöhte Reizbarkeit für Hustenreiz gemindert und das Wundgefühl in den Bronchien beseitigt. Außerdem kann unter der schützenden Schleimschicht der Heilvorgang ungestörter ablaufen.

Bekannte Vertreter dieser Gruppe sind: *der Eibisch, der Spitzwegerich, die Königskerze,* der Huflattich, die wilde Malve, die Lungenflechte und das Isländische Moos. Die ersten drei sind deshalb hervorgehoben, weil sie in den unten angegebenen Standardmischungen für unsere Hausapotheke vertreten sind. Doch könnte man sie – im Falle einer Unverträglichkeit etwa – gegen eine andere Pflanze ihrer Gruppe austauschen. Selbstverständlich hat jede der Pflanzen auch ihre Besonderheiten. So ist die Eibischwurzel mit ihrem überlegenen Schleimstoffgehalt das klassische Mittel für akute Entzündungen der Atemwege; die Spitzwegerichblätter enthalten zusätzlich ein natürliches Antibiotikum, und die Königskerzenblüten eignen sich durch ihren zusätzlichen Gehalt an Flavonoiden besonders bei der Grippebronchitis.

2. Die auswurffördernden Hustenmittel = Expektorantia

Hauptanwendungsgebiet: die chronische Bronchitis mit trockenem, zähem Schleim, das fortgeschrittene (subakute) Stadium der akuten Bronchitis bzw. der Grippebronchitis.
Wirkmechanismus: Sie führen dem Körper Saponine (Seifen) zu. Dem entspricht auch die Wirkung – ähnlich wie Seife mit Hilfe von Wasser Schmutz auflösen kann, machen es bestimmte Saponine mit dem zähen Schleim. Man muß nur zugleich für ausreichende Flüssigkeitszufuhr sorgen, denn sonst fehlt der Seife gleichsam das Wasser. Bekannte Vertreter dieser Gruppe: *die Schlüsselblume,* das wohlriechende Veilchen, der echte Alant, das Seifenkraut, das Lungenkraut und die Bibernelle. Die Schlüsselblumenwurzel ist mit 10% Saponingehalt am stärksten; hier kommt ihr nur die nordamerikanische Senegawurzel (Ipecacuanha) gleich. Natürlich kann man auch sie innerhalb ihrer Gruppe austauschen, wobei besonders der Alant erwähnt werden soll: Er wirkt durch zusätzliche Bitterstoffe auch kräftigend, was bei älteren Menschen mit trockener Bronchitis oft sehr erwünscht ist.

3. Die krampflösenden Brustmittel = Bronchiolytica

Hauptanwendungsgebiet: Krampf- und Reizhusten des Erwachsenen, Keuchhusten der Kinder.
Wirkmechanismus: Erweiterung der Bronchien durch ein besonderes ätherisches Öl (Thymian) oder auf Grund eines speziellen hustendämpfenden Effekts (Sonnentau). Bekannte Vertreter dieser Gruppe: *Thymian, Anis,* Fenchel, Pestwurz und Efeu auf der bronchienerweiternden Seite sowie *Sonnentau* und Fettkraut auf der hustendämpfenden Seite. Beim Sonnentau gibt es eine Besonderheit: Er wirkt in kleinen Dosen am besten. Sein Hauptwirkstoff CON verstärkt die hustendämpfende Wirkung anderer Pflanzen, etwa die des Thymian, wie ein Katalysator. Wenn man aber zuviel Sonnentau nimmt, dann kann er

die Bronchien sogar reizen. Deshalb soll das Sonnentaukraut immer nur ein Viertel des Gesamt-Brustteegemisches ausmachen — wie auch in unseren Rezeptbeispielen angegeben. Dann wirkt diese einfache Pflanze hervorragend und ersetzt in vielen Fällen ein starkes Mittel wie das Codein.

Je nach Art und Stadium der Erkrankung wählt man nun die Teemischung. Dabei bieten sich drei grundsätzliche Varianten an:

a) Akute Bronchitis mit Wundgefühl hinter dem Brustbein und starkem Hustenreiz. Hier ist ein schleimhaltiger Hustentee mit zugleich hustendämpfender Wirkung gefragt. Man nimmt daher Pflanzen aus der ersten und aus der dritten Gruppe.

Der Eibisch

Eibischwurzel = Radix Althaeae
Spitzwegerichblätter = Folia Plantaginis
Thymiankraut = Herba Thymi
Sonnentaukraut = Herba Droserae
zu gleichen Teilen

2 Teelöffel des Gemisches werden mit einem Viertelliter siedendem Wasser überbrüht. 10 Minuten gut gedeckt ziehen lassen, abseihen. In kleinen Schlucken heiß trinken, bei Bedarf mehrmals täglich. Wie bei jedem Brusttee ist das Süßen mit Honig angebracht, es verstärkt sogar die Wirkung.

Sehr beliebt ist der *Eibischsirup.* Es gibt mehrere Rezepte. Ein Beispiel:
Sirupus Althaeae = Eibischsirup 30,0
Liqu. ammon. anisat. = ammoniakal. Anistropfen 5,0
Aqua dest. = destilliertes Wasser ad 200,0

„ad" heißt „auffüllen auf", als Anweisung für den Apotheker. Tatsächlich sind nur 165 ml Wasser dabei. Erwachsene bei Bedarf alle zwei Stunden einen Eßlöffel; Kinder alle zwei Stun-

Der Spitzwegerich

Die Schlüsselblume

Der Thymian

Die Königskerze

Der Sonnentau

320

den einen bis 2 Teelöffel, je nach Alter.

b) Trockene Bronchialschleimhäute bei subakuter oder chronischer Bronchitis. Heiserkeit, aber wenig Hustenreiz. Im Verlauf einer Grippebronchitis meist ab dem dritten Tag. Hier sind Verflüssigung und Auswurfförderung gefragt.

Schlüsselblumenwurzel = Radix Primulae

Königskerzenblüten = Flores Verbasci zu gleichen Teilen

Dieselbe Zubereitung wie bei der ersten Mischung.

c) Keuchhusten oder Krampfhusten bei Asthma oder durch Lungenblähung bedingter Bronchitis. Nachwehen nach abgelaufener akuter Bronchitis, besonders bei nächtlichem Reizhusten. Hier sind Bronchialerweiterung und Hustendämpfung gefragt.

Thymiankraut = Herba Thymi 3 Teile

Sonnentaukraut = Herba Droserae 1 Teil

Zubereitung durch Überbrühen wie bei den anderen Mischungen. Diese Kombination, mit etwas Honig direkt vor dem Schlafengehen in kleinen Schlucken getrunken, hat schon vielen Menschen eine angenehme, hustenfreie Nachtruhe beschert.

Mittel für Herz und Kreislauf

Die Herz- und Kreislauferkrankungen haben in den Wohlstandsländern nach dem Zweiten Weltkrieg ganz beachtlich zugenommen, wobei sich der Schwerpunkt verlagert hat: von den durch Klappenfehler zu den degenerativ bedingten oder, wie man auch sagen könnte: zu den mast- und trägheitsbedingten. Schuld in erster Linie ist der Wohlstand selbst bzw. das, was der Mensch daraus zu machen gewohnt ist — eine Ernährung, die dem Bewegungsmangel nicht angepaßt ist und die nunmehr zum herz- und kreislaufbelastenden Übergewicht führt; der erhöhte Giftkonsum, vielfach ein Wohlstandsvergnügen, aber auch unbemerkt aufgenommen über präparierte (z. B. Nitrite) oder verseuchte Nahrungsmittel (z. B. Cadmium); und der Dauerstreß, dem viele Menschen sich mehr oder weniger freiwillig aussetzen — das sind, im groben, die Hauptverursacher. Die stetige Zunahme der Erkrankung ging bis in die siebziger Jahre. Damals waren fast 4.000 von 100.000 Menschen durch Herz- und Kreislaufleiden soweit behindert, daß sie ihrem Beruf nur teilweise oder überhaupt nicht nachgehen konnten (USA 1971). Inzwischen aber hat ein Umdenken eingesetzt. Immer mehr Menschen beginnen gesundheitsbewußter zu leben, interessieren sich für Fragen der Ernährung. Der Kneipp-Gedanke erlebt eine erfreuliche neue Blüte, Fitneßbewegungen lösen einander ab. Wenn auch das alles sicher noch nicht ganz ausgegoren ist, die Erfolge zeichnen sich bereits ab: die Morbidität (= Zahl der Erkrankungen mit Behinderung) durch Herz- und Kreislaufschäden stagniert und ist sogar rückläufig: bei den Menschen in den Industrieländern. Jeder einzelne natürlich muß für sich selbst sorgen und an sich selbst vorbeugende Maßnahmen setzen — schließlich erleiden nicht „zwanzigtausend Menschen im Jahr" einen Herzinfarkt, sondern zwanzigtausendmal muß *ein* Mensch das ganze mit all dem Rundherum durchmachen.

Die wichtigsten vobeugenden Maßnahmen sind:

1. Eine der körperlichen Tätigkeit angepaßte Ernährung mit ausreichendem Frischkostanteil. Die Gesamtfettzufuhr sollte beschränkt sein. Die tierischen Fette und die gehärteten Pflanzenfette (billige Brat- und Backfette, „Shortening") sollten vermehrt durch hochwertige Kern-, Keim- und Samenöle ersetzt werden. Die Cholesterinzufuhr sollte beschränkt werden. Das ist bereits dann erreicht, wenn man den Gebrauch von Schlachtfetten, fettem Fleisch, fetter Wurst, Innereien, Eiern und fettem Käse auf ein vernünftiges Maß reduziert. Sehr empfehlenswert ist eine zweimal im Jahr durchgeführte Entschlackungskur – salz- und eiweißarm, aber basenreich.

2. Abstand nehmen von Giften. Besonders gefährdend ist fraglos das Nikotin. Man sollte den Gebrauch grundsätzlich überdenken – es gibt Hilfsmittel (Akupunktur, Pflanzen wie Haferblüte oder Passionsblume, psychotherapeutische Maßnahmen), die einem das Aufhören unvermutet leicht gestalten können.

3. Stets in Bewegung bleiben. Wanderungen im Freien, Radfahren, Schwimmen, aber auch Gymnastik mit Heimgeräten stählen Herz und Kreislauf.

4. Besonderen Wert haben regelmäßig durchgeführte Kneippanwendungen. Spätestens in den mittleren Lebensjahren sollte man sich einer Gruppe anschließen, die im Kneippschen Sinn praktisch tätig ist. Hier schafft man sich das Rüstzeug für das Alter.

Man bezeichnet allgemeine Vorbeugungsmaßnahmen, wie die eben erwähnten, auch als „Erst-Prävention", Vorbeugung der ersten Stufe. Einfache Pflanzen wie Weißdorn, Herzgespann, Mistel, Rosmarin und Roßkastanie, die man zusätzlich kurmäßig einsetzen kann, als „Zweit-Prävention", als Vorbeugung der zweiten Stufe. Es leuchtet ein, daß man den großen Erfolg – Vermeidung härterer therapeutischer Mittel und Maßnahmen – nur dann hat, wenn man die erste Stufe nicht überspringt.

Die Mittel

Herzschwäche

Bei der Behandlung der Herzschwäche spielen in der Medizin pflanzliche Mittel die Hauptrolle. Die wichtigsten und meistgebrauchten allerdings gehören streng in die Hand des Arztes. Denn, um sie richtig einsetzen zu können, braucht man eine genaue Diagnose. Außerdem muß man Wirkung und mögliche Nebenwirkung exakt auskalkulieren. Das ist bei den klassischen Herzmitteln Digitalis und Strophantin unabdingbar nötig. Digitalis kommt vom Roten bzw. vom Wolligen Fingerhut, Strophantin von in Afrika und Asien heimischen Lianen aus der Familie der Hundsgiftgewächse. Sie zählen zu den Forte-Phytotherapeutika, den starken Pflanzenmitteln. Man nimmt sie nur über Verordnung des Arztes und hält sich genau an dessen Anweisungen.

Neben diesen Herzmitteln erster Ordnung gibt es die sogenannten Digitaloide oder Herzmittel zweiter Ordnung. Die wichtigsten sind die Meerzwiebel (Scilla maritima), das Maiglöckchen (Convallaria majalis), der Oleander (Nerium oleander) und das Frühlings-Adonisröschen (Adonis vernalis). Auch sie werden gewöhnlich unter den Giftpflanzen geführt und haben in unserer Hausapotheke nur dann ihren Platz, wenn es der behandelnde Arzt im speziellen Fall für richtig hält. In der Pflanzenheilkunde zählt man sie zu den sogenannten Intermediär-Phytotherapeutika. Man muß sie zwar nicht auf das zehntausendstel Gramm berechnen wie das Strophantin, unbedenklich sind sie aber auch nicht. Ein typisches Mite-Phytotherapeutikum dagegen, ein mildes Pflanzenheilmittel zur vorbeugenden und unterstützenden Behandlung der Herzschwäche, welches sich auch für unsere Hausapotheke eignet, ist der *Weißdorn*. Er ist eine der bestuntersuchten Pflanzen. In einem 1976 in München abgehaltenen großen Weißdorn-Kolloquium, in dem die Ergebnisse eines staatlichen Forschungsauftrages zusammengefaßt wurden, bezeichnete man den Weißdorn als ungiftig — auch bei langdauernder Einnahme würden jegliche Hinweise auf eine Gefährdung fehlen. Das ist wichtig, denn der Weißdorn hat keine so ausgeprägte Sofortwirkung wie Digitalis oder Strophantin, sondern sein herzstärkender Effekt entwickelt sich erst nach längerer Anwendung, nach etwa drei bis sechs Wochen. Dann aber ist er anhaltend und ohne Nachlassen der Wirkung, also auch ohne Gewöhnung.

Besonders hervorgehoben wird beim Weißdorn die Verbesserung der Herzdurchblutung, welche sowohl durch eine sanfte Erweiterung der Herzkranzgefäße bedingt ist als auch durch eine nachgewiesene Förderung des Wiedereinwachsens von Blutgefäßen in geschädigte Gebiete des Herzmuskels. Deshalb ist seine Anwendung speziell auch beim sogenannten Altersherzen erfolgreich. Eine seiner größten Stärken aber ist die Vorbeugung. Beim Menschen mittleren Alters, der die ersten Zeichen beginnender Herzschwäche spürt: Kurzatmigkeit sowie Pulsbeschleunigung und Druckgefühl bei Anstrengungen, die man in früheren Jahren noch leicht hätte bewältigen können. Hier kann der Weißdorn, rechtzeitig über längere Zeit genommen, stärkere Herzmittel erübrigen.

Heute verwendet man den Weißdorn bevorzugt in Form der Tropfen mit exakt bestimmtem Wirkstoffgehalt. Crataegutt- und Crataegan-Tropfen sind Handelsnamen. Man nimmt dreimal täglich 15 bis 20 Tropfen, über einen längeren Zeitraum.

Auch der Tee ist nach wie vor sehr beliebt. Man verwendet die Blüten, aber auch die Blätter oder ein Gemisch beider.

Weißdornblüten = Flores Crataegi
Einzeldosis: 2 Teelöffel
Herstellung durch Überbrühen. Um einen ausreichenden Wirkstoffgehalt zu erzielen, empfiehlt sich ein längeres Ziehenlassen als üblich: 15 bis 20 Minuten. Das Süßen dieses Tees mit etwas Honig verstärkt die Wirkung. Man trinkt zwei- bis dreimal täglich eine Tasse.

Die Weißdornblüten für sich allein wirken speziell gegen beginnende und leichte Formen von Herzschwäche und Durchblutungsstörungen der Herzkranzgefäße. Diese Grundwirkung ist auch bei einer Reihe von anderen das Herz betreffenden kleineren und größeren Leiden miterwünscht. Deshalb sind Weißdornblüten ein häufig gebrauchter Bestandteil von Teemischungen. Zwei Beispiele, die sich für unsere Hausapotheke besonders eignen:

a) Das nervöse Herz des überarbeiteten, „geschafften" Menschen, den es körperlich einmal dort, einmal da zwickt und der seelisch zu verzagen beginnt. Ein rund um die Wechseljahre sehr häufiges Syndrom. Hier empfiehlt sich das *Herzgespann* als Basis des Gemisches. Es wirkt beruhigend und, durch seinen Bitterstoff Leonurin, kräftigend zugleich. Die Erholungszeit des Herzens wird durch das Herzgespann verbessert, die Leistung des einzelnen Herzschlages wird gehoben, der Kreislauf gekräftigt. So kann beim körperlich oder nervös Erschöpften der oft unangenehm erhöhte Pulsschlag normalisiert werden – das Herz fördert mit 70 Schlägen nun dieselbe Blutmenge wie vorher mit 90. Neben dem Weißdorn sind weiters das *Johanniskraut* und die *Melisse* bewährte Beigaben zum Herzgespann. Das Johanniskraut gilt als Phyto-Antidepressivum, als pflanzliches Mittel gegen Verstimmung und Depression. Es ist ihm eine deutliche stimmungsaufhellende Wirkung eigen, die allerdings auch erst nach längerer Einnahme zum Tragen kommt. Dann aber ist sie recht verläßlich und anhaltend. Herzgespann, Weißdorn und Johanniskraut sind Mittel, die ihren vollen Effekt erst nach kurmäßiger Anwendung erreichen. Die Melisse dagegen entwickelt eine Sofortwirkung. Vor allem auch deshalb ist sie im Gemisch von besonderem Wert. Wir kennen sie bereits aus dem Abteil unserer Hausapotheke für Schlafstörungen, Streß und Nervosität. Sie ist ein Hauptmittel für den Überforderten, bei dem sich die nervösmachenden Reize auf die Organe schlagen – Magen, Darm oder eben auf das Herz.

Die Mischung hat nun folgendes Bild:

Herzgespannkraut = Herba Leonuri 20,0

Johanniskraut = Herba Hyperici 10,0

Weißdornblüten = Flores Crataegi 10,0

Melissenblätter = Folia Melissae 10,0

Einzeldosis: 2 Teelöffel

Herstellung durch Überbrühen, 15 bis 20 Minuten ziehen lassen, 2 bis 3 Tas-

Das Herzgespann

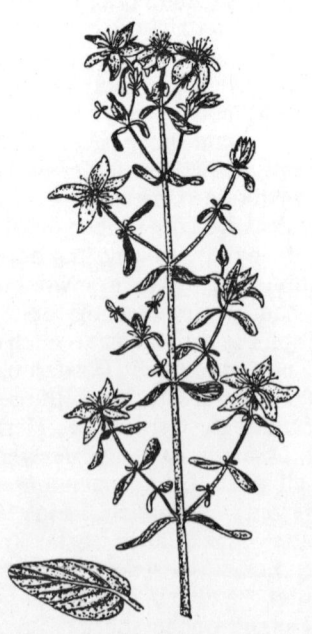

Das Johanniskraut

Der Weißdorn

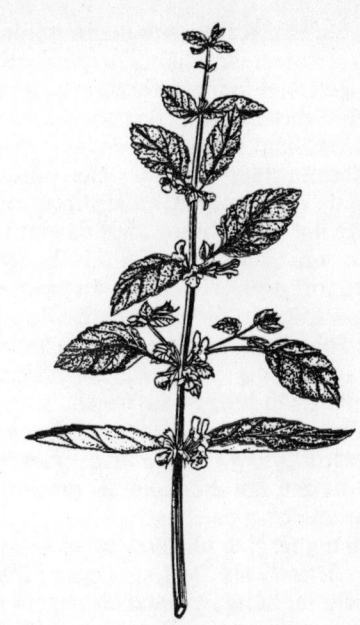

Die Melisse

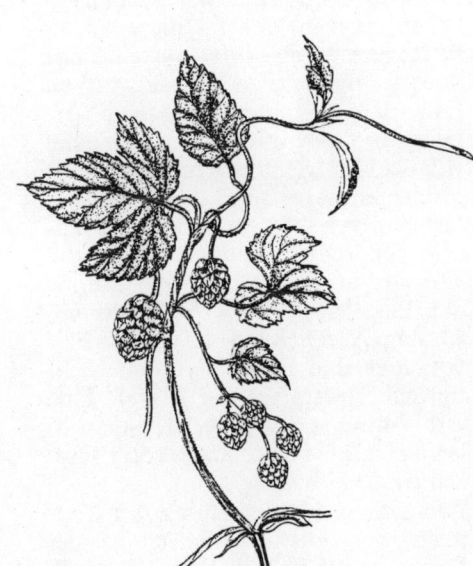

Der Hopfen

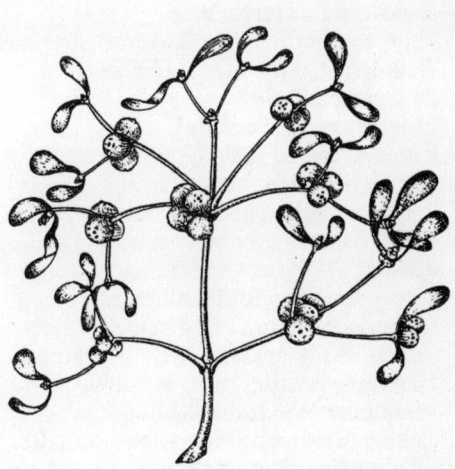

Die Mistel

sen täglich. Kuren von mehreren Monaten Dauer sind üblich. Nebenwirkungen sind keine zu erwarten, außer durch das Johanniskraut: es wirkt empfindlichkeitssteigernd auf Sonnenbestrahlung oder Bestrahlung durch UV-Lampen, allerdings nur, wenn die Bestrahlung, wie das im Urlaub am Gletscher oder im Badeort leider oft praktiziert wird, zu übertrieben erfolgt. In diesem Fall müßte man das Johanniskraut vorübergehend aus der Mischung nehmen, damit keine Hautentzündungen auftreten.

b) Durch Spannungszustände und Verkrampfung ausgelöste Herzbeschwerden bei Neigung zu erhöhtem Blutdruck.

Hier eignet sich neben dem Weißdorn die *Mistel* als Mittel gegen Blutdruckerhöhung; zusätzlich der *Hopfen* als besonderes Beruhigungsmittel bei nervös überdrehten Zuständen. Mistel und Weißdorn sind die Mittel, welche erst nach kurmäßiger Anwendung voll wirken, während hier der Hopfen auch den erwünschten Soforteffekt bringt.

Mistelkraut = Herba Visci
Hopfenzapfen = Strobuli Lupuli
Weißdornblüten = Flores Crataegi
zu gleichen Teilen.

Einzeldosis: 2 Teelöffel
Zubereitung durch Überbrühen, 15 bis 20 Minuten ziehen lassen. 2 bis 3 Tassen täglich über Wochen bis Monate. Hervorgehoben werden soll, daß der Weißdorn andere, gleichzeitig verordnete Herzmittel nicht stört. Insbesondere kommt es zu keiner unliebsamen Verstärkung der Wirkung. Darüber wurde im Rahmen des Münchner Weißdorn-Kolloquium berichtet. Dennoch sollte jeder, dem die regelmäßige Einnahme von Herzmitteln verordnet wurde, die Zustimmung seines Arztes einholen, bevor er

auch vom Weißdorn Gebrauch macht.

c) Blutdruck und Kreislauf

Auch zur Behandlung der verschiedenen Störungen von Blutdruck und Kreislauf gibt es milde, für unsere Hausapotheke geeignete Pflanzen, welche zumindest eine unterstützende Wirkung entfalten können.

Ein solches zwar eher schwaches, erst bei längerem Gebrauch wirksames, zugleich aber ungiftiges Mittel ist die *Mistel.* Man kann sie vorbeugend oder unterstützend zur Behandlung des Bluthochdruckes heranziehen. Die Wirkungsweise der Mistel besteht in einer Erregung bestimmter ausgleichender Nervenendigungen im Herzen, welche ihrerseits im Sinne einer Druckentlastung auf den Kreislauf wirken. Darüber hinaus wird die Leistungsfähigkeit des geschwächten Herzens gesteigert, ähnlich wie durch den Weißdorn. Neuere Forschungen haben ergeben, daß für diese beiden Wirkungen der Mistel verschiedene ihrer Inhaltsstoffe verantwortlich sind, daß überhaupt die ganze Wirkung nur dann auftritt, wenn man die Pflanze unzerteilt läßt und nicht irgendeinen ihrer Wirkstoffe herauslöst. Vollextrakte, der Tee, der Frischpflanzenpreßsaft also, sind auch voll wirksam und übertreffen die Summe der Einzeleffekte von Viscotoxinen, Cholin, Acetylcholin, Histamin, Flavonoiden und Saponinen, den wichtigsten Wirkstoffen der Mistel. Eine Art Vollwertprinzip, welches man in letzter Zeit bei einer Reihe von Pflanzen entdeckt hat.

Zur alleinigen Behandlung des Bluthochdruckes ist die Mistel in der Mehrzahl der Fälle zu schwach. Nach R. F. Weiss ist „nur in etwa 20% aller Fälle eine ausreichende Blutdrucksenkung festzustellen". Aber, so betont auch er: Die mit der Mistel behandelten Bluthochdruckkranken berichten immer wieder, daß sie sich subjektiv wohler fühlen, daß Herzbeschwerden, Spannungsgefühl, Kopfschmerzen, Gleichgewichtsstörungen und Ohrendruck unter dem Einfluß der Mistel oft deutlich nachlassen. Der Einsatz der harmlosen Mistel bei Hochdruckleiden ist jedenfalls gerechtfertigt. Da die Mistel bestimmte Nervenendigungen für andere Mittel sensibilisiert, kann ein Einsparungseffekt auftreten – man benötigt weniger an stärkeren Mitteln. Man sollte also, wenn man zusätzlich zu Blutdruckmedikamenten von der Mistel Gebrauch machen will, sich vorher mit seinem Arzt besprechen. Nur er kann entscheiden, ob ein Einsparen oder ein Umsteigen auf mildere Mittel angebracht ist.

Ihre besondere Bedeutung hat die Mistel – wie der Weißdorn – als Vorbeugungsmittel im Sinne der erwähnten Zweit-Prävention, mit besonderer Blickrichtung auf altersbedingte Blutdruck- und Durchblutungsschäden. Die Erst-Prävention besteht auch hier im vorsorglichen Eliminieren schädigender Einflüsse. Das sind alle den Bluthochdruck fördernden Umstände, die man nur selbst beseitigen kann: Übergewicht, körperliche Trägheit, unregelmäßige Lebensführung ohne echte Erholungsphasen, übertrieben salzreiche Kost bei gleichzeitigem Mangel an kaliumreichen Gemüse- und Obstsorten, chronischem Alkoholkonsum und in vielen Fällen auch das Nikotin. Schadgewohnheiten dieser Art gehören natürlich zuerst abgestellt oder zumindest entschärft. Zusätzlich kann man von der Mistel Gebrauch machen. Man verwendet für den Tee das Kraut:

Mistelkraut = Herba Visci
Einzeldosis: 2 Teelöffel

Der **Misteltee** wird als Kaltauszug hergestellt: Zwei Teelöffel Mistelkraut jeweils morgens und abends mit einem Viertelliter kaltem Wasser übergießen, 10 bis 12 Stunden stehen lassen, dann abseihen und in kleinen Schlucken trinken. 2 Tassen täglich, morgens und abends, sind die richtige Dosierung.

Es gibt auch *Mistel-Pflanzensäfte*. Hier ist die übliche Dosierung zweimal 2 bis 4 Teelöffel.

Eine weitere günstige Darreichungsform für unsere Hausapotheke ist die homöopathische Urtinktur:

Mistel-Urtinktur = Viscum album ϕ
Einzeldosis: 10 Tropfen, dreimal täglich.

Eine sehr beliebte und bewährte Kombination ist Mistel + Baldrian + Melisse. Sie läßt sich aus dem Lager unserer Hausapotheke leicht zusammenstellen. Man verwendet am besten die Tropfen: 5 Tropfen Mistel-Urtinktur + 20 Tropfen Baldriantinktur + 20 Tropfen Melissengeist. In heißem Wasser oder Tee – Minze oder Fenchel eignet sich am besten. Diese Mischung ergibt einen beruhigenden Soforteffekt auf das übererregte Herz und den nervös gesteigerten Blutdruck und hat einen das Nervensystem stabilisierenden Effekt, wenn man sie kurmäßig einsetzt – zwei Tassen täglich über sechs Wochen.

Für den niedrigen Blutdruck besitzt die Pflanzenheilkunde im *Rosmarin* ein sehr brauchbares Mittel.

Es wirkt vorzüglich bei den hoch aufgeschossenen, blassen jüngeren Menschen, die schnell zu Ohnmachtsanfällen neigen, ebenso aber auch bei älteren Menschen, die unter häufigem Kreislaufversagen leiden – durch Hitze oder Überanstrengung. Nach Sebastian Kneipp werden zudem durch den Rosmarin „alle jene Erscheinungen günstig beeinflußt, die mit einer schlechten Zirkulation im Verdauungsapparat zusammenhängen, besonders die begleitenden Zirkulationsstörungen mit Herzschwäche". Für diesen speziellen Zweck – Senkmagen oder altersbedingte Mangeldurchblutung der Bauchorgane mit Neigung zu Blutdruckabfall, schnellem Puls und flauem Gefühl in der Herzgegend – empfiehlt Kneipp seinen Rosmarinwein. Es gibt ihn als „Kneipp Rosmarin Tonik Wein" heute noch. Zum Mittag- und Abendessen je ein kleines Glas bzw. vier Eßlöffel davon. Für die Herstellung wird ein kräftiger Südwein benutzt – es hat sich nämlich herausgestellt, daß dieser den wirksamen Rosmarinkampfer am besten herauslöst.

Ansonsten verwendet man bei allgemeinen Schwächezuständen mit besonderer Beteiligung des Kreislaufes den Tee:

Rosmarinblätter = Folia Rosmarini
Einzeldosis: 2 Teelöffel
Kalt ansetzen, langsam zum Sieden erhitzen, vom Herd nehmen und sofort abseihen. 2 Tassen täglich, am besten morgens und abends.

Rosmarin gehört auch zu den wirksamsten Kräutern für Badezusätze. Zusammen mit Lavendel bildet er das anregend und zugleich beruhigend wirkende Badewasser der „Königin von Ungarn".

Für „Durchblutungsstörungen schlechthin" stehen einige einfache Pflanzen mit nachgewiesen guter Wirkung zur Verfügung. Dazu gehört der japanische Ginkgo-Baum, den man als „Gefäßaktivator" bezeichnet. Der ägyptische Doldenblütler Ammi visnaga (Bischofskraut, Khella) mit seiner besonderen Wirkung auf die Herzkranzgefäße. Das heimische Kleine Immergrün (Vinca minor), welches speziell die Hirndurchblutung fördert. Von ihnen gibt es verschiedene Präparate, die gerne verschrieben werden. Obwohl es sich um weitgehend unschädliche Mittel handelt, sollte der Arzt darüber befinden. Die Mehrzahl der Präparate ist überdies rezeptpflichtig. Ein einfaches heimisches Mittel für unsere Hausapotheke ist die *Roßkastanie*. Sie wirkt auf das ganze Gefäßsystem, besonders auf die Venen. Die Benetzbarkeit der Gefäßinnenwände wird verbessert, der Blutstrom daher erleichtert. Die Durchlässigkeit der Blutgefäße wird gemindert. Dadurch, und durch einen zusätzlichen aktiven Vorgang, werden Flüssigkeitsansammlungen in den Geweben beseitigt. Überdies wirkt die Roßkastanie entzündungshemmend, was den günstigen Einfluß auf Venengeschehen häufig fördert. Neben den bekannten Tropfen empfiehlt sich für die innerliche Anwendung ein besonderes Gemisch:

Roßkastanienblätter = Folia Castaneae
Rosmarinblätter = Folia Rosmarini
Ringelblumenblüten = Flores Calendulae
zu gleichen Teilen.
Einzeldosis: 2 Teelöffel
Herstellung durch Überbrühen. 10 Minuten gedeckt ziehen lassen, abseihen, in kleinen Schlucken trinken. Drei Tassen täglich im Rahmen einer mehrwöchigen Kur ist die richtige Anwendung.

Bei diesem Tee kommt neben der Roßkastanie die oben beschriebene Wirkung des Rosmarin zum Tragen. Und die der Ringelblume: schlecht heilende Wunden, Neigung zu Unterschenkelgeschwüren, zu Verstauchungen, zu Nagelbetteiterungen – Geschehen, welche oft mit einer mangelhaften Durchblutung verbunden sind.

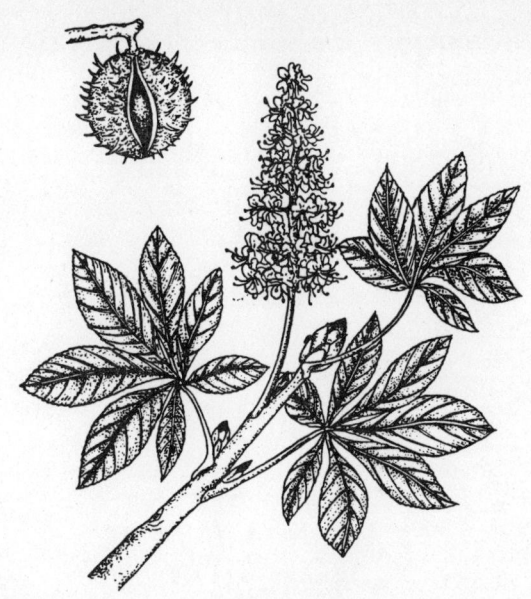

Die Roßkastanie

Der Rosmarin

Die Ringelblume

IV. Wichtige Hinweise für den mündigen Patienten

I. Häufig vorkommende Symptome

Grundsätzlich muß man wissen, daß sich verhältnismäßig wenige Symptome auf sehr viele verschiedene Krankheiten verteilen. Das in erster Linie ist der Grund, wieso auch der erfahrene Arzt oft nicht auf Anhieb – ohne aufklärende Befunderhebung – die exakte Diagnose stellen kann.

Hinter dem Symptom „Bauchschmerzen" (als Beispiel) können sich nicht weniger als sechzig unterschiedliche Ursachen verbergen, von denen keine ausnehmend selten ist. Bei zehn von ihnen ist eine dringende Operation notwendig. Man spricht dann von einem „chirurgisch akuten Abdomen" (Abdomen = Bauch).

Die Symptome sind an sich typisch:

● Plötzlicher, akut auftretender Bauchschmerz, als Kolik- oder als Dauerschmerz.
● Bauchdeckenspannung, vor allem beim Berühren des erkrankten Areals als „Abwehrspannung" merkbar.
● Störung der Darmbewegung – sie kann völlig fehlen oder übersteigert sein.
● Verfallenes Aussehen – fleckige Rötung des Gesichtes mit eingefallenen Wangen und spitzer Nase, oder völlige Blässe mit kaltem Schweiß. Kaltwerden von Armen, Beinen, Ohren, Nase.
● Meist, aber nicht immer: flache beschleunigte Atmung und schneller schwacher Puls.

● Häufig: ausgeprägtes Angstgefühl.
Nun gibt es aber etwa zehn weitere Leiden mit sehr ähnlichen Symptomen, bei denen aber keine dringende Operation notwendig ist. In diesem Fall spricht man von einem „internistisch akuten Abdomen". Daß hier die möglichst schnell zu treffende Entscheidung auch dem Fachmann Schwierigkeiten bereiten kann, leuchtet ein.

Beispiele für das chirurgische akute Abdomen sind:

● Die akute Blinddarmentzündung,
● die akute Darmverschlingung,
● der Magen- oder Darmdurchbruch,
● die akute Gallenblasenentzündung mit Bauchfellbeteiligung,
● die geplatzte Bauchhöhlenschwangerschaft.

Beispiele für das internistische akute Abdomen sind:

● die akute Bauchspeicheldrüsenentzündung,
● die Gallensteinkolik,
● die Nierensteinkolik,
● Formen der akuten Magen- oder Darmentzündung,
● allergische Bauchkrisen.
Auch Geschehen, die mit dem Bauch gar nichts zu tun haben, wie Lungenentzündung, Rippenfellentzündung oder Herzinfarkt, können, wenn sie entsprechend ausstrahlen, ein akutes Abdomen vortäuschen.
Natürlich muß, wenn man auf jemanden trifft, der unter diesen Symptomen leidet, unvermittelt der Arzt benachrichtigt werden. Die meisten Menschen verhalten sich auch richtig – der Zustand des Patienten erweckt fast immer ein Gefühl der Besorgnis, das zum schnellen Handeln zwingt.
Nun gibt es andere Symptome, die

nicht so beeindruckend sind wie beim akuten Abdomen, deren Auftreten aber doch zur Konsultation eines Arztes veranlassen sollte. Man hält sich am besten an folgende Faustregel:

Befunderhebung und Beratung durch den Arzt sind angebracht, wenn

a) bisher unbekannte und daher diagnostisch noch nicht abgeklärte Beschwerden auftreten, gleich welcher Art; zum Beispiel:

● Kopf-, Glieder-, Gelenks-, Rücken-, Brust-, Bauchschmerzen; besonders wenn sie sich wiederholen oder länger anhalten; auch bei geringer Intensität.

● Veränderungen im Appetitverhalten – bei Auftreten von Heißhunger oder von Appetitlosigkeit; bei abnormer Lust auf oder Abscheu gegen bestimmte Nahrungsmittel.

● Veränderungen im Durstverhalten – vermehrtes oder verringertes Flüssigkeitsbedürfnis.

● Auffallende Gewichtsabnahme.

● Auffallende Gewichtszunahme.

● Auftreten von Müdigkeit, von Tonusverlust.

● Auftreten von Schlafsucht.

● Auftreten von Schlaflosigkeit, Unruhe oder Nervosität.

● Auftreten von Kreislaufschwäche, besonders bei Häufung.

● Auftreten von Herzklopfen, Herzrhythmusstörungen oder sonstigen Herzbeschwerden, vor allem, wenn sie sich wiederholen oder länger anhalten.

● Auftreten von Atemnot.

● Auftreten von anhaltendem Reizhusten.

● Auftreten von anhaltendem Schluckauf.

● Auftreten von Verdauungsbeschwerden – saures Aufstoßen, Blähungen, Verdauungsschwäche, Verstopfung, Durchfall; neu auftretende Unverträglichkeit von Speisen.

● Auftreten von Gleichgewichtsstörungen, Schwindel.

● Nachlassen der Sinnesfunktionen.

● Auftreten von unerklärlicher Impotenz, von Frigidität.

● Ausbleiben der Monatsblutung, Veränderungen in Rhythmus oder Intensität.

● Auftreten von Juckreiz.

● Auftreten von auffallenden Hauterscheinungen, von Haarausfall oder abnormem Haarwachstum.

● Erstauftreten von allergischen Reaktionen.

● Veränderungen im psychisch-seelischen Bereich.

b) Bei auffallender Verlängerung von Ausheilprozessen nach an sich harmlosen Erkrankungen wie Grippeinfekten, Schnupfen, Bronchitis usw.

c) Bei jeder sonstigen Veränderung, die subjektive Besorgnis verursacht; die man diagnostisch abgeklärt wissen möchte; bei der man selbst therapeutische Maßnahmen für notwendig hält.

Wenn man auf diese Weise eine frühzeitige Diagnose erstellt hat, wird man in den meisten Fällen mit einfachen naturnahen Maßnahmen behandeln können – mit einer Umstellung der Lebensweise oder der Ernährung, mit Hilfe einer sinnvollen Kur oder mit Wasseranwendungen. Die schwereren Geschütze der Medizin muß man (außer bei akuten Leiden) gewöhnlich erst dann einsetzen, wenn man den Zeitpunkt verpaßt hat – wenn man ein ständiges Symptom zu lange mit sich herumgeschleppt hat, anstatt gleich den Arzt zu befragen.

Verschiedene Symptome

1. Appetitmangel

Appetitmangel kann verschiedene Ursachen haben. Nicht selten steckt Eisenmangel oder ein Mangel an Vitamin B12 dahinter. Weiters Störungen des Mineralgehaltes des Blutes wie das überhöhte Kalzium.

Bei Leberentzündungen (Hepatitis) tritt Appetitlosigkeit als Frühsymptom auf, bei bestehenden Lebererkrankungen als Vorzeichen der Verschlechterung.

Bei Zuckerkranken ist kurzfristig auftretende Appetitlosigkeit oft ein Zeichen, daß sich der Blutzuckerwert erhöht.

Magenkrankheiten gehen fast in der Regel mit Appetitmangel einher.

Ausgeprägt ist die Appetitlosigkeit bei Nierenschwäche mit Harnvergiftung und bei der selteneren Nebennierenrindenschwäche (Bronzekrankheit, Morbus Addison).

Es gibt auch eine Reihe von Medikamenten, die den Appetit rauben. An vorderster Stelle natürlich die Appetitzügler. Daran denken muß man bei der Einnahme von Fingerhut(Digitalis)präparaten: Hier ist Appetitlosigkeit manchmal das Zeichen der Überdosierung. Ob das der Fall ist, stellt der Arzt mit Hilfe des Elektrokardiogramms fest.

Auch Drogen und Alkohol bremsen den Appetit.

Am häufigsten aber sind die psychischen Ursachen für Appetitlosigkeit. Das geht von der Eßunlust der überstreßten Kinder bis zur extremen Form der Pubertätsmagersucht (Anorexia mentalis) der Mädchen; hier kann die Appetitlosigkeit sogar lebensbedrohliche Folgen haben.

2. Heißhunger und Eßsucht

Sie sind in der Mehrzahl der Fälle psychisch bedingt, als Verdrängungssymptom während Streßsituationen bzw. als Ersatz bei der Verdrängung anderer Triebe. Auch Fehlsteuerungen aufgrund frühkindlicher Erlebnisse werden oft als Ursache für Heißhunger und Freßsucht angegeben. Bei den körperlichen Ursachen stehen die Schilddrüsenüberfunktion und die übersteigerte Bildung des Zuckerhormons Insulin im Vordergrund (Hyperinsulinismus).

3. Vermehrter Durst

Nach starkem Schwitzen, Erbrechen, Durchfällen sowie bei der Ablagerung von Wasser in den Geweben kommt es zum übersteigerten Durstgefühl durch den Flüssigkeitsverlust. Beim Trinken sollte man bedenken, daß auch Mineralstoffe verloren gegangen sind – deshalb sind zur Wiederauffüllung sogenannte isotonische Gemische (mit Natrium, Kalium, Chlor und anderen Mineralstoffen) oft besser geeignet als reines Wasser.

Daran denken muß man, daß gesteigerter Durst oft das Erstsymptom einer beginnenden Zuckerkrankheit ist. Der Durst selbst wird dabei durch das Ansteigen des Blutzuckergehaltes hervorgerufen. Da bei der Zuckerkrankheit (bzw. ihren Vorstufen) die Früherkennung eine große Rolle spielt, sollte man sich bei Auftreten von vermehrtem Durst immer daraufhin untersuchen lassen.

Extrem gesteigerten Durst findet man bei der Wasserharnruhr (Diabetes insipidus). Diese eher seltene Krankheit ist durch übergroße Harnmengen gekennzeichnet – dadurch entsteht das Durstgefühl.

Eine weniger seltene Störung ist das

manisch gesteigerte Flüssigkeitsbedürfnis. Hier ist die vermehrte Flüssigkeitszufuhr die Ursache, daß über die Nieren mehr Harn ausgeschieden wird. Auch chronischer Alkoholgenuß und die Einnahme bestimmter Medikamente können das Durstgefühl steigern.

4. Verminderter Durst

Zu wenig Durst gibt es kaum, da der durch die Austrocknung verursachte Reiz stets zur Flüssigkeitsaufnahme veranlaßt. Wohl aber gibt es tageszeitliche Schwankungen: Viele Darmverstopfte führen sich am Vormittag zu wenig Flüssigkeit zu, weil sie in dieser Zeit keinen Durst empfinden. Das kann mit ein Grund sein, wieso die Stuhlbildung nicht richtig funktioniert. Verstopfte sollten daher am Vormittag bewußt trinken – zwei bis sechs Glas Wasser, Mineralwasser oder (Gemüse)Saft.

5. Gewichtsverlust

Abnormer Gewichtsverlust kann aus grundsätzlich vier Gründen auftreten:
a) Durch Unterernährung – wenn zu wenig Nahrungsmittel zur Verfügung stehen oder bei (Teil)Fastenkuren. Weiters bei den verschiedenen Formen von Appetitmangel (Seite 334).
b) Bei verminderter Aufnahme der Nahrung durch den Darm – der sogenannten Malabsorption. Das ist bei chronischen Durchfällen häufig, auch bei Kurzschlußverbindungen zwischen Magen und Dickdarm, zum Beispiel bei Fisteln oder absichtlich herbeigeführt durch Operationen (um Gewichtsabnahme zu erzielen).
c) Bei ungenügender Verwertung der Nahrung – der sogenannten Maldigestion. Das ist bei Mangelzuständen der Verdauungsfermente des Magens, der Leber oder der Bauchspeicheldrüse der Fall. So gibt es die ungenügende Verwertung der Nahrung auch nach Magenoperationen.
d) Bei vermehrtem Verbrauch der Nahrung – zum Beispiel bei der bereits erwähnten Überfunktion der Schilddrüse und auch bei Geschwülsten. Bandwürmer, die früher oft als Ursache für Nahrungsmehrverbrauch galten, spielen heute bei uns nur eine geringe Rolle.

6. Gewichtszunahme

Die „einfache" Fettsucht (Adipositas simplex) entsteht durch überzogene Nahrungsaufnahme. Dabei spielen die kalorienhaltigen Flüssigkeiten (alkoholische und mit Zucker gesüßte nichtalkoholische Getränke) eine große Rolle, denn sie enthalten viel an fettbereitenden Kalorien, machen aber verhältnismäßig wenig satt. Oft kann man die „einfache" Fettsucht beseitigen, indem man sich bei diesen Getränken einschränkt. Natürlich spielen auch die Eßgewohnheiten eine Rolle – wie der automatisierte Zwang, einen Teller unbedingt leeressen zu wollen usw.
Eher selten gibt es Formen von Fettsucht aus hormonellen Ursachen: Unterfunktion der Schilddrüse oder der Eierstöcke sowie Überfunktion der Hirnanhangdrüse, der Nebennieren oder der Inselzellen in der Bauchspeicheldrüse.
Neben diesen Formen mit allgemein verteiltem Fettansatz gibt es die umschriebene Fettsucht; zum Beispiel am Hals als Madelungscher Fetthals, im Bereich des Gesäßes (die Steatopygie = Fettsteiß der Frauen, speziell bei Negerinnen) und die manchmal über den ganzen Körper verteilten gutartigen Fettgeschwülste (Lipome).

7. Müdigkeit

Müdigkeit gehört zu den häufigsten Symptomen. Als Ursache kommen neben körperlicher und geistiger Überarbeitung einerseits verschiedene Stoffwechselerkrankungen, Hormonstörungen, Infektionen, Vergiftungen und Geschwülste sowie andererseits psychische Erkrankungen in Frage. Bei den organisch bedingten Formen von Müdigkeit, wie zum Beispiel der Nebennierenrindenschwäche, ist die Müdigkeit in der Regel am Abend mehr ausgeprägt – „tristesse du soir". Bei der vegetativ verursachten Müdigkeit dagegen mehr am Morgen – „tristesse du matin". Allgemeine Müdigkeit gibt es bei der Blutarmut, bei Nieren- und bei Leberschäden. Ebenso bei der chronischen Kohlenmonoxydvergiftung, wie sie jeder starke Raucher hat. Auch andere chronische Vergiftungen und manche Medikamente können allgemeine Müdigkeit verursachen.

Die „psychische" Müdigkeit wiederum tritt in zwei großen Gruppen auf: als vegetatives Psychosyndrom, mit Angst, Unsicherheit, dem Gefühl des Versagens und der hereinbrechenden Katastrophe, und als depressives Zustandsbild. Hier wieder gibt es drei grundsätzliche Typen – die „reaktive", die „endogene" und die „symptomatische" Depression.

● Reaktiv = die rein psychisch ausgelöste Form, durch einen Schicksalsschlag, ein tiefgreifendes oder falsch verarbeitetes Erlebnis oder durch psychische Erschöpfung.

● Endogen = die eigentlich organisch bedingte Form, zum Beispiel im Rahmen der sogenannten Zyklophrenie („einmal oben, einmal unten"); auch die Depressionen im Wechsel haben eine „endogene" Komponente.

● Symptomatisch = die im Gefolge von anderen, eigenständigen Erkrankungen auftretende Form; zum Beispiel die Depression im Rahmen einer Arterienverkalkung.

Diese Grundtypen der Depression treten selten unvermischt auf; meist gibt es Mischformen oder Übergänge.

So sehr also Müdigkeit ein unscharfes Symptom darstellt, so wertvoll ist es, der Ursache auf den Grund zu gehen. Immerhin sind Müdigkeit und Frische Gegenpole unserer Lebensqualität. Es gibt natürlich eigene Diagnosestraßen, die zum Ziel führen. Sie sind sowohl labor- als auch psychoanalytisch angelegt. Wenn man den verursachenden Hintergrund abklären kann, kann man auch die Therapie zielführend gestalten.

Die Schlafsucht ist eine gesteigerte Form von Müdigkeit, wobei die psychisch bedingten Ursachen überwiegen. Es gibt aber auch nach schweren Krankheiten Schlafsucht – als Ausdruck der Wiedergenesung.

8. Schlaflosigkeit

Auch die Schlaflosigkeit ist ein oft vorkommendes Symptom und deshalb nicht ohne weiteres in ein gängiges diagnostisches Schema einzubringen. Auch hier können mehrere Formen unterschieden werden:

● Die psychisch verursachte Schlaflosigkeit als häufigste Form. Die psychischen Ursachen sind verschiedenartig: Manchmal sind es vorübergehende seelische Probleme, die am Einschlafen hindern, manchmal war das Tagesgeschehen zu intensiv und hält das Bewußtsein im Wachzustand, und manchmal liegt es an der Persönlichkeitsstruktur. Dabei soll es vermehrt Menschen treffen, denen es an „Hingabefähigkeit" (im weitesten

Sinn) mangelt. Eine wohl überspitzte Vorstellung stammt diesbezüglich von Siegmund Freud: Schlaflosigkeit sei Beischlaflosigkeit.

● Die körperlich verursachte Schlaflosigkeit ist mehr als Schlaf*störung* zu sehen: Bei der Herzschwäche verhindert der Luftmangel den Schlafeintritt, bei Erkrankungen der Atemorgane der chronische Reizhusten; Zwölffingerdarmgeschwüre wirken als Weckreiz, weil sie Schmerzen bereiten, die Vergrößerung der Vorsteherdrüse bei Männern, weil sie zur Toilette zwingt. Die körperlich bedingte Schlaflosigkeit ist naturgemäß vielfältig (von der Ursache her gesehen), sie ist aber deshalb leichter zu behandeln, weil die Beseitigung der Ursache auch das Verschwinden des Symptoms nach sich zieht.

● Im Wechsel tritt nicht selten Schlaflosigkeit auf. Sie kann hormonbedingt sein. Auch die Schilddrüsenüberfunktion wirkt über das Hormongeschehen schlafhindernd. In solchen Fällen kann man mit gezielter Therapie viel erreichen.

II. Wichtige Befunde

In den letzten Jahren hat die Laboratoriumsdiagnostik an Ausmaß immer mehr zugenommen. Das ist von großem Wert, denn die verfeinerte Befunderhebung hat das Erkennen von Krankheiten bedeutend leichter gemacht. Aber auch in der Vorsorgemedizin spielt die Laboratoriumsdiagnostik eine nicht zu unterschätzende Rolle. Denn eine Reihe von Krankheiten, insbesondere auch die Zivilisationskrankheiten, erkennt man frühzeitig an veränderten Befunden oder am nicht idealen Ablauf von Belastungstests. Das ist für vorbeugende Maßnahmen von ganz großem Wert. Deshalb wird von Fachleuten die sogenannte **Gesundenuntersuchung** immer wieder empfohlen. Es gibt eine Reihe von Laborbefunden, die in einem erweiterten Untersuchungsgang regelmäßig erhoben werden. Dazu gehören

● die Blutsenkung,
● das Blutbild,
● die Bestimmung der Blutgerinnung,
● blutchemische und blutserologische Befunde sowie chemische und mikroskopische Harnbefunde.

1. Die Blutsenkung

BSG oder BKS = Blutkörperchensenkungsgeschwindigkeit.
Sie wird in Millimeter pro Stunde gemessen.
Kinder liegen mit ihrer normalen Senkungsgeschwindigkeit zwischen Säuglingen und Erwachsenen, je nach Alter.
Bedeutung: Die Blutkörperchensenkungsgeschwindigkeit ist eine unspezifische Probe, die als Suchreaktion

Normalwerte:	1. Stunde	2. Stunde
Männer	3 — 8 mm	6 — 20 mm
Frauen	3 — 10 mm	6 — 20 mm
Säuglinge	1 — 2 mm	2 — 4 mm

und zur Verlaufsbeobachtung von Krankheiten eine wichtige Rolle spielt. Ein normaler Wert aber schließt das Bestehen von Krankheiten nicht aus.

Die wichtigsten Abweichungen:

a) Beschleunigung: bei Entzündungen, Infektionskrankheiten, rheumatischen Erkrankungen, bei Gicht im Anfall, bei Neubildungen und Tumoren. Weiters bei Blutarmut und bei Bluteiweißstörungen.

b) Verlangsamung: bei Vermehrung der roten Blutkörperchen sowie bei Sonderformen von Blutarmut.

Die Anti-Baby-Pille kann die Blutkörperchensenkungsgeschwindigkeit beschleunigen; Medikamente (Aspirin, Antirheumamittel, Cortison) können sie verlangsamen.

2. Das Blutbild

BB = Blutbild, DiffBB = Differentialblutbild.

Beim Blutbild wird die Anzahl der roten Blutkörperchen und die Gesamtzahl der weißen Blutkörperchen in Kubikmillimeter Blut gemessen.

Beim Differentialblutbild werden die Verhältniszahlen der verschiedenen weißen Blutkörperchen zueinander (in Prozent bzw. pro Hundert) angegeben.

Zusätzlich werden beim Blutbild meist auch der Gehalt des Blutfarbstoffes Hämoglobin im Blut, der Gehalt des einzelnen roten Blutkörperchens an Hämoglobin und der mittlere Hämoglobingehalt der roten Blutkörperchen gemessen. Weiters die Anzahl der Blutplättchen in Kubikmillimeter Blut.

Hb = Hämoglobin, gemessen in Gramm pro 100 Kubikzentimeter Blut

Hb_E = Hämoglobingehalt des einzelnen roten Blutkörperchens

FI = Färbe-Index, der Quotient Hämoglobin (in Prozent) dividiert durch rote Blutkörperchen (in Millionen mal 20), also eine Relativzahl.

Thrombo = Thrombozyten (Blutplättchen).

Weitere Abkürzungen:

Ery = Erythrozyten (rote Blutkörperchen)

Leuko = Leukozyten (weiße Blutkörperchen)

Stab = Leukozyten mit stabförmigem Kern

Seg = Leukozyten mit segmentförmigem Kern

Eo = Eosinophile Leukozyten

Baso = Basophile Leukozyten

Mo = Monozyten

Ly = Lymphozyten

Die verschiedenen weißen Blutkörperchen von Stab bis Ly werden im Differentialblutbild erfaßt.

Die Normalwerte:

Blutbild:

Ery

Männer: 4,8 bis 5,7 Millionen/mm³

Frauen: 4,3 bis 5,5 Millionen/mm³

Kinder: 4,5 bis 5,5 Millionen/mm³

Leuko

Erwachsene: 4.000 bis 9.000/mm³

Kinder: 8.000 bis 12.000/mm³

Hb

Männer: 14 bis 18 g/100 cm³

Frauen: 12 bis 16 g/100 cm³

Kinder: 11 bis 15 g/100 cm³

Statt 100 cm³ wird auch dl = Deziliter geschrieben.

Hb_E

Erwachsene und Kinder: 27 bis 34 $\gamma\gamma$

Frühgeborene haben höhere Werte.

$\gamma\gamma = 1 \mu\mu = 1$ Mikro-Mikrogramm = 1 Billionstel Gramm

FI

Erwachsene und Kinder: 0,9 bis 1,0

Die Zahl setzt sich zusammen aus:

$$\frac{100 \text{ (Prozent Hämoglobin = Normalwert)}}{5 \text{ (Millionen Ery = Normalwert) x 20}} = \frac{100}{100} = 1,0$$

Thrombo
Erwachsene und Kinder: 200.000 bis 350.000/mm³
Neugeborene: 150.000 bis 250.000/mm³

DiffBB

	Erwachsene	Kinder
Stab	3 — 5	0 — 10
Seg	50 — 70	25 — 65
Eo	2 — 4	1 — 5
Baso	0 — 1	0 — 1
Mono	2 — 6	1 — 6
Lympho	25 — 40	25 — 50

Die Bedeutung von Blutbild und Differentialblutbild ist vielseitig. Die roten Blutkörperchen können bei einer ganzen Reihe von Krankheiten vermehrt sein, aber auch nach längerem Aufenthalt in Höhenlagen. Vermindert sind sie nach Blutverlust und bei verschiedenen Formen von Blutarmut. Es gibt eine große Zahl — von den Vitaminmangelanämien über die Eisenmangelanämie bis zur Blutbildungsschwäche. Dementsprechend unterschiedlich sind zugleich mit der Zahl der roten Blutkörperchen die Blutfarbstoffwerte verändert.

Die weißen Blutkörperchen haben viele Funktionen und nehmen an den meisten Krankheitsgeschehen teil. Vermehrungen gibt es schon unter Normalbedingungen, zum Beispiel nach Mahlzeiten, besonders wenn diese fettreich waren. Auch bei Erregungszuständen und besonders bei starker körperlicher Belastung steigt die Zahl an. Bei Infekten und Entzündungen vermehren sich die weißen Blutkörperchen, um den Körper zu schützen. Dabei kann sich das Bild im Verlauf der Krankheit verschieben. So nennt man eine Vermehrung der sich rot färbenden eosinophilen weißen Blutkörperchen während der Heilphase von Infektionskrankheiten

auch „die Morgenröte der Genesung". Sehr hohe Werte findet man bei manchen Störungen des Blutbildungssystems, bis zu einer Million im Kubikmillimeter Blut.

Verringerung der Zahl der weißen Blutkörperchen gibt es bei bestimmten Infektionskrankheiten wie Typhus und Paratyphus. Manchmal ist die Verringerung dabei nur „relativ", das heißt im Verhältnis zum hohen Fieber betrachtet. Auch eine Überaktivität der Milz und Blutkrankheiten können die Ursache darstellen, ebenso Gifte, die das Knochenmark schädigen. Dasselbe kann auch bei an sich wertvollen Medikamenten vorkommen, die man demgemäß bis zu einer festgesetzten Grenzverminderung der weißen Blutkörperchen einsetzt.

Die Blutplättchen schwanken in ihrer Zahl ebenfalls schon unter Normalbedingungen: Während der Monatsblutung fallen die Werte um 50 bis 70 Prozent, im Verlauf von Erregungszuständen können sie um mehrere 100.000 pro Kubikmillimeter Blut ansteigen. Auch nach Unfällen und Operationen gibt es beträchtliche Vermehrungen, vor allem in der zweiten und dritten Woche.

Starke Verringerungen erhöhen die Blutungsbereitschaft. Dabei wird als

Grenzwert 20.000 angegeben. Allerdings kommt es nicht allein auf die absolute Zahl an, denn auch bei Werten von unter 10.000 kann die Blutgerinnung ausreichend sein, bei 100.000 dagegen manchmal mangelhaft. Die Ursachen der Verringerung sind verschiedenartig — neben speziellen Blutplättchenerkrankungen kommen andere Blutkrankheiten mit in Frage, aber auch verschiedene Infektionskrankheiten, Insektenstiche, Schlangen- und Spinnenbisse sowie eine ganze Reihe von chemischen Substanzen können (zumindest vorübergehend) zu einem Blutplättchensturz führen. Starke Vermehrung der Blutplättchen findet man bei einer Krankheit, die mit allgemeiner Vermehrung der Blutzellen einhergeht (Polycythämie).

3. PTZ = Prothrombinzeit (Thromboplastinzeit, Quickzeit, Quickwert)

Sie ist die als Mittelwert einer Doppelbestimmung ermittelte Gerinnungszeit des Blutes. Der Normalwert wird als 100% Gerinnungsaktivität angegeben.

Die Prothrombinzeit spielt eine wichtige Rolle bei der Überprüfung der Wirksamkeit einer die Blutgerinnung hemmenden Therapie (Antikoagulantientherapie). Sie wird häufig nach abgelaufenen Herzinfarkten und bei Neigung zu Blutgerinnseln verordnet. Dabei strebt man die „therapeutisch wirksame Prothrombinzeit" zwischen 15 bis 30 Prozent der Gerinnungsaktivität an.

Die Gerinnungsaktivität kann auch aus anderen Ursachen verändert sein. So ist der PTZ-Wert bei Lebererkrankungen und Darmschäden mit Vitamin-K-Mangel sowie bei speziellen Erkrankungen der Blutgerinnung erniedrigt. Auch Lebergifte, zum Beispiel Pilzgifte, vermindern die Blutgerinnungsaktivität.

4. Blutchemische und -serologische Befunde

BZ = Blutzucker

Je nach Angabe der Methode gelten verschiedene Normalwerte. Methode nach Hagedorn-Jensen für den Nüchtern-Blutzucker (NBZ): Erwachsene und Kinder 80 bis 100 mg% (Milligramm in 100 Milliliter Blut)

Bestimmung der wahren Glukose: Erwachsene und Kinder 50 bis 95 mg%

Bei der enzymatischen Bestimmung der wahren Glukose wird nur der Zucker selbst bestimmt. Bei der optischen Bestimmung nach Hagedorn-Jensen werden andere Substanzen, die sich optisch gleich verhalten wie Zucker, mitgezählt. Das macht den Unterschied aus.

Der Blutzucker ist **normal erhöht** nach Nahrungsaufnahme sowie bei Erregungszuständen. **Krankhaft erhöht** bei der Zuckerkrankheit und im Gefolge von anderen Störungen.

Der Blutzucker ist **erniedrigt** im Schlaf und nach starken körperlichen Belastungen (besonders beim Zuckerkranken). Weiters bei zu viel Zuckerhormon Insulin im Blut — gesteigerte körpereigene Bildung oder Überdosierung beim Zuckerkranken. Nach überreichlichem Genuß von Zuckerwaren kommt es auch beim Gesunden zur übersteigerten Insulinausschüttung, was eine Erniedrigung des Blutzuckers zur Folge hat.

Blutzuckerbelastungsproben

Sie werden bei Verdacht auf verdeckte oder beginnende Blutzuckerkrankheit durchgeführt. Die einfachste Form ist der **Glukosetoleranztest:** Nach Zufuhr von 50 Gramm Traubenzucker (Glukose) soll der Blutzucker einen bestimmten Grenzbereich nicht überschreiten. Dieser Grenzbereich ist altersabhängig (Bestimmung nach 60 Minuten):

20 bis 29 Jahre 145 bis 170 mg%
30 bis 39 Jahre 155 bis 185 mg%
40 bis 49 Jahre 162 bis 200 mg%
50 bis 59 Jahre 185 bis 215 mg%
über 60 Jahre 195 bis 230 mg%

Werte in diesem Grenzbereich sind verdächtig und erfordern weitere Untersuchungen. Noch höhere Werte lassen fast sicher das Bestehen einer Zuckerkrankheit vermuten.

Kreatinin

Das Kreatinin entsteht im Muskelstoffwechsel und wird durch die Niere ausgeschieden. Wenn die Nierenfunktion um mehr als ein Drittel verringert ist, kommt es zum Kreatininanstieg im Blut.

Normalwerte:
Kinder 0,4 bis 0,7 mg%
Erwachsene 0,6 bis 1,3 mg%

Erhöhte Werte findet man bei verschiedenen Nierenerkrankungen und bei Nierenfunktionsschwäche auf Grund von Mangeldurchblutung oder im Gefolge anderer Erkrankungen.

Harnstoff

Der Harnstoff ist das Hauptendprodukt des Eiweißstoffwechsels und wird durch die Niere ausgeschieden. Seine Höhe ist abhängig
a) von der Höhe der Eiweißzufuhr
b) von der Ausscheidungsfunktion der Niere

Normalwerte:
Kinder und Erwachsene: 15 bis 40 mg%

Erhöhung tritt bei sehr eiweißreicher Kost auf, weiters bei verstärktem Eiweißzerfall, zum Beispiel im Verlauf von hochfiebernden Erkrankungen. Im übrigen weist ein erhöhter Harnstoff ebenso wie das Kreatinin auf eine gestörte Nierenfunktion hin.

Rest-N = Reststickstoff

Als Rest-N bezeichnet man die Stickstoffmenge des Blutserums, die nicht von dessen normalen Eiweißbestandteilen, sondern aus dem Nahrungsabbau oder aus Zerfallsprodukten stammt. Deshalb der Name „Rest"stickstoff. Die Bedeutung ist dieselbe wie bei Kreatinin und Harnstoff.

Normalwerte:
Kinder und Erwachsene: 20 bis 35 mg%

Harnsäure

Die Harnsäure stammt teilweise aus der Nahrung und teilweise aus dem körpereigenen Stoffwechsel.

Normalwerte:
Männer 2,5 bis 6,5 mg%
Frauen 2 bis 6 mg%

Bei Werten über 6,5 mg% kann die Harnsäure ausfallen und Gicht verursachen. Die Hauptursache der Erhöhung liegt in einer verminderten Ausscheidung durch die Niere bei gleichzeitig zu hoher Zufuhr mit der Nahrung.

Gesamtlipide

Sie setzen sich aus den Neutralfetten (Triglyceriden), den Fettsäuren, den Phosphatiden und dem Cholesterin zusammen.

Normalwerte:
Erwachsene 500 bis 800 mg%

Bei Erhöhung ergibt sich der Verdacht auf Bestehen einer Fettstoffwechselstörung. Die Diagnose ergibt sich erst nach Überprüfung der Einzelbestandteile.

Erniedrigung der Gesamtlipide findet man bei der Schilddrüsenüberfunktion, bei Leberzellschäden und beim Fettdurchfall.

Neutralfette (Triglyceride)

Ein Glycerinmolekül ist mit drei Fettsäuren zu einem neutralen Fettpartikel verbunden. Teilweise stammen die Neutralfette aus der Nahrung, teilweise werden sie in der Leber gebildet.

Normalwerte:
Kinder und Erwachsene: 50 bis 150 mg% (nüchtern)

Eine Erhöhung tritt normal nach fettreicher Nahrung auf. Erhöhte Nüchternwerte weisen auf das Bestehen einer Fettstoffwechselstörung hin. Dabei gibt es mehrere Formen, darunter die durch Nahrungsfette ausgelöste (Typ I), die durch Nahrungskohlenhydrate ausgelöste (Typ IV) und die durch zuviel Kalorien ausgelöste Form (Typ V). Auch im Gefolge anderer Erkrankungen kann es zur Erhöhung der Neutralfette im Blut kommen. Das ist besonders bei der Zuckerkrankheit, bei der Bauchspeicheldrüsenentzündung und bei der chronischen Nierenschwäche der Fall.

Cholesterin

Das Cholesterin ist eine wichtige, nur in tierischen Zellen vorkommende Bausubstanz. Es stammt zum Teil aus der Nahrung, zum Teil wird es im Körper selbst gebildet, wobei fett- und kohlenhydratreiche Nahrung die körpereigene Bildung anregt. Auch Insulinmangel (bei der nicht behandelten Zuckerkrankheit) fördert die Cholesterinbildung.

Normalwerte:
Kinder 140 bis 240 mg%

Erwachsene 180 bis 250 mg%

Es gibt weiters die Faustregel des altersabhängigen „Toleranzwertes": 180 plus Alter in mg% (für einen 60jährigen wären das 240 mg%).

Viele Forscher halten diese Werte für zu hoch angesetzt. Es sollen vielmehr die Durchschnittswerte der Bevölkerung in den Industriestaaten sein und nicht die echten (gesunden) Normalwerte. Diese seien bei unter 200 mg%. Erhöhte Werte weisen auf eine Fettstoffwechselstörung hin, vor allem der Typen IIa, IIb und V.

Auch im Gefolge anderer Erkrankungen kann es zu einer Erhöhung des Cholesterins kommen: Schilddrüsenunterfunktion, Gallenstau, Zuckerkrankheit, Gicht u. a.

VLDL = Lipoproteine sehr geringer Dichte = Prä-Beta-Lipoproteine

Sie transportieren das Cholesterin aus körpereigener Synthese und aus der Nahrung. Sie sind beim Fettstoffwechseltyp IIa und V erhöht (während die schützenden HDL erniedrigt sein können).

LDL = Lipoproteine geringer Dichte = Beta-Lipoproteine

Sie transportieren das Cholesterin und lagern es an den Gefäßwänden ab. Ihre Erhöhung entspricht den Fettstoffwechseltypen IIa und IIb, die besonders zur Arterienverkalkung neigen, wenn man keine Gegenmaßnahmen ergreift.

HDL = Lipoproteine hoher Dichte = Alpha-Lipoproteine

Sie sind imstande, bereits abgelagertes Cholesterin zu lösen und wegzutransportieren. Daher ist bei ihnen nicht die Erhöhung, sondern der Mangel ein Nachteil.

Normalwerte:
Kinder und Erwachsene über 35 mg%
Mangel erhöht das Gefäßverkalkungsrisiko.

SGOT, GOT = Serum-Glutamat-Oxalacetat-Transaminase

Transaminasen sind körpereigene Stoffe, die Eiweißgrundbausteine von einer Substanz auf die andere übertragen. Normalerweise befinden sie sich in den Zellen. Bei Zellzerfall treten sie in das Blutserum über. Die SGOT ist vorwiegend in Leber-, Herz- und Skelettmuskel-, Nieren- und Gehirnzellen sowie in den roten Blutkörperchen vorhanden. Erhöhte Werte bedeuten vermehrten Zellzerfall in diesen Bereichen.
Normalwerte:
Kinder und Erwachsene 5 bis 13 U/l.
Bis 20 U/l bei der optimierten Methode
1 U/l ist die Einheit (engl.: Unit) der Enzymaktivität. Auch mU/ml oder IE (internationale Einheit) geschrieben.

SGPT, GPT = Serum-Glutamat-Pyruvat-Transaminase

Diese Transaminase kommt vorwiegend in den Leberzellen vor – erhöhte Werte sind also spezifischer auf Lebererkrankungen hinweisend als bei der SGOT.
Normalwerte:
Kinder und Erwachsene 4 bis 12 U/l
Bis 25 U/l bei der optimierten Methode
Bei der Erstellung der Diagnose werden die Werte von SGOT und SGPT in Vergleich gesetzt. Dabei spielt die Kenntnis ihrer Verteilung in den Organen eine Rolle.

	SGOT	SGPT
Leber	59 U/g	35 U/g
Herzmuskel	52 U/g	3 U/g
Skelettmuskel	36 U/g	3 U/g
Gehirn	15 U/g	—
Niere	10 U/g	1 U/g
Rote Blutkörperchen	1 U/g	—

U/g bedeutet Enzymaktivität pro Gramm des Organs.

γ-GT = Gamma-GT = Gamma-Glutamyl-Transpeptidase

Die γ-GT ist wie die SGOT und SGPT ein körpereigenes Enzym. Seine Bestimmung dient hauptsächlich der Verlaufskontrolle von Krankheiten im Leber-Galle-Bauchspeicheldrüsen-Bereich. Bei Abklingen der Erkrankung normalisieren sich die Werte.
Normalwerte:
Kinder 5 bis 13 U/l
Frauen 4 bis 18 U/l
Männer 6 bis 28 U/l

LDH = Laktat-Dehydrogenase

Bei der LDH sind fünf einander nah verwandte Enzyme zusammengefaßt. Da sie im Körper sehr verbreitet sind, ist die allgemeine Erhöhung der Hinweis auf Zellzerfall schlechthin. Spezifischer ist die Bestimmung der Untergruppen – LDH_1 bei Herzgeschehen, LDH_1 und LDH_2 bei Blutkrankheiten, LDH_3 bei Lungenerkrankungen, LDH_5 bei Lebererkrankungen.
Normalwerte (LDH gesamt):
Kinder und Erwachsene bis 195 U/l

ChE = Cholinesterase = Pseudocholinesterase

Ein Enzym, das in der Leber gebildet wird. Deshalb weisen erniedrigte Werte auf einen chronischen Leberschaden hin. Erhöhte Werte dagegen findet man bei der Fettleber, nach Abklingen von Leberentzündungen sowie bei Nieren- und Darmerkrankungen, die mit vermehrter Eiweißausscheidung einhergehen.

Normalwerte:
Kinder und Erwachsene 1.900 bis 3.800 U/l
Werte unter 1.000 U/l gelten als stark erniedrigt, Werte über 4.500 U/l als stark erhöht.

CPK = Creatin-Phosphokinase

Ein Enzym, das in den Zellen des Skelettmuskels, des Herzmuskels und des Gehirns vorkommt. Erhöhung bedeutet Zellzerfall in diesem Bereich; das ist bei Herzmuskelerkrankungen, beim Herzinfarkt, bei Skelettmuskelerkrankungen oder -verletzungen sowie bei Hirn- und Hirnhauterkrankungen oder -verletzungen der Fall. Das Enzym kommt in drei nah einander verwandten Formen vor:
● die MB-CPK, welche vorwiegend im Herzmuskel vorkommt,
● die MM-CPK, welche vorwiegend im Skelettmuskel vorkommt,
● die BB-CPK, welche vorwiegend im Gehirn vorkommt.

Normalwerte (Gesamt-CPK):
Kinder und Erwachsene bis 50 U/l

Alkalische Phosphatase

Das Enzym Phosphatase, welches in alkalischer Umgebung am aktivsten ist. Es wird hauptsächlich in der Leber und im Knochen gebildet und hat die Aufgabe, biologisch aktive Phosphorsalze aus ihren organischen Verbindung zu mobilisieren.
Erniedrigte Werte kommen bei der Schilddrüsenunterfunktion und bei Vitamin-C-Mangel vor.
Erhöhte Werte treten bei Knochenerkrankungen sowie bei Leber-Galle-Erkrankungen auf.

Normalwerte:
Kinder und Erwachsene 60 bis 200 U/l (optimierte Methode)

Saure Phosphatase

Das Enzym Phosphatase, welches in saurer Umgebung am aktivsten ist. Sie wird hauptsächlich in der Vorsteherdrüse (Prostata) gebildet, aber auch von den Blutplättchen und den roten Blutkörperchen. Ihre Aufgabe ist die Förderung der Spaltung von Phosphorsäureverbindungen. Beim Gesunden stammt die im Blutserum gemessene saure Phosphatase zu 90 Prozent aus den Blutkörperchen. Beim an der Vorsteherdrüse Erkrankten aber von diesem Organ. Zur Abklärung ist auch die Bestimmung einer speziellen Prostata-Phosphatase möglich.

Normalwert:
Saure Phosphatase:
Frauen 5 bis 11 U/l
Männer 4,7 bis 13,5 U/l
Prostata-Phosphatase:
Männer bis 3,6 U/l

Amylase (Alpha-Amylase)-Serum, Serum-Diastase

Das Enzym Amylase wird in der Bauchspeicheldrüse und in den Speicheldrüsen produziert. Es hat die Aufgabe, die Nahrungskohlenhydrate abzubauen. Erhöhte Werte treten bei Erkrankungen der Bauchspeicheldrüse sowie bei verschiedenen Oberbauchgeschehen auf, die die Funktion der Bauchspeicheldrüse beeinträchtigen, auf.

Normalwerte:
a) Wohlgemuth-Einheiten: 16 bis 128 W.E.
b) Somogyi-Einheiten: 70 bis 200 S.E.
c) Unit: 100 bis 310 U/l

Bilirubin

Bilirubin entsteht beim Abbau der roten Blutkörperchen aus dem Blutfarbstoff Hämoglobin. Gebildet wird es dabei von Zellen in der Milz, in der Leber und im Knochenmark – das ist das **indirekte** Bilirubin. In den Leberzellen wird das Bilirubin an ein Molekül gekoppelt – das ist das **direkte** Bilirubin. Die Begriffe direkt und indirekt haben mit der Nachweismethode zu tun.

Normalwerte:
Gesamtbilirubin: Erwachsene und Kinder 0,3 bis 1,3 mg%
Indirektes Bilirubin: bis 1,0 mg%
Direktes Bilirubin: bis 0,3 mg%
Erhöhung der Werte tritt bei vermehrtem Zerfall der roten Blutkörperchen auf (indirektes Bilirubin) sowie bei einer Reihe von Lebererkrankungen (direktes Bilirubin, direktes *und* indirektes Bilirubin).

Eiweiß im Blutserum = Serumproteine

Die Menge der verschiedenen Eiweißbestandteile im Blutserum hängt von der Eiweißzufuhr mit der Nahrung, von der körpereigenen Eiweißbildung und von der Eiweißausscheidung ab. Bestimmt werden das Gesamteiweiß und die Auftrennung in die einzelnen Eiweißfraktionen mit Hilfe der elektrophoretischen Methode.

Normalwerte:
Gesamteiweiß: 6,5 bis 7,9 g in 100 Milliliter Blutserum

	rel%	g%
Albumine	52 — 65	3,7 — 4,8
Alpha$_1$-Globuline	3 — 6	0,3 — 0,45
Alpha$_2$-Globuline	7 — 10	0,5 — 0,75
Beta-Globuline	8 — 13	0,6 — 0,9
Gamma-Globuline	11 — 19	0,8 — 1,3

Die einzelnen Eiweißfraktionen werden in Prozent des Gesamteiweißes (rel%) oder in Gramm pro 100 Milliliter Blutserum (g%) angegeben:
Das Gesamteiweiß ist bei verminderter Zufuhr, ungenügender Aufnahme, erhöhtem Verlust und erhöhtem Umsatz erniedrigt. Bei der krankhaften Bildung von Paraproteinen (vom Typ der Globulinfraktionen) ist das Gesamteiweiß erhöht.
Bei einer Reihe von Krankheiten ist das Verhältnis innerhalb der einzelnen Eiweißfraktionen gestört, mit oder ohne Abweichung im Gesamteiweißgehalt.

Latextest = Latex-Tropfentest

Er dient der Bestimmung des Rheumafaktors. Dieser ist ein großmolekulares Gamma-Globulin.
Normalbefund: negativ
Bei positivem Befund besteht der Verdacht auf eine rheumatische Erkrankung. Die Treffsicherheit des Testes beträgt über 75 Prozent. Bei etwa einem Prozent aller Menschen fällt der Latextest positiv aus, ohne daß eine Erkrankung vorliegt. Da die positive Reaktion erst drei bis zwölf Monate nach Beginn der rheumatischen Erkrankung auftritt, ist der Test nicht zur Frühdiagnose geeignet.

AST = Antistreptolysin-Titer, Antistreptolysin-Reaktion

Bakterien vom Typ der Streptokokken bilden Streptolysine (Streptolysin O). Der Körper antwortet mit der Bildung eines spezifischen Antistreptolysins. Letzteres wird gemessen.
Normalwert: bis 200 I.E. (Internationale Einheiten)

Leichte Erhöhung: 200 bis 450 I.E.
Mittelstarke Erhöhung: 450 bis 600 I.E.
Starke Erhöhung: über 600 I.E.
Erhöhte Werte findet man bei rheumatischem Fieber, bei der Nierenentzündung, der Nierenbeckenentzündung, dem Scharlach und anderen Infektionen, die auf bestimmte Streptokokken zurückzuführen sind. Der Anstieg des Wertes beginnt gewöhnlich ein bis drei Wochen nach der Infektion und erreicht nach drei bis sechs Wochen das Maximum. Bleibt der Wert länger als sechs Monate bestehen, dann ist mit einem Rückfall zu rechnen.

5. Harnbefunde

Nitrit

Im normalen Harn ist kein Nitrit vorhanden. Dieses entsteht, wenn im Harn vorhandenes Nitrat von Bakterien in Nitrit umgewandelt wird. Der Morgenharn zeigt häufiger positive Nitritreaktion, weil die Bakterien durch die längere nächtliche Verweildauer in der Blase sich vermehren. Ebenso kann die Probe positiv werden, wenn der zu untersuchende Harn schon länger aufbewahrt wurde.
Normalbefund: negativ

Eiweiß

Die normale Eiweißausscheidung überschreitet nicht 100 mg im Tag. Diese Menge läßt sich mit den üblichen Nachweismethoden nicht erfassen. Leichte bis mittlere Vermehrung der Eiweißausscheidung gibt es bei allen Erkrankungen der Niere und der ableitenden Harnwege. Auch bei Fieber, nach schwerer körperlicher Arbeit sowie bei Rückstauung in die Nieren (z. B. vom Herz) kann die Eiweiß-

menge im Harn ansteigen. Von schwergradiger Eiweißausscheidung mit dem Harn (Proteinurie) spricht man bei Mengen von über 3,5 Gramm im Tag.
Normalbefund: negativ
Bei der Probe mit dem Teststreifen kann ein stark alkalischer Harn eine positive Probe vortäuschen. Deshalb sollte man immer den pH-Wert mitbeachten und den Harn vor der Eiweißuntersuchung allenfalls ansäuern (etwas Essig zusetzen).

Glukose = Zucker

Normalerweise ist im Harn kein Zucker nachweisbar. Allerdings kann nach sehr zuckerreichen Mahlzeiten die sogenannte Nierenschwelle für Zucker überschritten werden. Dann findet man leicht positive Werte. Bei der Zuckerkrankheit mit ständig erhöhtem Blutzuckerspiegel ist dies oft der Fall, weil hier die der Nierenschwelle entsprechenden Werte von 180 mg% Blutzucker nicht selten überschritten werden. Manchmal ist (im Verlauf einer Zuckerkrankheit) die Nierenschwelle erhöht. Dann findet man trotz hoher Blutzuckerwerte keinen Zucker im Harn. Wenn bei normalem Blutzucker Zucker im Harn gefunden wird, ist die Nierenschwelle erniedrigt. Das kommt als Anlageanomalie gelegentlich vor und ist keine Krankheit. Erniedrigung der Nierenschwelle für Zucker durch Nierenkrankheiten oder Vergiftung gibt es, sie sind aber selten.
Normalbefund: negativ
Bei der Probe mit dem Teststreifen kann ein negatives Ergebnis durch hohe Vitamin-C-Gaben vorgetäuscht werden (falsch-negatives Ergebnis). Durch Reinigungsmittel in den Aufbewahrungsgefäßen (Hypochlorit,

Perchlorat) kann ein positives Ergebnis vorgetäuscht werden (falsch-positives Ergebnis).

Keton

Ketonkörper sind Aceton, Acetessigsäure und Beta-Oxybuttersäure. Normalerweise sind sie im Harn nicht anzutreffen. Bei Fettstoffwechselstörungen, zum Beispiel im Rahmen einer Zuckerkrankheit, sowie bei Fastenkuren und einseitigen Fett-Fleischdiäten treten die im Blut vermehrten Ketokörper in den Harn über.
Normalbefund: negativ

Ubg = Urobilinogen

Normalerweise finden sich nur geringe Mengen von Urobilinogen im Harn. Die Probe ist anfangs negativ, wird aber nach einiger Zeit positiv − durch Wärme bzw. durch Lichteinwirkung. Deshalb findet man in Befunden oft die Bezeichnung − / + ; das gilt als normal.
Erhöhte Werte treten bei vermehrtem Blutzerfall und bei Lebererkrankungen auf.
Normalbefund: − / + , „normal"

Bili = Bilirubin

Normalerweise findet man kein Bilirubin im Harn. Wohl aber bei Erkrankungen, die mit Erhöhung des direkten Bilirubins im Blutserum einhergehen (Lebererkrankungen, siehe auch Seite 292). Indirektes Bilirubin geht nicht in den Harn über.
Normalbefund: negativ

Ery = Erythrozyten = rote Blutkörperchen

Normalerweise findet man mit der Teststreifenprobe keine roten Blutkörperchen im Harn. Im Harnsediment, das mikroskopisch beurteilt wird, sieht man sie vereinzelt auch unter Normalbedingungen − immerhin werden pro Tag etwa 70.000 rote Blutkörperchen im Harn ausgeschieden (zum Vergleich: 1 Kubikmillimeter Blut enthält 5 Millionen). Bei vermehrter Blutausscheidung bis zu einem Promill im Harn spricht man von einer Mikrohämaturie, denn das Blut ist nicht sichtbar. Ab einem Promill wird es sichtbar, man spricht von einer Makrohämaturie.

Mikrohämaturie tritt nach intensiver körperlicher Belastung auf sowie bei einer Reihe von Krankheiten − entzündliche Nierenprozesse, Infektionskrankheiten, Blutkrankheiten u. a.

Makrohämaturie tritt bei Blasenentzündung, Blutungen im Bereich der ableitenden Harnwege, Nierenerkrankungen, Blutgerinnungsstörungen u. a. auf.
Normalbefund: negativ bzw. „einige Ery im Blickfeld"

Leuko = Leukozyten = weiße Blutkörperchen

Normal findet man im mikroskopisch untersuchten Harnsediment „einige Leuko im Blickfeld". Verstärktes Auftreten nennt man Leukozyturie. Die Ursachen sind gewöhnlich Entzündungen im Bereich der ableitenden Harnwege, Entleerungsstörungen und mechanische Reize.

Andere Bestandteile des Harnsedimentes

a) Epithelien
Es handelt sich meist um die normale Abschilferung von Zellen.

b) Zylinder
Zylinder sind Ausgüsse der Harnkanälchen, die vor allem bei verschiedenen Nierenerkrankungen auftreten können.

Normalbefund: keine oder vereinzelte hyaline Zylinder im Blickfeld.

Je nachdem, welche Substanz die Harnkanälchen in der Niere ausgegossen haben, gibt es verschiedene Arten von Zylindern – Epithelzylinder, Erythrozytenzylinder, Leukozytenzylinder, hyaline Zylinder, Wachszylinder u. a.

c) Kristalle

Geringe Mengen von Uraten (Harnsäure), Oxalaten und Phosphaten sind auch im normalen Harn vorhanden. Eine Vermehrung läßt den Verdacht auf ein Harnsteinleiden zu. Allerdings bilden sich Steine erst in Abhängigkeit von einem bestimmten Säurewert des Harnes.

Urate = Harnsäurekristalle treten bei vermehrtem Zellzerfall und bei Fieber in größeren Mengen auf. Außerdem bei der Gicht, besonders wenn ein die Harnsäureausscheidung förderndes Medikament gegeben wird.

Kalzium-Oxalate treten vermehrt nach Genuß oxalsäurehaltiger Nahrungsmittel auf (Spinat, Rote Bete, Sauerampfer). Auch bei der Zuckerkrankheit und während der Gelbsucht ist die Oxalatausscheidung oft gesteigert. Große Mengen findet man bei einer angeborenen Stoffwechselstörung, dem sogenannten Oxalose-Syndrom.

Kalzium-Karbonate kommen gelegentlich im alkalischen Harn vor. Phosphate findet man vermehrt bei der Übersäuerung des Organismus, wobei die Phosphatausscheidung als Ausgleichsversuch des Körpers anzusehen ist. Weiters bei der Nebenschilddrüsenüberfunktion und bei der Vitamin-D-Überdosierung. Es gibt auch einen Phosphatdiabetes, das ist eine Phosphat-Harnruhr (hat nichts mit der Zuckerkrankheit zu tun) in verschiedenen Formen.

Leuzin- und Tyrosin-Kristalle treten bei Leberschäden auf.

Hippursäurekristalle trifft man bei Lebererkrankungen, nach Genuß von größeren Mengen Spargel und nach Einnahme von Salicylsäurepräparaten (Aspirin) an.

STICHWORTVERZEICHNIS

Zeitbomben — die unsere Gesundheit bedrohen

Der Zweifel an den Segnungen des chemischen Fortschritts ergreift immer mehr Menschen. Mit dieser Problematik setzt sich das Buch zweier Chemiker auseinander.
284 Seiten, zahlreiche Illustrationen,

Das Buch setzt sich ua. mit Schönheitsmitteln auseinander, untersucht sie auf ihren Inhalt und die möglichen Folgen einer Anwendung.
250 Seiten, 21 Abbildungen

Alle Aspekte der Gentechnik, ihre Grundlagen, ihre Geschichte, ihre Erfolge — und die Geschäfte, die mit ihr gemacht werden.
256 Seiten, Graphiken

240 Seiten, zahlreiche Tabellen,

HILF DIR SELBST

Herausgeber der Reihe: Dr. med. Ulf Böhmig

Lieferbare Titel:

- **Böhmig/Schlafstörungen, Streß und Nervosität**
  120 Seiten, 28 Abbildungen
- **Böhmig/Rheumaschmerz und Gicht**
  136 Seiten, 26 Abbildungen
- **Böhmig/Stoffwechsel und Verdauung**
  192 Seiten, 14 Abbildungen
- **Böhmig/Entschlackungs- und Entgiftungskuren**
  136 Seiten, Tabellen, 26 Abbildungen
- **Böhmig/Rückenschmerzen, Bandscheiben und Ischias**
  136 Seiten, 107 Abbildungen
- **Böhmig/Husten, Schnupfen, Heiserkeit**
  144 Seiten, 23 Abbildungen
- **Böhmig/Alternative Hausapotheke**
  112 Seiten, zahlreiche Tabellen
- **Böhmig/Heilmittel Ernährung**
  112 Seiten, zahlreiche SW-Abbildungen
- **Muller David/Reflexzonen Massage**
  136 Seiten, zahlreiche Abbildungen
- **Samuel/Psychologische Selbstbehandlung**
  160 Seiten
- **Böhmig/Aufbau von Abwehrkräften**
  112 Seiten, zahlreiche Tabellen
- **Van der Burg/Mit Magnetismus heilen**
  200 Seiten, 96 SW-Illustrationen
- **Böhmig/Kopfschmerz u. Migräne**
  128 Seiten, 60 SW-Illustrationen

In jeder Buchhandlung